고등학교 한국사

자습서

최준채 | 윤영호 | 김용석 | 이동욱
정의진 | 한슬기 | 김용천 | 손석영

금성출판사

교재 사용 매뉴얼

고등학교 한국사 자습서는 2015 개정 교육과정에 따른 고등학교 한국사 교과서의 학습 보조 교재입니다. 학교 시험 대비는 물론 교과 역량 향상과 자기 주도적 학습이 가능하도록 구성하였습니다.

1단계 학습 계획 세우기

학습 계획표를 이용하여 학습 일정을 세워보고, 자신만의 기준을 정하여 목표 달성도를 점검하도록 만들었습니다.

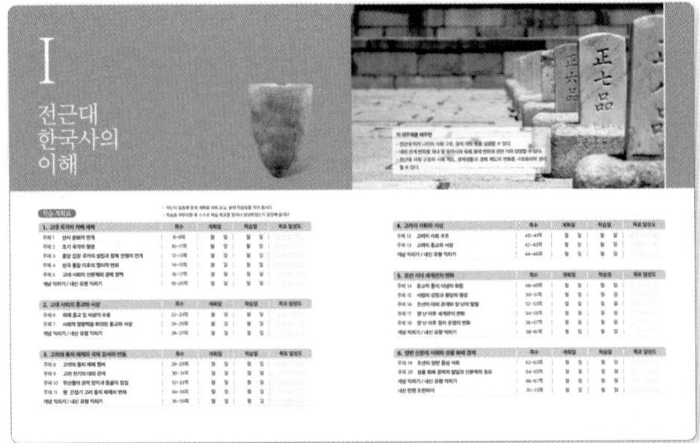

2단계 친절한 핵심 개념과 활동 해설

① 개념 정리

주제 흐름을 파악한 후, 시험에 자주 나오는 내용들을 정리하였습니다. 핵심 개념에는 노란색 하이라이트를, 상세한 설명이 필요한 곳에는 친절한 주석을 달았습니다. 보다 많은 설명이 필요한 개념들은 보조단에 설명을 덧붙였습니다.

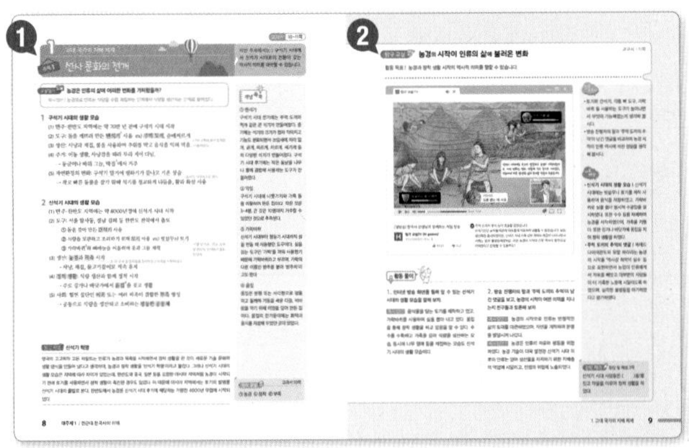

② 탐구 교실 해설

주제별로 구성된 <탐구 교실>의 예시 답안, 활동에 도움이 되는 도움글과 자료 해설을 자세히 제시하였습니다. 간단 체크를 통해 <탐구 교실>과 관련된 간단한 문제도 마련하였습니다.

③ 창의 융합 교실, 대주제 마무리 해설

모둠별 프로젝트 활동인 <창의 융합 교실>, 대주제를 마무리하는 <대주제 마무리> 활동에 도움이 되는 예시 답안과 자료, 활동 도움글을 안내하였습니다.

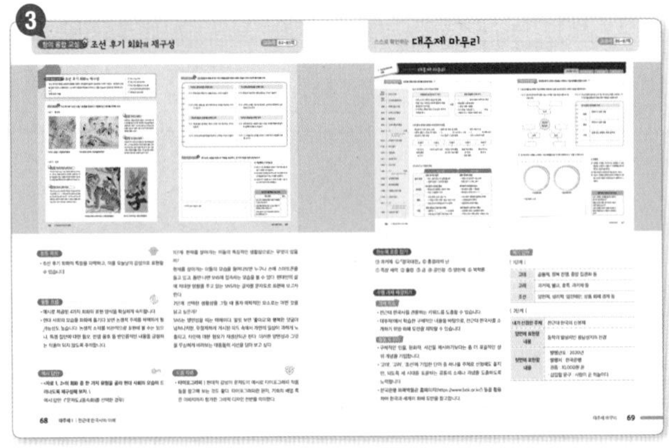

3단계 내신 정복을 위한 단계별 문제 풀이

① 개념 익히기

OX, 빈칸 채우기, 박스 연결과 같은 단답형 문제들로 중요 개념을 익히는 단계입니다. 꼭 알아야 하는 개념들을 정리할 수 있습니다.

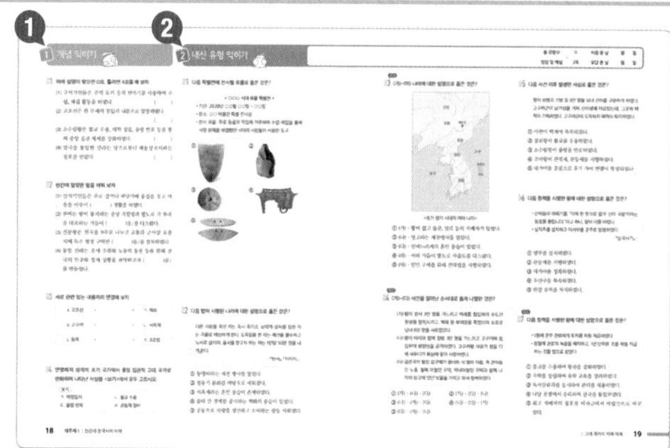

② 내신 유형 익히기

학교 시험에 주로 출제되는 유형들을 선별하여 중주제 단위로 문제를 구성하여 내신을 대비하도록 구성하였습니다.

③ 내신 만점 도전하기

배점이 높은 복합형 문제들을 대주제 단위로 마련하였습니다. 대주제 내용을 종합적으로 점검하고, 심화된 서술형 문제로 비판적 사고력을 기르도록 하였습니다.

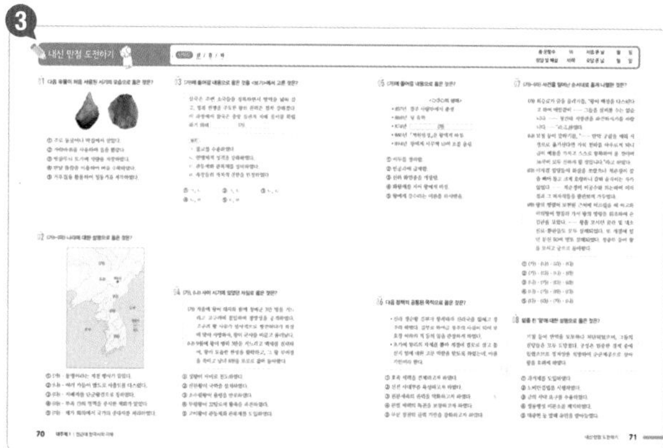

꼼꼼한 정답과 해설

자기 주도 학습이 가능하도록 정답과 오답에 대한 친절한 설명을 제공하였습니다. 이를 통해 문제 이해력을 높이고, 유사 문제나 응용 문제에 대비하도록 하였습니다.

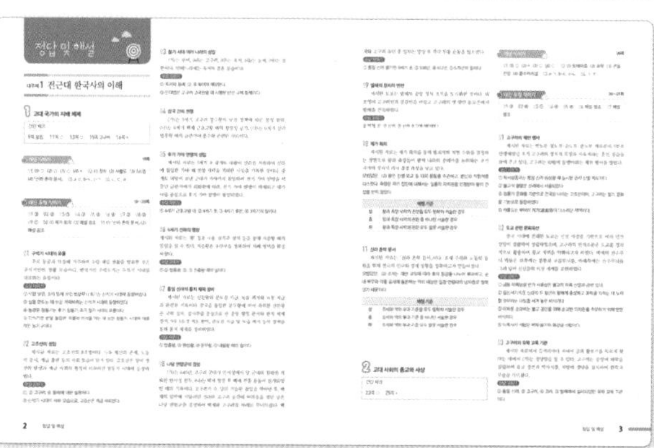

이책의 **차례**

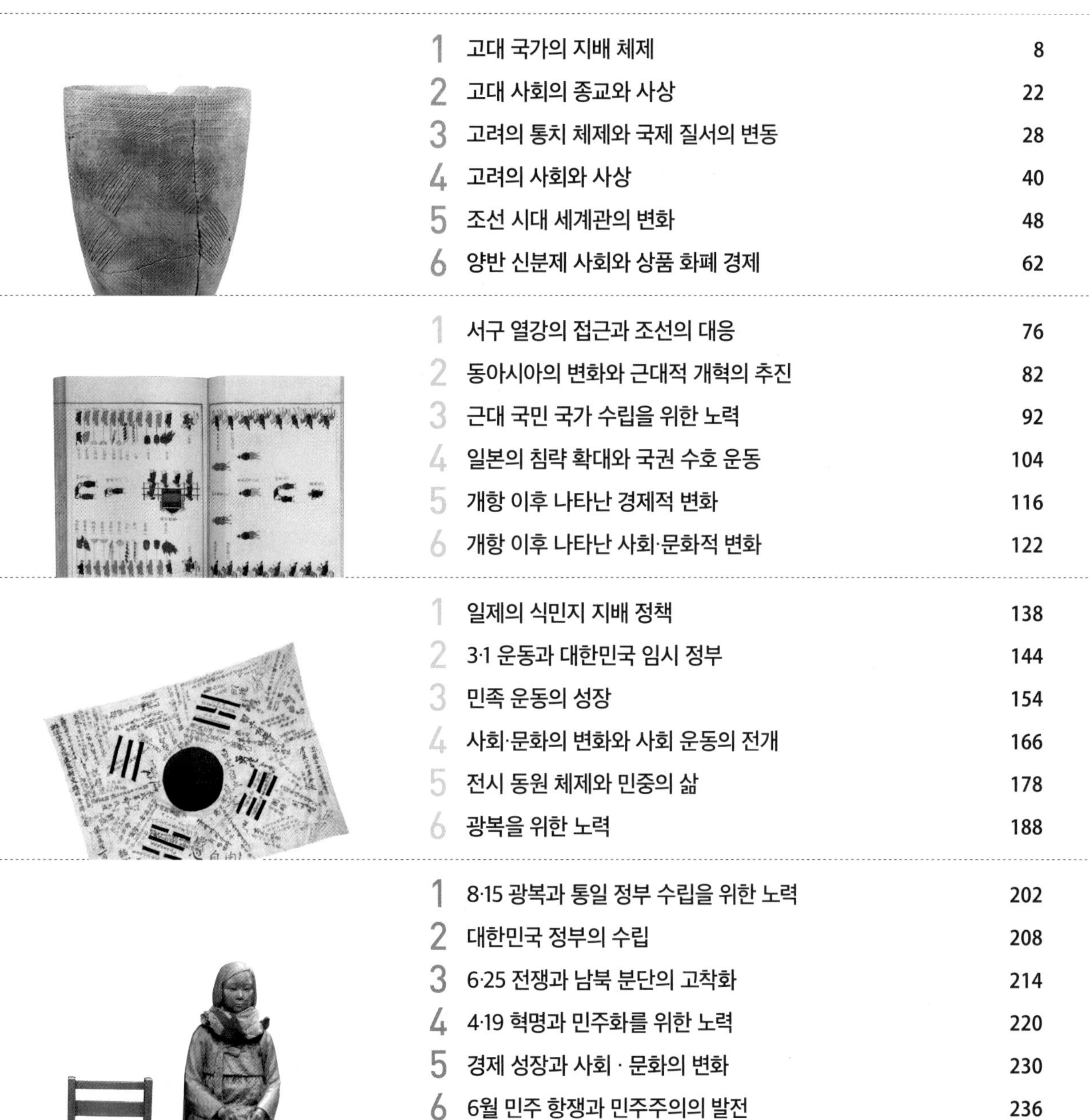

I

전근대 한국사의 이해

학습 계획표

• 자신의 일정에 맞게 계획을 세워 보고, 실제 학습일을 적어 봅시다.
• 학습을 마무리한 후 스스로 학습 목표를 얼마나 달성하였는지 점검해 봅시다.

1. 고대 국가의 지배 체제	쪽수	계획일	학습일	목표 달성도
주제 1 선사 문화의 전개	8~9쪽	월 일	월 일	☆☆☆☆☆
주제 2 초기 국가의 형성	10~11쪽	월 일	월 일	☆☆☆☆☆
주제 3 중앙 집권 국가의 성립과 정복 전쟁의 전개	12~13쪽	월 일	월 일	☆☆☆☆☆
주제 4 삼국 통일 이후의 정치적 변화	14~15쪽	월 일	월 일	☆☆☆☆☆
주제 5 고대 사회의 신분제와 경제 정책	16~17쪽	월 일	월 일	☆☆☆☆☆
개념 익히기 / 내신 유형 익히기	18~20쪽	월 일	월 일	☆☆☆☆☆

2. 고대 사회의 종교와 사상	쪽수	계획일	학습일	목표 달성도
주제 6 외래 종교 및 사상의 수용	22~23쪽	월 일	월 일	☆☆☆☆☆
주제 7 사회적 영향력을 확대한 종교와 사상	24~25쪽	월 일	월 일	☆☆☆☆☆
개념 익히기 / 내신 유형 익히기	26~27쪽	월 일	월 일	☆☆☆☆☆

3. 고려의 통치 체제와 국제 질서의 변동	쪽수	계획일	학습일	목표 달성도
주제 8 고려의 통치 체제 정비	28~29쪽	월 일	월 일	☆☆☆☆☆
주제 9 고려 전기의 대외 관계	30~31쪽	월 일	월 일	☆☆☆☆☆
주제 10 무신들의 권력 장악과 몽골의 침입	32~33쪽	월 일	월 일	☆☆☆☆☆
주제 11 원 간섭기 고려 통치 체제의 변화	34~35쪽	월 일	월 일	☆☆☆☆☆
개념 익히기 / 내신 유형 익히기	36~39쪽	월 일	월 일	☆☆☆☆☆

이 대주제를 배우면

- 전근대 여러 나라의 사회 구조, 경제 제도 등을 설명할 수 있다.
- 대외 관계 변화를 국내 및 동아시아 국제 정세 변화와 관련 지어 설명할 수 있다.
- 전근대 사회 구조와 사회 제도, 경제생활과 경제 제도의 변화를 구조화하여 정리할 수 있다.

4. 고려의 사회와 사상	쪽수	계획일	학습일	목표 달성도
주제 12 고려의 사회 구조	40~41쪽	월 일	월 일	☆☆☆☆☆
주제 13 고려의 종교와 사상	42~43쪽	월 일	월 일	☆☆☆☆☆
개념 익히기 / 내신 유형 익히기	44~46쪽	월 일	월 일	☆☆☆☆☆

5. 조선 시대 세계관의 변화	쪽수	계획일	학습일	목표 달성도
주제 14 유교적 통치 이념의 확립	48~49쪽	월 일	월 일	☆☆☆☆☆
주제 15 사림의 성장과 붕당의 형성	50~51쪽	월 일	월 일	☆☆☆☆☆
주제 16 조선의 대외 관계와 양 난의 발발	52~53쪽	월 일	월 일	☆☆☆☆☆
주제 17 양 난 이후 세계관의 변화	54~55쪽	월 일	월 일	☆☆☆☆☆
주제 18 양 난 이후 정치 운영의 변화	56~57쪽	월 일	월 일	☆☆☆☆☆
개념 익히기 / 내신 유형 익히기	58~61쪽	월 일	월 일	☆☆☆☆☆

6. 양반 신분제 사회와 상품 화폐 경제	쪽수	계획일	학습일	목표 달성도
주제 19 조선의 양반 중심 사회	62~63쪽	월 일	월 일	☆☆☆☆☆
주제 20 상품 화폐 경제의 발달과 신분제의 동요	64~65쪽	월 일	월 일	☆☆☆☆☆
개념 익히기 / 내신 유형 익히기	66~67쪽	월 일	월 일	☆☆☆☆☆
내신 만점 도전하기	70~73쪽	월 일	월 일	☆☆☆☆☆

고대 국가의 지배 체제

주제 1 선사 문화의 전개

이번 주제에서는 | 구석기 시대에서 신석기 시대로의 전환이 갖는 역사적 의미를 파악할 수 있습니다.

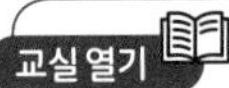

교실 열기 농경은 인류의 삶에 어떠한 변화를 가져왔을까?

예시 답안 | 농경으로 인류는 식량을 수렵·채집하는 단계에서 식량을 생산하는 단계로 들어섰다.

1 구석기 시대의 생활 모습

(1) 만주·한반도 지역에는 약 70만 년 전에 구석기 시대 시작

(2) 도구: 돌을 깨뜨려 만든 뗀석기[1] 사용 ex) 주먹 도끼, 슴베찌르개 (나무나 뼈에 꽂아 창처럼 사용하였다.)

(3) 생산: 사냥과 채집, 불을 사용하여 추위를 막고 음식을 익혀 먹음.

(4) 주거: 이동 생활, 사냥감을 따라 무리 지어 다님.

→ 동굴이나 바위 그늘, 막집[2]에서 거주

(5) 자연환경의 변화: 구석기 말기에 빙하기가 끝나고 기온 상승 (중석기 시대라고도 한다.)

→ 작고 빠른 동물을 잡기 위해 석기를 정교하게 다듬음, 활과 화살 사용

2 신석기 시대의 생활 모습

(1) 만주·한반도 지역에는 약 8000년경에 신석기 시대 시작

(2) 도구: 서울 암사동, 경남 김해 등 한반도 전역에서 출토

① 돌을 갈아 만든 간석기 사용

② 식량을 보관하고 조리하기 위해 토기 사용 ex) 빗살무늬 토기 (서울 암사동, 경남 김해 등 한반도 전역에서 출토되었다.)

③ 가락바퀴[3]와 뼈바늘을 이용하여 옷과 그물 제작

(3) 생산: 농경과 목축 시작 (조·피·수수 등 잡곡류를 경작하였고 가축을 사육하였다.)

→ 사냥, 채집, 물고기잡이도 계속 유지

(4) 정착 생활: 식량 생산과 함께 정착 시작

→ 주로 강가나 바닷가에서 움집[4]을 짓고 생활

(5) 사회: 혈연 집단인 씨족 또는 여러 씨족이 결합한 부족 형성

→ 공동으로 식량을 생산하고 소비하는 평등한 공동체

참고 자료 신석기 혁명

영국의 고고학자 고든 차일드는 인류가 농경과 목축을 시작하면서 정착 생활을 한 것이 새로운 기술 문화와 생활 양식을 만들어 냈다고 생각하여, 농경과 정착 생활을 '신석기 혁명'이라고 불렀다. 그러나 신석기 시대의 생활 모습은 지역에 따라 차이가 있었는데, 한반도와 중국, 일본 등을 포함한 아시아 지역처럼 농경이 시작되기 전에 토기를 사용하면서 정착 생활이 촉진된 경우도 있었다. 이 때문에 아시아 지역에서는 토기의 발명을 신석기 시대의 출발로 본다. 한반도에서 농경은 신석기 시대 후기에 해당하는 기원전 4000년 무렵에 시작되었다.

개념 쏙쏙

① 뗀석기

구석기 시대 전기에는 주먹 도끼와 찍개 같은 큰 석기가 만들어졌다. 중기에는 석기의 크기가 점차 작아지고 기능도 분화되면서 쓰임새에 따라 밀개, 긁개, 찌르개, 자르개, 새기개 등의 다양한 석기가 만들어졌다. 구석기 시대 후기에는 작은 돌날을 나무나 뿔에 결합해 사용하는 도구가 만들어졌다.

② 막집

구석기 시대에 나뭇가지와 가죽 등을 이용하여 만든 집이다. 작은 것은 3~4명, 큰 것은 10명까지 거주할 수 있었던 것으로 추측된다.

③ 가락바퀴

신석기 시대부터 청동기 시대까지 실을 만들 때 사용했던 도구이다. 실을 감는 도구인 '가락'을 끼워 사용했기 때문에 가락바퀴라고 부르며, 가락의 다른 이름인 방추를 붙여 '방추차'라고도 한다

④ 움집

움집은 원형 또는 사각형으로 땅을 파고 둘레에 기둥을 세운 다음, 비바람을 막기 위해 이엉을 덮어 만든 집이다. 움집의 한가운데에는 화덕과 음식을 저장해 두었던 곳이 있었다.

정리 교실 교과서 10쪽

㉠ 농경 ㉡ 정착 ㉢ 부족

탐구 교실 농경의 시작이 인류의 삶에 불러온 변화

활동 목표 | 농경과 정착 생활 시작의 역사적 의미를 말할 수 있습니다.

- 토기와 간석기, 각종 뼈 도구, 가락바퀴 등 사용하는 도구가 늘어나면서 무엇이 가능해졌는지 생각해 봅시다.
- 방송 진행자의 말과 '주먹 도끼의 추억'이 남긴 댓글을 비교하여 농경 시작이 인류 역사에 끼친 영향을 생각해 봅시다.

- **신석기 시대의 생활 모습** | 신석기 시대에는 빗살무늬 토기를 제작 사용하여 음식을 저장하였고, 가락바퀴로 실을 뽑아 원시적 수공업을 실시하였다. 또한 수수 등을 재배하여 농경을 시작하였으며, 가축을 키웠다. 또한 강가나 바닷가에 움집을 지어 정착 생활을 하였다.
- **주먹 도끼의 추억의 댓글** | 제레드 다이아몬드와 유발 하라리는 농경의 시작을 '역사상 최악의 실수' 등으로 표현하면서 농업이 인류에게서 자유를 빼앗고 대부분의 사람들이 더 가혹한 노동에 시달리도록 하였으며, 심각한 불평등을 야기하였다고 평가하였다.

1. 인터넷 방송 화면을 통해 알 수 있는 신석기 시대의 생활 모습을 말해 보자.

예시 답안 음식물을 담는 토기를 제작하고 있고, 가락바퀴를 사용하여 실을 뽑아 내고 있다. 움집을 통해 정착 생활을 하고 있음을 알 수 있다. 수수를 수확하고 가축을 길러 식량을 생산하는 모습, 동시에 나무 열매 등을 채집하는 모습도 신석기 시대의 생활 모습이다.

2. 방송 진행자의 말과 '주먹 도끼의 추억'이 남긴 댓글을 보고, 농경의 시작이 어떤 의미를 지니는지 친구들과 토론해 보자.

예시 답안 1 농경의 시작으로 인류는 안정적인 삶의 토대를 마련하였으며, 자연을 개척하며 문명을 발달시켜 나갔다.

예시 답안 2 농경은 인류의 자유와 평등을 위협하였다. 농경 기술이 더욱 발전한 신석기 시대 이후의 인류는 잉여 생산물을 차지하기 위한 지배층의 억압에 시달리고, 전쟁의 위협에 노출되었다.

간단 체크 정답 및 해설 2쪽

신석기 시대 사람들은 (　　)을/를 짓고 마을을 이루어 정착 생활을 하였다.

교과서 12~15쪽

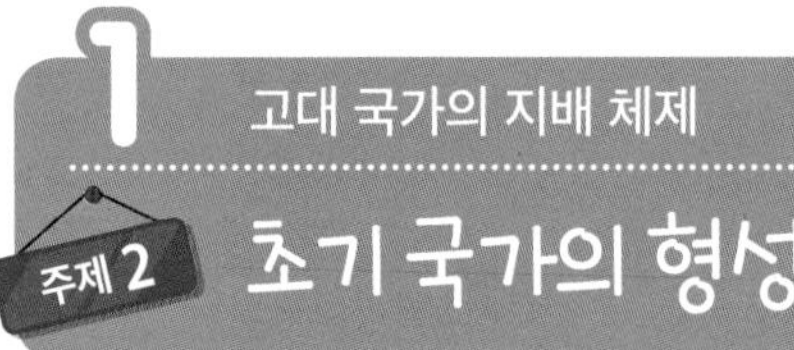

1 고대 국가의 지배 체제

주제 2 초기 국가의 형성

이번 주제에서는 | 국가의 성립 배경을 청동기·철기 시대 사회 변화와 연관 지어 설명할 수 있습니다.

교실 열기 고인돌을 무덤으로 사용할 수 있었던 사람은 누구였을까?

예시 답안 | 많은 노동력을 동원할 수 있는 권력을 지닌 지배층이었을 것이다.

1 청동기와 철기의 보급

(1) 청동기 시대 사회 변화: 농경 발달 → 잉여 생산물 발생 → 빈부 격차 발생, 계급 출현

(잉여 생산물: 생활에 필요한 것 이상으로 생산된 나머지 생산물을 뜻한다.)

(2) 철기의 보급과 사회 변화

① 철제 농기구의 사용: 농업 생산력의 발전으로 인한 잉여 생산 증대

② 철제 무기의 사용: 부족 간의 전쟁 증가로 정치 세력 간 통합과 복속 활발하게 전개

2 고조선의 성립과 정치적 변천

성립	• 청동기 문화를 기반으로 만주와 한반도 지역의 부족 통합하며 국가 형성 • 제정일치[1] 사회: 단군은 제사장, 왕검은 정치적 우두머리를 의미
위만 왕조	• 중국에서 건너온 위만[2]이 왕위에 오름(기원전 194년). • 철기 문화를 기반으로 세력 확장 • 한과 한반도 남부 사이에서 중계 무역 전개 • 기원전 108년, 한 무제의 침입과 내분으로 멸망

3 여러 나라의 성립과 초기 국가의 정치적 특징

(1) 고조선 멸망을 전후로 철기 문화를 토대로 여러 나라 출현

→ 부여, 고구려, 옥저, 동예, 삼한(마한, 변한, 진한) 등

(2) 부여, 고구려, 삼한 소국 중 일부는 초기 국가의 모습을 갖춤.

성격	• 여러 소국이 맹주국을 중심으로 결합한 연맹체 (우세한 정치 세력이 주변 부족을 복속하고 통치하기 위해 정치 조직을 정비하는 과정에서 등장하였다.)
정치 운영	• 왕은 전쟁·외교 등 대외 활동에서 권한 행사 • 족장들은 일종의 자치권을 인정받아 왕의 간섭 없이 자기 집단을 지배 • 국가의 중대사는 왕과 족장들이 함께 논의 ex) 고구려의 제가 회의[3] • 부여: 왕이 중앙 직할령만 통치, 각 부족을 대표하는 가(加)들이 사출도를 다스림. • 고구려: 5부 연맹을 토대로 국가 운영, 왕이 나오는 부족이 교체되기도 함. • 옥저, 동예: 왕 없이 읍군과 삼로라고 불린 우두머리가 각 읍락을 다스림. • 삼한: 목지국 지배자가 삼한을 대표함.

4 고조선과 여러 나라의 사회 모습

(1) 노동력, 사유 재산 보호를 위한 법률 ex) 고조선의 8조법[4], 부여의 1책 12법

(2) 노동력을 중시한 혼인 풍습 ex) 고구려의 서옥제, 옥저의 민며느리제

(3) 읍락 단위의 공동체를 중시한 동예 ex) 동예의 책화[5]

개념 쏙쏙

① 제정일치
종교와 정치 권력이 분리되지 않고 한 사람에게 집중된 정치 체제를 의미한다.

② 위만
진·한 교체기의 혼란 속에서 고조선으로 이주한 위만은 준왕을 몰아내고 왕위에 올라 위만 왕조를 열었다. 고조선으로 들어올 때에 조선인의 옷을 입고 상투를 틀었다고 알려져 있으며, 왕위에 오른 뒤에도 조선이라는 나라 이름을 유지하였다.

③ 제가 회의
고구려 초기 국정의 주요 사항을 심의·의결한 족장 회의 기구이다.

④ 8조법
고조선의 8개 조항으로 된 법률로 현재 3개 조항이 전해진다. 법률 속에 나타나는 노비의 존재를 통해 고조선이 계급 사회였음을 알 수 있다. 또한 "사람을 죽인 자는 즉시 죽인다.", "남에게 상처를 입힌 자는 곡식으로 갚게 한다."와 같은 조항을 통해 노동력과 사유 재산을 중시하였음을 알 수 있다.

⑤ 책화
함부로 다른 읍락의 생활권을 침범할 수 없도록 하고, 만일 불법으로 침범하게 되면 침범한 쪽에서 노예나 소, 말 등으로 보상하도록 한 동예의 풍습이다.

정리 교실 교과서 14쪽

㉠ 계급 ㉡ 단군왕검 ㉢ 연맹체 ㉣ 제가 회의

탐구 교실 청동기·철기 문화의 보급과 사회 변화

교과서 | 15쪽

활동 목표 | 청동기와 철기가 당시 사회에 미친 영향을 말할 수 있습니다.

자료 1 청동기 문화의 보급

의례용 도구 제작에 활용된 청동기

거친무늬 거울과 청동 방울(국립중앙박물관)

청동을 만들 때 필요한 금속은 구하기가 어려웠기 때문에 일부 세력만 청동기를 보유할 수 있었다. 이들은 주로 청동을 의례용 도구나 무기 제작에 활용하였다.

농경에 사용된 간석기

반달 돌칼(국립중앙박물관)

청동기는 충격에 약하여 잘 부러졌기 때문에 농경에는 간석기를 여전히 활용하였다. 농업 기술이 발달하면서 반달 돌칼과 같은 돌로 만든 농기구는 더욱 다양해졌다.

자료 2 철기 문화의 보급

철제 농기구의 사용과 농업 생산력의 증가

철제 농기구(국립중앙박물관)

철기 문화의 보급 이후 농업 생산력이 증가하였다. 철기는 청동기와 달리 날카로우면서도 잘 부러지지 않았다. 또한 청동기보다 비교적 재료를 구하기도 쉬워, 우수한 성능의 농기구를 제작할 수 있었다.

철제 무기의 보급과 전쟁의 확대

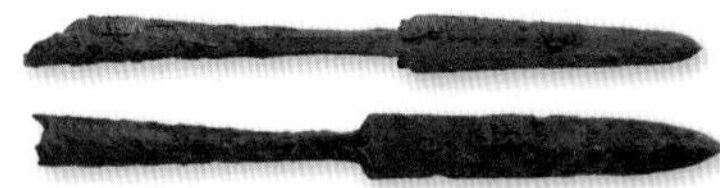

쇠창(국립중앙박물관)

철제 무기가 사용되면서 전쟁의 규모는 더욱 확대되었다. 철은 무기를 단단하고 날카롭게 만들 수 있어 각종 무기 제작에 활용되었다. 철제 무기로 무장한 집단끼리 전쟁이 빈번하게 일어났으며, 그만큼 사상자도 늘어났다.

활동 도우미

- 유물을 통해 청동기 시대 사회 모습을 유추해 봅시다.
- 청동기 문화와 철기 문화의 보급이 계급 사회 형성에 어떤 영향을 주었는지 생각해 봅시다.

자료 해설

- **<자료 1> 의례용 청동기** | 청동 방울은 여러 개의 방울이 달려 흔들어 소리를 내게 하는 청동기이다. 제사장 혹은 군장이 종교의례에 사용하였던 것으로 추정된다. 거친무늬 거울과 함께 주로 최고 우두머리급 무덤의 부장 유물로 발견된다.
- **<자료 1> 반달 돌칼** | 반달 돌칼 곡물의 이삭을 따는 데 쓰인 청동기 시대의 농기구이다. 등 쪽에 있는 구멍에 끈을 꿰고 이를 손에 잡고 사용하였는데, 날과 등 부분의 형태에 따라 다양한 종류가 있다.
- **<자료 2> 철제 농기구** | 청동기는 농기구로는 사용되지 않는 반면, 철기는 농기구로 제작되어 사용되었다.

활동 풀이

1. <자료 1>에서 제시한 유물들을 활용하여 다음과 같은 청동기 시대 사회의 특징을 설명해 보자.

- **농경 발달** : 예시 답안 반달 돌칼과 같은 다양한 농기구가 만들어지는 등 농업 기술이 발달하였으나 여전히 금속이 아닌 돌을 농기구로 사용한 것은 농업 생산력 발달의 한계점이기도 하였다.
- **계급 사회 형성** : 예시 답안 거친 무늬 거울과 청동 방울은 지배층의 의례용 도구로 활용되었다. 이는 청동기에 계급이 출현하였음을 보여 준다.

2. <자료 2>를 읽고 철기 문화의 보급이 사회에 어떤 영향을 끼쳤는지 자신의 생각을 적어 보자.

예시 답안 1 농경의 시작으로 인류는 안정적인 삶의 토대를 마련하였으며, 자연을 개척하며 문명을 발달시켜 나갔다.

예시 답안 2 농경은 인류의 자유와 평등을 위협하였다. 농경 기술이 더욱 발전한 신석기 시대 이후의 인류는 잉여 생산물을 차지하기 위한 지배층의 억압에 시달리고, 전쟁의 위협에 노출되었다.

간단 체크 정답 및 해설 2쪽

청동기 시대에는 반달 돌칼 등의 간석기를 농경에 활용하였다. (O, X)

고대 국가의 지배 체제

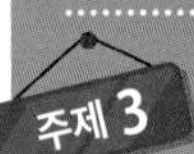

주제 3

중앙 집권 국가의 성립과 정복 전쟁의 전개

이번 주제에서는 | 초기 국가와 중앙 집권 국가의 차이점을 설명할 수 있습니다.

교실 열기 고대 국가의 지배층들이 정복 전쟁을 벌인 까닭은 무엇일까?

예시 답안 | 전쟁에서의 승리를 통해 경제적 이익을 늘리고 정치 권력을 공고히 하여 통치의 정당성을 확보하기 위해서이다.

1 중앙 집권화를 위한 삼국의 노력

(1) 중앙 집권적 고대 국가의 등장

① 고구려, 백제, 신라: 왕권의 강화, 부족장의 중앙 귀족화

→ 왕권의 강화로 기존의 부족장 세력은 지방에 대한 통제력을 잃고, 왕의 신하가 되어 중앙의 특권 계층을 형성하였다.

② 부여, 가야: 연맹체 단계에서 다른 나라에 복속

(2) 삼국의 통치 체제 정비

① 국가 운영 기준인 율령 반포, 관등제와 관복제 정비, 지방관 파견

② 국왕 중심의 지배 이념 확립을 위한 불교와 유학의 수용

2 정복 전쟁을 통해 세력을 확장한 삼국

고구려	• 고국천왕 때부터 부족적 전통의 5부를 행정적인 성격으로 개편 → 부족을 해체하고 지방관을 파견하여 중앙 집권을 강화하였다.
백제	• 3세기 중엽 고이왕 때 관등제, 관복제 도입 • 4세기 중엽 근초고왕 때 남쪽으로 마한 복속, 북쪽으로 고구려 공격을 통해 영토 확장
신라	• 경주를 중심으로 지배 영역 확장, 4세기 말 내물 마립간[1] 때 김씨 왕위 세습권 확립
가야	• 금관가야를 중심으로 전기 가야 연맹 형성

3 한강 유역을 놓고 경쟁한 삼국

고구려	• 4세기 후반 소수림왕 때 불교 수용, 태학[2] 설립, 율령 반포 등을 통해 중앙 집권 강화 • 5세기 광개토 대왕, 장수왕 때 지배 영역을 크게 확장 → 장수왕은 수도를 평양으로 옮기고 남진 정책[3]을 추진하여 남한강 유역 진출
백제	• 장수왕의 남진 정책으로 한성 함락 후 웅진 천도, 신라·가야와 동맹 강화 (웅진 → 지금의 공주) • 무령왕은 22담로[4]에 왕족 파견하여 지방 통제 강화 • 성왕은 사비 천도 후 신라와 함께 한강 유역 차지, 그러나 곧 신라에게 빼앗김. (사비 → 지금의 부여)

4 한강 유역을 차지한 신라

(1) 고구려는 광개토 대왕 때 신라에 침입한 가야·왜 연합 세력을 격퇴한 후 신라의 정치에 간섭 → 금관가야 쇠퇴, 대가야 중심의 후기 가야 연맹 형성

(2) 신라의 중앙 집권 체제 강화와 영토 확장

지증왕	• '신라' 국호와 '왕' 칭호 사용, 점령지에 지방관 파견, 우산국[5] 점령
법흥왕	• 병부[6] 설치, 율령 반포, 관등제 시행, 불교 공인, 금관가야 흡수 → 이차돈의 순교를 계기로 공인하였다.
진흥왕	• 한강 유역 차지, 대가야 정복, 함경도 지방까지 영토 확장

개념 쏙쏙

① 마립간
신라의 왕권이 강화되면서 내물왕 때부터 사용한 왕의 칭호이다. 지증왕 4년에 '왕'이라는 중국식 칭호를 도입할 때까지 사용되었다.

② 태학
372년에 설립된 고구려의 교육 기관으로 귀족 자제들을 대상으로 유교 경전과 역사서 등을 교육하였다.

③ 남진 정책
남쪽 지방으로 영토를 확장하고자 한 고구려의 대외 정책이다. 장수왕은 수도를 국내성에서 평양으로 옮기고 남진 정책을 적극적으로 추진하였다.

④ 22담로
지방의 주요 거점에 설치한 백제의 지방 행정 구역이다. 왕자나 왕족을 파견하여 다스리게 하였다.

⑤ 우산국
삼국 시대 존재하였던 울릉도와 부속 도서를 다스리던 소국이다.

⑥ 병부
군사와 관련한 업무를 총괄하던 신라의 관청이다. 법흥왕 때 군사 업무를 제도화하고 국왕의 군사권을 강화하기 위한 목적으로 설치되었다.

정리 교실 교과서 18쪽

㉠ 율령 ㉡ 평양 ㉢ 사비 ㉣ 우산국

탐구 교실 초기 국가에서 중앙 집권 국가로의 전환

활동 목표 | 초기 국가와 중앙 집권 국가의 지배 체제의 차이를 말할 수 있습니다.

자료 1 초기 국가와 중앙 집권 국가의 정치 운영

자료 2 고대 국가의 관복제와 관등제

- **관복제** (신라 법흥왕) 7년(520) 봄 정월, 율령을 반포하고 처음으로 모든 관리의 공복을 만들어 붉은색과 자주색으로 위계를 정하였다. -『삼국사기』
- **관등제** (신라 법흥왕) 19년(532) 금관가야의 왕 김구해가 …… 나라의 재산과 보물을 가지고 와 항복하였다. 왕이 예로써 그들을 대우하고 높은 관등을 주었다. -『삼국사기』

활동 풀이

1. <자료 1>을 참고하여 초기 국가와 중앙 집권 국가에서 형벌의 결정 과정이 어떻게 달랐는지 써 보자.

예시 답안 초기 국가는 족장 회의에서 죄인의 형벌을 결정한 반면, 중앙 집권 국가는 율령에 의해 죄인의 형벌을 결정하였다.

2. <자료 1>에서 초기 국가와 중앙 집권 국가의 지방 통치 방식이 어떻게 다른지 말해 보자.

예시 답안 초기 국가에서는 족장 세력이 지방을 통치하였다. 그러나 중앙 집권 국가에서는 왕이 파견한 지방관이 지방을 통치하였다.

3. <자료 2>를 참고하여 중앙 집권 국가의 관복제, 관등제가 어떤 정치적 기능을 지녔을지 생각해 보자.

예시 답안 왕 중심의 위계질서를 확립하여 왕권을 공고히 하였다.

- 초기 국가와 중앙 집권 국가에서 형벌을 결정하는 과정과 지방을 통치하는 방식을 비교하여 중앙 집권 국가의 정치적 특징을 파악해 봅시다.
- 관등제와 관복제 사료를 분석하여 국왕 중심의 일원적 지배 체제 확립, 족장 세력의 서열화가 갖는 정치적 의미를 파악해 봅시다.

- **<자료 1> 초기 국가의 정치 운영 |** 위의 만화는 족장 회의에서 왕과 족장들이 합의를 통해 죄인에 대한 처벌을 결정하는 모습이며, 아래의 만화는 족장들이 따로 신하를 두고 자신의 부족에 대한 독자적인 지배권을 행사하는 모습이다.
- **<자료 1> 중앙 집권 국가의 정치 운영 |** 위의 만화는 율령에 의한 형벌 집행 모습이며, 아래의 만화는 지방관을 파견하여 지방을 통치하는 모습이다.
- **<자료 2> 관복제와 관등제 |** 관복제와 관등제는 관리들의 위계 질서를 명확히 하는 데 활용되었다.

간단 체크 정답 및 해설 2쪽

고대 국가의 율령은 형벌뿐 아니라 관등제, 관복제 등 행정에 관한 사항까지 포함하였다. (O, X)

고대 국가의 지배 체제

주제 4 삼국 통일 이후의 정치적 변화

이번 주제에서는 | 통일 신라와 발해 정치적 변화에 대해 말할 수 있습니다.

교실 열기 귀족들이 달구벌 천도 계획을 반대한 이유는 무엇일까?

예시 답안 | 수도인 경주가 본인들의 권력 기반이었기 때문이다.

1 수·당과 고구려의 대립

(1) 수·당과 고구려의 대립

① 중국을 통일한 수가 고구려를 공격하였으나, 고구려는 살수에서 큰 승리를 거둠(살수 대첩[1]).

② 수의 멸망 후 중국을 재통일한 당이 고구려를 공격하였으나, 고구려가 안시성 전투 등에서 승리함.

(2) 백제, 고구려의 멸망

① 신라는 백제의 공격으로 위기에 처하자 당과 동맹을 맺어 나당 연합군 결성

→ 648년, 신라 김춘추가 당과 벌인 외교 협상의 결과 결성되었다.

② 백제와 고구려가 멸망한 후 백제, 고구려 유민 일부는 각각 부흥 운동 전개

(3) 나당 전쟁

① 당이 한반도 전체 지배 야욕을 보이자 신라가 고구려 유민 등과 힘을 합쳐 당에 대항

② 매소성, 기벌포 등에서 승리하여 대동강 이남 지역 차지

→ 매소성은 현재의 경기도 연천군 청산면에 위치하였으며, 기벌포는 현재의 충청남도 서천군 장항읍 일대이다.

2 발해의 건국과 영토 확장

정치적 변천	• 대조영이 동모산에서 건국 • 무왕은 당과 대립하며 영토 확장 • 문왕은 외교적으로 당·신라와의 대립 관계 개선 • 9세기 선왕 때에는 말갈족 대부분 복속, 요동 진출 → 당으로부터 해동성국[2]이라 불림.
고구려 계승 의식	• 성곽, 고분 등 고구려 문화 계승 • 일본에 보낸 외교 문서에 '고려' 국호 사용

3 통일 신라와 발해의 통치 체제 정비

(1) 신문왕의 통치 체제 정비

① 유학 교육 기관인 국학을 설치하여 왕권을 보좌할 실무 관료 양성

② 집사부[3] 중심으로 중앙 행정 관서와 관직 체계 정비

③ 전국을 9주로 나누고 교통과 군사상 요충지에 5소경[4]을 설치하여 지방 통제 강화

④ 관료전 지급, 녹읍 폐지와 녹봉 지급을 통해 귀족의 경제 기반을 약화하고자 함.

(2) 발해의 통치 체제

① 당의 3성 6부를 토대로 중앙 행정 기구 개편

→ 유교 덕목으로 관서의 명칭을 정하는 등 독자적 성격 존재

→ 발해 6부의 명칭인 충부, 인부, 의부, 지부, 예부, 신부는 유교 덕목인 충, 인, 의, 지, 예, 신에서 따온 것이다.

② 유학 교육 기관인 주자감 설치

③ 전국을 5경 15부 62주로 정비

개념 쏙쏙

① 살수 대첩
612년, 지금의 청천강에서 을지문덕이 이끄는 고구려 군대가 수의 대군을 크게 물리친 전투이다.

② 해동성국
'바다 동쪽의 강성한 나라'라는 뜻으로 당에서 9세기에 지배 영역을 크게 확장하고 정치적 안정을 이룬 발해를 일컫던 말이다.

③ 집사부
신라의 최고 행정 기관이다. 중앙 행정을 담당하던 13부 가운데 하나로 최고 행정 기관이다. 왕명을 받들고 기밀 사무를 관장하는 등의 일을 하였다.

④ 5소경
지방의 요충지에 설치한 특수 행정 구역으로 북원경(원주), 중원경(충주), 서원경(청주), 남원경(남원), 금관경(김해)이 있다. 수도 금성(경주)이 동남쪽에 치우쳐 있는 한계를 보완하고 피정복민을 회유, 통제하는 등의 역할을 하였다.

정리 교실 교과서 21쪽

㉠ 국가의 기밀 사무를 관장하는 신라의 최고 행정 기관

㉡ 관리에게 관직 수행의 대가로 지급한 지역

㉢ 발해의 유학 교육 기관

탐구 교실 영화로 보는 고대 사회의 삼국 통일 전쟁

교과서 | 22쪽

활동 목표 | 삼국 통일의 의미를 당시 사람들의 관점에서 평가할 수 있습니다.

「황산벌」

삼국의 분쟁이 끊이지 않던 660년, 신라는 당과 연합군을 결성하여 백제를 공격한다. 백제 의자왕은 계백 장군을 비밀리에 불러 황산벌 사수를 부탁한다.

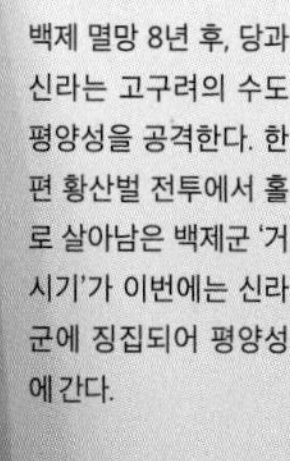

「평양성」

백제 멸망 8년 후, 당과 신라는 고구려의 수도 평양성을 공격한다. 한편 황산벌 전투에서 홀로 살아남은 백제군 '거시기'가 이번에는 신라군에 징집되어 평양성에 간다.

영화 「황산벌」 미리 보기 •••

고구려·백제·신라·당의 가상 회담

연개소문 정통성? 그래. 내가 쿠데타 일으켜서 정권을 잡았다. 왜? 김춘추, 너는 반쪽짜리 왕족 주제에 김유신이랑 짝짜꿍해서 정권 잡지 않았어? 의자왕, 니 아버지도 서자지? 여기 정통성 있는 놈이 누가 있어? 전쟁은 정통성 없는 놈들이 정통성 세우려고 하는 거야!

의자왕 아, 그것이 정치적 경륜이지.

김춘추 하루가 멀다 하고 처들어와 남의 백성 죽이는 게 정치적 경륜이가? 니가 왕이 되고 지난 20년간 우리 신라는 하루도 편할 날이 없었데이!

의자왕 즉위 초기에 정권 장악하고 국론 통일하려면 다들 하는 거 아냐?

영화 「평양성」 미리 보기 •••

고구려 진영에서 선전 방송을 하는 거시기

거시기 나, 보성 옆에 있는 벌교에서 온 거시기야. 내가 백제 왕 밑에서도 살아 보고 신라 왕 밑에서도 살아봤는데, 그놈이 그놈이고 다 거거서 거기야. 도긴개긴이란 이 말이야. 까놓고 말해서 이 전쟁 누가 이기든지 간에 우리하곤 아무 상관도 없어! 전쟁에 이기면 그 윗사람들이나 좋지, 우리 같은 놈들에게 뭐 떨어지는 거 있어? OO야, 너 듣고 있지? 나 없으니 심심하지? 너 전쟁터에서 출세하려고 왔다면서? 죽어버리면 출세고 나발이고 무슨 상관이 있겠냐? …… 어째서 신라 왕하고 본진은 안 오고 너희들만 보냈겠냐고? …… 그것은 바로 여기서는 전쟁하는 척 하면서 자기들만 살려고 그러는 거 아니겠냐고!

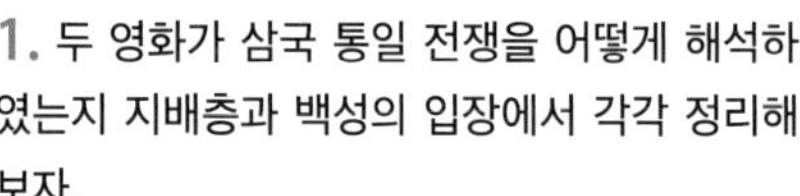

활동 풀이

1. 두 영화가 삼국 통일 전쟁을 어떻게 해석하였는지 지배층과 백성의 입장에서 각각 정리해 보자.

- **지배층** : 예시 답안 삼국 통일 전쟁은 지배층의 권력을 강화하고 정통성을 세우기 위한 것이었다.
- **백성** : 예시 답안 삼국 통일 전쟁은 지배층의 이익을 위해 많은 백성들이 희생당하게 된 사건이었다.

2. 두 영화에 나타난 삼국 통일 전쟁에 대한 시각을 참고하여 삼국 통일이 당시 사람들에게 어떤 의미였을지 생각해 보자.

예시 답안 1 삼국 통일은 당시 사람들의 삶이 한층 나아졌음을 의미한다. 신라의 지배층이 최후의 승자가 되면서 안정적인 통치 기반을 확보하고 전쟁이 잦아들었기 때문이다.

예시 답안 2 삼국 통일은 단지 지배 세력 교체만을 의미하였다. 통일 이후에도 백성들은 지배받는 자에 불과하였기에 이들에게 어떤 나라에 속하는지는 그리 중요하지 않았다.

활동 도우미

- 영화의 장면이 작가의 역사적 상황 인식을 토대로 상상적으로 재구성된 것임에 유의하여 장면 설정의 의도와 목적을 추론해 봅시다.
- 신분제 사회였던 고대 국가의 특징을 염두에 두고 정복 전쟁에 대한 지배층과 백성의 입장 차이를 생각해 봅시다.
- 작가의 역사적 상황 인식과 실제의 역사상을 비교하며 본인만의 생각을 만들어 봅시다.

자료 해설

- **영화 「황산벌」 미리보기** | 이 가상 대화는 당시 각국의 왕실이 자신들의 권력을 강화하려는 정치적 목적을 위해 전쟁을 일으켰다는 메시지를 담고 있다.
- **영화 「평양성」 미리보기** | 거시기의 선전 방송은 각국의 지배층이 자신들의 이익을 위하여 피지배층을 전쟁터로 내몰았다는 메시지를 담고 있다.

간단 체크 정답 및 해설 2쪽

(　　　)은/는 나당 연합군에 의해 수도인 평양성이 함락되며 멸망하였다.

고대 국가의 지배 체제

주제 5

고대 사회의 신분제와 경제 정책

이번 주제에서는 | 고대 사회 각 계층 사람들의 삶의 모습을 설명할 수 있습니다.

교실 열기 **고분 벽화에서 인물들의 크기가 다르게 표현된 까닭은 무엇일까?**

예시 답안 | 고대 사회는 신분에 따라 정치·사회적 지위에 차별이 있었기 때문이다.

1 고대 사회의 신분제

(1) 신분제의 특징

① 정복과 복속, 집단 간 통합 과정에서 지배층 내 서열과 노비가 발생하고, 지위가 세습되며 형성

② 지배층인 귀족, 피지배층인 평민과 천민으로 구성

③ 신분은 대대로 세습, 개인의 사회적 지위는 능력보다 혈통에 의해 결정

(2) 신분별 생활

귀족	• 주요 관직 독점, 귀족 회의[1] 참여, 녹읍과 넓은 개인 토지 소유 • 귀족 사이에도 차별 존재 ex) 신라의 골품제
평민	• 생산 활동에 종사 • 조세, 공물, 역의 의무 • 귀족의 수탈과 고리대 등에 의해 몰락하여 노비로 전락하는 경우 존재
천민	• 대부분 노비 • 신분이 자유롭지 못하였으며 재산으로 취급

고리대: 높은 이자를 조건으로 돈을 빌려주는 것을 의미한다.

(3) 골품제

① 신라 지배층 중심의 신분제로 8개의 신분으로 편성(성골[2], 진골, 6~1두품)

③ 골품에 따른 관등과 관직의 승진 제한

→ 시간이 지나면서 3~1두품은 평민으로 간주

골품제는 신라가 중앙 집권 국가로 변해 가는 과정에서 기존 지배층을 중앙 지배 체제 내로 편입하기 위해 제정한 것으로, 세력의 크기 등에 따라 8개의 신분으로 구성하였다.

2 고대 국가의 경제 정책

(1) 농업 장려책

① 철제 농기구 보급과 우경[3] 장려 → 노동력 절감, 생산력의 증대

② 고구려에서는 가난한 백성 구제를 위해 진대법[4] 시행

(2) 수취 제도

① 조세: 재산 규모에 따라 호의 등급을 나누어 곡식과 포를 부과

② 공물: 지역의 특산물 부과

③ 역: 일정한 연령대의 남자들을 군대에 복무시키거나 각종 공사에 동원

(3) 「신라 촌락 문서」[5]

① 작성 목적: 조세 수취와 노동력 동원을 위한 전국 인구와 경제 상황 파악의 필요성

② 내용: 촌락 내 인구수, 토지의 종류와 크기, 소와 말의 수, 나무의 종류와 수 등

③ 작성 시기: 3년마다 다시 작성

개념 쏙쏙

① 귀족 회의
귀족들이 국가의 중대사를 논의하던 회의이다. 초기 국가의 족장 회의였던 고구려의 제가 회의는 중앙 집권 체제가 확립되면서 귀족 회의로 변모하였다. 백제의 정사암 회의, 신라의 화백 회의 또한 귀족 회의이다.

② 성골
신라 골품제 하에서 가장 높은 신분으로, 진덕여왕을 끝으로 사라졌다. 이에 태종 무열왕 때부터는 진골 출신이 왕이 되었다.

③ 우경
소의 힘을 농경에 활용하는 것으로 소의 코를 뚫어 고삐를 매고 쟁기를 달아 밭을 갈았다. 문헌상 지증왕 3년(502)에 처음 시행된 것으로 되어 있으나, 그 이전에 시작된 것으로 짐작한다.

④ 진대법
먹을거리가 충분치 봄철에 곡식을 대여하였다가 가을 추수 후 회수하는 일종의 빈민 구제 정책으로 고구려 고국천왕 때 시행하였다.

⑤ 「신라 촌락 문서」
일본 도오다이지 쇼소인에 보관되어 있는 신라 시대 촌락의 정보를 담은 기록물로 신라 민정 문서라고도 한다. 고대 사회 정부에 의한 백성 지배 체제를 이해하는 데에 매우 중요하게 활용되는 문서이다.

정리 교실 교과서 24쪽

㉠ 귀족 ㉡ 노비
㉢ 「신라 촌락 문서」

교과서 | 25쪽

탐구 교실 골품제가 신라 사회에 미친 영향

활동 목표 | 골품에 따른 차별이 각 계층 사람들에게 미친 영향을 말할 수 있습니다.

자료 1 골품에 따른 관등·관직 승진 제한

등급	관등	진골	6두품	5두품	4두품	복색
1	이벌찬					자색
2	이찬					
3	잡찬					
4	파진찬					
5	대아찬					
6	아찬					비색
7	일길찬					
8	사찬					
9	급벌찬					
10	대나마					청색
11	나마					
12	대사					황색
13	사지					
14	길사					
15	대오					
16	소오					
17	조위					

신라는 관등 승진의 상한선이 골품에 따라 정해졌다. 예를 들어 집사부의 장관인 중시는 대아찬 이상부터 임명될 수 있었는데, 관등이 대아찬 이상까지 올라갈 수 있는 신분은 진골밖에 없었다.

자료 2 당으로 떠난 설계두

6두품이었던 설계두는 배를 타고 당으로 떠났고, 당 태종의 고구려 원정에 참여하여 고구려군과 싸우다 큰 공을 세우고 전사하였다. 당 태종은 그의 죽음을 안타까워하며 대장군 관직을 내리고 예를 갖춰 장례를 치르게 하였다.

하나 신라의 골품제는 소수의 특권층만을 위한 제도였어. 그렇기에 골품제에 대한 설계두의 불만은 당연한 것이었지. 그는 자신의 능력을 펼칠 수 있는 세상을 원했을 거야.

두리 그렇지만 나는 설계두도 특권층이었다고 생각해. 골품제는 지배층 중심의 신분제였기 때문이야. 평민과 노비 입장에서 설계두의 불만이 과연 공감받을 수 있었을까?

활동 풀이

1. <자료 1>에서 6두품이 올라갈 수 있는 최고 관등이 무엇인지 찾아보고, <자료 2>의 (가)에 들어갈 내용을 써 보자.

예시 답안
- 6두품이 올라갈 수 있는 최고 관등 - 아찬
- (가)에 들어갈 내용 - 신라에서는 사람을 등용하는 데 골품을 따지기에 큰 재주와 공이 있어도 그 한계를 넘을 수가 없네.

2. 두 학생의 의견을 참고하여 <자료 2>의 설계두의 불만에 대한 자신의 생각을 말해 보자.

예시 답안 1 신라 사회에서는 진골 귀족만이 최고위 관직을 차지할 수 있었어. 진골 출신이 아니라면 누구나 상대적 박탈감과 좌절감을 느낄 수밖에 없었지.

예시 답안 2 6두품은 왕과 진골 귀족 다음가는 특권층이었지. 그들은 진골 귀족만큼은 아니었을지라도 5두품 이하의 귀족, 평민, 천민들은 누릴 수 없는 많은 특권을 보유하고 있었어. 설계두의 불만은 지나친 욕심에서 비롯된 거야.

활동 도우미
- 신라에서 소수의 진골 귀족이 최고 위직을 독점하며 권력을 장악하였음을 보여 주는 <자료1>을 통해 고대 사회의 차별적 사회 질서에 대해 살펴봅시다.
- 진골과 6두품의 지위 차이뿐 아니라 귀족, 평민, 천민으로 나뉜 신라 사회 전반의 신분 구성 속에서 6두품이 차지하고 있는 위치까지 고려하여 골품제에 대한 6두품의 불만을 다양한 시각에서 평가해 봅시다.

자료 해설
- **<자료 1>** | 신라는 관등제와 관복제를 시행하여 관리들 간의 위계질서를 명확히 하였다. 골품에 따라 관등 승진의 상한선이 정해졌다는 것은 신라 사회가 혈연관계에 의한 폐쇄적인 신분 사회였음을 보여 준다.
- **<자료 2>** | 당에 가서 빼어난 지혜를 발휘하고 공을 세워 높은 관직에 오를 거라는 설계두의 발언은 6두품인 자신이 골품제로 인해 관등 승진의 제약을 받게 된 것에 대한 불만을 담고 있다.

간단 체크 정답 및 해설 2쪽
6두품은 능력에 따라 최고위 관등인 이벌찬까지 오를 수 있었다. (O, X)

1 개념 익히기

01 아래 설명이 맞으면 O표, 틀리면 X표를 해 보자.

(1) 구석기인들은 주먹 도끼 등의 뗀석기를 사용하여 수렵, 채집 활동을 하였다. ( )

(2) 고조선은 한 무제의 침입과 내분으로 멸망하였다. ( )

(3) 소수림왕은 불교 수용, 태학 설립, 율령 반포 등을 통해 중앙 집권 체제를 강화하였다. ( )

(4) 삼국을 통일한 신라는 당으로부터 해동성국이라는 칭호를 얻었다. ( )

02 빈칸에 알맞은 말을 채워 보자.

(1) 신석기인들은 주로 강가나 바닷가에 움집을 짓고 마을을 이루어 ( ) 생활을 하였다.

(2) 부여는 왕이 통치하는 중앙 직할령과 별도로 각 부족을 대표하는 가들이 ( )을/를 다스렸다.

(3) 신문왕은 전국을 9주로 나누고 교통과 군사상 요충지에 특수 행정 구역인 ( )을/를 설치하였다.

(4) 통일 신라는 조세 수취와 노동력 동원 등을 위해 전국의 인구와 경제 상황을 파악하고자 ( )을/를 만들었다.

03 서로 관련 있는 내용끼리 연결해 보자.

a. 고조선 •	• ㄱ. 책화
b. 고구려 •	• ㄴ. 서옥제
c. 동예 •	• ㄷ. 8조법

04 연맹체적 성격의 초기 국가에서 중앙 집권적 고대 국가로 변화하며 나타난 사실을 <보기>에서 모두 고르시오.

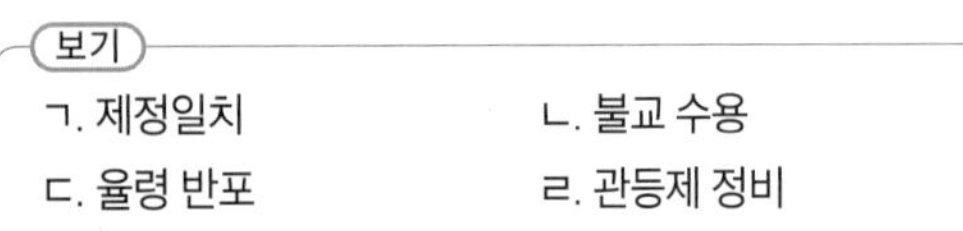
보기

ㄱ. 제정일치　　ㄴ. 불교 수용

ㄷ. 율령 반포　　ㄹ. 관등제 정비

2 내신 유형 익히기

01 다음 특별전에 전시될 유물로 옳은 것은?

< ○○○ 시대 유물 특별전 >

- 기간: 2020년 ○○월 ○○일 ~ ○○일
- 장소: ○○ 박물관 특별 전시실
- 전시 유물: 주로 동굴과 막집에 거주하며 수렵·채집을 통해 식량 문제를 해결했던 시대의 사람들이 사용한 도구

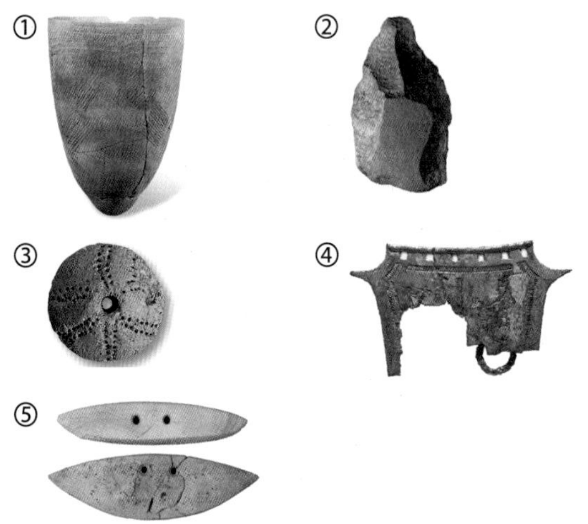

02 다음 법이 시행된 나라에 대한 설명으로 옳은 것은?

> 다른 사람을 죽인 자는 즉시 죽이고, 남에게 상처를 입힌 자는 곡물로 배상하게 한다. 도둑질을 한 자는 재산을 몰수하고 노비로 삼으며, 용서를 받고자 하는 자는 1인당 50만 전을 내게 한다.
>
> -『한서』「지리지」-

① 동맹이라는 제천 행사를 열었다.
② 청동기 문화를 바탕으로 세워졌다.
③ 서옥제라는 혼인 풍습이 존재하였다.
④ 읍락 간 경계를 중시하는 책화의 풍습이 있었다.
⑤ 공동으로 식량을 생산하고 소비하는 평등 사회였다.

중요

03 (가)~(마) 나라에 대한 설명으로 옳은 것은?

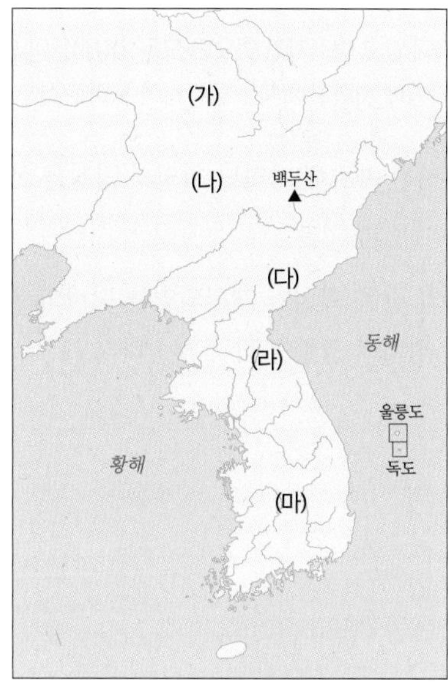

<초기 철기 시대의 여러 나라>

① (가) - 왕이 없고 읍군, 삼로 등의 지배자가 있었다.
② (나) - 영고라는 제천행사를 열었다.
③ (다) - 민며느리제의 혼인 풍습이 있었다.
④ (라) - 여러 가들이 별도로 사출도를 다스렸다.
⑤ (마) - 빈민 구제를 위해 진대법을 시행하였다.

중요

04 (가)~(다) 사건을 일어난 순서대로 옳게 나열한 것은?

(가) 왕이 병사 3만 명을 거느리고 백제를 침입하여 수도인 한성을 함락시키고, 백제 왕 부여경을 죽였으며 포로로 남녀 8천 명을 사로잡았다.
(나) 왕이 태자와 함께 정병 3만 명을 거느리고 고구려에 침입하여 평양성을 공격하였다. 고구려왕 사유가 힘을 다해 싸우다가 화살에 맞아 사망하였다.
(다) 금관국의 왕인 김구해가 왕비와 세 명의 아들, 즉 큰아들인 노종, 둘째 아들인 무덕, 막내아들인 무력과 함께 나라의 창고에 있던 보물을 가지고 와서 항복하였다.

① (가) - (나) - (다)
② (가) - (다) - (나)
③ (나) - (가) - (다)
④ (나) - (다) - (가)
⑤ (다) - (가) - (나)

05 다음 사건 이후 발생한 사실로 옳은 것은?

왕이 보병과 기병 등 5만 명을 보내 신라를 구원하게 하였다. 고구려군이 남거성을 거쳐 신라성에 이르렀는데, 그곳에 왜적이 가득하였다. 고구려군이 도착하자 왜적이 퇴각하였다.

① 마한이 백제에 복속되었다.
② 침류왕이 불교를 수용하였다.
③ 소수림왕이 율령을 반포하였다.
④ 고이왕이 관복제, 관등제를 시행하였다.
⑤ 대가야를 중심으로 후기 가야 연맹이 형성되었다.

06 다음 정책을 시행한 왕에 대한 설명으로 옳은 것은?

- 신하들이 아뢰기를, "이제 한 뜻으로 삼가 '신라 국왕'이라는 칭호를 올립니다."라고 하니, 왕이 이를 따랐다.
- 실직주를 설치하고 이사부를 군주로 임명하였다.

-『삼국사기』-

① 병부를 설치하였다.
② 관등제를 시행하였다.
③ 대가야를 정복하였다.
④ 우산국을 복속하였다.
⑤ 한강 유역을 차지하였다.

중요

07 다음 정책을 시행한 왕에 대한 설명으로 옳은 것은?

- 5월에 문무 관료에게 토지를 차등 지급하였다.
- 정월에 관료의 녹읍을 폐지하고, 1년 단위로 조를 차등 지급하는 것을 법으로 삼았다.

① 불교를 수용하여 왕권을 강화하였다.
② 국학을 설립하여 유학 교육을 장려하였다.
③ 독서삼품과를 실시하여 관리를 채용하였다.
④ 나당 전쟁에서 승리하여 삼국을 통일하였다.
⑤ 최고 지배자의 칭호를 이사금에서 마립간으로 바꾸었다.

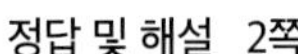

중요

08 (가), (나) 사이 시기에 있었던 사실로 옳은 것은?

> (가) 적이 드디어 안시성을 공격하는데 안시성 사람들이 황제의 깃발과 일산을 보고 문득 성에 올라가 북을 치고 소리를 질렀다. 황제가 화를 내자 세적이 성을 빼앗는 날에는 남자는 모두 구덩이에 묻어버리기를 청하였다. 안시성 사람들이 이 말을 듣고 더욱 굳게 지키니 공격이 오래되어도 함락되지 않았다.
> (나) 복신과 도침이 옛 왕자 부여풍을 맞아 왕으로 세우고 웅진성에 있던 당의 장군 유인원을 포위하여 공격하였다. …… 복신 등이 임존성에 주둔하다가 얼마 뒤 복신이 도침을 죽이고 그의 무리를 합하여 그 세력이 매우 성하였다.

① 후삼국이 성립하였다.
② 나당 연합군이 결성되었다.
③ 백제 성왕이 사비로 천도하였다.
④ 고구려가 살수에서 수의 대군을 격파하였다.
⑤ 신라가 매소성에서 당 군대에 승리를 거두었다.

09 다음 통치 조직을 갖춘 나라에 대한 설명으로 옳은 것은?

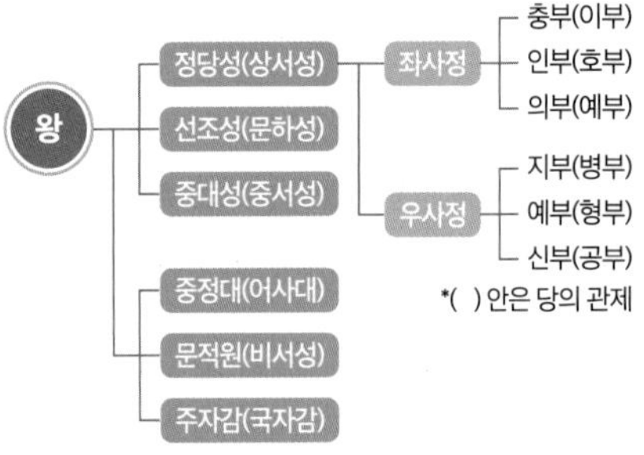

① 대조영이 건국하였다.
② 지방에 22담로를 설치하였다.
③ 골품제라는 신분 제도가 있었다.
④ 화백 회의라는 귀족 회의가 있었다.
⑤ 박, 석, 김의 세 성씨가 돌아가며 왕위를 맡았다.

서술형 문제

10 다음을 읽고 물음에 답하시오.

> 감옥이 없고 범죄자가 있으면 모든 가(加)들이 모여서 논의하여 사형에 처하고 처자는 몰수하여 노비로 삼는다.

(1) 제시된 자료에 나타난 회의의 명칭을 쓰시오.

(2) 위와 같은 회의가 개최되었을 당시의 왕과 족장 세력의 정치적 권한을 각각 서술하시오.

서술형 문제

11 다음을 읽고 물음에 답하시오.

> • 서원경에 속한 촌을 비롯한 4개 촌락의 경제 상황을 기록한 문서로 3년마다 다시 작성하였다.
> • 호(戶)는 상상(上上)에서 하하(下下)까지 나누었다.
> • 인구를 남녀별로 구분한 후 연령을 기준으로 파악하였다.

(1) 위에서 설명하는 문서의 명칭을 쓰시오.

(2) 호(戶)와 인구를 위와 같이 구분해서 파악한 이유를 고대 국가의 수취 제도와 관련하여 서술하시오.

창의 융합 교실 '현대 민주주의 국가'를 뜻글자로 표현하기

교과서 26~27쪽

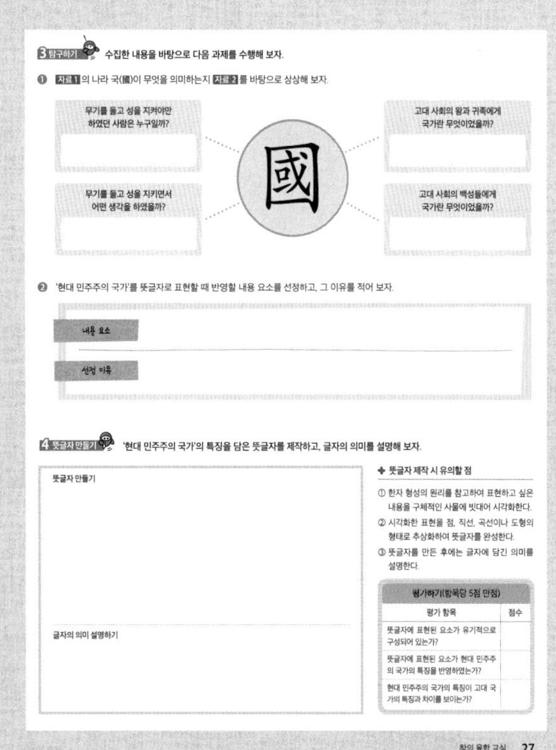

활동 목표

- 고대 국가와 현대 민주주의 국가의 특징을 비교할 수 있습니다.
- 현대 민주주의 국가의 특징을 담은 나만의 뜻글자를 만들 수 있습니다.

활동 흐름

- <자료 1>을 읽고 한자 '나라 국(國)'이 어떻게 만들어 졌는지 알아봅니다.
- 고대 국가와 현대 민주주의 국가가 어떻게 다른지 검색합니다.
- '나라 국(國)'에 <자료 2>에서 나타난 고대 국가의 특징들이 어떻게 반영되었는지 분석합니다.
- 조사한 내용을 활용하여 현대 민주주의 국가의 특징 중 무엇을 뜻글자로 표현할지 선정한 후, 뜻글자를 제작합니다.

예시 답안

- 왕과 대통령의 성격은 어떻게 다른가? | 왕은 국가의 주인이자 지배자로 백성들 위에 군림하는 자이다. 그러나 대통령은 주인인 국민을 대표하여 권력을 행사하는 자로 국민 위에 군림하지 못한다.
- **고대 사회 백성과 현대 사회 시민의 차이는 무엇인가?** | 고대 사회의 백성은 정치에 참여할 수 없었다. 그러나 현대 사회의 시민은 정치에 참여하여 국가 운영에 참여할 수 있다.
- **율령과 헌법의 성격은 어떻게 다른가?** | 율령은 왕권을 뒷받침하기 위한 것이기에 왕에게는 적용되지 않고, 왕권 견제 기능이 없다. 그러나 헌법은 국민 기본권 보장을 위한 것으로 나라 안의 모든 이를 적용 대상으로 하며, 국가 권력에 제한을 가할 수 있다.

도움 자료

- **주권재민** | 주권(국가의 의사를 최종적으로 결정하는 권력)이 국민에게 있는 헌법 제도를 뜻한다. 군주주권(君主主權)과 반대되는 개념이다. 이는 반드시 국민 각자가 직접 정치를 한다는 의미는 아니며, 국민은 선거에 의해 국회 의원을 선출하여 국가의 정치를 대행할 수 있다. 현행 대한민국 헌법은 '대한민국의 주권은 국민에게 있고, 모든 권력은 국민으로부터 나온다(헌법 제1조 2항.)'라고 규정하여, 국민에게 주권이 있음을 밝히고 있다.

고대 사회의 종교와 사상

외래 종교 및 사상의 수용

이번 주제에서는 | 삼국 시대 종교와 사상의 정치·사회적 기능을 설명할 수 있습니다.

교실 열기 **삼국 왕실이 외래 사상과 종교를 수용한 이유는 무엇일까?**

예시 답안 | 중앙 집권화의 진전으로 왕권을 뒷받침할 수 있는 새로운 사상이 필요하였기 때문이다.

1 재래 신앙의 형성과 외래 사상의 수용

(1) 재래 신앙의 형성

원시 신앙	• 시기: 신석기 시대에 등장 • 애니미즘: 모든 자연물과 자연 현상에 영혼이 깃들어 있다고 믿는 신앙 • 토테미즘: 특정 동식물을 씨족이나 부족의 신으로 섬기는 신앙 • 샤머니즘: 인간과 영혼을 이어 주는 무당의 존재를 인정하는 신앙
천신 신앙	• 시기: 청동기 시대에 등장 • 지배자들이 하늘의 자손을 자처하며 권력을 정당화하고 자국 중심의 독자적 천하관 확립 → 제천 행사를 통한 집단 결속 강화 ex) 부여의 영고[1], 고구려의 동맹[2]

(2) 외래 사상의 수용: 중앙 집권화의 진전으로 집단 결속을 위한 보편적인 사상이 필요함에 따라 유학·불교·도교 등 수용

2 불교의 수용과 영향

수용	• 고구려, 백제는 4세기에 수용, 신라는 6세기에 공인
삼국 시대 불교의 특징	• 왕권을 이념적으로 뒷받침 ex) 신라의 불국토설, 불교식 왕명 사용 (법흥왕부터 진덕 여왕까지 불교식 왕명을 사용하였다.) • 호국 강조 ex) 원광의 세속 5계 • 신분 질서 정당화 ex) 업설[3] • 재래 신앙과 융합하여 토착화 (삼국에 토착화하는 과정에서 샤머니즘과 융합하기도 하였다.) • 불교 중심의 삼국 문화가 일본에 전파되어 일본 고대 문화 성립에 영향

3 교육 기관의 설립과 유학의 보급

유학의 역할	• 행정 실무를 담당할 관료 양성 • 충·효·신 등 국왕 중심의 지배 질서를 뒷받침하는 도덕 규범 장려
삼국의 유학 교육	• 고구려: 중앙에 태학, 지방에 경당[4] 설치 • 백제: 오경박사[5], 역박사, 의박사 파견 • 신라: 임신서기석 등에 신라인들이 유교 경전을 공부한 사실 기록 (신라의 두 청년이 유학에 힘쓰고 왕에게 충성할 것을 다짐하여 기록한 비석이다.)
역사서	• 국왕의 권위를 높이는 역할 (국력을 과시하기 위한 의도에서 편찬되었다.)

4 도교의 전래

(1) 신선 사상[6]을 바탕으로 민간 신앙 등 다양한 신앙이 결합하여 성립

(2) 불로장생과 현세의 이익을 추구하였으며 귀족 사회를 중심으로 유행

(3) 예술에 영향 ex) 고구려 고분 벽화의 사신도, 백제의 산수무늬 벽돌과 금동 대향로

(4) 고구려 연개소문의 도교 장려: 불교 세력 약화 목적

개념 쏙쏙

① 영고
추수 감사제의 성격을 띤 부여의 제천 행사로 매년 12월 하늘에 제사를 지냈으며, 춤과 노래를 즐기고 죄수를 풀어 주기도 하였다. 추수 직후가 아닌 12월에 개최한 것은 수렵 사회의 전통을 계승했기 때문인 것으로 짐작된다.

② 동맹
추수 감사제의 성격을 띤 고구려의 제천 행사로 매년 10월에 열렸다.

③ 업설
업설은 '전생에 지은 행위를 결과를 현세에서 받는다.'는 사상으로 귀족들은 이를 귀족 중심 신분 질서를 정당화하는 데 사용하였다.

④ 경당
고구려의 청소년들이 유학 교육과 군사 훈련을 하던 학교로, 태학과 달리 평민을 위한 교육 기관이었던 것으로 짐작된다.

⑤ 오경박사
『역경』, 『시경』, 『서경』, 『예기』, 『춘추』 등 다섯 가지 유학 경전에 능통한 사람에게 주었던 관직으로 유학 교육을 담당하였을 것으로 추측된다.

⑥ 신선 사상
속세를 떠나 자신들만의 세상에서 영원히 오래도록 살며 죽지 아니한다는 신선의 존재를 믿고, 그처럼 되기를 바라는 사상이다.

정리 교실 교과서 30쪽

㉠ 천신 신앙 ㉡ 불국토 ㉢ 유학

탐구 교실 신라의 세 가지 보물 이야기

활동 목표 | 고대 사회에서 종교가 어떻게 정치에 활용되었는지 말할 수 있습니다.

자료 1 황룡사 장륙존상 설화

신라 제24대 진흥왕 때 …… 바다 남쪽에서 커다란 배 한 척이 나타났는데, 하곡현 사포에 정박하였다. 이 배를 조사해 보니 이러한 내용의 공문이 있었다.

"서축(인도) 아육왕(아소카왕)이 황철 5만 7천 근과 황금 3만분을 모아 석가 삼존상을 만들려고 하였지만 이루지 못하였다. 그래서 배에 실어 바다에 띄우면서 축원하기를, '부디 인연 있는 나라에 가서 장륙존상을 이루기를 바랍니다.'라고 하였다."

…… 금과 쇠를 수도로 운반하여 장륙존상을 주조하였다. 이 장륙존상을 황룡사에 모셨는데, 이듬해 불상의 눈에서 눈물이 흘러 발꿈치까지 이르렀으니 땅을 한 자나 적셨다.

- 일연, 『삼국유사』

황룡사지 장륙존상 지대석(경북 경주)

자료 2 하늘이 내려 준 옥대(천사옥대) 설화

(신라 제26대 진평왕은) 왕위에 오른 첫해에 하늘에서 사신이 궁전 뜰로 내려와 왕에게 말하였다. "상제께서 저에게 명하시어 이 옥대를 전해 주라고 하셨습니다." 왕이 친히 꿇어앉아 그것을 받자, 사신이 하늘로 올라갔다. 무릇 교외와 종묘에서 큰 제사를 지낼 때면 모두 이 옥대를 사용하였다.

- 일연, 『삼국유사』

자료 3 황룡사 9층 목탑 창건 설화

자장이 말하였다. " …… 고구려, 백제가 번갈아 국경을 침범하여 마음대로 돌아다닙니다. 이것이 백성들의 걱정입니다." 신인(神人)이 말하였다. "황룡사의 호법룡(불법을 수호하는 용)이 나의 맏아들이다. …… 귀국하여 절 안에 9층 탑을 조성하면 이웃 아홉 나라가 항복하고 조공하여 나라가 영원히 평안할 것이다. 탑을 건립한 후 팔관회를 베풀고 죄인을 사면하면 곧 외적이 해를 가할 수 없을 것이다."

- 일연, 『삼국유사』

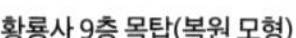

황룡사 9층 목탑(복원 모형)

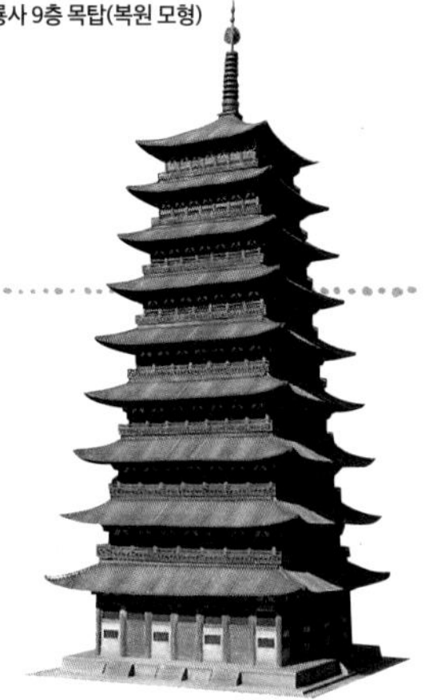

활동 풀이

1. <자료 1>의 설화가 신라의 불국토설을 어떻게 뒷받침하고 있는지 분석해 보자.

예시 답안 불상 축조를 위해 인도에서 보내온 재료로 장륙존상을 만들었다면서 신라가 불교와 깊은 인연을 지닌 곳임을 강조하였다.

2. <자료 2>의 설화에서 알 수 있는 신라 왕실의 정치적 의도가 무엇인지 적어 보자.

예시 답안 왕의 권위를 하늘과 연결하여 신성함을 강조하고 권력을 강화하고자 하였다.

3. <자료 3>을 통해 신라가 황룡사 9층 목탑을 건립한 목적이 무엇인지 생각해 보자.

예시 답안 불교 신앙으로 지배 권력을 보호하며, 사회 통합을 이루고 왕권의 과시하고자 하였다.

활동 도우미

- 삼국 시대 불교가 왕권과 신분 질서 옹호, 호국적 경향 등을 보인 것은 불교 고유의 속성이 아니라 당시 지배층의 정치적 목적에 의해 나타난 현상임에 유의하여 삼국 시대 불교의 정치·사회적 기능을 파악하고, 이를 토대로 고대 사회의 정치·사회적 특징을 추론해 봅시다.
- 불교 수용 이후에도 왕권을 뒷받침하는 수단으로 활용된 천신 신앙의 사례를 참고하여 고대 사회 다양한 종교와 사상이 어떠한 정치적·사회적 기능을 하였는지 생각해 봅시다.

자료 해설

- **<자료 1>** | 황룡사 장륙존상이 위대한 불교 군주로 일컬어지는 인도 아소카왕과의 인연으로 만들어졌음을 강조한 글이다.
- **<자료 2>** | 신라 왕실이 하늘로부터 옥대를 하사받는 등 왕의 권위가 신성함을 강조한 글이다.
- **<자료 3>** | 부처의 힘으로 주변 나라들로부터 신라를 보호하기 위해 황룡사 9층 목탑을 조성하였음을 밝히고 있는 글이다.

간단 체크 정답 및 해설 3쪽

천신 신앙은 외래 종교의 수용 이후에도 왕권을 뒷받침하는 역할을 수행하였다. (O, X)

교과서 32~35쪽

2 고대 사회의 종교와 사상

주제 7 사회적 영향력을 확대한 종교와 사상

이번 주제에서는 | 삼국 통일 이후 유학과 불교가 사회 변동에 미친 영향을 설명할 수 있습니다.

교실 열기 **유학과 불교는 고대 사람들의 삶에 어떠한 영향을 주었을까?**

예시 답안 | 유학은 윤리적 행위의 기준을 제시하였으며, 불교는 마음의 안정을 얻도록 해 주었다.

1 유학 교육의 강화

통일 신라	• 국학 설치, 독서삼품과 시행 • 6두품 출신 유학자 다수 배출 → 당에 유학하여 빈공과 응시, 골품제의 한계로 국내 활동에 제약 • 강수: 삼국 통일기에 활약, 외교 문서 작성에 탁월한 재능 • 설총: 신문왕에게 「화왕계」 바침, 이두를 체계적으로 정리 • 최치원: 당에서 탁월한 문장력으로 명성 떨침, 귀국 후 개혁안 제시
발해	• 주자감 설치, 중앙 행정 기구인 6부의 명칭을 유교 덕목으로 사용 • 한시(漢詩)에 능한 사람들 다수, 당의 빈공과 응시

아첨하는 신하를 '장미'에, 충언을 아끼지 않는 충신을 '백두옹(할미꽃)'에 비유하여 왕에게 깨달음을 주려 지은 설화이다.

신라 유학생과의 경쟁으로 수석 자리를 놓고 다투는 일이 발생하기도 하였다.

2 불교의 대중화

원효	• 일심 사상, 화쟁 사상[1] 통해 종파 간 대립 해소 노력 • 아미타 신앙 전파하여 불교 대중화에 기여
의상	• 화엄 사상[2] 통해 사회적 갈등과 분열 극복 노력 • 관음 신앙[3] 전파하여 불교 대중화에 기여
향도	• 신앙 공동체로 사회 통합에 기여

원효는 누구나 나무아미타불만 외우면 내세에 아미타불이 관장하는 서방 정토의 극락 세계에 태어날 수 있다고 설법하여 불교 대중화에 기여하였다.

3 불교문화의 융성

(1) 통일 신라: 지배층 중심의 경제 기반 확대로 불교문화 융성 ex) 불국사, 석굴암

(2) 발해: 지배층 중심의 불교문화 발전 ex) 다수의 절터와 석등, 이불병좌상

4 통일 신라 말기의 혼란과 후삼국의 성립

(1) 진골 귀족들의 반발로 녹읍 부활

(2) 진골 귀족 세력 간 갈등과 대립이 심화하며 왕위 쟁탈전 전개

(3) 중앙 정부의 지방 통제력 약화로 농민들이 봉기하고 호족[4] 성장

(4) 골품제에 불만을 품은 6두품 지식인 중 일부가 호족과 결탁

(5) 호족들 중 견훤이 후백제, 궁예가 후고구려를 세우며 후삼국 성립

신라가 분열되어 신라, 후백제, 후고구려가 대립하면서 후삼국 시대가 시작되었으며, 고려에 의한 후삼국 통일이 이루어진 936년까지 이어졌다.

5 선종의 확산과 풍수지리설의 유행

(1) 통일 신라 말기 개인의 정신 수행을 통한 깨달음을 추구하는 선종 유행

(2) 호족 세력은 선종의 실천적 경향을 선호하여 선종 후원

(3) 선종 사찰을 건립하거나 호족의 근거지를 마련할 때 자연 지형을 살피는 풍수지리설 활용

개념 쏙쏙

① 화쟁 사상
세상의 모든 모순과 대립, 다툼을 극복하고 조화를 이뤄 하나의 세계를 지향한 원효의 사상이다. 원효는 이를 통해 불교 종파 간의 대립을 근본적으로 해결하고자 하였다.

② 화엄 사상
우주 만물은 그 어느 하나라도 홀로 존재하거나 생겨날 수 없으며, 모두가 시간과 공간 속에서 서로의 원인이 되기도 하고 하나로 융합하기도 한다는 사상이다. 의상에 의해 통일 신라에 들어왔다.

③ 관음 신앙
고통에 시달리는 중생이 참된 마음으로 그 이름을 부르면 괴로움에서 구제하여 준다는 관세음 보살을 숭상하는 불교 신앙으로 의상에 의해 전파되었다.

④ 호족
신라 말, 고려 초의 사회 변동을 주도한 지방 세력으로 중앙의 귀족과 대비되는 개념이다. 출신 성분으로는 낙향한 중앙 귀족, 변경 수비를 위해 설치된 군진 세력, 촌주 출신 등이 있으며, 중앙 정부의 지방 통제력 약화로 인해 등장하였다. 이들은 일정한 지역에서 백성들을 직접 지배하고 독자적 군사력을 보유하였으며, 신라 중앙 정부를 적대시하였다.

정리 교실 교과서 34쪽

㉠ 빈공과 ㉡ 원효 ㉢ 향도 ㉣ 선종 ㉤ 풍수지리설

탐구 교실 고대 유학 교육의 목적

활동 목표 | 고대 유학 교육과 현대 학교 교육의 목적 비교를 통해 바람직한 학습 태도를 형성할 수 있습니다.

자료 1 「임신서기석」(국립경주박물관)

임신년 6월 16일에 두 사람이 함께 맹세하여 기록한다. 하늘 앞에 맹세하기를 지금부터 3년 이후까지 충성의 도리를 갖고 잘못을 저지르지 않기로 맹세한다. …… 따로 앞서 신미년(임신년 바로 전 해) 7월 22일에 …… 『시경』, 『상서』, 『예기』, 『춘추전』 등을 차례로 습득하기로 맹세하되 3년으로 하였다.

자료 2 통일 신라 때 승려 충담사가 지은 「안민가」

임금은 아버지요, 신하는 사랑스러운 어머니요,
백성은 어리석은 아이라 하실지면
백성이 그 사랑을 알리라.
꾸물거리며 살던 백성에게 이를 먹여 다스려서
백성들이 '이 땅을 버리고 어디를 가겠느냐.'라고 말할 때
나라가 유지될 줄 알 것이로다.
아아, 임금답게, 신하답게, 백성답게 한다면
나라 안이 태평하리다.

\- 일연, 『삼국유사』

자료 3 고대 유학 교육과 현대 교육의 목적

통일 신라 국학의 운영 방식

학생은 관등이 대사 이하에서 관등이 없는 자에 이르기까지 15세에서 30세까지인 자를 입학시켰다. 재학 연한은 9년으로 하되, 만약 어리석고 둔하여 ㉠ 인재가 될 가능성이 없는 자는 그만두게 하였다. 만약 재주와 기량은 뛰어난데 아직 미숙한 자는 비록 9년이 넘더라도 국학에 남아 있는 것을 허락하였다. 그리고 관등이 대나마·나마에 이른 후에 국학을 나가도록 하였다.

\- 『삼국사기』

오늘날 대한민국 「교육 기본법」

제2조(교육 이념) 교육은 홍익인간의 이념 아래 모든 국민으로 하여금 인격을 도야하고 자주적 생활 능력과 ㉡ 민주 시민으로서 필요한 자질을 갖추게 함으로써 인간다운 삶을 영위하게 하고 민주 국가의 발전과 인류 공영의 이상을 실현하는 데에 이바지하게 함을 목적으로 한다.

제3조(학습권) 모든 국민은 평생에 걸쳐 학습하고, 능력과 적성에 따라 교육받을 권리를 가진다.

제4조(교육의 기회균등) ① 모든 국민은 성별, 종교, 신념, 인종, 사회적 신분, 경제적 지위 또는 신체적 조건 등을 이유로 교육에서 차별을 받지 아니한다.

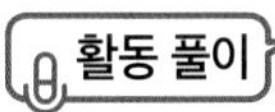

1. <자료 1, 2>를 참고하여 <자료 3>의 ㉠은 어떤 사람일지 추론해 보자.

예시 답안 유학을 익혀 나라의 주인인 국왕 중심의 통치 체제를 뒷받침하며 국왕에 충성을 다하는 사람이다.

2. <자료 3>의 내용을 읽고 ㉠과 ㉡이 어떤 점에서 차이가 있는지 써 보자.

예시 답안 ㉠은 나라의 주인이 아니며 교육을 통한 선별의 대상인 반면, ㉡은 나라의 주인으로서 차별받지 않을 권리가 있다.

3. <자료 3>을 읽고, 오늘날 교육을 통해 어떤 사람으로 성장할 것인지를 다짐하는 비석문을 <자료 1>처럼 써 보자.

예시 답안 202○년 ○월 ○일 학급 친구들과 함께 맹세하여 기록한다. 개인적인 이익 추구보다는 사회에 대한 비판적 통찰력을 길러 정의로운 세상을 만들어 나가는 데에 도움이 되는 사람으로 성장하는 데에 배움의 목적을 두고 학교생활을 하기로 하였다.

- 고대 사회와 현대 민주주의 사회의 인재상은 시대 상황의 변화에 따른 차이가 존재함을 이해하고, 교육 방식과 내용에 시대가 요구하는 인재상이 어떻게 반영되어 있는지 알아봅시다.
- 고대 국가와 현대 민주주의 국가에서 이루어지는 교육을 비교하여 본인 스스로가 민주 시민의 자질 함양이라는 공교육의 본질에 부합하는 학습의 목적의식을 갖추고 있는지 고민해 봅시다.

- **<자료 1>** | 신라의 두 청년이 왕에게 충성하고 유교 경전을 익힐 것을 맹세한 내용을 담은 비석이다.
- **<자료 2>** | 충효(忠孝) 사상을 바탕으로 왕, 신하, 백성의 역할을 노래하는 등 유교 이념을 내포한 통일 신라 시기의 향가이다.
- **<자료 3>** | 통일 신라의 교육 기관인 국학은 유학을 익혀 국가에 충성하는 인재를 선별하여 양성하려는 목적에서 설립되었다. 대한민국 「국민 기본법」에서 밝히고 있는 교육의 목적은 모든 국민이 차별받지 않고 교육을 받아 민주 시민으로서 자질을 갖추게 하는 것이다.

간단 체크 정답 및 해설 3쪽

통일 신라의 국학은 유학 교육의 대중화를 목적으로 설립되었다. (O, X)

1 개념 익히기

01 아래 설명이 맞으면 O표, 틀리면 X표를 해 보자.

(1) 신라의 불교식 왕명 사용은 고대 국가의 불교가 정치적으로 활용되었음을 보여 준다. (　　)

(2) 유학은 불로장생과 현세의 이익을 추구한다. (　　)

(3) 통일 신라 말기 선종은 호족의 후원을 받으며 크게 확산되었다. (　　)

(4) 발해는 유학 교육을 위해 주자감을 설치하였다. (　　)

02 빈칸에 알맞은 말을 채워 보자.

(1) (　　　)은/는 특정 동식물을 씨족이나 부족의 신으로 섬기는 신앙이다.

(2) 삼국의 (　　　)은/는 충·효·신 등의 도덕 규범을 장려하였다.

(3) 의상은 (　　　)을/를 전파하여 불교 대중화에 기여하였다.

(4) (　　　)은/는 자연 지형을 살펴 주택이나 묘지 등을 정하는 인문 지리학으로 선종 사찰 건립, 호족의 근거지 마련 등에 활용되었다.

03 서로 관련 있는 내용끼리 연결해 보자.

a. 원광 •	• ㄱ. 세속 5계
b. 원효 •	• ㄴ. 이두
c. 설총 •	• ㄷ. 화쟁 사상

04 다음 중 고대 국가의 유학 교육 시행 모습을 보여 주는 사례를 <보기>에서 모두 고르시오.

보기

ㄱ. 태학 설립　　ㄴ. 향도 조직

ㄷ. 오경박사 파견　　ㄹ. 이불병좌상 조성

2 내신 유형 익히기

중요

01 다음 자료에 해당하는 나라에 대한 설명으로 옳은 것은?

• 본디 다섯 부족이 있었으니, 연노부·절노부·순노부·관노부·계루부가 그것이다. 본래는 연노부에서 왕이 나왔으나 점점 미약해져서 지금은 계루부에서 왕위를 차지하고 있다.

• 혼인을 맺을 때 혼삿날이 결정되면 여자 집의 본채 뒤편에 작은 집을 지었는데, 이를 서옥이라고 부른다. …… 자식을 낳아서 장성하면 (신랑은) 아내를 데리고 자기 집으로 돌아간다.

-『삼국지』「위서 동이전」-

① 독서삼품과를 시행하였다.

② 불교식 왕명을 사용하였다.

③ 동맹이라는 제천 행사가 열렸다.

④ 청동기 문화를 기반으로 건국되었다.

⑤ 여러 가들이 별도로 사출도를 다스렸다.

02 밑줄 친 '문화유산'으로 옳은 것은?

갑: 삼국 시대에 전래된 △△ 사상에 대해 알아보는 게 우리 모둠의 탐구 과제야. 각자 본인이 조사하고 싶은 내용을 말해 보자.

을: 나는 △△의 기반인 신선 사상을 조사할게.

병: 그럼 나는 고구려의 연개소문이 불교 세력을 약화하기 위해 △△을/를 장려했던 사실을 더욱 구체적으로 조사해 볼게.

정: 나는 △△의 이상 세계를 표현한 <u>문화유산</u>을 조사할게.

① 

② 

③ 

④ 

⑤ 

03 (가)에 들어갈 교육 기관으로 옳은 것은?

[고구려] 사람들은 배우기를 좋아하여 가난한 마을이나 미천한 집안에 이르기까지 서로 힘써 배우므로, 길거리마다 큼지막한 집을 짓고 (가) (이)라고 부른다. 결혼하지 않은 자제들을 이곳에 머물게 하여 글을 읽고 활쏘기를 익히게 한다.

-『신당서』-

① 경당 ② 국학 ③ 태학
④ 국자감 ⑤ 주자감

중요
04 밑줄 친 '이 승려'에 대한 설명으로 옳은 것은?

신라의 삼국 통일 전후에 활약하였던 이 승려는 설총을 낳은 뒤에 스스로 소성거사라 칭하였다. 또한 화쟁 사상을 내세워 불교 종파 간 대립을 해소하고자 하였으며, 『금강삼매경론』, 『대승기신론소』 등의 저작을 남겼다.

① 세속 5계를 지었다.
② 신라 화엄종을 열었다.
③ 당의 빈공과에 합격하였다.
④ 아미타 신앙을 전파하였다.
⑤ 이두를 체계적으로 정리하였다.

중요
05 다음 상황이 나타난 시기의 사실로 옳은 것은?

진성왕 6년(892) 궁예가 북원 도적 양길의 군대에 가세하였다. 양길은 기뻐하며 궁예를 잘 예우하여 일을 맡겼다. 마침내 군사를 나누어 주며 동쪽으로 보내 땅을 빼앗게 하였다.

-『삼국사기』-

① 국학이 설치되었다.
② 애니미즘이 출현하였다.
③ 도교 사상이 전래되었다.
④ 선종 불교가 확산되었다.
⑤ 나당 연합군이 결성되었다.

서술형 문제
06 다음 자료에서 추론할 수 있는 원시 신앙을 서술하시오.

옛날에 환인의 아들 환웅이 천하에 자주 뜻을 두어, 인간 세상을 구하고자 하였다. 아버지가 아들의 뜻을 알고 삼위태백을 내려다보니 인간을 널리 이롭게 할 만한지라, 이에 천부인(天符印) 3개를 주며 가서 다스리게 하였다. …… 이때에 곰 한 마리와 호랑이 한 마리가 있어 같은 굴에 살면서 항상 환웅에게 기도하여 사람이 되기를 원하였다. …… 삼칠일(三七日)만에 곰은 여자의 몸이 되었다. …… 웅녀(곰)는 혼인할 사람이 없었으므로 날마다 신단수 아래에서 잉태하기를 빌었다. 환웅이 잠시 사람으로 변하여 그녀와 혼인하였다. 웅녀가 잉태하여 아들을 낳으니 단군왕검이라 하였다.

-『삼국유사』-

서술형 문제
07 다음 자료를 통해 알 수 있는 고대 사회 유학과 불교의 역할을 서술하시오.

나이가 들자 스스로 책을 읽을 줄 알아 뜻과 이치를 환하게 깨우쳐 알았다. 아버지가 그의 뜻을 알아 보려고 "너는 불교를 배우겠느냐? 유학을 배우겠느냐?"하고 물었다. 그는 "제가 들으니 불교는 세상 밖에 대한 가르침인데, 저는 이 세속 사람이니 어찌 불교를 배우겠습니까? 유학의 도를 배우기를 원합니다."라고 대답하였다. 아버지는 "네가 좋아하는 대로 하라."고 말하였다.

-『삼국사기』-

3 고려의 통치 체제와 국제 질서의 변동

주제 8 고려의 통치 체제 정비

이번 주제에서는 | 고려 초기 통치 체제의 정비 노력이 지배 세력의 재편에 미친 영향을 설명할 수 있습니다.

교실 열기 고려의 통치 체제가 정비되면서 호족 세력의 지위는 어떻게 변화하였을까?

예시 답안 | 지방관이 파견되면서 호족은 향리가 되거나, 중앙 관료로 진출해 문벌을 형성하였다.

1 고려의 성립과 후삼국의 통일

(1) 고려의 성립

① 왕건이 궁예를 몰아내고 고려 건국(918)

② 고구려 계승 의식 표방하고 발해 유민 포용 → 고려는 고구려 계승을 표방한 국명이다.

(2) 후삼국 통일(936): 신라 우호 정책을 통해 신라의 항복을 받은 후 후백제 정복

2 왕권의 안정과 유교 정치 이념의 채택

(1) 태조의 호족 정책

① 호족 회유: 혼인 정책 → 태조는 호족을 포섭하기 위해 유력한 호족의 딸들과 혼인하였으며, 29명의 부인을 두었다. 이는 태조 사후 왕위 계승을 둘러싼 호족 간 갈등의 원인이 되었다.

② 호족 견제: 기인 제도, 사심관 제도

(2) 광종의 왕권 강화책

① 공신, 호족의 경제력 약화: 노비안검법 시행

② 새로운 관료 세력 양성: 과거제 시행

③ 공신, 호족 숙청

(3) 성종의 통치 체제 정비: 최승로의 「시무 28조」를 수용하여 유교 정치 이념 강조

3 중앙 행정 기구와 관리 임용 제도

(1) 중앙 통치 조직

① 2성 6부 체제: 중국의 3성 6부 체제 변용

② 중서문하성의 재신[1]과 중추원의 추밀[2]이 회의를 통해 국가 중대사 결정 → 도병마사와 식목도감에 모여서 회의를 하였다. 이는 고려의 독자적인 정치 기구이다.

③ 어사대 관료와 중서문하성 낭사[3]는 언론을 담당

(2) 관리 임용 제도

① 과거: 문신 관료를 뽑는 제술과와 명경과, 기술관을 뽑는 잡과로 구분

② 음서[4]: 공신이나 5품 이상 관리의 자손을 관리로 임용하는 제도

(3) 문벌의 형성: 통치 체제가 정비되면서 일부 가문이 여러 대에 걸쳐 고위 관료 배출, 주요 관직 독점

4 지방 행정 조직의 정비

(1) 전국을 경기, 5도, 양계[5]로 구분

(2) 주현보다 속현의 수가 더 많으며, 특수 행정 구역인 향·부곡·소 존재

(3) 지방관 파견으로 호족 세력은 행정 실무를 주관하는 향리로 변화

개념 쏙쏙

① 재신
중서문하성의 2품 이상 고위 관료를 일컫는다. 관리를 통솔하고 국가 정책을 의논·결정하는 일을 맡았다.

② 추밀
중추원의 2품 이상 고위 관료를 일컫는다. 군사 기밀 업무를 관장하였으며, 재신과 함께 도병마사, 식목도감에서 나랏일을 논의하였다.

③ 낭사
중서문하성 정3품 이하의 관원을 일컫는다. 어사대 관리와 함께 대간이라고 불리며 언론 역할을 담당하였다.

④ 음서
공신이나 5품 이상의 관리의 자손을 관직에 임용하는 제도이다. 과거제 시행 이후에도 여전히 가문을 중시하는 사회 분위기가 있었음을 알려 준다.

⑤ 양계
군사적 특수 행정 구역으로 북방 지역에 설치된 북계, 동해안 일부 지역에 설치된 동계를 합쳐서 이르는 말이다. 군사적으로 중요한 지역이었기에 군사 지휘관인 병마사가 파견되어 지역을 관할하였다.

정리 교실 교과서 37쪽

㉠ 과거제 ㉡ 재신 ㉢ 주현

탐구 교실 최승로의 유교 정치 이념

활동 목표 | 유교 정치 이념이 고려 전기의 통치 체제 정비에 미친 영향을 말할 수 있습니다.

자료 1 노비안검법에 대한 최승로의 평가

우리 조정에서 양인과 천인을 구분하는 법은 그 유래가 오래되었습니다. 태조께서 즉위한 초기에 노비가 없던 신하는 포로로 얻거나 재물을 주고 사서 노비를 구하였습니다. 태조께서는 일찍이 포로들을 해방하여 양인으로 삼고자 하였습니다만 공신들이 동요할까 염려하여 그들의 편의대로 둘 것을 허락하였습니다. 그래서 60여 년이 지나도록 노비 관련 소송을 하는 자가 없었습니다.
광종 때에 이르러 공신들의 노비를 조사하여 불법으로 소유한 노비를 가려 내라고 명령하시자, 공신들은 탄식하고 원망하였습니다. 다만 왕후께서 그만둘 것을 요청하였지만 임금께서는 받아들이지 않았습니다. 이로 인해 천민과 노비들이 귀한 사람들을 업신여겼으며, 허위 사실로 주인을 모함한 것을 이루 다 기록할 수 없었습니다. 전하께서는 지난 일을 거울삼아 천한 노비들이 귀한 이들을 업신여기지 못하게 하시고, 노비와 주인과의 관계를 적절히 처리하도록 하십시오.

-『고려사절요』「성종 문의대왕」

자료 2 「시무 28조」

7조 왕이 백성을 다스린다고 하여 매일같이 …… 그들을 살펴볼 수는 없습니다. …… 호족들이 늘 공적인 업무를 핑계로 백성들을 괴롭혀 백성들이 고통을 겪고 있으니, 지방관을 파견하시기를 바랍니다.

9조 간청하건대 관료들이 조회에서는 모두 중국과 신라의 제도에 의거하여 예복을 입도록 하고, …… 일반 백성들은 화려한 문양과 주름이 있는 고운 비단을 입을 수 없게 하고, 다만 굵은 명주로 만든 옷만 입게 하십시오.

13조 우리나라는 봄에 연등회를 열고 겨울에 팔관회를 개최하여 사람들을 동원하여 힘든 일을 많이 시키니, 원컨대 이를 대폭 줄여 백성의 수고를 덜어 주십시오.

14조 바라건대 임금께서는 몸가짐을 조심하시어 교만하지 말고, 신하를 대할 때에는 공손함을 생각하며, 혹시 죄 있는 자가 있더라도 죄의 경중을 모두 법대로만 논한다면 곧 태평성세를 이룰 수 있을 것입니다.

-『고려사』「최승로 열전」

- 태조, 광종에 대한 최승로의 평가 내용을 바탕으로 그가 유교 정치 이념에 입각하여 만들고자 하였던 세상의 모습을 이해해 봅시다.
- 최승로의 평가를 절대적인 것으로 여기지 않고 당시의 시대적 맥락을 고려하여 재평가를 시도해 봅시다.
- 최승로의 「시무 28조」를 분석하여 최승로가 생각한 이상적인 국가의 모습을 추론하고, 이러한 국가의 모습이 왕, 신하, 호족, 백성 등 서로 다른 처지에 있던 사회 구성원들에게 각각 어떤 의미였을지 상상해 봅시다.

활동 풀이

1. <자료 1>에서 최승로가 태조를 긍정적으로 평가한 반면, 광종을 부정적으로 평가한 이유는 무엇일까?

예시 답안 태조는 신하들의 이해관계를 중요하게 여기고 배려하였으나, 광종은 공신 세력을 억압하고 노비를 풀어 주어 사회 질서를 어지럽혔다고 판단하였다.

2. 최승로가 생각한 이상적인 국가는 어떤 모습이었을지 <자료 2>를 참고하여 다음의 구조도에 정리해 보자.

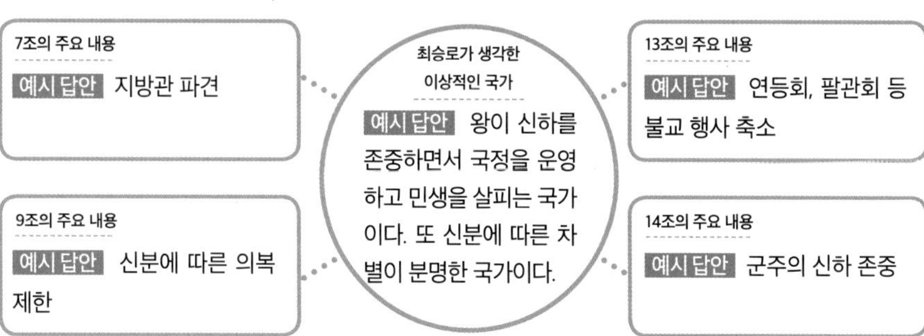

- **<자료 1>** | 최승로가 태조와 광종에 대해 평가한 내용의 일부이다. 포로 노비들의 해방을 포기한 태조의 결정을 긍정적으로 평가하며 광종의 노비안검법이 신분 질서를 어지럽혔다고 비판하고 있다.
- **<자료 2>** | 최승로가 성종에게 올린 「시무 28조」에는 유교의 진흥과 지방관 파견, 과도한 재정 낭비를 가져오는 불교 행사의 억제, 명확한 신분의 구분 등과 같은 내용이 포함되어 있다. 성종은 최승로의 건의를 수용하여 유교 정치 이념에 따라 통치 체제를 정비하였다.

간단 체크 정답 및 해설 4쪽

최승로는 유교 정치 이념을 바탕으로 한 중앙 집권 국가를 지향하였다. (O, X)

3 고려의 통치 체제와 국제 질서의 변동

주제 9 고려 전기의 대외 관계

이번 주제에서는 | 동아시아 국제 정세를 바탕으로 고려 전기의 외교 정책에 대해 설명할 수 있습니다.

교실 열기 고려가 국왕을 '황제'로 칭할 수 있었던 국제적 배경은 무엇일까?

예시 답안 | 고려 전기에 다원적 국제 질서가 형성되어 있었기 때문이다.

1 다원적 국제 질서와 독자적 천하관

(1) 고려, 송, 거란, 여진을 중심으로 다원적 국제 질서 형성

(2) 고려는 다원적 외교를 통해 실리 추구 — 고려는 대외적 상황의 변화에 따라 유연하게 송(남송), 거란, 여진 등과의 외교 관계에 변화를 주었다.

(3) 해동 천하: 중국 중심의 세계와 구분되는 고려의 독자적 세계가 존재한다는 관념적 세계관 → 고구려를 비롯한 삼국의 독자적인 천하관 계승 — 해동 천하는 실제로 존재하는 세계가 아닌 고려 지배층의 인식 속에만 자리 잡고 있던 세계관이었다.

2 송과의 관계

(1) 목적: 송 문물의 수용을 통한 정치·경제·문화적 욕구 충족

(2) 성격: 실리 추구 → 송의 군사적 협조 요청 거절 — 송은 고려와 연합하여 거란, 여진 등 북방 세력의 군사적 위협에 대응하고자 하였다.

(3) 벽란도가 국제 무역항으로 번성: 아라비아 상인도 내항 → 대개 팔관회[1]가 열리는 때에 맞춰 방문

3 거란과의 관계

(1) 거란의 침입 목적: 고려와 송의 외교 관계 차단 — 거란은 송을 공격하기 전 송에 대한 고려의 군사적 지원을 차단하고자 하였다.

(2) 거란의 침입에 대한 고려의 대응

1차 침입	• 서희와 소손녕의 외교 협상 • 여진을 쫓아내고 강동 6주[2] 차지
2차 침입	• 고려 국왕이 신하의 예를 갖추기로 하여 거란군 철수
3차 침입	• 강감찬이 이끄는 고려군이 귀주에서 크게 승리(귀주 대첩[3]) • 거란군 철수 후 천리장성[4] 축조

4 여진과의 관계

(1) 여진 정벌

① 별무반 창설: 세력을 키운 여진을 정벌하기 위해 윤관의 건의에 따라 기병을 포함한 별무반 조직

② 동북 9성[5] 축조: 여진 정벌 후 동북 지역에 9성을 축조 → 여진의 거듭된 요구로 1년여 만에 반환

(2) 금의 군신 관계 요구 수용

① 여진의 세력 확장, 금 건국 → 거란을 멸망시키고 송을 남쪽으로 몰아냄. → 고려에 군신 관계 요구

② 대표적 문벌인 이자겸 등의 주장에 따라 금의 군신 관계 요구 수용

개념 쏙쏙

① 팔관회
고유의 민속 신앙과 융합한 불교 행사이다. 신라에서 처음 행해졌으며, 고려 시대에 정기적인 국가 행사로 자리 잡았다.

② 강동 6주
평안북도 해안 지방에 설치한 흥화·용주·통주·철주·귀주·곽주의 6주를 일컫는다. 북방 지역으로 통하는 군사·교통 상의 요지이다.

③ 귀주 대첩
거란의 3차 침입 당시 병력에 큰 손실을 입고 철수하던 거란군을 공격하여 크게 물리친 전투이다.

④ 천리장성
11세기 초, 거란의 3차 침입 이후 서북쪽의 거란, 동북쪽의 여진의 침입에 대비하여 국경에 쌓은 성이다.

⑤ 동북 9성
여진 정벌 후 동북쪽 지역에 세운 9개의 성을 일컫는다. 정확한 위치는 알려져 있지 않다. 지형이 험하고 여진의 공격이 계속 되어 관리가 쉽지 않았으며, 여진이 화친을 맺고 성을 돌려주면 조공을 바치겠다고 제안하여 1년여 만에 반환하였다.

정리 교실 교과서 40쪽

㉠ 해동 천하 ㉡ 벽란도
㉢ 강동 6주 ㉣ 별무반

탐구 교실 동아시아 국제 관계로 살펴보는 거란의 고려 침입

활동 목표 | 고려가 다원적 외교를 전개한 이유를 말할 수 있습니다.

자료 1 거란의 침입과 고려의 대응

거란의 1차 침입 때 서희는 거란과 외교 협상을 타결하였다. 이후 고려는 여진을 몰아내고 강동 6주를 설치하였다.

개경까지 함락될 줄은 몰랐네. 거란 황제가 직접 군대를 이끌고 왔다더군.

왕께서는 벌써 나주까지 피란하신 모양이야.

듣자 하니 거란은 고려가 송과 계속해서 교류하는 것을 못마땅하게 여기고 있다더군.

거란의 2차 침입 때 고려는 개경이 함락되는 위기를 맞이하였다. 나주로 피란한 국왕은 거란과 강화를 맺어 위기를 모면하였다.

거란의 3차 침입 때 고려는 강감찬의 지휘로 거란군을 물리쳤다. 이후 고려는 거란에 사신을 파견하여 사대를 요청하였다.

자료 2 고려와 거란의 화친 관계 수립

고려는 1018년의 전쟁에서 거란을 상대로 완승을 거두었는데도 1020년 사신을 파견하여 신하국을 의미하는 번을 자칭하면서 관례대로 공물을 보내겠다고 요청하였다. 거란과 여러 차례 전쟁을 치르면서 고려 백성은 많은 어려움을 겪고 있었다. 특히 개경 이북 지역이 많이 피폐해졌다. 이러한 상황에서 전쟁을 지속하는 것은 무모하였다. 결국 고려 정부는 변경의 환란을 막기 위해 의례적 차원에서 요에 사대 조공의 형식을 취하였다. 이에 화답해 거란도 1022년에 고려 국왕을 책봉하였다. 거란은 위신을 찾을 필요가 있었던 것이다. - 김인호 외, 『고려시대사1』

활동 풀이

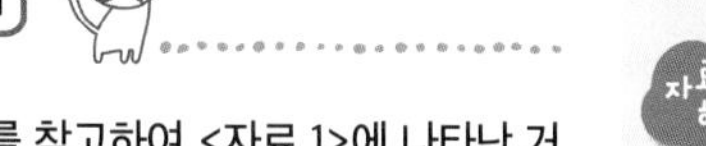

1. 다음 연표를 참고하여 <자료 1>에 나타난 거란의 침입 배경을 거란과 송과의 관계를 토대로 말해 보자.

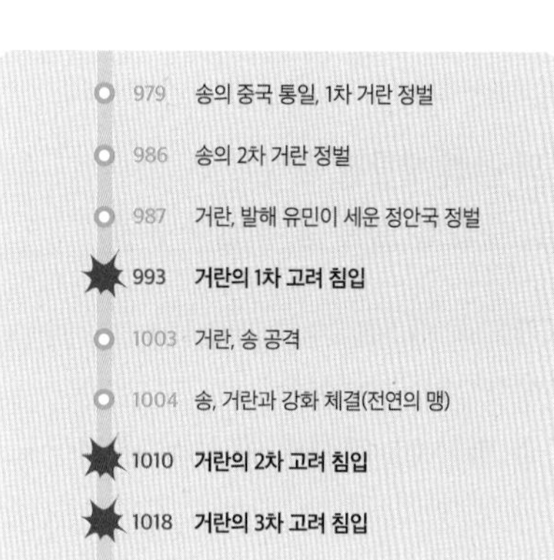

- 979 송의 중국 통일, 1차 거란 정벌
- 986 송의 2차 거란 정벌
- 987 거란, 발해 유민이 세운 정안국 정벌
- 993 **거란의 1차 고려 침입**
- 1003 거란, 송 공격
- 1004 송, 거란과 강화 체결(전연의 맹)
- 1010 **거란의 2차 고려 침입**
- 1018 **거란의 3차 고려 침입**

예시 답안 거란은 세력 확장으로 도모하면서 송과 지속적으로 대립하였으며, 고려와 송의 관계를 끊어 송에 대한 고려의 지원을 차단하려 하였다.

2. 고려가 거란의 3차 침입에서 크게 승리하였음에도 거란에게 사대를 요청한 까닭을 <자료 2>를 바탕으로 생각해 보자.

예시 답안 고려 왕조의 외교 정책이 이해관계를 따지며 실리를 중시하는 방향에서 이루어졌기 때문이다.

활동 도우미

- 세 차례에 걸쳐 거란이 고려에 침입한 이유를 당시의 동아시아의 다원적 국제 질서와 연관 지어 생각해 봅시다.
- 고려 왕실이 대외적으로 거란의 신하임을 인정한 까닭을 추론하여 고려 왕조의 실리적 외교 노선을 이해하고, 고려 왕실의 입장에서 '실리'가 구체적으로 무엇을 의미하였는지 생각해 봅시다.

자료 해설

- **<자료 1>** | 거란의 1차 침입 목적은 고려와 송의 외교를 단절시키는 것이었다. 당시 서희는 이러한 요구를 수용하는 대신 고려가 압록강 동쪽의 여진을 몰아내는 것에 동의해 줄 것을 요구하였고, 거란은 이를 받아들였다. 강동 6주는 서희와 소손녕의 외교 협상이 타결된 이후 고려가 군대를 보내 여진을 몰아내고 차지한 영토이다.
- **<자료 2>** | 고려는 거란의 3차 침입 당시 거란군을 크게 격파하였으나, 이후 국내외 상황을 고려하여 거란에 사대하였다. 이는 실리를 추구하는 고려 외교 정책의 특징을 보여 준다.

간단 체크 정답 및 해설 4쪽

거란의 3차 침입 당시 강감찬이 이끄는 고려군은 (   )에서 거란군을 크게 물리쳤다.

3 고려의 통치 체제와 국제 질서의 변동

주제 10 무신들의 권력 장악과 몽골의 침입

이번 주제에서는 | 무신 정권 시기 각 사회 계층의 삶의 모습을 설명할 수 있습니다.

교실 열기 소수 문벌 가문의 권력 독점은 이후 정치에 어떠한 영향을 미쳤을까?

예시 답안 | 정치 세력 간 갈등이 심화되어 문벌 지배 체제가 붕괴되었다.

1 문벌 지배 체제의 동요

(1) 이자겸의 난

① 개요: 권력을 독점한 이자겸이 왕이 되고자 반란을 일으켰으나 실패

② 결과: 왕권 실추, 지배층의 갈등과 분열 심화

(2) 묘청의 서경 천도 운동

① 개요: '서경 천도', '금 정벌', '황제를 칭할 것'을 내세우며 개경의 문벌 세력과 대립

② 결과: 서경 천도 좌절 후 서경을 중심으로 반란, 김부식이 이끄는 관군에게 진압

2 무신 정권의 등장

(1) 개요: 차별 대우에 분노한 무신들이 무신 정변을 일으켜 권력 장악

(2) 정치 상황: 중방[1] 중심 정치 운영, 주요 관직 독차지, 토지와 노비 등 경제력 독점

→ 무신들 간 권력 쟁탈전 전개

무신 정변이 발생한 1170년부터 최충헌이 권력을 잡은 1196년 사이에 이의방, 정중부, 경대승, 이의민으로 무신 집권자가 교체되었다.

3 최씨 무신 정권의 성립

(1) 배경: 최충헌의 집권으로 무신들의 권력 쟁탈전 종식

(2) 권력 기구: 교정도감[2], 정방[3], 도방, 야별초[4] 등을 통해 권력 유지

4 농민과 천민의 저항

(1) 배경: 무신들의 농장 확대, 정부 관리들의 수탈 심화

권력자의 농장은 사실상 면세 특권을 부여받았기 때문에 농장의 확대는 국가 재정의 악화를 초래하였다.

(2) 주요 사건: 망이·망소이의 난(공주 명학소), 김사미·효심의 난(경상도 일대), 만적의 난(개경)

5 몽골 제국의 성립과 국제 질서의 변화

몽골의 급격한 세력 확장으로 몽골 중심의 동아시아 국제 질서 형성

→ 동아시아 각국의 자국 중심 천하관 붕괴

해동 천하를 자처하던 고려 왕실도 몽골의 침입 이후 원의 부마(사위)국이 되어 내정 간섭을 하였다.

6 몽골의 침입

(1) 발단: 고려에 왔던 몽골 사신이 피살된 사건을 빌미로 몽골이 고려를 침입함.

(2) 고려의 대응

지배층	• 몽골의 1차 침입 이후 최우는 항전을 주장하며 강화도 천도
백성	• 귀주, 충주성, 처인성 등에서 적극적으로 항전
삼별초	• 무신 정권 붕괴 후 몽골과 강화를 맺고 개경 환도를 단행한 고려 정부의 조치에 반발 • 강화도에서 진도, 제주도로 근거지를 옮기며 항쟁하였으나, 여·몽 연합군에 의해 진압

개념 쏙쏙

① 중방
고려 시대 최고위 무신들의 회의 기구로 무신 정변 이후 막강한 정치 기구가 되었다. 최충헌이 교정도감을 설치하는 등 1인 독재 체제를 구축하면서 그 기능이 다시 축소되었다.

② 교정도감
최충헌 때 만들어진 무신 정권 최고의 정치 기관이다. 처음에는 최씨 정권에 반대하는 세력을 제거하기 위해 임시 설치되었으나, 계속 존재하면서 국정 총괄의 역할을 담당하게 되었다. 1인 독재 체제로 운영된 최씨 무신 정권의 특징을 잘 보여 준다.

③ 정방
최충헌에 이어 집권한 최우가 자신의 집에 설치한 인사 행정 기관이다. 최우는 정방을 통해 관리 인사권을 장악하였다. 정방은 이후의 무신 집권자들에 의해 계승되었으며, 무신 정권 몰락 후에 국가 기관이 되었다.

④ 야별초
최우가 나라 안의 도적을 막기 위해 설치한 군사 조직이다. 최씨 정권의 반대 세력, 민란 주도 세력을 막아 내는 역할까지 하는 등 최씨 정권의 군사적 기반으로 이용되었다. 야별초는 병력이 늘어나며 좌별초와 우별초로 분리되었고, 대몽 항쟁 시기에 몽골군에게 포로로 잡혀 갔다가 탈출하여 돌아온 자들로 조직된 신의군이 더해지며 삼별초를 이루었다.

정리 교실 교과서 44쪽

㉠ 서경 ㉡ 이의민 ㉢ 교정도감 ㉣ 강화도 ㉤ 무신 정권

교과서 | 45쪽

탐구 교실 이규보를 통해 보는 무신 집권기 문신의 삶

활동 목표 | 무신 집권기 문신들의 삶의 모습을 평가할 수 있습니다.

뛰어난 문장력을 가졌던 이규보는 젊은 시절 「동명왕편」 등의 작품을 남겼다. 그러나 수차례 과거 시험에 낙방하는 등 우여곡절을 겪었다. 23세에 간신히 과거에 합격하였지만 30세가 넘어서도 제대로 된 관직을 얻지 못하였다.

무신 집권자들은 정권에 충성할 것으로 보이는 인물만을 선별하여 관직을 주었다. 따라서 과거에 합격하고도 관직을 얻지 못한 자들이 매년 수백 명에 이르렀으며, 이규보도 다른 이들처럼 고위 관료들에게 수차례 관직 청탁 편지를 보냈다.

무신 집권기에는 국가 사무와 외교 문서를 원활하게 처리할 문신 관료가 부족하였다. 이규보는 탁월한 문장력과 행정력을 지녔으면서도 무신 정권에 거부감을 드러내지 않았다. 이는 무신 정권이 원하던 인재의 대표적인 모습이었다.

이규보는 당대 최고 권력자인 최충헌의 천거로 관직 생활을 시작하였다. 최충헌의 뒤를 이은 최우도 이규보의 능력을 높이 평가하였다. 그는 자신의 능력을 인정해 준 최씨 무신 정권의 충실한 대변자 역할을 하면서 승진을 거듭하였다.

몽골이 침입하자 최우는 강화도 천도를 강행하여 정권을 유지하고자 하였다. 육지에 남게 될 백성들을 염려하여 천도에 반대하는 신하들도 있었지만, 이규보는 강화도 천도에 찬성하는 주장을 하여 최우의 계획을 옹호하였다.

대몽 항쟁기에는 당대 최고의 문장가였던 이규보의 능력이 크게 빛을 발하였다. 이규보는 고려 조정에서 몽골에 보내는 대부분의 외교 문서를 작성하였다. 한때 몽골 황제는 그의 글에 감탄하여 군대를 철수하기도 하였다.

활동 풀이

1. 최씨 무신 정권이 이규보를 중용한 까닭은 무엇일까?

예시 답안 국가 사무와 외교 문서 등 국가 행정을 잘 처리할 수 있는 능력을 갖추었으면서도 무신 정권에 충성을 다할 것으로 판단하였기 때문이다.

2. 이규보의 행적을 통해 무신 집권기 당시 문신들의 삶을 평가해 보자.

예시 답안 1 개인의 이기적인 욕망을 충족하기 위해 무신 정권에 협조하는 기회주의적인 면모를 보였다.

예시 답안 2 비록 무신 정권에 협력하였지만 이들의 문장력과 행정력은 고려 왕조가 몽골의 침입에 대처하는 데에 요긴하게 활용되었다.

- 최씨 무신 정권의 관리 등용 기준, 이규보의 관직 청탁, 이규보의 관리로서의 행보 등을 통해 무신 정권의 정치적 특징에 대해 파악해 봅시다.
- 이규보의 생애를 탐구하며 가치 있는 삶의 기준에 대해 생각해 봅시다.
- 무신 정권 시기 문신들의 역할에 대해 탐구하면서 당대 사회를 보다 입체적으로 분석하고 다양한 삶의 모습들을 파악해 봅시다.

- **최씨 무신 정권기 문신 선발** | 최씨 무신 정권은 문신들을 우대해 이전보다 더 자주 과거 시험을 열었고, 선발 인원도 늘렸다. 과거의 합격자 수가 늘어나자 많은 사람들이 과거에 합격하고도 관직을 얻지 못하는 일들이 발생하였다. 최씨 무신 정권은 철저히 정권에 충성하고 체제 순응적인 문신들을 가려 관직에 임용하였으며, 이렇게 선발된 문인들은 이들을 권력을 정당화하였다.
- **최씨 무신 정권기 활약했던 이규보** | 이규보는 무신 정권에 대한 거부감이 없었으며, 무신 집권기 관직을 얻기 위해 노력하였다. 그는 최충헌의 천거로 관직 생활을 시작해 최우 집권기까지 탁월한 능력으로 크게 활약하였다.

간단 체크 정답 및 해설 4쪽

최충헌은 자신의 집에 정방을 설치하여 인사권을 장악하였다. (O, X)

3 고려의 통치 체제와 국제 질서의 변동

주제 11 원 간섭기 고려 통치 체제의 변화

이번 주제에서는 | 고려 말기 신진 사대부 등장의 역사적 의미를 설명할 수 있습니다.

교실 열기 원이 고려 국왕의 칭호에 충(忠)을 붙인 이유는 무엇일까?

예시 답안 | 신하로서 원 황제에게 충성을 다하라는 의미에서 칭호에 충(忠)을 붙였다.

1 원의 내정 간섭과 권문세족

(1) 고려 왕실의 국제적 지위 변화: 개경 환도 후 고려왕이 원의 공주와 결혼하며 원의 부마국이 됨.
→ 사위의 나라라는 뜻이다.

(2) 원의 내정 간섭
→ 원 황제는 고려왕을 자신의 신하로 인식하였기에, 고려 왕실의 호칭과 관청 명칭을 원에서 사용하는 것보다 낮추도록 하였다.

① 왕실 호칭과 관청 명칭 격하, 정동행성[1]을 통한 내정 간섭

② 쌍성총관부[2], 동녕부, 탐라총관부 설치, 일본 원정에 고려군 동원

③ 금·은·인삼 등 특산품과 공녀[3] 요구

(3) 권문세족: 원 간섭기 성장한 친원 세력 등과 기존 권력층의 통칭 → 고위 관직 독점, 노비 늘리고 농장 확대

2 성리학의 수용과 신진 사대부

(1) 성리학의 수용: 안향은 신유학인 성리학을 고려에 처음 소개

(2) 신진 사대부: 성리학적 윤리를 바탕으로 고려 말 사회 혼란을 해결하고자 함.

3 공민왕의 개혁 정치

배경	• 원의 쇠퇴
내용	• 변발 등 몽골풍 금지, 정동행성 이문소[4] 폐지, 쌍성총관부 수복 • 기철 등 친원파 숙청, 전민변정도감 설치, 성균관 정비
결과	권문세족의 반발로 실패, 신진 사대부의 성장

4 홍건적·왜구의 침입과 신흥 무인 세력의 성장

14세기 후반 이성계 등 신흥 무인 세력이 홍건적[5]과 왜구를 토벌하며 정치적으로 성장

5 국제 정세의 변화와 고려의 멸망

(1) 공민왕 사후 국내외 정세의 변화: 한족이 명을 세우고 원은 북원으로 세력 축소 → 고려 조정은 명, 북원과의 관계 모두 중시

(2) 신진 사대부와 신흥 무인 세력의 협력: 신진 사대부는 친명 외교 추진을 주장하며 집권 세력 비판 → 이성계 등 신흥 무인 세력과 결탁 → 위화도 회군 이후 정치 권력 장악

(3) 고려의 멸망: 신진 사대부가 사회 개혁 방안을 둘러싸고 온건파와 급진파로 분열 → 정도전 등 급진파가 정몽주를 비롯한 온건파 제거 → 이성계를 왕으로 추대하여 조선 건국
→ 온건파는 고려 왕조 내에서의 개혁을, 급진파는 새 왕조 건설을 주장하였다.

개념 쏙쏙

① 정동행성
고려 후기 원에 의해 설치된 것으로 원의 일본 원정을 위해 설치되었으나, 일본 원정 실패 이후에도 남아 있었다.

② 쌍성총관부
대몽 항쟁 시기 몽골이 고려의 화주(함경남도 영흥) 이북 지역을 직접 통치하고자 설치했던 기구이다. 공민왕 때 폐지되었다.

③ 공녀
고려와 조선 초기, 원과 명의 요구로 이들 나라에 처녀 등을 뽑아 보낸 일을 의미한다. 공녀들 중에는 노비로 전락하여 시장에서 매매되는 경우도 있었으며, 대부분은 원 황실의 궁녀가 되거나, 고위 관리의 시중을 맡았다. 공녀는 주로 13세에서 16세까지의 처녀를 대상으로 하였기에, 혼인을 서두르는 조혼의 풍습이 생겨나기도 하였다.

④ 이문소
정동행성에 속한 관청 중 가장 강력한 기구이다. 원래 원과 관련된 범죄를 다스렸던 곳이었으나 차츰 친원 세력의 이익을 옹호하는 역할을 하였다.

⑤ 홍건적
원나라 말기에 허베이성 일대에서 일어난 한족 반란군으로, 머리에 붉은 두건을 둘렀다. 원의 반격에 쫓기자 고려에 침입하였다.

정리 교실 교과서 48쪽

㉠ 정동행성 ㉡ 성리학 ㉢ 전민변정도감 ㉣ 신흥 무인 세력 ㉤ 위화도 회군

교과서 | 49쪽

탐구 교실 신진 사대부가 꿈꾸었던 세상

활동 목표 | 성리학에 입각한 신진 사대부의 사회 개혁 방안에 대해 평가할 수 있습니다.

자료 1 신진 사대부의 지배층 비판

흉악한 무리들이 산과 강을 경계로 엄청난 면적의 토지를 차지하면서 서로의 땅을 두고 다투고 있습니다. 백성들은 5, 6명이 넘는 권세가들에게 한 해에 8, 9차례나 조세를 납부합니다. - 『고려사』 「식화지」

나라에 사건 사고가 많았던 뒤로 일이 예전과 달라 …… 권세가는 토지를 겸병하고, 혹독한 관리는 지나치게 거두어 토지는 송곳 세울 만한 곳도 없고, 집에는 아무것도 없어 탄식만 있을 뿐이다. - 이곡, 『가정집』

자료 2 고려 후기 신진 사대부의 사회 인식

선비로서 도덕을 실천하는 이는 드물고 집집마다 토지를 늘리고자 경쟁하여 풍속은 어지러워지고 사람들은 원통한 마음이 있어도 이를 풀어 줄 곳이 없다. - 최해, 『졸고천백』

가난한 선비로서 널리 배우고 독실하게 실천하는 자가 과연 누구이며 벼슬아치로서 덕을 이루고 통달한 인재가 과연 얼마나 되는가. 선비도 이러한데 백성들은 어떠하겠는가. - 이제현, 『익재난고』

활동 도우미

- 신진 사대부의 권문세족 비판, 고려 후기 사회 인식과 관련한 사료를 분석하여 고려 후기의 사회 모습과 성리학적 통치 이념에 대해 추론해 봅시다.
- 정도전의 민본주의에 대한 토론을 바탕으로 성리학이 고려 후기 사회 개혁 수단으로서 적절하였는지 여부에 대해 평가해 봅시다.

자료 해설

- <자료 1> | 권문세족의 농장 확대와 관리들의 부정부패로 백성들의 삶이 크게 어려워졌음을 지적하고 있다.
- <자료 2> | 신진 사대부들은 지배층이 학문을 익히고도 배운 바를 실천하지 않고 자신들의 이익만 탐하여 세상이 어지럽다고 생각하였다.

활동 풀이

1. <자료 1>에서 신진 사대부가 당시 고려 백성들이 고통을 겪는 이유를 무엇 때문이라고 여기고 있는지 써 보자.

예시 답안 부패한 권문세족이 백성들의 땅을 빼앗고 세금을 불법적으로 과다 징수하는 등 수탈을 일삼았기 때문이라고 생각하였다.

2. <자료 2>에서 신진 사대부가 지배층의 올바른 역할을 무엇으로 여기고 있는지 말해 보자.

예시 답안 학문에 매진하고 도덕을 실천하여 백성들의 모범이 되어야 한다고 생각하였다.

3. 사극 속 정도전의 주장을 어떻게 평가할 수 있을지 두 학생의 대화를 참고하여 자신의 생각을 적어 보자.

예시 답안 1 고려 말기 사회 혼란이 백성보다 사익을 우선시하는 권문세족들의 행태에서 비롯되었기에 정도전의 민본주의는 사회 개혁을 위한 적절한 대안이었어.

예시 답안 2 백성을 군주의 하늘이라고 하면서도 이들을 아랫사람으로 여기고 정치 참여를 제한한 것은 모순이라고 생각해. 결국 정도전의 민본주의도 지배층이 권력을 안정적으로 유지할 수 있는 방안을 제시한 것이라고 생각해.

간단 체크 정답 및 해설 4쪽

신진 사대부는 공민왕의 개혁 정치를 뒷받침하며 정치적으로 성장하였다. (O, X)

1 개념 익히기

01 아래 설명이 맞으면 O표, 틀리면 X표를 해 보자.

(1) 광종은 유교 정치 시행을 위해 최승로의 「시무 28조」 건의를 수용하였다. (　　)

(2) 해동 천하는 고려 지배층의 관념적 세계관이었다. (　　)

(3) 중방은 최씨 무신 정권의 최고 권력 기구였다. (　　)

(4) 안향에 의해 고려에 소개된 성리학은 신진 사대부의 사상적 기반이 되었다. (　　)

02 빈칸에 알맞은 말을 채워 보자.

(1) 지방관이 파견되면서 호족 세력은 행정 실무를 주관하는 (　　　　)(으)로 변화하였다.

(2) 고려는 여진 정벌을 위해 윤관의 건의에 따라 기병을 포함한 (　　　　)을/를 조직하였다.

(3) 동아시아 각국의 자국 중심 천하관은 (　　　　) 중심의 동아시아 국제 질서 형성으로 붕괴되었다.

(4) 이성계와 신진 사대부는 (　　　　) 이후 권력을 장악하였다.

03 서로 관련 있는 내용끼리 연결해 보자.

a. 태조 •	• ㄱ. 노비안검법
b. 광종 •	• ㄴ. 사심관 제도
c. 공민왕 •	• ㄷ. 전민변정도감

04 무신 집권기에 있었던 사실을 <보기>에서 모두 고르시오.

보기

ㄱ. 강화도 천도　　ㄴ. 별무반 편성

ㄷ. 천리장성 축조　　ㄹ. 김사미·효심의 난

2 내신 유형 익히기

중요

01 다음 정책을 시행한 왕에 대한 설명으로 옳은 것을 <보기>에서 고른 것은?

> • 신라왕 김부가 항복하자 신라국을 없애고 경주라 하였다. 김부로 하여금 경주의 사심이 되어 부호장 이하의 직 등의 일을 관장하게 하였다.
> • 발해국의 세자 대광현이 무리 수 만을 거느리고 와서 항복하자, 성명을 하사하여 '왕계'라 하고 종실의 족보에 넣었다.
>
> -『고려사』-

보기

ㄱ. 지방관을 파견하였다.

ㄴ. 후백제를 건국하였다.

ㄷ. 기인 제도를 시행하였다.

ㄹ. 유력한 호족 집안과 혼인하였다.

① ㄱ, ㄴ　② ㄱ, ㄷ　③ ㄴ, ㄷ　④ ㄴ, ㄹ　⑤ ㄷ, ㄹ

중요

02 (가)에 들어갈 왕의 정책으로 옳은 것은?

> (가) 때에 이르러 공신들의 노비를 조사하여 불법으로 소유한 노비를 가려내라고 명령하시자, 공신들은 탄식하고 원망하였습니다. 다만 왕후께서 그만둘 것을 요청하였지만 임금께서는 받아들이지 않았습니다. 이로 인해 천민과 노비들이 귀한 사람들을 업신여겼으며, 허위 사실로 주인을 모함한 것을 이루 다 기록할 수 없었습니다. 전하께서는 지난 일을 거울삼아 천한 노비들이 귀한 이들을 업신여기지 못하게 하시고, 노비와 주인과의 관계를 적절히 처리하도록 하십시오.
>
> -『고려사절요』-

① 녹읍을 폐지하였다.

② 훈요 10조를 남겼다.

③ 과거 제도를 시행하였다.

④ 이자겸의 난을 진압하였다.

⑤ 최승로의 시무 28조를 수용하였다.

03 밑줄 그은 '이 제도'에 대한 설명으로 옳은 것은?

① 기술관 선발에 활용되었다.
② 제술과와 명경과로 나뉘었다.
③ 무신 정권 때 처음 시행되었다.
④ 공신의 자손에게도 적용되었다.
⑤ 고위 관료 승진을 위해서는 반드시 거쳐야 했다.

04 (가)에 들어갈 관직에 대한 설명으로 옳은 것은?

> • 우상시 배경성, 간의대부 최함 등이 상소하여 정치 현안을 언급하였으나, 왕이 답하지 않았다. 이에 (가) 이/가 모두 관직에서 물러날 것을 청하고 돌아갔다.
> • (가) 이/가 합문 앞에 엎드려 3일간 정치 현안에 대해 간언하였다.
> • 중서문하성의 (가) 이/가 의논하여 아뢰기를, "…… 청컨대 과거에 급제힌 자로서 5년 이상 경과한 자, 서리에서 관원이 되어 8년 이상 경과한 자에 한하여 승진하는 것을 허락하고, 나머지는 모두 소급하여 중지시키시옵소서."라고 하자 왕이 조서를 내려 허락하였다.

① 언론을 담당하였다.
② 과거 시험을 주관하였다.
③ 도병마사에서 국정을 논하였다.
④ 양계의 군사 행정을 맡아보았다.
⑤ 지방관을 보좌하며 행정 실무를 담당하였다.

중요
05 (가), (나) 사이 시기에 발생한 사실로 옳은 것은?

> (가) 소손녕이 서희에게 말하였다. "그대의 나라는 신라 땅에서 일어났으니 고구려 땅은 우리의 땅인데 당신들이 침범하였다. 또, 우리와 국경을 마주하면서도 송을 섬겼기에 출병한 것이다." 서희가 대답하였다 "아니다. 우리나라는 고구려를 계승하였기 때문에 나라 이름을 고려라 하였다. …… 압록강 동쪽의 여진을 내쫓고 우리 옛 땅을 돌려준다면 어찌 서로 왕래하지 않겠는가?"
> (나) 서경에서의 (거란에) 패전한 상황을 아뢰자 여러 신하들이 항복에 대해 논하였다. 강감찬만이 홀로 "…… 많은 수의 군사를 맞아 적은 수의 군사는 적수가 되지 못하므로 마땅히 그 칼날을 피하였다가 서서히 부흥할 방안을 모색해야 합니다."라고 말하며 마침내 왕에게 남쪽으로의 피난을 권하였다.

① 강동 6주를 설치하였다.
② 국경에 천리장성을 쌓았다.
③ 망이·망소이가 난을 일으켰다.
④ 처인성에서 적장 살리타를 사살하였다.
⑤ 강감찬이 이끄는 고려군이 귀주에서 거란군을 격퇴하였다.

중요
06 (가) 인물에 대한 설명으로 옳은 것은?

> • (가) 등이 말하기를, "신 등이 보건대 서경 임원역의 땅은 음양가들이 말하는 대화세에 해당합니다. 만약 궁궐을 세워 그곳으로 이어하신다면 가히 천하를 아우를 수 있습니다.……"라고 하였다.
> • (가) 이/가 조광·유참 등과 함께 서경을 근거지로 삼아 반란을 일으켰다. 왕이 김부식을 원수로 삼아 중군을 이끌도록 하였다.
>
> -『고려사』-

① 강화 천도에 찬성하였다.
② 북원과의 외교를 재개하였다.
③ 명종을 새로운 왕으로 추대하였다.
④ 고려에 성리학을 최초로 소개하였다.
⑤ 금 정벌과 황제를 칭할 것을 주장하였다.

07 (가)에 들어갈 군사 조직으로 옳은 것은?

> <오늘의 역사 인물>
> 고려 태조의 삼한공신 윤신달의 현손으로 본관은 파평이다. 예종 2년(1107) 신기군을 주축으로 한 (가) 을/를 이끌고 여진을 정벌한 후 동북 9성을 축조하였다.

① 도방 ② 별무반 ③ 별기군
④ 삼별초 ⑤ 야별초

08 (가)에 들어갈 내용으로 옳은 것은?

<무신 집권기의 주요 기구>

명칭	특징
중방	고위 무신들의 회의 기구
교정도감	(가)
정방	인사 행정 기구

① 재신과 추밀의 회의 기구
② 대간이라 불린 언론 담당 기구
③ 국정을 총괄하는 최고 권력 기구
④ 무신 집권자를 비호하는 군사 기구
⑤ 문신들이 머무르며 국정에 자문하던 기구

09 다음 문화유산이 제작된 시기를 연표에서 옳게 고른 것은?

• 종목: 국보 제 32호
• 명칭: 합천 해인사 대장경판(팔만대장경판)
• 특징: 부처의 힘으로 몽골군을 물리치고자 16년에 걸쳐 만든 것으로, 1,496종의 경전을 7만 8,500여 장의 목판에 새겼다.

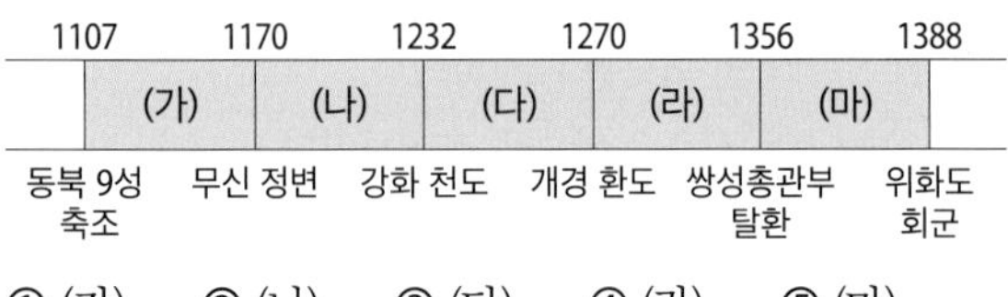

1107	1170	1232	1270	1356	1388
동북 9성 축조	무신 정변	강화 천도	개경 환도	쌍성총관부 탈환	위화도 회군

(가) 1107–1170 / (나) 1170–1232 / (다) 1232–1270 / (라) 1270–1356 / (마) 1356–1388

① (가) ② (나) ③ (다) ④ (라) ⑤ (마)

10 다음 자료에 나타난 시기에 볼 수 있는 사회 모습으로 적절한 것은?

> 을묘년에 장군 노영이 원에서 돌아왔다. 황제가 부마국으로 책봉한다는 조서와 정동행중서성의 관인을 하사하였다. 이보다 앞서 왕이 아뢰기를, "신이 이미 공주에게 장가들었으니 책봉 조서를 고쳐서 '부마' 두 글자를 덧붙여 주시옵소서."라고 하였는데, 황제가 이를 허락한 것이다.

① 선종 승려를 후원하는 호족
② 벽란도에서 무역을 하는 송의 상인
③ 변발을 하고 조회에 참석하는 관리
④ 당의 빈공과에 응시하는 6두품 출신 유학자
⑤ 석굴암 본존불상을 만드는 데에 동원된 석공

중요
11 (가)에 들어갈 왕에 대한 설명으로 옳은 것을 <보기>에서 고른 것은?

보기
ㄱ. 전민변정도감을 설치하였다.
ㄴ. 정동행성 이문소를 폐지하였다.
ㄷ. 이성계 일파에 의해 왕위에 올랐다.
ㄹ. 금의 군신 관계 요구를 받아들였다.

① ㄱ, ㄴ ② ㄱ, ㄷ ③ ㄴ, ㄷ
④ ㄴ, ㄹ ⑤ ㄷ, ㄹ

12 다음 자료를 활용한 탐구 활동 주제로 가장 적절한 것은?

- 흉악한 무리들이 산과 강을 경계로 엄청난 면적의 토지를 차지하면서 서로의 땅을 두고 다투고 있습니다. 백성들은 5, 6명이 넘는 권세가들에게 한 해에 8, 9차례나 조세를 납부합니다. …… 신(臣) 등은, …… 후세 사람들이 사사로이 (토지를) 겸병하는 폐단을 없애기를 원하옵니다.
- 정도전이 김구용·이숭인·권근과 함께 도당에 글을 올려 (북원의 사신을) 맞아들여서는 안 된다고 하였다. 이인임과 경복흥이 그 글을 받아들이지 않고 정도전에게 원 사신을 맞이하라고 명령하자, 정도전은 경복흥의 집을 찾아가서 이르기를, "제가 마땅히 사신의 머리를 베어 오든지 그렇지 않으면 명에 묶어 보내겠습니다."라고 말하였다.

① 무신 정권 시기 하층민의 봉기
② 몽골의 침입에 대한 백성들의 저항
③ 신진 사대부의 고려 사회 개혁 방안
④ 태조 왕건 사후 왕위 쟁탈전의 전개
⑤ 이자겸의 난으로 인한 문벌 지배 체제의 동요

13 (가)~(다)를 일어난 순서대로 옳게 나열한 것은?

(가) 이방원이 "때를 놓칠 수 없습니다."라고 말하고, 정몽주가 돌아갈 때에 조영규 등 4, 5인을 보내어 길에서 쳐 죽이니, 당시 정몽주의 나이가 56살이었다.
(나) 왕과 최영이 몰래 요동을 공격할 것을 의논하고, 개경 각 방, 리 마을 장정들로 구성된 군대를 일으켜서 한양의 중흥성을 수리하였다.
(다) 대군이 압록강을 건너서 위화도에 머무르니 도망하는 군사가 길에 끊이지 아니하였다. 이성계 등이 상언하기를, "…… 전하께서 특별히 군사를 돌이키도록 명하시어 나라 사람들의 기대에 보답하소서."라고 하였다.

① (가) - (나) - (다)
② (가) - (다) - (나)
③ (나) - (가) - (다)
④ (나) - (다) - (가)
⑤ (다) - (가) - (나)

서술형 문제

14 다음 정책의 시행으로 인한 향촌 사회 호족의 지위 변화를 정책 시행 전과 비교하여 서술하시오.

(983년) 2월, 처음으로 12목을 설치하고, 조서를 내려 말하기를, "…… 한 사람이라도 죄를 덮어쓴 것을 보면 뜻이 매우 크게 슬퍼하게 되고, 백성이 가난하게 산다는 말을 들으면 마음 속 깊이 나 자신을 꾸짖는다. 비록 내 몸은 궁궐에 있지만 마음은 언제나 백성에게 치우쳐 있다. 부지런히 나랏일을 돌보면서 매번 신하들의 충고를 구하고 있으며, 낮은 곳의 이야기를 듣고 멀리 보아 어질고 현명한 이들의 힘을 빌리려고 한다. 이에 지방 수령들의 공에 의지해 백성들의 소망에 부합하고자 『우서』의 12목 제도를 본받아 시행할 것이다. ……."라고 하였다. …… 성종 5년(986년) 8월 처음으로 12목에 부인과 자식을 데리고 부임하게 하였다.

서술형 문제

15 다음과 같은 비판이 나오게 된 배경을 고려 전기 외교 정책과 연관 지어 서술하시오.

예부 상서 소식이, "고려가 조공하는 것은 터럭만큼도 이익은 없고 다섯 가지 손해가 있으니, 지금 요청한 서책과 구입하려는 금박은 모두 허락해서는 안 됩니다."라고 말하였다. 조서를 내려 금박의 구입만 허락하였으나, 끝내 『책부원구』도 구입하여 돌아갔다.

- 『송사』 -

고려의 사회와 사상

주제 12 고려의 사회 구조

이번 주제에서는 | 고려 사회의 개방성과 다양성을 사례를 들어 설명할 수 있습니다.

교실 열기 고려인들은 어떤 방법으로 신분을 상승시킬 수 있었을까?

예시 답안 | 과거, 군공, 재산, 특수한 기술, 저항 운동 등을 통해 신분을 상승시킬 수 있었다.

1 고려의 신분 구조

(1) 양천제: 양인과 천인으로 구분

① 양인: 조세·공납·역을 부담, 관직 진출 가능

② 천인: 국역을 부담하지 않음, 관직 진출 불가능

(2) 사회적 신분: 양반, 중간 계층, 양민, 천민

① 양반: 문무 관료, 고위 관료를 배출한 가문은 문벌을 형성

② 중간 계층: 서리(중앙 관청 실무), 향리[1](지방 행정 실무), 하급 장교 등

③ 양민: 생산 활동과 납세를 담당하는 자유민, 과거 응시 가능

④ 천민: 공·사노비[2], 재산으로 간주

2 신분 이동의 개방성

(1) 과거: 원칙적으로 양인 이상이면 응시 가능 → 신분별 응시 자격 제한이 존재

고려에서 가장 중요하게 여긴 제술업에는 상층 향리의 자손 이상만 응시할 수 있어서 양민은 주로 잡업에 응시해야 했다. 또한 향·부곡·소의 주민은 양인임에도 불구하고 과거에 응시할 수 없었다.

(2) 군공: 개인 단위, 지역 단위(향·부곡·소가 군현으로 승격)

(3) 기타: 재산(노비), 저항 운동(향·부곡·소), 특수한 기술(원 간섭기 하층민)

원 간섭기에는 하층민의 신분 상승이 두드러졌다. 몽골어 능력, 매 사육, 바둑 실력, 악기 연주 솜씨 등을 통해 왕의 측근으로 성장한 이들도 존재하였다.

3 지역별·직업별로 다른 삶의 모습

(1) 지역별 구분: 주현(지방관 파견) > 속현(지방관 파견 안함) > 향·부곡·소(특수 행정 구역) → 향·부곡·소의 주민은 과거 응시 불가능, 거주 이전 제한, 무거운 세금

(2) 직역·직업별 구분: 정호(직역 담당) > 백정(일반 농민층) > 수공업자·상인 등

고려 정부는 국유지 경작, 국가 수요품 생산 등을 전담시키기 위해 향·부곡·소라는 특수 행정 구역을 설정하고 그 주민들에게 차별을 가하였다.

4 다양한 귀화인의 수용

(1) 귀화 배경

① 고려 건국 초: 중국 내 여러 왕조의 항쟁, 거란 건국과 발해 멸망 등

② 원 간섭기: 원 공주의 일행으로 고려에 정착, 홍건적[3]의 난을 피해 귀화

(2) 고려의 귀화인 수용 정책: 관직·토지 등을 수여하여 귀화인 적극 유치

5 가족 제도와 여성의 지위

고려의 여성은 다른 시대의 여성에 비해 높은 사회적 지위를 누렸다.

(1) 결혼·가족: 일부일처제, 여성의 자유로운 재혼, 처가살이가 일반적, 음서의 혜택이 사위나 외손자에게 적용, 여성이 호주가 될 수 있음, 자녀는 태어난 순서대로 호적에 등재

(2) 재산: 부부의 독립적 재산 소유(여성의 사업 투자와 기부 활동 가능), 자녀 균분 상속을 원칙(부모 봉양·제사 분담)

개념 쏙쏙

① 향리

고려, 조선 시대 지방 관청의 행정 실무를 담당하던 하급 관인 계층이다. 고려 지방 제도의 특성상 지방관이 파견되지 않은 행정 구역이 많았기 때문에 지방 사회에서 향리의 영향력은 강하였다. 또한 상급 향리는 문과에 응시하여 중앙 관료로 지위를 상승시킬 수 있었다.

② 공·사노비

노비는 크게 공노비와 사노비로 구분된다. 공노비는 왕실, 국가 기관에 소속되어 노역을 담당하거나, 국유지를 경작하고 신공을 바쳐야 했다. 사노비는 개인에게 소속되어 노역을 담당하거나, 주인의 토지를 경작하고 신공을 바쳤다.

③ 홍건적

원 말기에 일어난 한족 반란군으로, 머리에 붉은 두건을 둘렀다고 해서 홍건적이라는 이름이 붙었다. 홍건적은 원과의 대립 과정에서 고려를 침략하기도 하였는데, 한때 서경과 개경을 함락할 정도로 기세가 강하였다. 홍건적의 침입을 격퇴하는 과정에서 최영, 이성계 등 무장 세력의 정치적 영향력이 확대되기도 하였다.

정리 교실 교과서 52쪽

㉠ 중간 계층 ㉡ 문벌 ㉢ 정호 ㉣ 처가

탐구 교실 향·부곡·소 주민에게 가해진 차별

활동 목표 | 특수 행정 구역인 향·부곡·소에 거주하는 주민들은 어떤 어려움을 겪었는지 파악할 수 있습니다.

자료 1 향·부곡·소에 거주하는 주민의 지위

향·부곡의 주민들은 국유지를 경작하는 농업 분야에서, 소의 주민들은 국가의 수공업 수요품을 생산하는 수공업 분야에서 무거운 역을 담당하였다. 이들은 과거 응시 자격이 없었고, 형벌을 받을 때 노비와 동등하게 취급되었다. 또한 일반 군현의 양민과 결혼할 수 없었으며, 승려가 되는 것도 금지되었다. 이러한 차별로 향·부곡·소의 주민들은 거주지에서 이탈하지 못하였고, 본인들이 맡은 직역에서도 벗어날 수 없었다.

자료 2 향·부곡·소 주민의 신분 상승

망이·망소이의 난

(명종 6년 정월) 공주 명학소 사람 망이·망소이 등이 무리를 불러 모아 공주를 공격하여 무너뜨렸다. …… (명종 6년 6월) 망이의 고향인 명학소를 승격하여 충순현으로 삼고, 내원승 양수탁을 현령으로, 내시 김윤실을 현위로 삼아 달래게 하였다. - 『고려사』 「명종 세가」

충주 다인철소의 대몽 항쟁

고종 42년(1255)에 다인철소의 주민들이 몽골군을 방어하는 데 공을 세웠으므로, 소를 익안현(翼安縣)으로 승격하였다. - 『고려사』 「지리지」

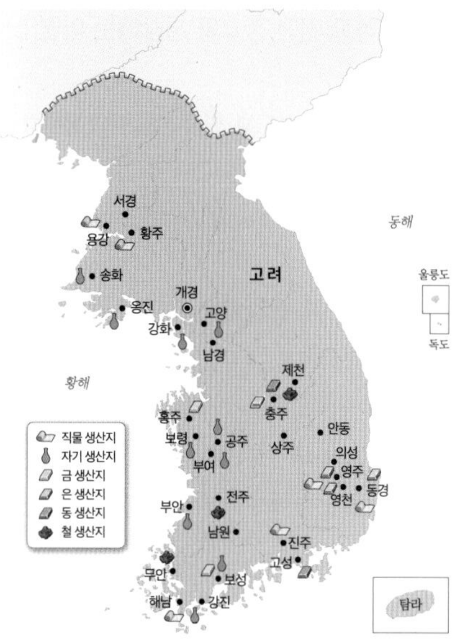

▲ **고려의 주요 생산 물품** 고려는 국가에 필요한 물품들을 중앙 관청이나 지방의 특수 행정 구역인 소에서 생산하였다. 소는 고려 후기에 들어 세금 수취 기능이 약해지고 일반 군현으로 바뀌어 갔다.

- <자료 1>과 지도를 이용하여 향·부곡·소에 대한 차별을 통해 고려 정부가 무엇을 얻을 수 있었는지 생각해 봅시다.
- <자료 2>와 교과서 본문 50쪽을 참고하여 향·부곡·소 주민이 신분을 상승시킬 수 있는 방법을 정리해 봅시다.

- **<자료 1>** | 향·부곡·소 등의 주민들은 일반 군현민에 비해 무거운 역을 져야 했고, 과거 응시나 거주 이전도 할 수 없었다. 이는 향·부곡·소의 주민에게 국유지 경작, 국가 수요품 생산 등의 역을 부담시키기 위한 것으로 여겨진다. 향·부곡·소의 주민들이 지고 있는 역 때문에 그들은 일반 군현민에 비해 천시되었다.
- **<자료 2>** | 향·부곡·소에 부과되는 무거운 역 때문에 상이나 벌의 의미로 향·부곡·소를 일반 군현으로, 일반 군현을 향·부곡·소로 만들기도 하였다. 자료에 드러나듯 하층민의 봉기, 군공 등으로 향·부곡·소가 일반 군현으로 승격되는 일도 있었다.

활동 풀이

1. <자료 1>과 지도를 통해 고려 정부가 향·부곡·소의 주민을 차별한 까닭을 말해 보자.

예시 답안 향·부곡·소 주민에게 국유지 경작, 국가의 수공업 수요품 생산 등의 부담을 부과하여 국가적 필요를 채우기 위함이었다.

2. <자료 2>에서 공주 명학소와 충주 다인철소가 현으로 승격한 방법을 정리해 보자.

예시 답안 공주 명학소는 망이·망소이 등이 일으킨 봉기를 기점으로 현으로 승격하였다. 충주 다인철소는 주민들이 몽골군을 격퇴한 군공을 인정받아 현으로 승격하였다.

3. 일반 군현과 향·부곡·소를 구분하는 고려 지방 행정 제도의 문제점을 지적해 보자.

예시 답안 국가의 필요를 채우기 위해 향·부곡·소 주민의 노동력을 착취하고 계층 이동 가능성을 제한한 제도라는 문제점이 있다.

간단 체크 정답 및 해설 6쪽

고려 정부는 (   ) 등의 특수 행정 구역을 운영하여 국유지 경작, 국가 수요품 생산 등의 역을 부과하였다.

4 고려의 사회와 사상

주제 13 고려의 종교와 사상

이번 주제에서는 | 고려에서 중요시된 여러 사상을 정치적 배경과 함께 설명할 수 있습니다.

교실 열기 고려 사회에서 중요한 위치를 차지하고 있던 종교와 사상에는 어떤 것들이 있을까?

예시 답안 | 불교, 유교 등이 대표적이며 그 외에도 풍수지리설, 도교, 민간 신앙 등이 유행하였다.

1 국가적 차원에서 중요시한 불교

(1) 불교의 융성

① 국가 차원: 국사·왕사 제도, 승과 실시, 연등회·팔관회를 통해 왕권 강화, 민심 통합

② 민간 차원: 불교 신앙 공동체인 향도[1] 융성

(2) 불교계의 흐름

① 교단 통합 운동: 교종과 선종의 종파 갈등 → 의천이 천태종 창시, 교관겸수[2] 주창

② 결사 운동(무신 집권기): 지눌(수선사 결사, 정혜쌍수[3]와 돈오점수[4] 주창), 요세(백련사 결사)

2 정치 이념으로 받아들인 유교

(1) 유교 진흥책

① 과거 제도 시행: 유학적 소양을 기준으로 관료 선발

② 국자감(중앙)과 향교(지방) 등 교육 기관 정비

(2) 성리학 수용: 원 간섭기에 수용 → 신진 사대부의 개혁 사상이 됨.

원 간섭기에 전래된 성리학은 윤리적 실천 철학의 성격이 강하였다. 신진 사대부는 성리학을 기반으로 기성 정치 집단과 불교계의 비윤리성을 강하게 비판하였다.

3 고려인의 역사 인식

(1) 고려 전기: 유교적 역사 인식(김부식의 『삼국사기』)

본기, 세가, 열전, 지, 표 등의 항목으로 나뉘는 기전체로 서술되었다.

(2) 고려 후기: 민족의 우수성과 자주 의식 강조(이규보의 「동명왕편」)

→ 몽골 침입 이후 이러한 경향 심화(일연의 『삼국유사』, 이승휴의 『제왕운기』, 우리 역사의 시작을 단군 조선으로 설정)

단군 조선을 우리 역사의 시작으로 설정한 것은, 고구려, 백제, 신라를 넘어서는 역사적 뿌리를 설정하고 고려 역사의 유구함과 자주성을 드러내기 위한 것으로 여겨진다.

4 수도 선정의 근거가 된 풍수지리설

(1) 송악(개경) 명당설: 고려 건국에 정당성 부여

(2) 평양(서경) 명당설: 북진 정책을 뒷받침

(3) 한양(남경) 명당설: 한양을 남경으로 승격

(4) 묘청의 서경 천도 운동 등

5 도교와 민간 신앙

(1) 도교

① 불로장생과 기복 형태로 유행

② 왕실에서도 도교 사원 건립, 초례(하늘과 별에 제사) 시행

(2) 민간 신앙: 산신 신앙, 서낭신, 무속 신앙 등

개념 쏙쏙

① 향도

향도는 삼국 시대부터 조선 시대까지 존재했던 불교 신앙 공동체로, 향나무를 바닷가에 묻는 매향 활동을 통해 공동체의 결속을 다졌다. 향도는 신앙 공동체 뿐 아니라, 대규모 노동력과 경제력이 필요한 공동 작업을 전개하는 지역 공동체의 성격도 강하였다.

② 교관겸수

불교에서 교리 체계인 교(敎)와 실천 수행법인 지관(止觀)을 함께 닦아야 한다는 사상이다.

③ 정혜쌍수

불교에서 마음 수행인 선정(禪定)과 교학 탐구인 지혜(智慧)를 함께 닦는 수행법을 의미한다. 선정은 지혜를 얻기 위해 생각을 비우고 좌선하는 수행이다.

④ 돈오점수

불교에서 선을 수행하는 방법 중 하나이다. 돈오(頓悟)는 단박에 진리를 깨우친다는 의미이며, 점수(漸修)는 진리를 깨우친 이후 수행을 통해 자신의 번뇌를 소멸시켜 나가야 한다는 의미이다.

정리 교실

교과서 56쪽

㉠ 팔관회 ㉡ 결사 운동
㉢ 『삼국사기』 ㉣ 풍수지리설
㉤ 도교

교과서 | 57쪽

탐구 교실 팔관회에는 어떤 의미가 담겨 있을까?

활동 목표 | 고려 시대 팔관회의 모습에 담긴 사상과 의도를 찾아볼 수 있습니다.

자료 1 팔관회의 의식

팔관회 행사 때는 서열대로 도열한 문무백관과 각 지역의 지방관들이 고려 국왕에게 축사와 술을 올렸다.

송나라 상인, 동서번(여진)의 사신들도 고려 국왕에게 예물을 올렸다. 각국 사신들이 참석한 것을 기회로 삼아 대규모의 무역이 이루어지기도 하였다.

팔관회 기간에는 궁궐 안팎이 축제 분위기로 가득하였다. 궁궐의 일부가 개방되어 백성들도 공연을 구경할 수 있었다.

자료 2 팔관회에서 연주된 「풍입송」의 가사

해동의 천자는 지금의 부처님이라, 하늘을 도와 교화를 펴러 오셨네.

㉠ 사해(四海)가 태평하고 덕이 있음이 모두 *요임금 시절보다도 낫구나. 변경과 조정에 아무런 사고도 없으니 장군은 보검을 휘두를 일 다시는 없겠구나.

㉡ 남만과 북적(남쪽과 북쪽의 이민족)이 스스로 와서 온갖 보물을 우리 임금의 뜰에 바치는구나. 금으로 만든 섬돌과 옥으로 지은 전각에서 만세를 외치며 우리 임금님께서 오래도록 왕위에 계시기를 바라네.

㉢ 이원(梨園, 당의 음악 기관)의 제자들이 우리 임금님 앞에서 백옥의 통소로 예상곡을 연주하네. 뜰을 가득 메운 신선의 음악이 모두 음률에 맞으니, 태평스러운 술자리에서 임금과 신하가 함께 취하는구나. -『고려사』「풍입송」

* 요임금 _ 중국 전설상의 임금으로 덕을 바탕으로 선정을 펼쳐 태평성대를 이룩하였다고 한다. 이상적인 군주의 표본으로 여겨진다.

활동 풀이

1. <자료 1>을 보고 고려 왕실이 팔관회를 중요하게 여긴 정치적 의도를 말해 보자.

예시 답안 첫 번째 삽화를 통해 팔관회는 국왕을 중심으로 하는 정치 조직의 위계를 분명히 하는 기능을 하였음을 알 수 있다. 두 번째 삽화에서는 팔관회가 외국 사신의 조하를 통해 고려의 해동 천하 의식을 공고히 하는 기능을 하였음을 알 수 있다. 세 번째 삽화에서는 팔관회가 사회 통합 기능을 하였음을 알 수 있다. 고려 왕실은 팔관회를 통해 고려 국왕의 권위를 과시하고 민심은 수습할 수 있었기에 팔관회를 중요하게 여겼다.

2. <자료 2>의 가사에서 ㉠~㉢에 반영된 사상이나 종교가 무엇인지 적어 보자.

㉠	**예시 답안** 유교
㉡	해동 천하 의식
㉢	**예시 답안** 도교

- <자료 1>을 통해 팔관회 때 어떤 의식이 시행되었는지 이해해 봅시다.
- 팔관회의 의식이 왕실에 어떤 이익을 주었을지 정치적 측면에서 고민해 봅시다.
- 교과서 주제9, 13의 내용을 참고하여 <자료 2>에 담긴 사상이나 종교가 무엇인지 추론해 봅시다.

- **<자료 1>** | 팔관회는 이틀에 걸쳐 진행되었다. 첫째 날에는 국왕이 태조의 영정에 술을 올리고, 각 지역의 지방관들이 황제를 칭송하는 글과 술을 올렸다. 둘째 날에는 송나라 상인, 여진, 탐라, 일본 사신 등이 고려 국왕에게 예물을 올리는 의식이 거행되었다. 또한 축제 기간 동안 궁궐에서는 다양한 가무 공연이 펼쳐졌는데, 이때 궁궐의 일부를 개방하여 백성들도 공연을 구경할 수 있도록 하였다.
- **<자료 2>** | 「풍입송」은 팔관회에서 연주한 속악이다. 『고려사』 악지에는 "풍입송은 칭송하고 축수하는 뜻이 있고 …… 연회가 끝날 무렵에 부르는 노래이다."라고 기록되어 있다.

간단 체크 정답 및 해설 6쪽

팔관회는 본래 불교식 행사이나, 그 안에는 (   ), (   ), 해동 천하 의식 등의 다양한 사상과 종교가 혼합되어 있었다.

1 개념 익히기

01 아래 설명이 맞으면 O표, 틀리면 X표를 해 보자.

(1) 고려의 백정은 천민이었다. ( )

(2) 고려의 양인은 모든 과거 시험에 응시할 수 있었다. ( )

(3) 고려 시대 여성은 남성과 동등한 정치적 권한을 갖고 있었다. ( )

(4) 『삼국유사』와 『제왕운기』는 우리 역사의 시작을 단군 조선으로 설정한 저술이다. ( )

02 빈칸에 알맞은 말을 채워 보자.

(1) 고려 시대의 행정 지역은 지방관이 파견된 ( ), 지방관이 파견되지 않은 ( )(으)로 구분되었다.

(2) ( )은/는 국가에 특정한 직역을 담당하는 사람들이며, ( )은/는 직역을 갖지 않는 일반 농민층이었다.

(3) 고려의 유학 교육 기관으로는 중앙의 ( ), 지방의 ( ) 등이 있었다.

(4) 김부식 등이 인종의 명을 받아 편찬한 ( )은/는 현존하는 역사서 중 가장 오래된 것으로, 유교적 통치 질서 확립을 목적으로 편찬되었다.

03 서로 관련 있는 내용끼리 연결해 보자.

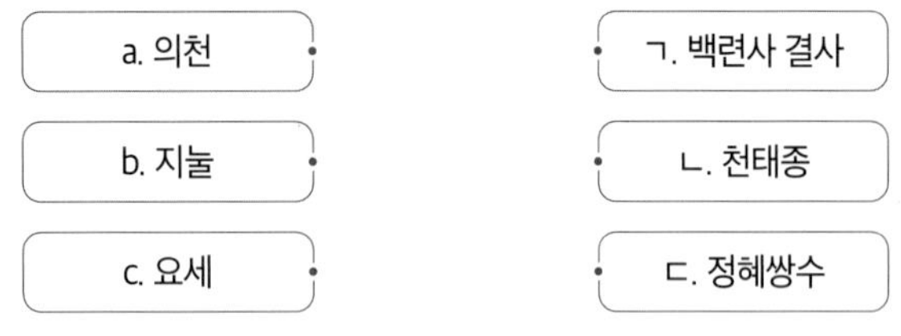

04 고려의 중간 계층에 해당하는 것을 <보기>에서 모두 고르시오.

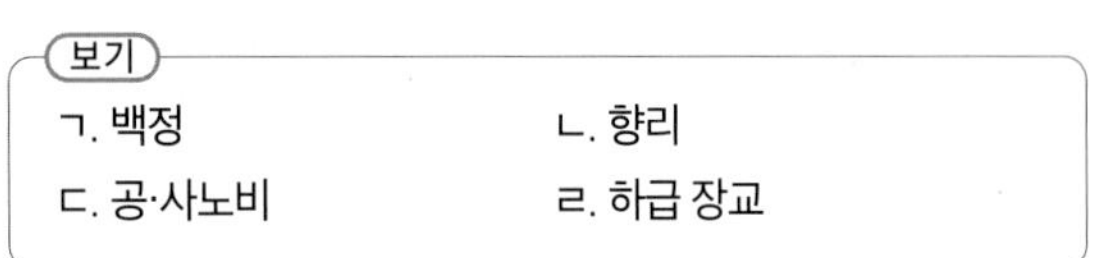
보기
ㄱ. 백정 ㄴ. 향리
ㄷ. 공·사노비 ㄹ. 하급 장교

2 내신 유형 익히기

01 밑줄 친 '양민'에 해당하는 것을 <보기>에서 모두 고른 것은?

> 고려의 신분은 양인과 천인으로 구성되었다. 그러나 실제로는 양인 내에도 다양한 계층이 존재하여 고려에는 귀족, 중간 계층, 양민, 천민의 사회적 신분이 존재하였다.

보기
ㄱ. 백정 ㄴ. 노비
ㄷ. 상인 ㄹ. 문무 관료

① ㄱ, ㄴ ② ㄱ, ㄷ ③ ㄴ, ㄷ
④ ㄴ, ㄹ ⑤ ㄷ, ㄹ

02 다음 사례들을 모두 활용한 탐구 활동의 주제로 가장 적절한 것은?

> • 이의민은 경주 사람인데, 부친 이선은 소금과 체를 파는 사람이었고, 모친은 연일현 옥령사 노비였다. …… 정중부의 난 때 이의민이 살해한 사람이 제일 많았다. 이의민은 중랑장이 되었다가 즉시 장군으로 승진하였다.
> • 박의는 밀양 사람으로, 매를 바치러 원에 다녀와 응방을 관리하였다. 그는 꽁지깃이 드물게 14개인 매를 중국 황제에게 진상하고 그 답례로 황제가 자신을 장군으로 임명하였다고 왕에게 알려 장군이 되었다.
>
> -『고려사』-

① 골품제의 특징
② 향촌의 지배권 변화
③ 무신 집권기의 지배층
④ 원 간섭기의 사회 변화
⑤ 고려 신분 이동의 개방성

03 다음 자료의 배경이 되는 시기의 사회 모습으로 옳은 것은?

> (박유가) "청컨대, 여러 신하·관료들에게 여러 처를 두게 하고, 품위에 따라 그 수를 점차 줄이도록 하십시오." …… 연등회 날 저녁 박유가 왕의 행차를 호위하여 따라갔는데, 어떤 노파가 그를 손가락질하면서 "첩을 두고자 요청한 자가 저놈의 늙은이다."라고 하였다. …… 당시 재상 중에 부인을 무서워하는 자들이 있었기 때문에 그 건의를 정지하여, 결국 실행하지 못하였다
>
> -『고려사』, 「박유 열전」-

① 친영 제도가 일반적이었다.
② 여성이 관직에 진출할 수 있었다.
③ 장자 중심으로 재산이 상속되었다.
④ 아들이 없으면 양자를 들이는 것이 일반적이었다.
⑤ 부모 봉양과 제사를 자녀가 돌아가며 담당하였다.

04 밑줄 친 '공주 명학소'에 대한 설명으로 옳은 것은?

> (명종 6년(1176) 정월) 공주 명학소의 백성 망이, 망소이 등이 자기 무리를 규합하여 스스로를 산행병마사라 칭하며 공주를 공격하여 무너뜨렸다.
>
> -『고려사』-

① 천인들이 거주하던 지역이었다.
② 일반 군현으로 승격이 불가능하였다.
③ 일반 군현의 양민과 혼인할 수 있었다.
④ 일반 군현민보다 세금을 많이 부담하였다.
⑤ 주민들은 과거를 통해 중앙 귀족에 편입될 수 있었다.

05 다음과 관련된 승려의 활동으로 옳은 것은?

> 정은 본체이고 혜는 작용이다. 작용은 본체를 바탕으로 해서 있게 되므로 혜가 정을 떠나지 않고, 본체는 작용을 가져오게 하므로 정은 혜를 떠나지 않는다.
>
> -「보조국사 법어」-
>
> 하루는 같이 공부하는 사람 10여 인과 약속하였다. 마땅히 명예와 이익을 버리고 산림에 은둔하여 같은 모임을 맺자. 항상 선을 익히고 지혜를 고르는 데 힘쓰고, 예불하고 경전을 읽으며 힘들여 일하는 것에 이르기까지 각자 맡은 바 임무에 따라 경영한다. 인연에 따라 성품을 수양하고 평생을 호방하게 고귀한 이들의 드높은 행동을 좇아 따른다면 어찌 통쾌하지 않겠는가.
>
> -「권수정혜결사문」-

① 『삼국유사』를 저술하였다.
② 해동 천태종을 개창하였다.
③ 백련사 결사를 주도하였다.
④ 수선사 결사를 주도하였다.
⑤ 교관겸수라는 수행법을 주창하였다.

중요
06 밑줄 친 '이 역사서'가 편찬된 시기를 연표에서 고른 것은?

918	993	1126	1135	1232	1388
고려 건국	거란의 1차 침입	이자겸의 난	묘청의 서경 천도 운동	강화도 천도	위화도 회군

(가): 918~993, (나): 993~1126, (다): 1126~1135, (라): 1135~1232, (마): 1232~1388

① (가) ② (나) ③ (다) ④ (라) ⑤ (마)

07 (가) 학문에 대한 설명으로 옳은 것은?

> (공민왕) 16년(1367) 성균관을 다시 세우고 이색을 판개성부사 겸 성균대사성으로 삼고 생원의 정원을 늘렸다. 경술을 공부한 선비인 김구용·정몽주·박상충·박의중·이숭인을 발탁하여 모두 자신들의 관직에 있으면서 교관을 겸하도록 하였다. 그 이전에는 성균관 생도가 수십 명에 불과했으나 이색이 학칙을 새로 정하고 매일 명륜당에 앉아 경전별로 나누어 수업하고 강의가 끝나면 서로 함께 어려운 점을 의논하면서 게으름을 잊었다. 이에 배우려는 자가 구름처럼 모여 들어 서로 보면서 감동하니 (가) 이/가 비로소 일어났다.
>
> -『고려사』-

① 신분 평등을 주장하였다.
② 원효에 의해 대중화되었다.
③ 신진 사대부에 의해 적극 수용되었다.
④ 묘청의 서경 천도 운동에 영향을 주었다.
⑤ 고려 말 권문세족과 연결되어 세속화가 심화되었다.

08 밑줄 친 '사례'로 적절하지 않은 것은?

> 한국사 수행 평가 보고서
> ○학년 ○○반 △△△
>
> 1. 주제: 고려 시대의 풍수도참 사상
> 2. 내용: 정치적으로 이용된 사례
> ……

① 한양을 남경으로 승격하는 근거가 되었다..
② 북진 정책을 뒷받침하는 논리로 이용되었다.
③ 묘청의 서경 천도 운동의 사상적 기반이 되었다.
④ 국가 차원에서 산신에 대한 제사를 주관하기도 하였다.
⑤ 송악의 우수성을 부각하여 고려 건국에 정당성을 부여하였다.

서술형 문제

09 밑줄 친 '정호'와 '백정'의 개념을 서술하시오.

> 고려의 신분은 양인과 천인으로 구분되었다. 그러나 직역 혹은 직업별로도 사회적 지위가 구분되었다. 양인은 정호와 백정으로 구별되었다.

서술형 문제

10 사료를 읽고 물음에 답하시오.

> 11세기 말에 활동한 의천은 (가) 을/를 창시하여 교종을 중심으로 선종을 포섭하고자 하였다. 그는 교선 통합을 위해 교관겸수를 주장하였다.

(1) (가)에 들어갈 말을 쓰시오.

(2) 밑줄 친 '교관겸수'의 의미를 서술하시오.

창의 융합 교실 과거제는 고려 사회를 개방적으로 만들었을까?

교과서 58~59쪽

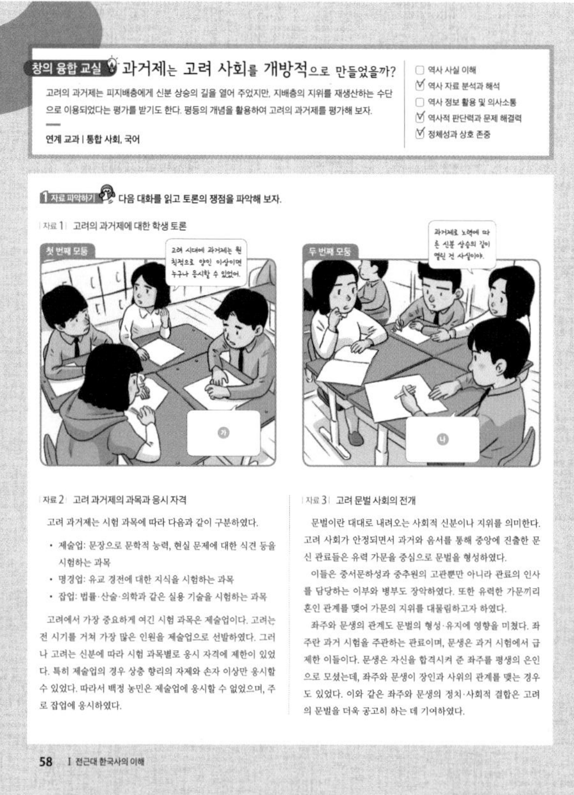

창의 융합 교실 과거제는 고려 사회를 개방적으로 만들었을까?

고려의 과거제는 피지배층에게 신분 상승의 길을 열어 주었지만, 지배층의 지위를 재생산하는 수단으로 이용되었다는 평가를 받기도 한다. 평등의 개념을 활용하여 고려의 과거제를 평가해 보자.

연계 교과 | 통합 사회, 국어

- ☐ 역사 사실 이해
- ☑ 역사 자료 분석과 해석
- ☐ 역사 정보 활용 및 의사소통
- ☑ 역사적 판단력과 문제 해결력
- ☑ 정체성과 상호 존중

1 자료 파악하기 다음 대화를 읽고 토론의 쟁점을 파악해 보자.

자료 1 고려의 과거제에 대한 학생 토론

자료 2 고려 과거제의 과목과 응시 자격

고려 과거제는 시험 과목에 따라 다음과 같이 구분하였다.

- 제술업: 문장으로 문학적 능력, 현실 문제에 대한 식견 등을 시험하는 과목
- 명경업: 유교 경전에 대한 지식을 시험하는 과목
- 잡업: 법률·산술·의학과 같은 실용 기술을 시험하는 과목

고려에서 가장 중요하게 여긴 시험 과목은 제술업이다. 고려는 전 시기를 거쳐 가장 많은 인원을 제술업으로 선발하였다. 그러나 고려는 신분에 따라 시험 과목별로 응시 자격에 제한이 있었다. 특히 제술업의 경우 상층 향리의 자제와 손자 이상만 응시할 수 있었다. 따라서 백정 농민은 제술업에 응시할 수 없었으며, 주로 잡업에 응시하였다.

자료 3 고려 문벌 사회의 전개

문벌이란 대대로 내려오는 사회적 신분이나 지위를 의미한다. 고려 사회가 안정되면서 과거와 음서를 통해 중앙에 진출한 문신 관료들은 유력 가문을 중심으로 문벌을 형성하였다.

이들은 중서문하성과 중추원의 고관뿐만 아니라 관료의 인사를 담당하는 이부와 병부도 장악하였다. 또한 유력한 가문끼리 혼인 관계를 맺어 가문의 지위를 대물림하고자 하였다.

좌주와 문생의 관계도 문벌의 형성·유지에 영향을 미쳤다. 좌주란 과거 시험을 주관하는 관료이며, 문생은 과거 시험에서 급제한 이들이다. 문생은 자신을 합격시켜 준 좌주를 평생의 은인으로 모셨는데, 좌주와 문생이 장인과 사위의 관계를 맺는 경우도 있었다. 이와 같은 좌주와 문생의 정치·사회적 결합은 고려의 문벌을 더욱 공고히 하는 데 기여하였다.

58 I 전근대 한국사의 이해

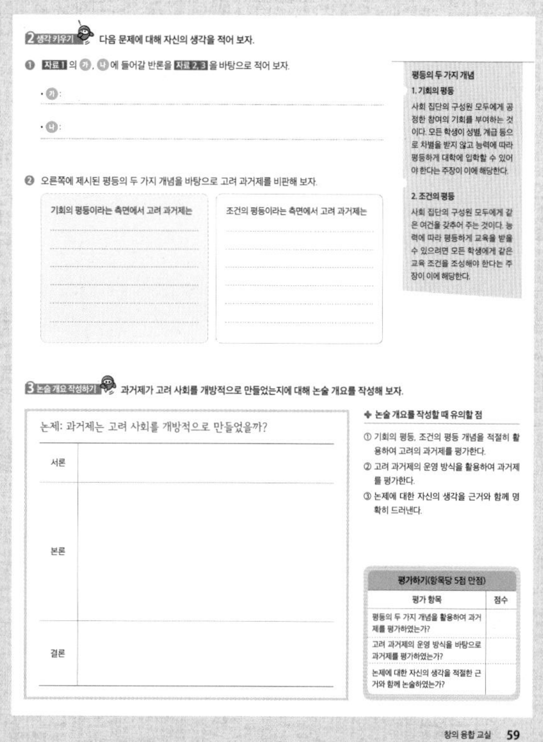

2 생각 키우기 다음 문제에 대해 자신의 생각을 적어 보자.

❶ 자료 1 의 가, 나 에 들어갈 반론을 자료 2, 3 을 바탕으로 적어 보자.

- 가:
- 나:

❷ 오른쪽에 제시된 평등의 두 가지 개념을 바탕으로 고려 과거제를 비판해 보자.

기회의 평등이라는 측면에서 고려 과거제는	조건의 평등이라는 측면에서 고려 과거제는

평등의 두 가지 개념

1. 기회의 평등
사회 집단의 구성원 모두에게 공정한 참여의 기회를 부여하는 것이다. 모든 학생이 성별, 계급 등으로 차별을 받지 않고 능력에 따라 평등하게 대학에 입학할 수 있어야 한다는 주장이 이에 해당한다.

2. 조건의 평등
사회 집단의 구성원 모두에게 같은 여건을 갖추어 주는 것이다. 능력에 따라 평등하게 교육을 받을 수 있으려면 모든 학생에게 같은 교육 조건을 조성해야 한다는 주장이 이에 해당한다.

3 논술 개요 작성하기 과거제가 고려 사회를 개방적으로 만들었는지에 대해 논술 개요를 작성해 보자.

논제: 과거제는 고려 사회를 개방적으로 만들었을까?	
서론	
본론	
결론	

✚ 논술 개요를 작성할 때 유의할 점

① 기회의 평등, 조건의 평등 개념을 적절히 활용하여 고려의 과거제를 평가한다.
② 고려 과거제의 운영 방식을 활용하여 과거제를 평가한다.
③ 논제에 대한 자신의 생각을 근거와 함께 명확히 드러낸다.

평가하기(항목당 5점 만점)

평가 항목	점수
평등의 두 가지 개념을 활용하여 과거제를 평가하였는가?	
고려 과거제의 운영 방식을 바탕으로 과거제를 평가하였는가?	
논제에 대한 자신의 생각을 적절한 근거와 함께 논술하였는가?	

창의 융합 교실 59

활동 목표

- 과거제를 비판적 시각으로 평가할 수 있습니다.
- 현대 사회의 다양한 선발 수단에 대해 고민할 수 있습니다.

활동 흐름

- <자료 2>, <자료 3>의 내용을 파악한 후 <자료 1>의 (가), (나)에 들어갈 반론을 서술합니다.
- '평등의 두 가지 개념'의 내용을 바탕으로 고려 과거제를 비판합니다.
- '생각 키우기'의 내용을 종합하여 '과거제는 고려 사회를 개방적으로 만들었을까?'라는 주제에 대한 논술 개요를 작성합니다.

예시 답안

- **<자료 1>의 (가), (나)에 들어갈 반론을 <자료 2, 3>을 바탕으로 적어 보자.** | (가): 그러나 가장 중요한 제술업의 경우 상층 향리의 자제와 손자 이상이 아니면 응시할 수 없었어. 백정 농민은 주로 잡업에 응시해야 했는데, 제술업 합격자와 잡업 합격자의 사회적 지위에는 매우 큰 차이가 있었어.
(나): 표면적으론 그렇지만 노력으로 해결되지 않는 사회·경제적 여건의 차이가 분명히 존재했어. 문벌과 양민의 경제적 여건을 고려했을 때 양민이 과거에 합격할 수 있는 확률은 매우 희박했고, 문벌 간의 통혼 관계, 문벌들이 장악하고 있는 관료의 인사권, 좌주와 문생의 관계 등을 고려하면 과거에 합격하더라도 양민이 고위 관직에 오르는 건 쉽지 않았을 거야.
- **오른쪽에 제시된 평등의 두 가지 개념을 바탕으로 고려 과거제를 비판해 보자.** | 기회의 평등이라는 측면에서 고려의 과거제는 백성에게 응시 기회를 고르게 개방하지 않았다는 한계를 지니고 있다. 고위 관직에 오르기 위해 필요한 제술업의 경우 응시 자격 제한을 두었고, 향·부곡·소의 주민, 여성 등은 어떤 분야에도 응시할 수 없었다. 또한 조건의 평등이라는 측면에서 고려의 과거제는 백성들에게 과거 응시에 필요한 여건을 고르게 갖추게 하지 않았다는 한계를 가지고 있다. 생산 활동에서 자유로운 문벌의 자제와, 백정 농민의 자제가 대등한 경쟁을 벌이기 어려울 것은 쉽게 짐작할 수 있다.

조선 시대 세계관의 변화

주제 14 유교적 통치 이념의 확립

이번 주제에서는 | 조선의 중앙, 지방 통치에 유교 이념이 어떻게 반영되어 있는지 설명할 수 있습니다.

교실 열기 조선에서 『삼강행실도』를 대중적으로 보급하고자 한 까닭은 무엇일까?

예시 답안 | 체제 정비를 위해 백성들에게 유교 윤리를 보급하여 교화하기 위함이었다.

1 조선의 유교적 통치 이념

(1) 유교 통치 이념에 입각하여 왕도 정치[1]와 예를 통한 교화를 추구
→ 백성들에게 도덕성을 갖추게 하고, 위계질서를 합리화하는 수단

(2) 유교 윤리 보급: 세종 때 『삼강[2]행실도』 편찬

(3) 유교 의례 정비: 성종 때 『국조오례[3]의』 간행

(4) 대외 관계: 사대교린 → 명을 큰 나라로 섬기고 여진·일본 등과 교류함.

2 통일적 성문법 질서의 확립

(1) 정도전이 『조선경국전』 편찬(개인 편찬)

(2) 조준 등이 『경제육전』 편찬(왕명으로 편찬한 최초의 관찬 법전)

(3) 세조~성종에 걸쳐 『경국대전』 편찬 → 통일적 성문법 질서의 확립

3 유교 이념에 따른 중앙 정치 조직 정비

(1) 권력 분산과 언론 활성화를 통해 공론 정치 구현

(2) 주요 정치 기구

① 의정부: 국정 협의, 정사 총괄

② 6조: 국가의 행정을 분야별로 나누어 담당

③ 삼사: 사헌부(관리 감찰)·사간원(간쟁)·홍문관(궁중 문헌 관리, 경연), 왕과 대신들을 견제하는 언론 기능 수행
→ 삼사는 각기 본연의 기능을 가지고 있었지만, 중요한 문제에 대해서는 삼사가 함께 언론 활동하기도 하였다.

④ 승정원: 왕명 출납 담당

⑤ 의금부: 국왕 직속 특별 사법 기관
→ 의금부는 왕권을 거스르는 반란, 음모 등을 응징하는 기구였다. 또 유교 윤리에 어긋나는 강상죄에 대한 조치를 전담하기도 하였다.

(3) 교육 및 관료 선발

① 교육: 성균관과 4부 학당(서울), 향교(지방), 서원과 서당(사립 교육 기관)

② 관료 선발: 주로 과거로 등용(문과·무과·잡과)
→ 역관·의관 등 기술관을 뽑는 시험이다.

4 조선의 지방 통치 체제

(1) 행정 구역 정비: 8도 아래에 군현을 편제

(2) 지방 통치 체제의 특징

① 향·부곡·소를 모두 일반 군현으로 승격

② 모든 군현에 지방관을 파견, 상피제 실시
→ 지방의 행정·사법·군사권을 행사하였다.

③ 지방 사족의 영향력이 강함. → 지방 사족들도 공론 형성의 축으로 활약

개념 쏙쏙

① 왕도 정치
어진 덕을 근본으로 하는 통치를 의미한다. 왕도 정치에서는 예를 통해 백성을 교화하고 도덕적 자발성을 갖추게 함으로써 현실 정치가 원활히 운영될 수 있다고 본다. 왕도 정치에 반대되는 패도 정치는 권력과 무력으로 백성을 다스리는 정치로, 법에 의한 강제적 통제를 중요시한다.

② 삼강
유교 윤리의 세가지 기본 강령인 임금과 신하, 어버이와 자식, 남편과 아내 사이의 도리를 말한다.
- 군위신강: 임금은 신하의 근본이다.
- 부위자강: 아비는 자식의 근본이다.
- 부위부강: 남편은 아내의 근본이다.

③ 오례
국가의 다섯 가지 의례인 길례, 흉례, 군례, 빈례, 가례를 의미한다.
- 길례: 제사와 관련된 의례
- 흉례: 왕실의 상장례
- 군례: 군사나 군대에 관한 의례
- 빈례: 사신을 접대하는 의례
- 가례: 왕실의 혼인, 책봉에 대한 의례

정리 교실 교과서 61쪽

㉠ 충신, 효자, 열녀의 사례를 글과 그림으로 나타내어 백성들에게 유교 윤리를 보급하기 위해 편찬한 책이다.

㉡ 성종~세조 대에 거쳐 제작된 성문법전으로, 『경국대전』의 완성은 조선이 통일적 성문법 질서를 확립했음을 보여 준다.

㉢ 사헌부·사간원·홍문관을 의미하며, 왕과 대신들을 견제하는 언론 기구이다.

탐구 교실 통치 질서 정비에 활용된 훈민정음

교과서 | 62쪽

활동 목표 | 세종이 훈민정음을 어떻게 통치 질서 정비에 활용하였는지 정리할 수 있습니다.

세종, 훈민정음을 반포하다

이달에 임금이 친히 언문 28자를 지었는데, 그 글자가 옛 글자를 모방하였고, 초성·중성·종성으로 조합해야 한 음절이 이루어졌다. 무릇 한자로 기록한 것과 말로만 전해지는 것을 모두 쓸 수 있으며, 글자는 비록 쉽고 간단하지만 무궁무진한 표현이 가능하니, 이를 "백성을 가르치는 바른 소리(훈민정음; 訓民正音)"라고 일렀다. -『세종실록』

❶ 집현전 학자들에게 유교 경전을 훈민정음으로 번역하게 하다.

❷ 조선 왕조의 창업을 찬양하는 『용비어천가』를 훈민정음으로 편찬하게 하다.

❸ 훈민정음을 반대하는 신하에게 언문의 필요성을 설파하다.

- 삽화를 보며 '애민'이 아닌 '통치'라는 관점에서 훈민정음을 조명해 봅시다.
- 사료를 보며 갖게 된 생각을 원 지도에 구조화해 봅시다.

- **<삽화 1>** | 세종이 번역을 명한 책은 『대학』, 『논어』, 『맹자』, 『중용』인데 이를 묶어 사서(四書)라고 부른다. 사서는 유교의 기본 경전으로 꼽히는 책이다. 이를 훈민정음으로 번역했다는 것은 백성에게 유교 이념을 뿌리내리려는 시도로 보인다.
- **<삽화 2>** | 『용비어천가』는 목조·익조·도조·환조(태조 이성계의 선조들)와 태조, 태종의 행적을 찬양한 서사시이다. 천명을 받은 선조들의 위대한 업적을 노래하여 왕조의 지배를 정당화하고자 하였다.

활동 풀이

1. 위 삽화를 바탕으로 세종이 훈민정음을 통치 질서 정비에 어떻게 활용하였는지 정리하여 다음 원 지도를 완성해 보자.

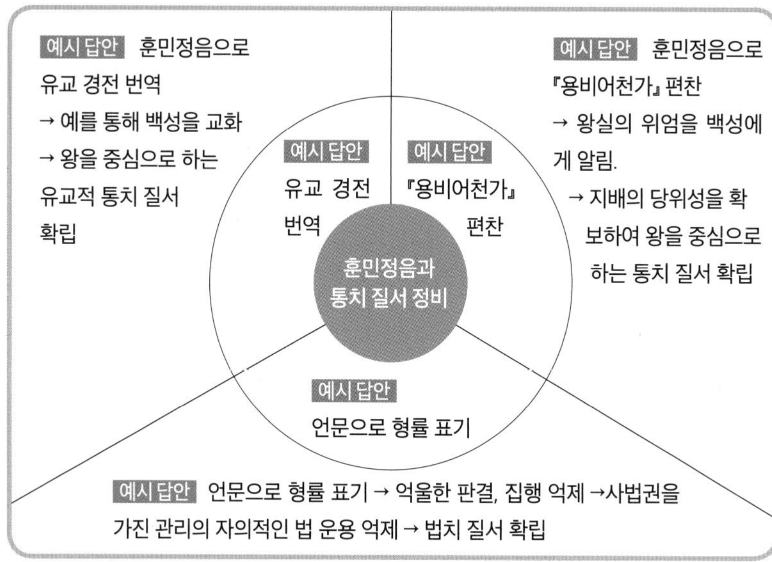

간단 체크 정답 및 해설 7쪽

세종은 훈민정음으로 왕조 창업을 찬양하는 (   )을/를 편찬하여 왕실의 위엄을 알리고 왕조의 정당성을 확립하고자 하였다.

교과서 63~65쪽

5 조선 시대 세계관의 변화

주제 15 사림의 성장과 붕당의 형성

이번 주제에서는 | 사림의 성장과 붕당 정치의 형성 과정에 대해서 설명할 수 있습니다.

교실 열기 붕당 정치는 조선의 정치에 어떤 영향을 끼쳤을까?

예시 답안 | 붕당은 상호 토론과 비판을 통해 공론 정치를 지탱하는 역할을 하였다.

1 훈구파의 성장과 사림의 등장

(1) 훈구파: 세조의 즉위를 도와 공을 세운 세력을 의미 → 기득권 장악, 불법과 수탈 자행

단종을 폐위하고 왕위에 오른 세조는 왕위 계승의 정통성이 취약하였다. 이에 자신의 즉위를 도운 공신 집단에게 정치적으로 의존하면서 그들에게 강력한 사회·경제적 지위를 보장하였다.

(2) 사림

① 관직에 진출하지 않고 성리학 연구에 힘쓰던 사족

② 성리학적 도덕 정치와 사족 중심의 향촌 질서 확립을 추구

③ 성종 이후 중앙 관직에 적극 진출 → 3사에 진출하여 훈구파를 비판

2 사화의 발생

(1) 연산군: 훈구파와 사림의 대립 격화 → 두 차례의 사화 발생

(2) 중종

① 중종반정으로 즉위 → 훈구를 견제하기 위해 조광조 등 사림 등용

② 조광조의 개혁 시도: 현량과 시행, 향약[1] 보급 추진, 위훈 삭제 → 훈구파의 반격으로 기묘사화 발생

중종반정 때 공을 세운 공신 중 자격이 없다고 평가된 사람들의 공신 호칭을 박탈하고 토지와 노비를 환수한 사건으로 엄청난 반발을 불러일으켰다.

(3) 명종: 외척 간의 권력 다툼 과정에서 사화 발생

※ 네 차례의 사화

무오사화	• 1498년(연산군 4), 훈구파가 사림의 김종직이 쓴 「조의제문」[2]을 문제 삼아 사림을 대거 축출한 사건
갑자사화	• 1504년(연산군 10), 연산군의 모친 폐비 윤씨의 죽음과 관련된 인물을 대거 축출한 사건
기묘사화	• 1519년(중종 14), 조광조 등의 신진 사류가 왕도 정치, 사족 중심의 질서 확립을 위한 개혁을 추진하다가 훈구파에 의해 축출된 사건
을사사화	• 1545년(명종 즉위), 외척 간의 권력 투쟁에 휘말려 사림이 축출된 사건

3 붕당의 형성

(1) 사림의 중앙 정계 장악

① 서원과 향약을 기반으로 향촌에서 세력 확대

② 선조 때 중앙 정계의 주도권을 장악

(2) 붕당의 형성

① 외척 정치의 잔재 청산을 둘러싼 갈등 → 이조 전랑 임명 문제로 갈등 격화 → 서인과 동인의 붕당이 형성

② 상호 토론과 비판을 통해 조선의 공론 정치를 지탱

개념 쏙쏙

① 향약

향촌 규약의 줄임말로, 서로 도우며 살아가자는 지방민들의 약속을 의미한다.

향약을 주도한 계층은 지방 사족으로, 향약은 지방 사족의 향촌 자치와 하층민 통제 수단으로 작용하였다. 한편으로는 유교적 예절을 보급하여 도덕적 질서를 세우고 풍속을 아름답게 하는 기능도 수행하였다.

② 「조의제문」

조선 성종 때 김종직이 세조의 왕위 찬탈을 풍자하여 지은 것으로 알려진 글이다. 그 내용은 김종직이 꿈에서 항우에게 죽임을 당한 의제(초나라 왕)를 만난 후 깨달음을 얻어 그에게 조의를 표하는 내용이다. 의제는 단종, 항우는 세조를 비유한 것으로 여겨져 이미 죽은 김종직은 부관참시되었으며, 김종직과 관련된 많은 사림이 화를 입었다.

정리 교실 교과서 64쪽

㉠ 사화 ㉡ 조광조
㉢ 선조 ㉣ 서인

탐구 교실 대간의 역할을 바라보는 다양한 인식

활동 목표 | 대간에 대한 다양한 인식을 파악하고, 자신만의 관점을 수립할 수 있습니다.

한국사 백과 한국사 백과는 여러분과 함께 만들어 나가는 자유 백과사전으로 누구나 문서 제작에 참여할 수 있습니다.

대간

이 문서의 토론이 진행되고 있습니다.
이 문서에서 사용자들 간의 의견 충돌이 발생하여 토론이 진행되고 있습니다. 토론의 주제와 세부 사항은 해당 토론 을 참조하시기 바랍니다.

1. 정의
고려와 조선에서 감찰 임무를 맡은 대관(臺官)과 국왕에 대한 간쟁(諫諍) 임무를 맡은 간관(諫官)을 합쳐서 부르는 말이다.

2. 내용
(1) 대간의 역할
대관과 간관은 소속과 직무가 조금씩 달랐으나 실제로는 같은 언관으로서 관료의 비행을 논하거나 왕에 대한 간쟁을 수행하였다. 대간은 직무 특성상 큰 어려움이 뒤따랐기 때문에 여러 특권을 가지고 있었다. 재직 중 함부로 체포되지 않을 권리, 왕을 직접 대면하여 간언할 수 있는 권리 등이 그것이었다. 대간의 직무가 중요한 만큼 그들은 철저한 기준에 의거하여 선발되었다. 교양과 학식은 필수였고 강직함과 청렴함이 특별히 요구되었다.

대간(토론)
[토론 주제] 대간의 역할에 대하여

#1. 이성언 중종 12년(1517) 10월 10일
대간이 한번 탄핵하면 손쉽게 관리가 내쳐지는 풍조가 만연한데 이게 옳은 일입니까? 대간이 낸 의견에 모두가 동의하는 것은 그것이 진실로 옳아서가 아니라 남들이 자신을 비난할까 두려워서입니다. 대간은 정치를 문란하게 만드는 존재입니다.

#2. 조광조 중종 12년(1517) 11월 20일
대간이 정치를 문란하게 만든다는 것은 틀린 말입니다. 재상이 공론을 말하지 않기 때문에 대간이 공론을 말하는 것입니다. 만약 대간도 공론을 말하지 않는다면 초야의 의견을 물어서라도 정사를 바로잡는 게 맞지 않겠습니까?

#3. 중종 중종 14년(1519) 11월 18일
정치는 마땅히 대신들이 돌봐야 하고, 대간은 그 부족함을 보완하는 역할을 해야 한다. 최근에 대간들이 정치를 쥐락펴락하다 보니 과격한 논쟁과 탄핵이 버릇되어 오히려 폐단이 생겼다. 이를 바로잡기 위해 내가 조광조를 축출한 것이다.

- 한국사 백과에 실린 대간의 정의·내용을 읽고 대간의 역할과 덕목에 대해 이해해 봅시다.
- 한국사 백과의 토론 부분을 읽으며 이성언, 조광조, 중종이 대간의 역할에 대해 어떻게 생각했는지 정리해 봅시다.
- 대간의 역할에 대한 다양한 해석을 접한 후 자신만의 관점을 수립하여 논술해 봅시다.

- **#1 이성언의 토론** | 당시 대간이 대사헌 이행을 탄핵한 일이 있었다. 대간은 이행이 음험하므로 요직을 맡길 수 없다는 모호한 주장으로 이행의 관직과 품계를 낮추는 데에 성공하였다. 이성언은 대간이 두려워 시비를 가리지 않고 주변의 의견만을 살펴 좇는 행태를 비판한 것이다.
- **#2 조광조의 토론** | 이성언의 주장에 대한 반박이다. 조광조는 고관들이 공정한 의견을 말하지 않는다면 초야의 의견을 물어서라도 공론을 도출해야 하는데, 주변의 의견을 살피는 행태를 잘못된 것으로 보는 이성언의 태도를 비판하였다.
- **#3 중종의 토론** | 중종이 조광조를 축출한 이유를 밝히고 있다. 대간의 지나친 논쟁과 탄핵이 오히려 정치를 해치고 있기 때문에 정치를 바로잡기 위해서 조광조를 축출했다고 진술하고 있다.

활동 풀이

1. 위 토론에서 이성언, 조광조, 중종이 생각하는 대간의 역할이 무엇인지 정리해 보자.

- **이성언:** 예시 답안 대간은 정치를 문란하게 만드는 존재라고 진단하고 있다. 대간의 탄핵이 너무 강한 영향력을 발휘하다 보니 대간의 의견을 거스르기 힘들기 때문이다.
- **조광조:** 예시 답안 대간은 정사를 바로잡기 위해 공론을 논하는 존재라고 진단하고 있다. 특히 국정의 핵심인 재상들이 공론을 말하지 않을 때, 대간이 나서서 공론을 말해야 한다고 보고 있다.
- **중종:** 예시 답안 대간은 대신들의 부족함을 보완하는 역할에 머물러야 한다고 진단하고 있다. 따라서 대간이 과도하게 권력을 갖는 것은 폐단을 야기한다고 보고 있다.

2. 위 토론에 이어서 자신의 생각을 적어 보자.

예시 답안 1 대간은 잘못된 정치를 바로잡는 역할을 담당한다고 하지만, 여느 권력 기구와 다를 바 없는 이익 집단이 될 수밖에 없다고 생각한다. 그들이 가지고 있는 '도덕성'이 자기 세력 확충을 위한 강력한 무기로 돌변할 수 있음을 경계해야 한다.

예시 답안 2 대간은 정치 질서를 바로잡을 수 있는 마지막 보루라고 생각한다. 의정부와 6조의 대신이 정책 결정과 집행에 필요한 권력을 쥐고 있는 상황에서, 대간이 없다면 그들이 전횡을 부려도 견제할 수단이 없을 것이다. 대간 역시 폐단을 일으킬 수 있다는 것은 인정하지만 그 이상의 대안도 없다고 생각한다.

간단 체크 정답 및 해설 7쪽
(   )은/는 감찰을 담당하는 대관과 간쟁을 담당하는 간관을 합쳐서 부르는 말이다.

5 조선 시대 세계관의 변화

주제 16 조선의 대외 관계와 양 난의 발발

이번 주제에서는 | 양 난의 전개 과정과 양 난 이후 조선의 대외 관계의 변화를 설명할 수 있습니다.

교실 열기 **임진왜란과 두 차례의 호란은 조선의 사대교린 외교에 어떤 영향을 미쳤을까?**

예시 답안 | 사대의 대상인 명이 멸망하고 교린의 대상이었던 여진족이 세운 청과 군신 관계를 맺게 되었다.

1 명과의 관계: 사대 외교 → 조공·책봉 체제를 통해 유지(동아시아 세계의 일반적인 외교 형식)

2 여진, 일본과의 관계

(1) 여진과의 관계: 무역소 설치, 귀순 장려(회유책), 4군 6진 개척(강경책)

(2) 일본과의 관계

여진, 왜구가 조선을 침략하는 근본적인 이유는 물자 부족이었다. 때문에 조선은 경성·경원에 무역소를 설치하였고, 3포를 개항하였다.

① 왜구 문제: 왜구 귀순 장려 등 회유책 → 세종 때 쓰시마 토벌

② 교역의 변화: 3포 개항(부산포, 제포, 염포) → 조선의 일본인 통제 강화 → 3포 왜란[1], 을묘왜변[2] 등 일본인의 무력 시위 → 조·일 교역 쇠퇴

3 임진왜란의 발발과 전개

(1) 전쟁의 발단: 도요토미 히데요시 전국 통일→ 영주들의 불만을 무마하기 위해 조선 침략(임진왜란, 1592)

(2) 전쟁의 경과

① 전쟁 초기 한양, 평양이 함락되는 등 조선의 전세 불리

② 이순신의 수군, 의병, 조·명 연합군의 활약으로 전황 회복

③ 명-일 사이에 휴전 협상 전개 → 결렬 → 정유재란 발발(1597)

④ 일본의 전세 불리, 도요토미 히데요시의 병사 → 일본군 철수(1598)

당시 도요토미 히데요시가 내세운 협상 조건은 ① 명나라의 황녀를 일본의 후비로 삼을 것, ② 조선 8도 중 4도를 할양할 것, ③ 조선 왕자 및 대신 12인을 인질로 삼을 것 등으로 명이 수용하기 힘든 것들이었다.

(3) 전쟁의 영향

① 조선: 국토 황폐화, 국가 재정 파탄, 인구 감소(사망, 포로), 문화재 소실

② 일본: 에도 막부 수립, 조선에서 납치한 인력으로 학문, 기술 수용

4 왜란 이후 대내외적 변화

(1) 조·일 관계: 국교 일시 단절 → 회답겸쇄환사, 통신사 파견 등으로 회복

(2) 중국 정세 변화: 명의 약화 → 후금(여진)이 명에 선전 포고 → 명이 조선에 지원군 요청 → 광해군의 중립 외교

5 호란의 발발

(1) 정묘호란: 인조반정, 친명배금 → 정묘호란(1627) → 조선과 후금의 강화

(2) 병자호란: 청이 조선에 군신 관계 수립 요구 → 조선의 거부 → 병자호란(1636) → 인조가 청에 항복하여 군신 관계 수립

개념 쏙쏙

① 3포 왜란

1510년(중종 5), 3포에 거주하던 일본인들이 일으킨 난이다. 조선 정부는 3포 왜란을 진압한 후 3포를 폐쇄하고 교역을 단절하였다가 1512년에 교역을 재개하였다.

② 을묘왜변(1555년, 명종 10)

1555년(명종 10), 왜구가 70여 척의 배를 이끌고 전라남도 강진, 진도 일대에 침입해 약탈과 노략질을 한 사건이다. 이 사건 이후 조선은 일본인의 무역 행위를 강력하게 규제하였다.

정리 교실 교과서 68쪽

㉠ 조공·책봉 체제 ㉡ 4군 6진
㉢ 도요토미 히데요시 ㉣ 병자호란

탐구 교실 다양한 명칭으로 불리는 '임진왜란'

교과서 | 69쪽

활동 목표 | 임진왜란을 의미하는 한·중·일의 역사 용어를 파악하고, 대안 용어를 제시할 수 있습니다.

자료 1 임진왜란을 부르는 다양한 역사 용어

임진왜란(한국)
임진왜란이라는 용어에서는 일본이라는 정식 국호 대신 '왜'라는 비칭을 사용하고 있다. 그리고 사전적인 의미로 난(亂)은 "정통 정부의 권위에 대한 비정통 집단의 도전 행위"를 의미한다.

항왜원조(중국)
일본군이 명으로 가는 가장 빠른 길은 조선을 통해 요동을 경유하는 것이었다. 명군의 참전에는 요동을 보호하는 것도 강한 동기로 작용하였다. 그러나 오늘날 중국에서는 조선을 도왔다는 의미를 강조하여 '항왜원조'라는 용어를 사용하고 있다.

분로쿠·게이초의 역(일본)
일본은 1910년 이후 임진왜란을 '분로쿠·게이초의 역(役)'이란 용어로 부르기 시작하였다. 일본에서 역(役)이란 국내 전쟁에서 사용하는 용어로, 주로 내전이나 정부군이 반란을 토벌할 때 사용한다.

자료 2 이순신 동상 앞 한·중·일 관광객의 대화

- <자료 1>을 통해 임진왜란을 의미하는 한·중·일 역사 용어의 의미를 파악해 봅시다.
- 한·중·일 역사 용어의 한계점을 해결한 중립적 용어나 임진왜란에서 한·중·일의 역할을 객관적으로 드러낼 수 있는 용어를 제작해 봅시다.

- **임진왜란** | 임진왜란이라는 용어는 17세기부터 사용되었다. 일본에 대한 적개심과 멸시 의식으로 국가 간의 전쟁을 '난'으로 격하한 것으로 보인다. 이후 일제의 식민 지배까지 겪게 되며, 일본에 대한 부정적인 인식은 더욱 고착화되었다. 그 결과 현재까지도 임진왜란이라는 용어가 사용되고 있다.
- 분로쿠·게이초의 역 | 전쟁 이후부터 일본에는 임진왜란을 '정벌', '손봐주기' 정도로 보는 인식이 팽배하였다. 1910년 일제가 한국을 강제 병합한 후 만들어진 분로쿠·게이초의 역이라는 용어는 조선이 '일본 영토'가 되고, 조선인이 '일본 동포'가 된 것을 참작하여 만든 표현이라고 한다.

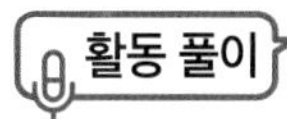

1. <자료1>을 읽고 한·중·일이 '임진왜란', '항왜원조', '분로쿠·게이초의 역'이라는 용어를 사용하는 이유를 추론해 적어 보자.

예시 답안 임진왜란'에는 일본을 조선보다 하등한 존재로 보려는 인식이 담겨 있다. 일본의 조선 침략에 대한 분노와 보상 심리가 작용한 결과로 볼 수 있다. '분로쿠·게이초의 역'에는 조·일을 하나의 국가로 보는 인식이 담겨 있다. 용어가 만들어진 시대 배경을 고려했을 때, 일제 강점 이후 조선 침략의 역사적 당위성을 얻기 위해 만든 용어로 볼 수 있다. '항왜원조'에는 명의 임진왜란 참전이 요동을 방위하여 자국의 이해를 충족하기 위함임을 감추고, 명의 참전이 조선에 대한 '원조' 행위임을 강조하려는 의도가 담겨 있다.

2. 한·중·일이 함께 사용할 수 있는 대안 용어를 생각한 후, <자료 2>의 (가)에 들어갈 말을 적어 보자.

예시 답안 1 임진전쟁, 임진년에 일어난 전쟁이라는 의미예요. 한·중·일 3국의 이해관계를 드러내지 않는 중립적인 표현이죠.

예시 답안 2 조중 항일 전쟁, 조선과 중국이 일본의 침략에 맞선 전쟁이라는 의미예요. 일본의 침략 전쟁이라는 본질을 드러내고, 조선과 중국이 모두 전쟁의 이해 당사국이었음을 드러낼 수 있어요.

간단 체크 정답 및 해설 7쪽
임진왜란을 중국에서는 (   ), 일본에서는 (   )(이)라 부른다.

5 조선 시대 세계관의 변화

주제 17 양 난 이후 세계관의 변화

이번 주제에서는 | 양 난 이후 조선의 화이론적 세계관에 어떤 변화가 나타났는지 설명할 수 있습니다.

교실 열기 조선의 화이론적 세계관에는 어떤 변화가 나타나기 시작하였을까?

예시 답안 | 명을 중심으로 중화와 오랑캐를 구분하는 세계관에서 벗어나 청의 문물을 수용하자는 북학론이 등장하였다.

1 화이론적 세계관의 동요

(1) 조선의 화이론적 세계관

① 성리학적 명분론: 각자의 명목에 맞는 본분, 즉 상하의 위계를 사회 질서 유지 원리로 여기는 사상 → 대외 관계에서는 화이론[1]으로 자리 잡음.

② 화이론적 세계관 속에서 조선은 스스로를 소중화로 자부

→ 이이의 『기자실기』(16세기 사림의 존화주의적 인식을 보여 주는 사례)

(존화주의: 중화를 높이 받드는 사상이다.)

(2) 병자호란 이후의 추이

① 인조와 서인 세력: 화이론을 강화하여 전쟁 책임 회피 및 정권 유지

② 청이 중화임을 부정 → 조선만이 중화의 정통 계승자라는 인식 팽배

(인조와 서인은 친명배금을 내세웠다가 병자호란을 초래하였기 때문에 병자호란 이후에도 집권의 정당성을 잃지 않기 위해 화이론을 강화하였다.)

2 호락논쟁의 전개

(1) 호론[2]: 인간과 짐승은 본질적으로 다르다고 주장 → 화이론적 세계관

(2) 낙론[3]: 인간과 짐승의 본성이 같다고 주장 → 화이론적 세계관에 비판적인 입장 → 북학론으로 계승된 것으로 여겨짐.

3 북벌론과 북학론

(1) 북벌론: 청을 정벌하여 명과의 의리를 지키자는 주장 → 효종 사후 쇠퇴

(효종: 청에서의 볼모로 끌려가 지내다 귀국하여 청에 대한 반발심이 강하였다.)

(2) 북학론: 청의 문물을 수용해야 한다는 주장

① 청의 국력과 문화적 역량의 융성: 한족 문사들을 대거 등용하여 한족 문화 정리에 힘씀, 아담 샬 등의 서양 선교사들이 수학, 천문학 등 근대 과학 전래

② 연행사[4] 일행이 청의 실제 모습을 목격하며 화이론적 세계관의 한계를 자각

(서양과 직접 교류를 하지 않던 조선의 지식인들에게 청은 서양 문물을 접할 수 있는 통로였다.)

(3) 실학: 다양한 사상을 모색하여 현실 문제를 해결하려는 학문 동향

① 등장 배경: 병자호란 이후 조선 사회의 변화에 대한 문제의식

② 연구 분야: 농민 생활 안정, 상공업 진흥, 국학 진흥, 우주관 재정립 등

참고 자료 북학론

여기(청)에 있는 사람들을 모조리 오랑캐라 하고 중국의 법마저 폐기해 버린다면 크게 옳지 않다. 진실로 백성에게 이롭기만 한다면, 그 법이 비록 오랑캐에게서 나왔다 하더라도 성인은 취할 것이다. …… 명을 위해 원수를 갚아 주고 우리의 부끄러움을 씻으려면 20년 동안 힘껏 중국을 배운 다음, 함께 의논하여도 늦지 않을 것이다.

- 박제가, 『북학의』 -

유수원, 박지원, 박제가 등 북학파 실학자들은 청나라의 수도 베이징을 왕래하면서 청의 수준 높은 문물을 목격하고, 이를 수용하자고 주장하였다. 위 글에서 박제가도 화이론적 세계관을 탈피하고, 중국을 배워야 한다고 주장하고 있다.

개념 쏙쏙

① 화이론
명을 중심으로 중화와 오랑캐를 구분하는 사상이다.

② 호론
인간과 짐승은 본질적으로 다르다고 주장하는 학자들이 대체로 호서(충청도) 지방에 거주하였기 때문에 그들을 호론이라고 불렀다.

③ 낙론
인간과 짐승의 본성이 같다고 주장하는 학자들이 대체로 낙하(서울)에 거주하였기 때문에 그들을 낙론이라고 불렀다.

④ 연행사
조선 후기 청나라에 보낸 사신을 가리키는 말이다. 청나라의 도읍인 연경(베이징)에 가는 사신이라는 의미이다.

정리 교실 교과서 71쪽

㉠ 소중화 ㉡ 낙론
㉢ 북벌론 ㉣ 연행사

교과서 | 72쪽

탐구 교실 연경(베이징)을 방문한 연행사의 세계관 변화

활동 목표 | 대표적인 북학파 홍대용이 연행사 일행으로 연경에 머물며 남긴 기록을 통해 그의 세계관 변화를 추적해 볼 수 있습니다.

연경에 가는 도중 한 음식점에서 식사하였다. 가게 주인이 청의 풍습인 변발을 하고 있어 "그대 모습을 보니 중과 다름없구나."라고 농담을 던졌다.

천주당을 방문하였다. 서양 선교사가 원경(망원경)을 소개해 주어, 태양을 자세히 관측할 수 있었다. 형태는 분명히 보이는데 전혀 눈이 부시지 않으니 신비로웠다.

연경에 입성하기 전, 동악묘에서 관복으로 갈아입었다. 연경의 웅장하고 휘황찬란한 건축물을 보니 내가 인간 세상에 있는 것이 맞는지 의심이 갔다.

서점에 가니 칸칸이 서책이 가득 쌓여 있었는데 그야말로 없는 책이 없었으며, 책의 세공이 극히 세밀하였다. 거리에는 안경을 파는 점포, 오색 붕어를 파는 점포 등 다양한 점포가 있었다.

- 홍대용 역시 처음에는 화이론적 세계관에서 벗어나지 못한 지식인이었음을 이해해 봅시다.
- 삽화의 각 장면에서 홍대용이 무엇을 보았는지, 무슨 생각을 품게 되었을지 생각해 봅시다.

- **<삽화 1>** | 홍대용의 연행기인 『을병연행록』에는 홍대용이 만주족의 두발·예법을 바라보는 부정적인 시각이 드러난다.
- **<삽화 2>** | 연경의 동악묘는 중국 5대 산 중 하나인 태산의 신을 모신 도교 사당이다. 연행사 일행은 황성에 들어가기 전 동악묘에서 옷을 갈아입는 것이 관례였다.
- **<삽화 3>** | 조선은 정기적으로 보내는 연행사를 통해 서양 문물과 접촉할 수 있었는데, 그 주된 통로가 북경의 천주당이었다.
- **<삽화 4>** | 유리창 거리는 본래 유리 기와를 굽던 가마장이었다. 청대에는 서화, 골동품, 문방구 등 온갖 기물을 판매하는 최고의 상업 지구이자 문화 지구로 자리 잡았다.

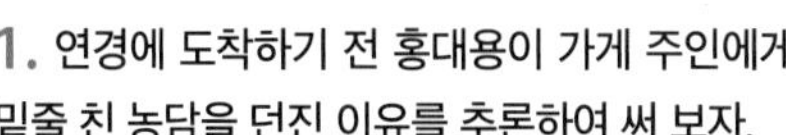

활동 풀이

1. 연경에 도착하기 전 홍대용이 가게 주인에게 밑줄 친 농담을 던진 이유를 추론하여 써 보자.

예시 답안 화이론적 세계관을 벗어나지 못했던 홍대용이, 청나라 사람에 대한 반감을 농담을 빙자하여 드러낸 것이다.

2. 연경의 다양한 모습을 본 홍대용이 청에 대해 어떤 생각을 갖게 되었을지 적어 보자.

예시 답안 청에 대해 품고 있던 부정적인 생각들이 크게 흔들려 처음에는 혼란스러웠을 것 같다. 그러나 연경의 화려한 건축물, 서양의 과학 기술, 없는 것이 없는 상점을 보며 점차 청의 부강함과 문화적인 수준을 인정할 수밖에 없다고 생각하게 되었을 것이다.

간단 체크 정답 및 해설 7쪽

홍대용은 연경에서 (　　　)을/를 방문하여 서양의 과학 기물들을 관람하였고, (　　　)의 번화함을 보며 청의 상업 규모에 감탄하였다.

5 조선 시대 세계관의 변화

주제 18 양 난 이후 정치 운영의 변화

이번 주제에서는 | 양 난 이후 정치 운영의 변화 과정을 설명할 수 있습니다.

교실 열기 정약용이 3사를 비롯한 언론 기구를 없애야 한다고 주장한 이유는 무엇일까?

예시 답안 | 양 난 이후 정치 운영의 변화 과정에서 3사를 비롯한 언론 기구가 공론을 대변하지 못하고 자기 붕당의 세력 유지에 앞장섰기 때문이다.

1 붕당 정치의 변질

(1) 양 난 이후 정치 구조의 변화

① 비변사[1]의 정치적 기능 강화 → 의정부와 6조 중심의 행정 체계 유명무실화

② 붕당의 기능 변질: 예송[2](현종)과 환국[3](숙종)을 거치며 일당 전제화 추세 강화 → 붕당의 공론 대변 기능 약화

2 탕평 정치와 세도 정치

(1) 탕평 정치: 붕당 간의 세력 균형과 왕권 강화 추구(영조, 정조)

(2) 세도 정치

① 세도 정치의 등장: 정조 사후 어린 순조 즉위 → 안동 김씨, 풍양 조씨 등 소수의 외척 가문이 정권을 독점 → 순조~철종 3대 60여년간 지속

② 세도 정치의 폐단: 왕권 약화, 공론 정치 붕괴, 정치 기강의 문란 → 수령과 향리의 농민 수탈 심화

3 수취 체제의 개편

(1) 조선의 수취 체제

① 조세: 토지세, 지주에게 풍흉에 따라 차등 징수

② 공납: 호세, 왕실과 관청에 필요한 토산물 징수

③ 역: 인두세, 16세 이상 60세 미만 양인 남성의 노동력 수취

(2) 양 난 이후 수취 체제의 개편

조선 후기 수취 체제 개편은 여러 세목을 지세화하는 방향으로 전개되었다.

① 영정법: 풍흉과 관계없이 조세를 일정하게 수취

② 대동법: 공납을 토지 면적에 따라 쌀·면포·화폐 등으로 납부

③ 균역법: 군역 부담을 절반으로 감축

4 삼정의 문란

(1) 개념: 세도 정치기 수령과 향리의 수탈로 인한 수취 체제의 문란

조선 후기 세금을 부담하는 양인층이 줄자 정부는 재정 규모를 유지하기 위해 각 군현에 할당되는 세금의 총액을 고정하는 정책을 펼쳤다. 이에 세금 부족분을 채우기 위한 가혹한 수취가 이루어지는 구조적인 문제도 있었다.

(2) 내용

① 전정의 문란: 황무지에 세금 부과, 다양한 명목의 부가세 과중

② 군정의 문란: 죽은 자에게 군포 부과(백골징포), 어린아이에게 군포 부과(황구첨정), 친지·이웃에게 군포를 강제로 징수(족징·인징) 등의 문제

③ 환정(환곡)의 문란: 강제로 환곡 배부, 모래나 겨를 섞은 쌀을 배부한 후 온전한 쌀로 회수

개념 쏙쏙

① 비변사
조선 중·후기 의정부를 대신하여 국정 전반을 총괄한 실질적인 최고의 관청이다. 본래 왜구, 여진의 침입 등 변방의 군사 문제에 대응하는 임시 기구였으나, 1555년(명종 10)에 발생한 을묘왜변을 계기로 상설 기구가 되었다. 1592년(선조 25)에 임진왜란이 발발하자 비변사는 전쟁 수행을 위한 최고 기구로 그 기능이 확대, 강화되었다. 임진왜란 이후로도 비변사의 기능은 축소되지 않고 군사 문제가 아닌 국정 전반을 관장하게 되었다.

② 예송
현종 때 효종과 효종비의 장례에서 효종의 계모였던 자의 대비의 상복 입는 기간을 둘러싸고 서인과 남인이 대립한 사건이다.

③ 환국
정국을 주도하는 집단이 급격히 교체된 사건을 뜻한다. 대표적인 환국으로 숙종 때 발생한 경신환국, 기사환국, 갑술환국을 꼽는다. 세 차례의 환국을 통해 서인, 남인, 서인이 교차 집권하였다. 숙종은 인위적인 집권 세력 교체를 통해 붕당을 견제하고 왕권을 강화하고자 한 것이다.

정리 교실 교과서 74쪽

㉠ 비변사 ㉡ 탕평 정치
㉢ 삼정의 문란 ㉣ 대동법

교과서 | 75쪽

탐구 교실 삼정의 문란, 극에 달한 백성의 고통

활동 목표 | 삼정의 문란을 고발하는 시를 창작할 수 있습니다.

자료 1 정민교, 「군정탄」(군정의 탄식)

제 지아비 작년에 돌아가셨는데
남편은 세상을 떴으나 뱃속에 아기가 있었지요.
천행으로 사내아이를 낳았는데 그 아기 배내털 마르기도 전에
이장이 관가에 알려 군액에 충원되었네요.
포대기에 쌓인 갓난아기 장정으로 군적에 올려서
문이 닳도록 찾아와 군포를 바치라고 독촉하고
어제는 아기를 업고 관가에 점호를 받으러 갔다오.
……
점호라고 받고 돌아오니 아기는 이미 죽어 있었지요.

자료 2 정약용, 「하일대주」(여름날 술을 마주하다)

빌려주고 빌리는 건 양쪽 다 원해야지
억지로 시행하면 불편한 것이다.
온 땅을 돌아봐도 모두 고개를 저을 뿐
빌리겠다는 사람은 하나도 없는데
봄철에 좀먹은 쌀 한 말 받고서
가을에 온전한 쌀 두 말을 바치고
게다가 좀먹은 쌀값 돈으로 내라 하니
온전한 쌀 판 돈을 바칠 수밖에
이익으로 남는 것은 교활한 관리만 살을 찌워
한번 벼슬길에 천 마지기 밭이 생기고
쓰라린 고초는 가난한 자에게 돌아가니
휘두르는 채찍질에 살점이 떨어진다.

자료 3 삼정의 문란

- <자료 1>과 <자료 2>를 통해 지식인들이 삼정의 문란을 시로 어떻게 표현하였는지 파악해 봅시다.
- <자료 3>을 통해 삼정의 문란의 구체적 모습을 파악해 봅시다.
- <자료 3>에서 파악한 삼정의 문란 내용을 4행시로 표현해 봅시다.

- **<자료 1>** | 정민교는 조선 후기 백성들의 생활에 관심이 많아 이와 관련된 작품을 많이 남겼는데, 「군정탄」도 그 중 하나이다.
- **<자료 2>** | 정약용은 1801~1818년 전남 강진에서 유배 생활을 하며 『경세유표』, 『흠흠신서』, 『목민심서』 등의 저술로 사회 개혁안을 제시하였다. 「하일대주」는 정약용이 유배 생활 중에 사회의 모습을 개탄하며 남긴 시이다. 이 시는 토지 겸병 문제, 군정·환정의 문란, 과거 시험, 신분제의 모순 등의 내용을 담고 있다.
- **<자료 3>**의 첫 번째 삽화는 황무지에 세금을 매기거나 부가세를 부과하는 장면, 두 번째 삽화는 군포를 죽은 자에게 징수하는 백골징포와 어린아이에게 징수하는 황구첨정을 표현하였고, 세 번째 삽화는 모래나 겨를 섞은 쌀을 강제로 환곡으로 빌려주는 장면이 그려져 있다.

활동 풀이

1. <자료 1>에서 관리들이 어린아이를 군적에 올린 이유가 무엇인지 말해 보자.

예시 답안 부족한 군포 수입을 메우거나, 관리가 개인적으로 착복하기 위해서이다.

2. <자료 2>를 참고하여 환곡이 백성들에게 강제로 분배된 이유를 분석해 보자.

예시 답안 부족한 세수를 메우거나, 환곡의 이자를 관리가 착복하기 위해서이다.

3. <자료 3>의 장면 중 하나를 골라 삼정의 문란을 고발하는 4행시를 지어 보자.

예시 답안

- **삼**: 삼시세끼 먹기도
- **정**: 정말 너무니 벅찬데
- **문**: 문을 박차고 들어와 환곡을 억지로 빌려주니
- **란**: 란(난)처하지 그지없다.

간단 체크 정답 및 해설 7쪽

세도 정치기에 두드러진 수취 체제의 문란을 삼정의 문란이라고 한다. 삼정이란 (　　), (　　), (　　)을/를 가리킨다.

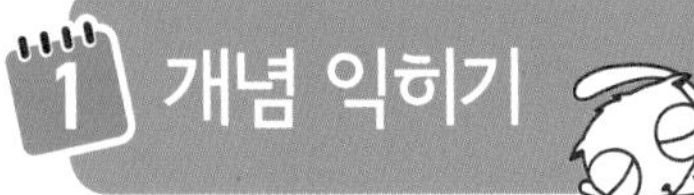

1 개념 익히기

01 아래 설명이 맞으면 O표, 틀리면 X표를 해 보자.

(1) 낙론에는 조선과 청이 본질적으로 다르다는 화이론이 내재되어 있었다. (　　)

(2) 병자호란 이후 조선은 청에 통신사라는 사절을 파견하였다. (　　)

(3) 숙종 때는 잦은 환국으로 서인과 남인이 번갈아 집권하면서 상대 당에 대한 탄압과 보복이 가해졌다. (　　)

(4) 순조가 즉위하면서 안동 김씨, 풍양 조씨 등 소수의 외척 가문이 정권을 독점하는 세도 정치가 나타났다. (　　)

02 빈칸에 알맞은 말을 채워 보자.

(1) 세종은 유교적으로 모범이 될 인물의 사례들을 모아 (　　　)을/를 편찬하였다.

(2) 세조 때는 역대의 법을 집대성한 성문 법전인 (　　　) 편찬이 시작되었다.

(3) 조선은 국정을 총괄하는 (　　　)과/와 국가 행정을 분야별로 담당하는 (　　　)을/를 중심으로 중앙 정치 조직을 정비하였다.

03 서로 관련 있는 내용끼리 연결해 보자.

a. 훈구	ㄱ. 관직에 진출하지 않고 성리학 연구에 힘쓰던 사족
b. 사림	ㄴ. 세조의 즉위를 도와 공을 세운 집단
c. 사화	ㄷ. 정쟁으로 사림이 화를 입은 사건

04 조선과 일본의 관계와 관련된 사건을 <보기>에서 모두 고르시오.

보기
ㄱ. 4군 6진 개척　　ㄴ. 3포 왜란
ㄷ. 쓰시마섬 토벌　　ㄹ. 경성, 경원에 무역소 설치

2 내신 유형 익히기

중요
01 (가)에 들어갈 왕으로 옳은 것은?

한국사 탐구 보고서
- 조선 초기의 문물 제도 정비 과정 -

• (가) 의 업적
① 홍문관 설치
②『국조오례의』 편찬

① 태조　② 태종　③ 세종
④ 세조　⑤ 성종

중요
02 (가)에 들어갈 말로 옳은 것은?

①『경국대전』　②『경제육전』
③『훈민정음』　④『삼강행실도』
⑤『조선경국전』

총 문항수	14	처음 푼 날	월 일
정답 및 해설	7쪽	오답 푼 날	월 일

03 (가)와 (나)에 들어갈 정치 기구를 바르게 나열한 것은?

	(가)	(나)		(가)	(나)
①	의정부	성균관	②	의정부	승정원
③	의정부	삼사	④	의금부	삼사
⑤	의금부	성균관			

04 지도와 같이 행정 구역이 정비된 시대의 지방 통치 제도에 대한 설명으로 적절한 것을 <보기>에서 고른 것은?

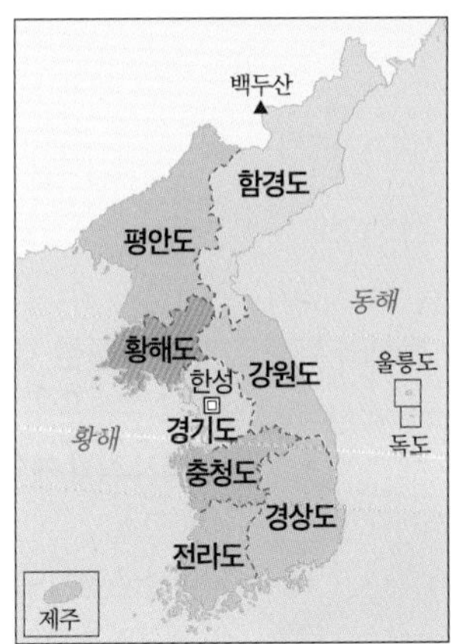

보기
ㄱ. 상피제가 실시되었다.
ㄴ. 모든 군현에 지방관이 파견되었다.
ㄷ. 군사적 특수 행정 구역인 양계가 존재하였다.
ㄹ. 향·부곡·소 등의 특수 행정 구역이 존재하였다.

① ㄱ, ㄴ ② ㄱ, ㄷ ③ ㄴ, ㄷ
④ ㄴ, ㄹ ⑤ ㄷ, ㄹ

중요

05 밑줄 친 '정책'으로 옳은 것을 <보기>에서 고른 것은?

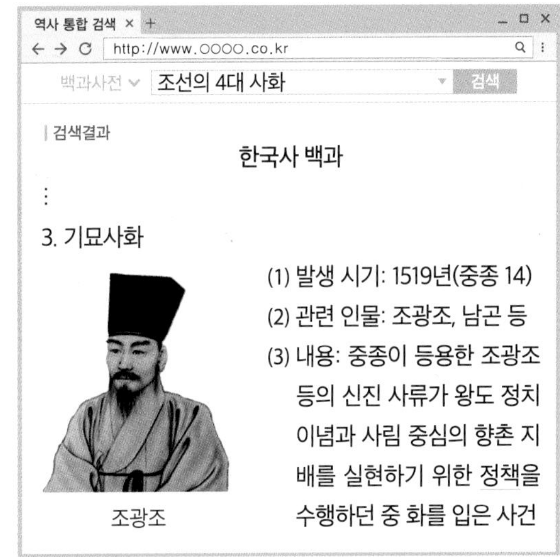

보기
ㄱ. 향약 실시
ㄴ. 현량과 실시
ㄷ. 비변사 설치
ㄹ. 균역법 실시

① ㄱ, ㄴ ② ㄱ, ㄷ ③ ㄴ, ㄷ
④ ㄴ, ㄹ ⑤ ㄷ, ㄹ

06 밑줄 친 '탐구 주제'로 가장 적절하지 않은 것은?

한국사 UCC 제작 계획

1. 주제 : 붕당의 성립과 붕당 정치의 전개
2. 탐구 주제
3. 콘텐츠 구성
4. 역할 분담

① 이조 전랑의 지위
② 조광조의 개혁 정치
③ 서원의 정치적 기능
④ 조선의 공론 정치 이념
⑤ 외척 정치 청산을 둘러싼 갈등

중요
07 (가)에 들어갈 말로 적절한 것을 <보기>에서 고른 것은?

보기
ㄱ. 4군 6진 개척의 배경
ㄴ. 통신사를 파견한 이유
ㄷ. 경원, 경성에 무역소를 설치한 이유
ㄹ. 3포 왜란과 을묘왜변이 일어난 이유

① ㄱ, ㄴ　② ㄱ, ㄷ　③ ㄴ, ㄷ
④ ㄴ, ㄹ　⑤ ㄷ, ㄹ

08 다음 사건을 발생 순서대로 나열한 것은?

ㄱ. 노량 해전　ㄴ. 평양 탈환
ㄷ. 한양 함락　ㄹ. 정유재란 발발

① ㄱ - ㄴ - ㄷ - ㄹ　② ㄱ - ㄴ - ㄹ - ㄷ
③ ㄴ - ㄴ - ㄷ - ㄹ　④ ㄷ - ㄴ - ㄹ - ㄱ
⑤ ㄹ - ㄱ - ㄴ - ㄷ

09 (가)에 들어갈 왕으로 옳은 것은?

명은 임진왜란 전후로 국력이 크게 약화되었다. 이를 틈타 여진이 후금을 건국하고 명에 선전 포고를 하자, 명은 조선에 지원군을 요청하였다. 당시 조선에서는 임진왜란 때 지원군을 보낸 명을 국가 재건의 은인으로 숭상하는 인식이 퍼진 상태였다. 임진왜란 이후 왕위에 오른 (가) 은/는 명의 요구에 따라 군대를 파병하면서도 후금과의 충돌을 피하기 위해 중립 외교를 펼쳤다

① 선조　② 광해군　③ 인조
④ 효종　⑤ 현종

중요
10 다음 답사 계획의 주제로 가장 적절한 것은?

교실 밖 한국사 탐방 계획

<제1코스>
남한산성(경기 광주 일대) - 조선 왕이 청군의 침략에 항전한 곳

<제2코스>
삼전도비(서울 송파구) - 조선 왕이 청 황제에게 굴욕적 항복을 한 장소

① 정묘호란　② 병자호란　③ 정유재란
④ 임진왜란　⑤ 을묘왜변

중요

11 다음 자료를 활용한 탐구 주제로 가장 적절한 것은?

> 붕당의 폐단이 요즈음보다 심한 적이 없었다. 처음에는 유학에 대해 시비가 일어나더니 지금은 다른 편의 사람을 모조리 역적으로 몰고 있다. …… 귀양을 간 사람들은 의금부에서 그 죄의 경중을 잘 헤아려 억울함이 없게 하고, 이조와 병조에서는 치우치지 않고 공평하게 관리를 임용하라.
>
> -『영조실록』-

① 북벌론과 북학론
② 조선 후기의 탕평 정치
③ 세도 정치와 삼정의 문란
④ 환국과 일당 전제화 경향의 심화
⑤ 정권의 득실과 직결된 예법 논쟁, 예송

12 밑줄 친 '폐단'을 시정하기 위해 실시된 수취 제도에 대한 설명으로 옳은 것은?

> http://www.OOOO.co.kr
>
> 묻고 답하기
>
> 질문 조선 시대 백성들이 가장 무겁게 여긴 세금이 공납이라는데 이유가 뭔가요?
>
> 답변 그 이유는 방납의 폐단 때문입니다. 방납업자들이 공납을 대신 내고 농민들에게는 돈을 받는데, 그 금액이 물건 값의 10배에 달했다고 하니 농민들의 고통이 얼마나 극심했을지 상상할 수 있겠죠?

① 조세를 4~6두로 고정하였다.
② 군포를 2필에서 1필로 경감하였다.
③ 가호를 기준으로 공납을 할당하였다.
④ 쌀·면포·화폐 등으로 공납을 납부하게 하였다.
⑤ 16세 이상 60세 미만 양인 남성의 노동력을 수취하였다.

서술형 문제

13 다음 자료를 바탕으로 조선의 공론 정치가 어떤 의미인지 서술하시오.

> 공론이란 것은 천하 국가의 원기(元氣)입니다. 간쟁(諫爭)은 공론의 근저가 됩니다. 왕께서 간언(諫言)을 구하시고 진실로 믿고 들어주신다면, 신 등은 마땅히 할 말을 다하고 숨김이 없게 됨으로써 백성의 이해를 다 진술하여 막힘이 없게 하고, 국가의 원기가 유통하여 막히지 않게 될 것입니다.
>
> -『태조실록』-

서술형 문제

14 다음 자료를 읽고 물음에 답하시오.

> 우리나라는 실로 명 신종 황제의 은혜를 입어 (가) 때 나라가 이미 폐허가 되었다가 다시 보존되고 백성이 거의 죽었다가 다시 소생하였으니 우리나라 나무 한 그루와 풀 한 포기와 백성의 터럭 하나하나에도 황제의 은혜가 미치는 바 아님이 없습니다. 그런즉 오늘날에 있어 원통·분통해 하는 자가 천하를 들어도 누가 우리만 하겠습니까?

(1) (가)에 들어갈 사건을 쓰시오.

(2) 사료에 드러난 인식을 바탕으로 효종 대에 전개된 정치·군사적 논의의 내용을 서술하시오.

교과서 76~78쪽

양반 신분제 사회와 상품 화폐 경제

주제 19

조선의 양반 중심 사회

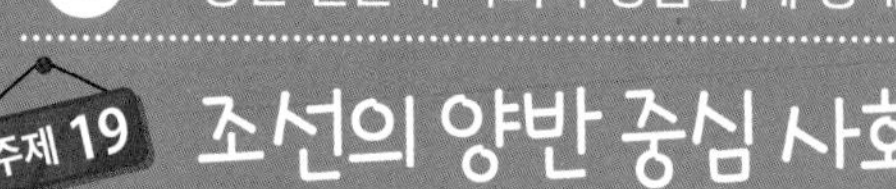

이번 주제에서는 | 신분제의 특징과 사족 중심의 향촌 지배 체제의 특징을 설명할 수 있습니다.

교실 열기 양반은 어떤 사회·경제적 특권을 누리는 계층이었을까?

예시 답안 | 사실상 군역을 면제받을 수 있었고, 가문의 경제력이 우수하여 경제 활동에서 자유로웠기 때문에 비교적 수월하게 관직에 진출할 수 있었다. 향촌에서는 유향소, 향회 등을 중심으로 지배력을 행사하였다.

1 양천제와 4신분제

(1) 양천제: 법적으로 양인과 천인을 구분

① 양인: 과거 응시와 관직 진출에 제한이 없음. 조세·공납·역을 담당

② 천인: 국가 또는 개인에게 소속되어 천역을 담당. 관직 진출 불가능

(2) 4신분제: 양인 중 양반이 지배층으로 자리 잡으며 양반·중인·상민·천민으로 구분되는 4신분제 정착

2 양반과 중인

(1) 양반

① 의미: 본래 문무 관료를 의미 → 전·현직 관료와 그 가문을 가리키게 됨.

② 특권: 가문의 경제력으로 생산 활동에서 자유로움, 사실상 군역 면제의 특권을 누림.

조선 시대에는 원칙적으로 천인을 제외한 모든 계층이 군역을 부담해야 했다. 그러나 양반은 관직에 종사하거나 학업을 준비한다는 이유로 군역에서 제외되었다.

(2) 중인

① 의미: 서리, 향리, 기술관, 서얼[1] 등

② 특징: 양반 중심 신분제의 유지를 위해 고위 관직 진출에 제한을 받고 하급 지배층에 머무름.

기술관과 서얼은 정3품, 향리는 정5품, 서리는 정7품을 넘어서는 품계를 받을 수 없었다. 서얼의 경우 문과 응시에도 제한을 받아 사족의 반열에 오르는 길이 막혀있었다.

3 상민과 천민

(1) 상민

① 의미: 생산 활동에 종사하는 농민, 수공업자, 상인 등

② 특징: 조세·공납·역을 부담 → 법적으로 과거 응시 및 관직 진출 가능

(2) 천민

① 의미: 대부분 노비, 공노비와 사노비로 구분

② 특징: 재산으로 취급되어 매매·증여·상속의 대상이 됨, 과거 응시 및 관직 진출 불가능

4 사족 중심의 향촌 지배 체제

(1) 유향소: 사족으로 구성된 향촌 자치 기구 → 수령 보좌, 향리 감찰

(2) 향회[2]: 사족의 이익을 대변하는 지방 사족의 모임

(3) 서원: 사족의 교육 기관이자 여론 수렴 기관

(4) 향약: 풍속 교화, 향촌 질서 유지의 수단

개념 쏙쏙

① 서얼

양반 자손 중 첩의 소생을 의미한다. '서'는 양인 첩에게서 낳은 자손, '얼'은 천인 첩에게서 낳은 자손을 의미한다. 조선 초부터 사족들은 자신과 서얼의 지위를 엄격히 구분하려 노력하였다. 그 결과 서얼은 진출할 수 있는 품계의 한도, 오를 수 있는 관직의 종류에서 강한 차별을 받았다. 이에 서얼들은 조선 전 시기에 거쳐 차별 완화를 요구하였고, 조선 후기인 정조 때는 서얼의 진출 가능 영역이 크게 넓어지는 성과를 거두기도 하였다.

② 향회

조선 시대 양반의 지방 지배 기구이다. 향회는 향안에 수록된 양반들로 구성되었다. 향회는 향임(향회의 임원)을 선출하고 향안에의 등록 여부를 결정하였으며 사족의 결속을 도모하고 수령의 부역 체제 운영에 간여하는 역할을 하였다. 사족들은 향회를 통해 백성에 대한 지배력을 행사하였다.

정리 교실 교과서 77쪽

㉠ 양인 ㉡ 양반

㉢ 노비 ㉣ 유향소

교과서 | 78쪽

탐구 교실 병풍 속에 담긴 조선 시대 사람들의 삶

활동 목표 | 조선 시대 양반의 삶을 파악하고, 중인·상민·천민의 삶을 상상하여 평생도로 그릴 수 있습니다.

❶ **혼인식** 조선 시대에는 혼인을 인륜의 근본으로 여겨 '대례(大禮)'라고 불렀다. 신랑이 신부를 데리고 가는 장면이나 혼례식 장면이 주로 그려졌다.

❷ **과거 급제** 양반의 중요한 삶의 목표였다. 주로 과거에 합격한 주인공이 악사들과 광대들을 거느리고 3일간 거리를 행진하는 장면이 그려졌다.

❸ **정승 행차** 주인공의 순탄한 승진의 도착점이다. 여러 요직을 거쳐 최고위 관직인 정승(영의정, 우의정, 좌의정)에 올라 행차하는 모습이 그려졌다.

❹ **회혼례** 결혼 60주년을 기념하는 성대한 예식이다. 회혼례는 결혼 기념 의식일 뿐만 아니라 자신의 부와 명예, 장수를 드러내는 의식이었다.

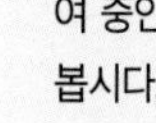

활동 도우미

- 양반들이 평생도에 혼인식, 과거 급제, 정승 행차, 회혼례 등의 장면을 삽입한 이유를 추론해 봅시다.
- 교과서 76~77쪽의 내용을 참고하여 중인·상민·천민의 일생을 상상해 봅시다.

자료 해설

- **'평생도'** | 평생도는 조선 시대 양반이 겪을 수 있는 이상적인 삶의 과정을 형상화한 그림이다. 사람이 태어나 건강하게 자라 출세하고 자식을 낳아 행복을 누리다가 덕을 쌓고 천명을 다하는 과정을 시간 순으로 그렸다. 그 내용은 작품에 따라 다르지만 돌잔치·혼인식·3일 유가(과거 급제)·최초 벼슬길·관찰사 부임·판서 행차·정승 행차·회혼례 등 총 8폭을 기본으로 한다.

활동 풀이

1. 「평생도」 병풍을 보고, 조선 시대 양반들이 일생에서 중요하게 여겼던 가치는 무엇인지 적어 보자.

예시 답안 좋은 혼처를 골라 가정을 꾸리는 일, 과거에 합격한 후 승진을 거듭하며 정승이 되는 영예를 얻는 일, 가정을 안정적으로 경영하여 가문의 격을 드러내는 일 등을 중요하게 여기었다.

2. 조선 시대 중인, 상민, 천민 중 하나를 선택하고, 그들의 삶을 상상하여 3첩의 「평생도」 병풍을 그려 보자.

예시 답안

진행 방법

- 다음 중 하나의 신분을 골라 √표 해 보자.
  ☐ 중인 ☐ 상민 ☑ 천민
- 위에서 고른 신분의 일생 중 주요 장면을 정해 보자.
  - 마음씨 좋은 현재의 주인님께 증여된 날
  - 주인의 신임을 받아 주인의 땅을 경작하는 외거 노비가 된 날
  - 주인에게 허락받아 마음이 통한 여종과 혼인한 날

간단 체크 정답 및 해설 9쪽

평생도는 조선 시대 (　　)이/가 꿈꾸었던 이상적인 삶의 모습을 형상화한 그림이다.

교과서 79~83쪽

6 양반 신분제 사회와 상품 화폐 경제

주제 20 상품 화폐 경제의 발달과 신분제의 동요

이번 주제에서는 | 양 난 이후 신분제의 동요와 향촌 지배 질서의 변화를 상품 화폐 경제의 발달을 통해 설명할 수 있습니다.

교실 열기 조선 후기에 양반 중심의 신분 질서가 흔들린 까닭은 무엇일까?

예시 답안 | 권력에서 소외된 양반이 몰락하였고, 농업 생산력 증대와 상품 화폐 경제 발달을 이용해 부를 쌓은 상민들이 양반 신분을 취득하였기 때문이다.

1 농업 경영의 변화

(1) 모내기[1] 확대: 18세기 무렵 전국으로 확산 → 이모작 가능, 경작지를 확대하는 광작 유행

모내기는 경작에 필요한 노동력이 직파법의 1/4에 불과하기 때문에 같은 노동력으로 4배의 땅을 경작할 수 있었다.

(2) 상업적 농업: 주요 도시의 인구 증가 및 상품 유통 활성화 → 인삼·면화·담배·채소·약초 등을 재배하여 농가 소득 증대

2 민영 수공업의 활성화

(1) 조선 후기 도시 인구 증가에 따른 상품 수요 증가

(2) 선대제 성행 → 독립 수공업자 등장

상인이 수공업자들에게 원료나 도구, 임금 등을 지불하여 필요한 물품을 생산시키는 제도이다.

3 상품 화폐 경제의 발달

(1) 배경: 도시 인구 증가, 대동법 실시(공인의 등장, 세금의 화폐납) → 조선 후기 상품 화폐 경제 발달(대표적 화폐: 상평통보)

(2) 사상의 대두: 정조 때 금난전권[2] 폐지 → 사상의 대두, 도고로 성장

(3) 장시와 포구의 성장: 보부상의 활약(장시), 객주·여각의 활약(포구)

(4) 대외 무역의 발달: 청, 일과의 공무역(개시), 사무역(후시) 모두 발달

4 신분 질서의 동요와 농민층의 분화

(1) 양반층의 분화: 붕당 정치의 변질과 세도 정치 → 소수 양반에게 권력 집중, 몰락 양반 발생

(2) 농민층의 분화: 농업 생산력 증대, 상품 화폐 경제 발달 → 부를 축적한 농민이 납속, 족보 매입 등으로 양반 신분 취득

(3) 노비 신분 해방 가속화: 재정 수입 확보 목적 → 노비 종모법[3], 공노비 해방 등

1801년(순조 1년) 6만 6,000여 명의 공노비를 모두 양인으로 해방시켜 주었다.

5 향촌 지배 체제의 변화

(1) 조선 후기 양반 중심 신분제의 동요 → 사족의 향촌 지배력 약화

(2) 향전: 부농층과 기존 사족의 대립 → 기존 사족 약화, 수령권 강화

6 농민 의식의 성장과 하층민의 봉기

(1) 농민 의식의 성장 배경: 삼정의 문란, 장시와 서당의 확대, 서학과 동학[4]의 영향

(2) 하층민의 봉기

① 홍경래의 난: 서북 지방에 대한 차별과 세도 정권의 수탈에 대한 저항

② 임술 농민 봉기: 탐관오리의 학정에 대한 저항, 진주 → 전국으로 확산

개념 쏙쏙

① 모내기
모판에 볍씨를 뿌려 싹을 틔우고 일정 기간 키운 다음 논에 옮겨 심는 농법이다. 이앙법이라고도 한다.

② 금난전권
조선 후기에 시전 상인들이 허가받지 않은 상인인 난전을 금지할 수 있었던 권리를 뜻한다. 시전 상인들의 독점적 상행위를 보장하는 권리로서, 이로 인해 난전 상인들의 활동이 위축되었다. 금난전권은 1791년(정조 15) 신해통공으로 폐지될 때까지 유지되었다.

② 노비 종모법
아버지가 노비이고 어머니가 양인인 경우 그 자녀는 어머니 신분을 따라 양인이 되도록 한 제도이다. 본래 조선의 신분 제도는 부모 중 한 사람만 노비여도 그 자식은 노비로 규정하고 있었다. 그러나 양인 수의 부족으로 노비 종모법이 실시되었다. 이 법은 집권 세력에 따라 치폐를 거듭하다가 영조 대에 최종적으로 확정되었다.

④ 동학
세도 정치기인 1860년(철종 11)에 최제우가 창시한 종교이다. 서학(천주교)의 성장에 대항하여 우리의 도를 일으킨다는 의미로 붙인 이름이다. 동학은 사람이 곧 하늘이라는 '인내천(人乃天)' 이념을 표방하였다.

정리 교실 교과서 82쪽

㉠ 모내기 ㉡ 민영 수공업
㉢ 보부상 ㉣ 향전 ㉤ 동학

탐구 교실 『흥부전』에 나타난 조선 후기의 사회상

교과서 | 83쪽

활동 목표 | 『흥부전』의 주요 내용을 보고, 그 안에 나타난 조선 후기의 경제·사회적 변화를 찾을 수 있습니다.

소설 『흥부전』 줄거리

❶ 부모의 재산을 홀로 물려받은 놀부는 동생 흥부를 내쫓고 혼자서 호의호식한다.

❷ 남의 논에서 모내기, 남의 밭에서 면화 따기……. 온갖 임노동을 다하지만 흥부네 살림살이는 나아지지 않았다.

❸ 마음씨 착한 흥부는 제비의 다리를 고쳐 준 보답으로 박씨를 하나 받는다. 그 박씨에서 자란 박이 흥부를 부자로 만들어 주었다.

❹ 놀부는 흥부처럼 부자가 되려고 일부러 제비 다리를 부러뜨렸다가 온갖 재난이 담긴 박씨를 받아 거지가 되었다.

활동 도우미

- 『흥부전』에 드러나는 조선 후기의 경제·사회적 변화를 찾아봅시다.
- 흥부가 부자가 될 수 없었던 이유를 조선의 사회 구조적 문제를 포함하여 서술해 봅시다.

- **삽화 ①** | 놀부가 부모의 재산을 홀로 물려받았다는 대목에서 장자 중심의 상속 관행을 엿볼 수 있다. 놀부와 흥부의 차림새에서도 사회·경제적 격차가 드러난다.
- **삽화 ②** | 모내기 장면에서 조선 후기 농업계의 변화를 발견할 수 있다. 또한 면화는 조선 후기의 대표적인 상품 작물이었다.
- **삽화 ④** | 노비였던 놀부의 가문이 불법으로 양반 행세를 해 왔다는 대목에서 조선 후기 신분제의 동요를 엿볼 수 있다.

활동 풀이

1. 『흥부전』에서 살펴볼 수 있는 조선 후기의 경제·사회적 변화를 찾아보자.

예시 답안 ①에서는 장자 중심의 상속 경향과 양반층의 분화를 찾아볼 수 있다. ②에서는 모내기, 면화 재배 등 농업계의 변화를 찾아볼 수 있다. ④에서는 불법적인 방법으로 양반 행세를 하는 놀부의 모습을 통해 조선 후기 신분제의 동요를 찾아볼 수 있다.

2. 흥부가 온갖 임노동을 열심히 하는데도 불구하고 가난을 면치 못했던 이유가 무엇인지 고민해 보자.

예시 답안 당시에는 통치 질서 변질과 삼정의 문란으로 하층에 대한 가혹한 수취가 이루어졌다. 농업 경영 변화와 상품 화폐 경제 발달을 이용하여 부를 축적하는 하층민도 있었지만 많은 이들은 생산 수단을 상실하고 흥부처럼 임노동으로 생계를 해결해야 했다. 가혹한 수취와 생산 수단의 편중이 맞물린 사회 구조는 흥부의 노력으로 쉽게 탈출할 수 있는 것이 아니었다. 때문에 흥부는 온갖 임노동을 다하면서도 부자가 될 수 없었다.

간단 체크 정답 및 해설 9쪽

조선 후기에는 벼농사에서 모판에 모를 키운 후 옮겨 심는 (　　)이/가 일반화되고, 면화, 담배 등의 (　　) 재배가 활발히 이루어졌다.

1 개념 익히기

01 아래 설명이 맞으면 O표, 틀리면 X표를 해 보자.

(1) 양인은 과거 응시와 관직 진출이 가능하였다. (　　)

(2) 조선은 전국의 모든 군현에 지방관을 파견하였다. (　　)

(3) 조선 후기의 수공업은 관영 수공업을 중심으로 이루어졌다. (　　)

(4) 조선 후기에는 재산을 자녀에게 균분 상속하는 것이 일반적이었다. (　　)

02 빈칸에 알맞은 말을 채워 보자.

(1) 조선의 신분제는 양인과 천인을 구분하는 (　　　　)였다.

(2) 사족들은 향촌 자치 기구인 (　　　　)을/를 만들어 수령을 보좌하고 향리를 감찰하였다.

(3) 조선 후기에는 (　　　　) 확대로 1인당 경작 가능 면적이 늘어나 광작이 유행하였다.

(4) 대동법 시행 이후 등장한 (　　　　)은/는 장시의 성장과 수공업 발달을 촉진하였다.

03 서로 관련 있는 내용끼리 연결해 보자.

a. 양반 •	• ㄱ. 노비 등
b. 중인 •	• ㄴ. 문무 관료
c. 상민 •	• ㄷ. 농민, 수공업자, 상인 등
d. 천민 •	• ㄹ. 기술관, 향리, 서리, 서얼

04 조선 시대 사족이 지방 지배에 활용한 기구를 <보기>에서 모두 고르시오.

보기

ㄱ. 유향소	ㄴ. 향회
ㄷ. 서원	ㄹ. 여각

2 내신 유형 익히기

중요

01 밑줄 친 '의원과 역관'에 대한 설명으로 옳은 것은?

> 지금 전하께서 의원과 역관을 권장하고자 하시어 그 재주에 정통한 자를 특별히 동반과 서반에 뽑도록 하셨으니 …… 군자를 욕되게 하시고, 선왕의 제도를 버리시어 미천한 사람을 높이려고 하시니, 신 등은 그것이 옳은지를 알지 못하겠습니다. 엎드려 바라건대, 속히 명을 거두시어 신민의 소망에 부응케 하소서.
>
> -『성종실록』-

① 문무 관료에 비해 승진에 제한을 받았다.
② 관청이나 주인 소유의 토지를 경작하였다.
③ 국가의 통제를 받으며 상거래에 종사하였다.
④ 농업, 수공업, 상업 등에 종사하는 계층이었다.
⑤ 법적으로 양인이었으나 실제로는 천대를 받았다.

중요

02 밑줄 친 '기구'로 가장 적절한 것은?

① 향안　② 서원　③ 향약
④ 향교　⑤ 유향소

총 문항수	6	처음 푼 날	월 일
정답 및 해설	9쪽	오답 푼 날	월 일

03 (가)에 들어갈 주제로 가장 적절한 것은?

제○○호 ○○○○년 ○○월 ○○일

특집 기사: 조선 후기 [(가)]의 발달

조선 후기에는 도시 인구의 증가, 장시의 성장, 화폐 유통의 활성화 등으로 [(가)]의 발달이 두드러졌다. 공인, 사상, 보부상이 그 발달을 견인하였으며 교통의 요충지에 위치한 객주·여각 등도 큰 성장을 이루었다.

① 농민 의식 ② 관영 수공업
③ 농본억상 정책 ④ 상품 작물 재배
⑤ 상품 화폐 경제

04 홍경래의 답변으로 적절한 것을 <보기>에서 고른 것은?

보기
ㄱ. 무신 집권층의 비행입니다.
ㄴ. 정부의 서북 지방 차별입니다.
ㄷ. 향·부곡·소에 대한 차별입니다.
ㄹ. 세도 정권의 가혹한 수탈입니다.

① ㄱ, ㄴ ② ㄱ, ㄷ ③ ㄴ, ㄷ
④ ㄴ, ㄹ ⑤ ㄷ, ㄹ

서술형 문제

05 밑줄 친 현상이 나타난 경제적 원인을 서술하시오.

조선 후기에는 양반 중심의 신분 질서가 동요하였다. 붕당 정치의 변질과 세도 정치로 소수 양반에게 권력이 집중되면서 많은 양반이 몰락하였다. 상민층 내에서도 분화가 이루어졌다. 일부 상민들은 부를 축적하여 양반 신분을 획득하였다. 그러나 생활이 어려워진 농민들은 농촌을 떠나 품팔이를 하거나 도적으로 전락하기도 하였다.

서술형 문제

06 자료를 읽고 물음에 답하시오.

조선 후기에는 새로 성장한 부농층이 사족 중심의 향촌 지배권에 도전하기 시작하였다. 이들은 수령의 지원을 받아 향회에 진출하는 등 영향력을 키워나갔다. 이 과정에서 발생한 기존 사족(구향)과 부농층(신향)의 갈등을 [(가)](이)라고 한다.

(1) (가)에 들어갈 개념을 쓰시오.

(2) (가)가 조선 후기 향촌 지배 구도에 어떤 영향을 미쳤는지 서술하시오.

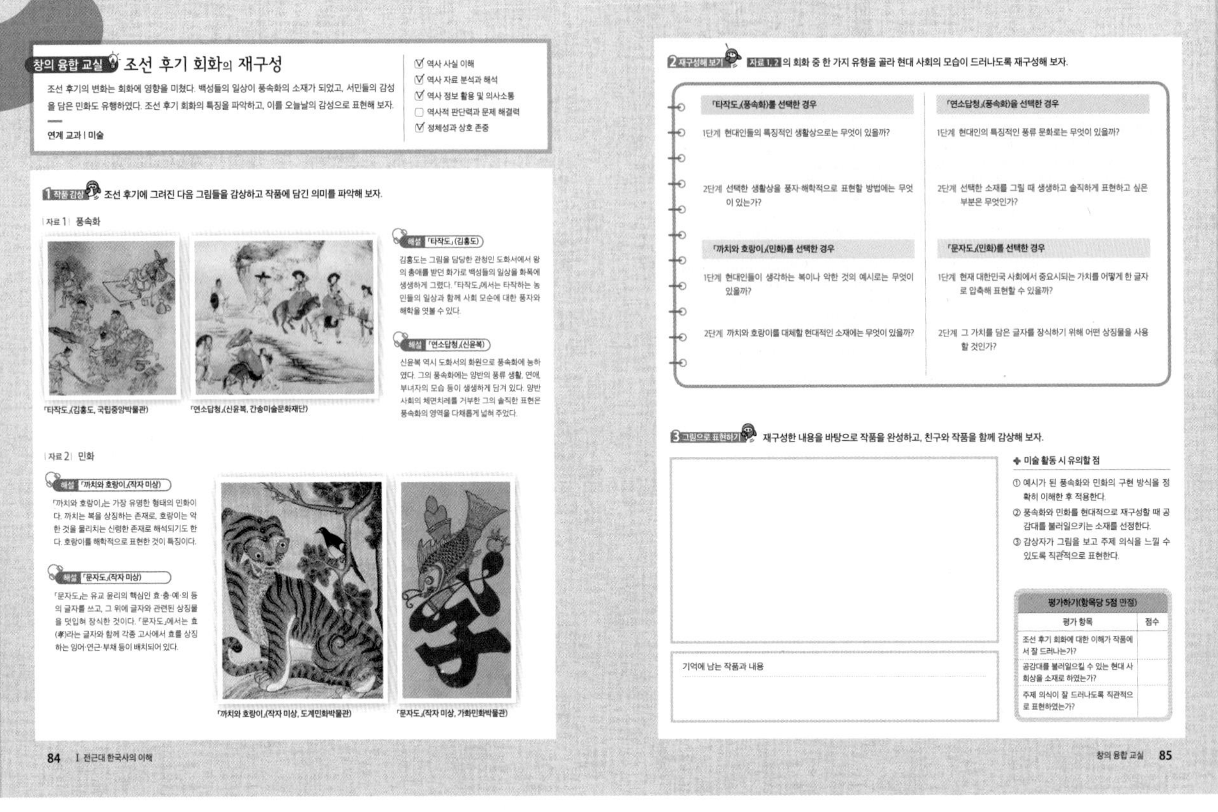

활동 목표

• 조선 후기 회화의 특징을 파악하고, 이를 오늘날의 감성으로 표현할 수 있습니다.

활동 흐름

• 예시로 제공된 4가지 회화의 표현 양식을 확실하게 숙지합니다.
• 현대 사회의 모습을 회화에 옮기다 보면 논쟁적 주제를 채택하게 될 가능성도 높습니다. 논쟁적 소재를 비판적으로 표현해 볼 수는 있으나, 특정 집단에 대한 혐오, 전쟁 옹호 등 반인륜적인 내용을 긍정하는 작품이 되지 않도록 주의합니다.

예시 답안

• **<자료 1, 2>의 회화 중 한 가지 유형을 골라 현대 사회의 모습이 드러나도록 재구성해 보자. |**
예시 답안 (「문자도」(풍속화)를 선택한 경우)

1단계: 현재를 살아가는 이들의 특징적인 생활상으로는 무엇이 있을까?
현재를 살아가는 이들의 모습을 들여다보면 누구나 손에 스마트폰을 들고 있고, 틈만 나면 SNS에 접속하는 모습을 볼 수 있다. 현대인의 삶에 지대한 영향을 주고 있는 SNS라는 글자를 문자도로 표현해 보고자 한다.
2단계: 선택한 생활상을 그릴 때 풍자·해학적인 요소로는 어떤 것을 담고 싶은가?
SNS는 양면성을 띠는 매체이다. 얼핏 보면 '좋아요'와 행복한 댓글이 넘쳐나지만, 무절제하게 게시된 피드 속에서 개인의 일상이 과하게 노출되고, 타인에 대한 혐오가 재생산되곤 한다. 이러한 양면성과 그것을 무심하게 바라보는 대중들의 시선을 담아 보고 싶다.

도움 자료

• **타이포그라피** | 현대적 감성의 문자도의 예시로 타이포그래피 작품들을 참고해 보는 것도 좋다. 타이포그래피란 문자, 기호의 배열 혹은 이미지까지 첨가한 그래픽 디자인 전반을 의미한다.

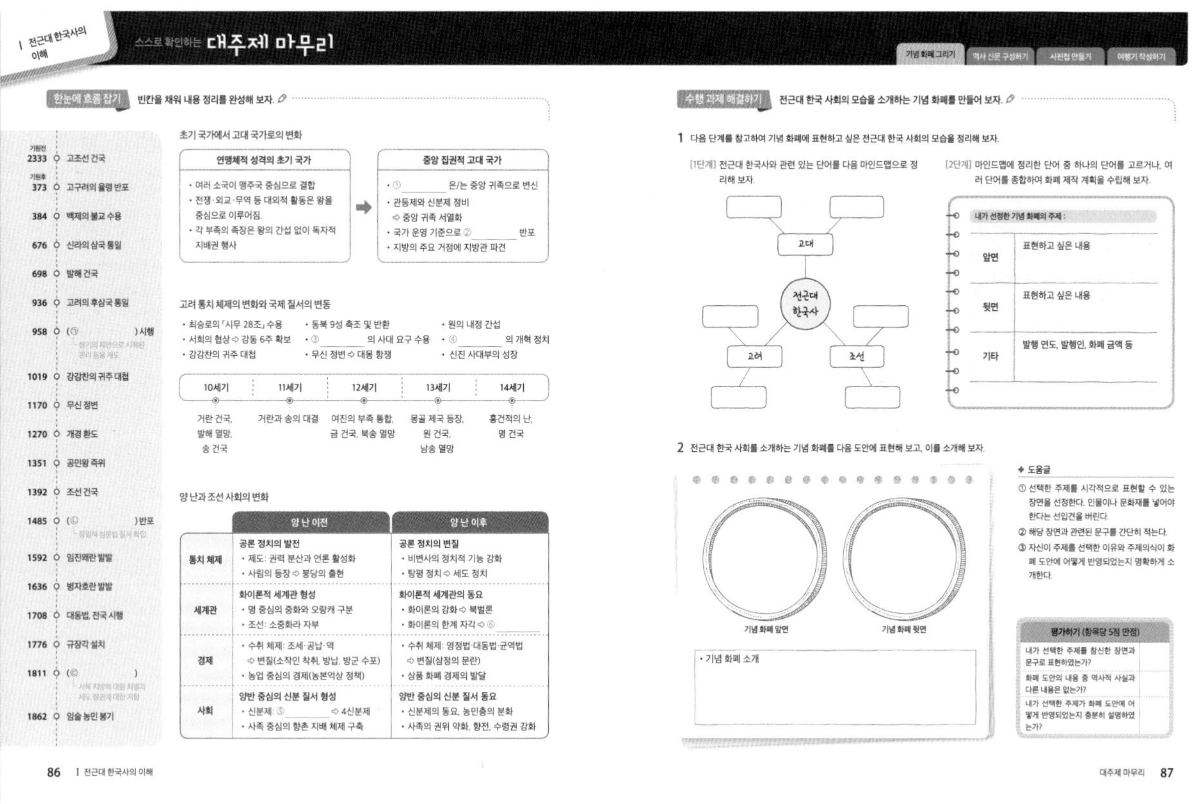

한눈에 흐름 잡기

㉠ 과거제 ㉡『경국대전』 ㉢ 홍경래의 난

① 족장 세력 ② 율령 ③ 금 ④ 공민왕 ⑤ 양천제 ⑥ 북학론

수행 과제 해결하기

과제 목표

- 전근대 한국사를 관통하는 키워드를 도출할 수 있습니다.
- 대주제1에서 학습한 구체적인 내용을 바탕으로, 전근대 한국사를 소개하기 위한 화폐 도안을 제작할 수 있습니다.

활동 도우미

- 구체적인 인물, 문화재, 사건을 제시하기보다는 좀 더 포괄적인 상위 개념을 기입합니다.
- '고대', '고려', '조선'에 기입한 단어 중 하나를 주제로 선정해도 좋지만, 되도록 세 시대를 포괄하는 공통의 소재나 개념을 도출하도록 노력합니다.
- 한국은행 화폐박물관 홈페이지(https://www.bok.or.kr/) 등을 활용하여 한국과 세계의 화폐 도안을 참고합니다.

예시 답안

| 1단계 |

고대	골품제, 정복 전쟁, 중앙 집권화 등
고려	과거제, 불교, 호족, 과거제 등
조선	양천제, 성리학, 임진왜란, 상품 화폐 경제 등

| 2단계 |

내가 선정한 주제	전근대 한국의 신분제
앞면에 표현할 내용	동학의 발상지인 용담성지의 전경
뒷면에 표현할 내용	· 발행년도 : 2020년 · 발행처 : 한국은행 · 권종 : 10,000원 권 · 삽입할 문구 : 사람이 곧 하늘이다

내신 만점 도전하기

난이도 상 / 중 / 하

01 다음 유물이 처음 사용된 시기의 모습으로 옳은 것은?

① 주로 동굴이나 막집에서 살았다.
② 가락바퀴를 사용하여 실을 뽑았다.
③ 빗살무늬 토기에 식량을 저장하였다.
④ 반달 돌칼을 이용하여 벼를 수확하였다.
⑤ 거푸집을 활용하여 청동기를 제작하였다.

02 (가)~(마) 나라에 대한 설명으로 옳은 것은?

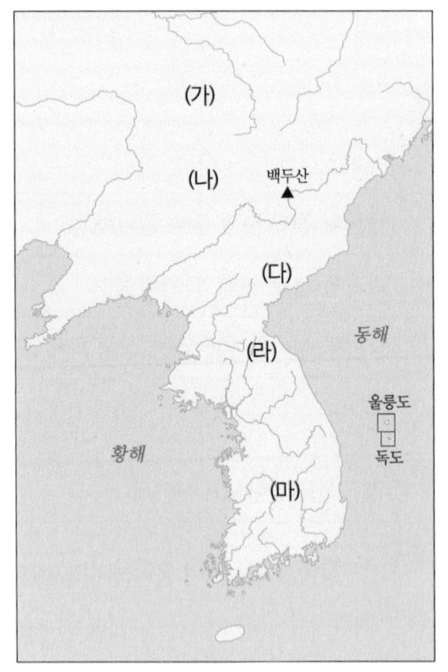

① (가) - 동맹이라는 제천 행사가 있었다.
② (나) - 여러 가들이 별도로 사출도를 다스렸다.
③ (다) - 지배자를 단군왕검으로 칭하였다.
④ (라) - 부족 간의 영역을 중시한 책화가 있었다.
⑤ (마) - 제가 회의에서 국가의 중대사를 처리하였다.

03 (가)에 들어갈 내용으로 옳은 것을 <보기>에서 고른 것은?

> 삼국은 주변 소국들을 정복하면서 영역을 넓혀 갔고, 정복 전쟁을 주도한 왕의 권력은 점차 강해졌다. 이 과정에서 삼국은 중앙 집권적 지배 질서를 확립하기 위해 [(가)]

보기

ㄱ. 불교를 수용하였다.
ㄴ. 연맹체적 성격을 강화하였다.
ㄷ. 관등제와 관복제를 정비하였다.
ㄹ. 족장들의 자치적 권한을 인정하였다.

① ㄱ, ㄴ　② ㄱ, ㄷ　③ ㄴ, ㄷ
④ ㄴ, ㄹ　⑤ ㄷ, ㄹ

04 (가), (나) 사이 시기에 있었던 사실로 옳은 것은?

> (가) 겨울에 왕이 태자와 함께 정예군 3만 명을 거느리고 고구려에 침입하여 평양성을 공격하였다. 고구려 왕 사유가 필사적으로 항전하다가 화살에 맞아 사망하자, 왕이 군사를 이끌고 물러났다.
> (나) 9월에 왕이 병력 3만을 거느리고 백제를 침략하여, 왕이 도읍한 한성을 함락하고, 그 왕 부여경을 죽이고 남녀 8천을 포로로 잡아 돌아왔다.

① 성왕이 사비로 천도하였다.
② 신문왕이 국학을 설치하였다.
③ 소수림왕이 율령을 반포하였다.
④ 무령왕이 22담로에 왕족을 파견하였다.
⑤ 고이왕이 관등제와 관복제를 도입하였다.

05 (가)에 들어갈 내용으로 옳은 것은?

<○○○의 생애>
- 857년 경주 사량부에서 출생
- 868년 당 유학
- 874년 (가)
- 886년 『계원필경』을 왕에게 바침.
- 894년 왕에게 시무책 10여 조를 올림.

① 이두를 정리함.
② 빈공과에 급제함.
③ 신라 화엄종을 개창함.
④ 화왕계를 지어 왕에게 바침.
⑤ 왕에게 강수라는 이름을 하사받음.

06 다음 정책의 공통된 목적으로 옳은 것은?

- 신라 경순왕 김부가 항복하자 신라국을 없애고 경주라 하였다. 김부로 하여금 경주의 사심이 되어 부호장 이하의 직 등의 일을 관장하게 하였다.
- 초기에 향리의 자제를 뽑아 개경에 볼모로 삼고 출신지 일에 대한 고문 역할을 맡도록 하였는데, 이를 기인이라 한다.

① 호족 세력을 견제하고자 하였다.
② 신진 사대부를 육성하고자 하였다.
③ 권문세족의 권력을 약화하고자 하였다.
④ 문벌 세력의 특권을 보장하고자 하였다.
⑤ 무신 정권의 권력 기반을 강화하고자 하였다.

07 (가)~(라) 사건을 일어난 순서대로 옳게 나열한 것은?

(가) 최승로가 글을 올리기를, "왕이 백성을 다스린다고 하여 매일같이 …… 그들을 살펴볼 수는 없습니다. …… 청컨대 지방관을 파견하시기를 바랍니다.……"라고 하였다.
(나) 묘청 등이 말하기를, "…… 만약 궁궐을 세워 서경으로 옮기신다면 가히 천하를 아우르게 되니 금이 예물을 가지고 스스로 항복하여 올 것이며 36국이 모두 신하가 될 것입니다."라고 하였다.
(다) 이자겸 일당들이 화살을 쏘았으나 척준경이 칼을 빼어 들고 크게 호령하니 감히 움직이는 자가 없었다. …… 척준경이 이공수와 의논하여 이자겸과 그 처자식들을 팔관보에 가두었다.
(라) 왕의 행렬이 보현원 근처에 이르렀을 때 이고와 이의방이 앞질러 가서 왕의 명령을 위조하여 순검군을 모았다. …… 왕을 모시던 문관 및 대소 신료·환관들도 모두 살해되었다. 또 개경에 있던 문신 50여 명도 살해되었다. 정중부 등이 왕을 모시고 궁으로 돌아왔다.

① (가) - (나) - (라) - (다)
② (가) - (다) - (나) - (라)
③ (나) - (가) - (다) - (라)
④ (나) - (가) - (라) - (다)
⑤ (다) - (라) - (가) - (나)

08 밑줄 친 '왕'에 대한 설명으로 옳은 것은?

기철 등이 반역을 도모하다 처단되었으며, 그들의 친당들은 모두 도망쳤다. 궁성은 엄중한 경계 중에 있었으므로 정지상을 석방하여 순군제공으로 삼아 왕을 호위케 하였다.

① 과거제를 도입하였다.
② 노비안검법을 시행하였다.
③ 금의 사대 요구를 수용하였다.
④ 정동행성 이문소를 폐지하였다.
⑤ 대광현 등 발해 유민을 받아들였다.

09 다음 자료에 나타난 시기의 사회 모습으로 옳은 것을 <보기>에서 고른 것은?

> 지금은 결혼하면 남자가 여자의 집으로 가 모든 것을 부인의 집에 의지하니 장모와 장인의 은혜가 친부모님과 같습니다. 아! 장인이시여. 저를 돈독하게 대우하시고 필요한 것을 마련해 주셨는데, 저를 두고 돌아가시니 앞으로 누구에게 의지하겠습니까?
>
> - 이규보, 『동국이상국집』 -

보기

ㄱ. 여성은 호주가 될 수 없었다.
ㄴ. 자녀들을 태어난 순서대로 호적에 올렸다.
ㄷ. 자녀에게 재산을 균등하게 나누어주는 일이 많았다.
ㄹ. 성리학의 영향으로 부계 친족 중심의 가족 제도가 확산되었다.

① ㄱ, ㄴ ② ㄱ, ㄷ ③ ㄴ, ㄷ
④ ㄴ, ㄹ ⑤ ㄷ, ㄹ

10 밑줄 친 '그'에 대한 설명으로 옳은 것은?

> 보조 국사라고도 불리는 그는 12세기 말 무신 집권기에 활동하였다. 선종을 중심으로 교종을 포용하여 선종과 교종의 대립을 극복하고자 하였고, 수행 방법으로 정혜쌍수를 강조하였다.

① 세속 5계를 지었다.
② 교관겸수를 주장하였다.
③ 해동 천태종을 창시하였다.
④ 화쟁 사상을 집대성하였다.
⑤ 수선사 결사 운동을 주도하였다.

11 (가)에 대한 설명으로 옳은 것은?

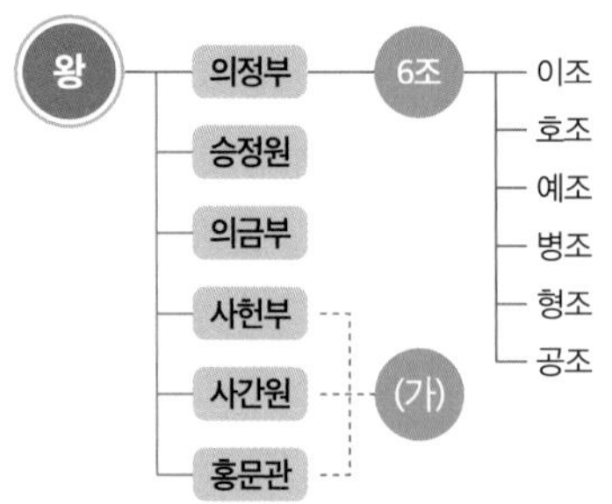

① 국정을 총괄하였다.
② 언론 기능을 담당하였다.
③ 왕명 출납의 기능을 하였다.
④ 국왕 직속 특별 사법 기관이었다.
⑤ 국가 행정을 분야별로 나눠 맡았다.

12 밑줄 친 '그'에 대한 설명으로 옳은 것은?

> 중종에 의해 등용된 그는 유교적인 도덕 국가 건설을 정치적 지향점으로 삼아 향약 보급 등의 개혁 정치를 주도하였다. 그러나 정국공신에 대한 위훈 삭제에 불만을 품은 훈구파의 반발로 유배되었다.

① 북학을 주장하였다.
② 거중기를 설계하였다.
③ 기자실기를 저술하였다.
④ 조선경국전을 편찬하였다.
⑤ 현량과 시행을 건의하였다.

13 다음에서 설명하고 있는 사건의 영향으로 옳은 것은?

> 병자·정축년의 일은 하늘이 우리를 돌봐주지 않아 일어난 것입니다. 그리하여 짐승 같은 것들이 핍박해 와 우리를 남한 산성으로 몰아넣고 삼전도에서 곤욕을 주었으며, 우리 백성을 도륙하고 우리 의관(衣冠)을 갈기갈기 찢어버렸습니다. 이때를 당하여 우리 선왕께서는 종사를 위해 죽지 아니하고 백성을 위해 수치심을 버렸습니다.
>
> -『현종실록』-

① 북벌론이 대두하였다.
② 비변사가 만들어졌다.
③ 4군 6진을 개척하였다.
④ 인조반정이 발생하였다.
⑤ 정유재란이 발발하였다.

14 (가), (나) 사이 시기에 있었던 사실로 옳은 것은?

> (가) 효종이 죽자 서인과 남인 사이에 자의 대비의 상복을 몇 년 입어야 하는지에 대한 예법 논쟁이 발생하였다.
> (나) 영조는 붕당 간의 세력 균형과 왕권 강화를 위해 탕평 정치를 시행하였다.

① 평안북도에서 홍경래의 난이 발생하였다.
② 안동 김씨 등 소수 외척 가문이 권력을 독점하였다.
③ 경국대전을 반포하여 국정 운영의 기준으로 삼았다.
④ 환국 과정에서 서인이 노론과 소론으로 분화하였다.
⑤ 기성 사림과 신진 사림의 갈등으로 붕당이 형성되었다.

주관식·서술형 평가

15 다음을 읽고 물음에 답하시오.

> 해동 천자이신 지금의 (고려) 황제에 이르러 부처와 하늘이 도우시니 교화가 널리 퍼져 세상이 다스려지도다.

(1) 위의 자료에서 알 수 있는 고려의 독자적 천하관을 일컫는 용어를 쓰시오.

(2) 위 천하관의 성립과 붕괴에 영향을 미친 대외적 배경을 각각 서술하시오.

16 다음을 읽고 물음에 답하시오.

> 좌의정 이원익의 건의로 (가) 을/를 비로소 시행하여 백성의 토지에서 쌀을 거두어 서울로 옮기게 했는데, 먼저 경기에서 시작하고 드디어 선혜청을 설치하였다. …… 우의정 김육의 건의로 충청도에도 시행하게 되었으며, …… 황해도 관찰사 이언경의 상소로 황해도에도 시행하게 되었다.
>
> -『만기요람』

(1) (가)에 들어갈 법의 명칭을 쓰시오.

(2) 위 법의 시행 배경이 된 수취 체제의 문제점과 이 법이 당시 경제에 미친 영향을 서술하시오.

Ⅱ 근대 국민 국가 수립 운동

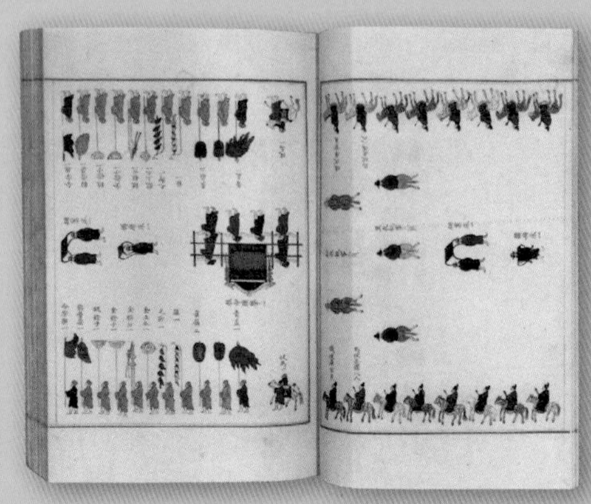

학습 계획표

• 자신의 일정에 맞게 계획을 세워 보고, 실제 학습일을 적어 봅시다.
• 학습을 마무리한 후 스스로 학습 목표를 얼마나 달성하였는지 점검해 봅시다.

1. 서구 열강의 접근과 조선의 대응	쪽수	계획일	학습일	목표 달성도
주제 21 흥선 대원군의 개혁	76~77쪽	월 일	월 일	☆☆☆☆☆
주제 22 통상 수교 거부 정책과 양요	78~79쪽	월 일	월 일	☆☆☆☆☆
개념 익히기 / 내신 유형 익히기	80~81쪽	월 일	월 일	☆☆☆☆☆

2. 동사이사의 변화와 근대적 개혁의 추진	쪽수	계획일	학습일	목표 달성도
주제 23 강화도 조약과 불평등 조약 체제	82~83쪽	월 일	월 일	☆☆☆☆☆
주제 24 개화 정책의 추진과 반발	84~85쪽	월 일	월 일	☆☆☆☆☆
주제 25 갑신정변과 열강의 각축	86~87쪽	월 일	월 일	☆☆☆☆☆
개념 익히기 / 내신 유형 익히기	88~90쪽	월 일	월 일	☆☆☆☆☆

3. 근대 국민 국가 수립을 위한 노력	쪽수	계획일	학습일	목표 달성도
주제 26 동학 농민 운동의 전개	92~93쪽	월 일	월 일	☆☆☆☆☆
주제 27 갑오개혁과 을미개혁	94~95쪽	월 일	월 일	☆☆☆☆☆
주제 28 독립 협회의 활동	96~97쪽	월 일	월 일	☆☆☆☆☆
주제 29 대한 제국과 광무개혁	98~99쪽	월 일	월 일	☆☆☆☆☆
개념 익히기 / 내신 유형 익히기	100~103쪽	월 일	월 일	☆☆☆☆☆

이 대주제를 배우면

- 흥선 대원군이 추진한 정책의 내용과 성격을 이해하고 서구 열강의 침략적 접근에 대한 대응을 설명할 수 있다.
- 열강의 침략이 가속화되는 가운데 여러 세력이 추진한 근대 국민 국가 수립을 위한 노력을 이해할 수 있다.
- 개항 이후 열강의 침략적 접근과 이로 인한 경제적 · 사회적 · 문화적 변화를 정리할 수 있다.

4. 일본의 침략 확대와 국권 수호 운동	쪽수	계획일	학습일	목표 달성도
주제 30 일본의 국권 침탈	104~105쪽	월 일	월 일	☆☆☆☆☆
주제 31 국권 수호를 위한 항일 의병	106~107쪽	월 일	월 일	☆☆☆☆☆
주제 32 애국 계몽 운동의 전개	108~109쪽	월 일	월 일	☆☆☆☆☆
주제 33 독도와 간도	110~111쪽	월 일	월 일	☆☆☆☆☆
개념 익히기 / 내신 유형 익히기	112~114쪽	월 일	월 일	☆☆☆☆☆

5. 개항 이후 나타난 경제적 변화	쪽수	계획일	학습일	목표 달성도
주제 34 열강의 경제적 침략	116~117쪽	월 일	월 일	☆☆☆☆☆
주제 35 경제적 구국 운동	118~119쪽	월 일	월 일	☆☆☆☆☆
개념 익히기 / 내신 유형 익히기	120~121쪽	월 일	월 일	☆☆☆☆☆

6. 개항 이후 나타난 사회·문화적 변화	쪽수	계획일	학습일	목표 달성도
주제 36 근대 문물의 수용	122~123쪽	월 일	월 일	☆☆☆☆☆
주제 37 근대 의식의 확산과 생활의 변화	124~125쪽	월 일	월 일	☆☆☆☆☆
주제 38 국학 연구와 문예 및 종교의 새 경향	126~127쪽	월 일	월 일	☆☆☆☆☆
개념 익히기 / 내신 유형 익히기	128~130쪽	월 일	월 일	☆☆☆☆☆
내신 만점 도전하기	132~135쪽	월 일	월 일	☆☆☆☆☆

1 서구 열강의 접근과 조선의 대응

주제 21 흥선 대원군의 개혁

이번 주제에서는 | 흥선 대원군이 추진한 주요 정책과 그 정책의 성격을 이해할 수 있습니다.

교실 열기 흥선 대원군이 경복궁을 중건한 까닭은 무엇일까?

예시 답안 | 임진왜란 때 불에 타 터만 남은 경복궁을 중건하여 왕실의 권위를 세우려고 하였다.

1 흥선 대원군이 집권할 무렵 국내외 상황

(흥선 대원군: 왕위를 계승할 적자손이나 형제가 없어 종친이 왕위를 이어받을 때 새로운 국왕의 아버지를 부르던 용어이다.)

(1) 국내 정세: 세도 정치로 인한 정치 기강 문란, 삼정의 폐단 → 농민 봉기 확산

(2) 국제 정세: 서구 열강의 제국주의 정책, 식민지 쟁탈전 전개 → 중국과 일본의 굴복, 조선 연해에 이양선 출몰, 통상 요구 → 조선의 위기의식 고조

(3) 흥선 대원군의 집권: 철종의 사망과 고종의 즉위, 흥선 대원군의 정치적 실권 장악

(고종: 흥선 대원군의 둘째 아들로 왕이 되었다.)

2 인재 등용과 통치 체제의 재정비

(1) 목적: 세도 정치의 폐단 해소, 왕권 강화

(2) 인재 등용: 세도 가문의 영향력 약화, 다양한 정치 세력 등용

(3) 정치 기구 개혁: 비변사 사실상 폐지 → 의정부와 삼군부[1] 기능 부활

(비변사: 세도 가문의 핵심 권력 기구로 왕권을 제약하는 기능을 하였다.)

(4) 법전 편찬: 『대전회통』 편찬 → 국가의 통치 기강 확립

3 경복궁 중건과 당백전 발행

(경복궁: 임진왜란 때 불타 버려 궁궐터만 남아 있었다.)

(1) 목적: 세도 정치를 거치면서 실추된 왕실의 권위 회복

(2) 과정: 경복궁 중건 비용 마련을 위해 원납전 강제 징수, 당백전[2] 발행, 양반의 묘지림 벌목, 백성의 노동력 강제 동원 등

(3) 결과

- 당백전 남발로 인해 물가 폭등, 유통 경제 혼란, 양반과 백성의 반발 초래
- 토목 공사 지속: 각종 관청과 성곽 수리 등 → 국가 재정 악화 초래

4 삼정의 문란을 개혁하기 위한 노력

(1) 배경: 삼정의 개혁 → 농촌 사회 안정, 국가 재정 확충 도모

(2) 내용

전정(전세 징수)	양전 시행, 그동안 토지 대장에 제대로 파악되지 않던 토지 파악, 세금 징수
군정(군포 징수)	호포제 시행, 그동안 면세의 혜택을 받던 양반에게도 군포 징수 (호포제: 집집마다 군포를 거두는 제도이다.)
환정(환곡[3] 운영)	사창제 실시, 마을 단위로 사창 설치, 주민 자치적으로 운영 (관리의 수탈을 막고 농민 생활을 안정시켰다.)

(3) 결과: 백성 부담 감소, 민심 안정에 기여, 수령과 서리의 중간 수탈 지속

5 폐단의 온상이었던 서원 정리

(1) 배경: 면세·면역 특권을 누려 국가 재정 악화, 제사 비용 등의 명목으로 백성 수탈

(2) 시행: 서원전의 면세 규정 폐지, 47개소 이외 전국의 서원 철폐

(3) 결과: 왕권 강화, 국가 재정 확충, 농민 보호 → 유생들의 반발, 흥선 대원군 하야의 배경이 됨.

개념 쏙쏙

① 삼군부
군사 업무를 통괄하던 최고 기관으로, 조선 초기에 설치하였다가 폐지한 것을 흥선 대원군이 통치 체제의 정상화라는 명목으로 다시 설치하였다.

② 당백전

흥선 대원군이 경복궁 중건 비용을 마련하기 위해 발행한 고액 화폐로, 명목상 가치가 기존 상평통보 1문전의 100배에 달하였다.

③ 환곡
춘궁기에 곡식을 농민에게 빌려주고 그 이자 수입으로 재정을 충당하던 제도이다.

교과서 91쪽

Q 백성들은 왜 '원납전(願納錢)'을 '원납전(怨納錢)'이라고 하였을까?

예시 답안 백성들이 '원납전(願納錢)', 즉 원해서 내는 돈이 아니라 '원납전(怨納錢)', 즉 원망하며 내는 돈이라고 한 것은 원납전이 경복궁 중건 비용을 마련하기 위해 강제로 징수한 기부금이기 때문이다.

정리 교실 교과서 92쪽

㉠ 비변사 ㉡ 『대전회통』 ㉢ 원납전 ㉣ 서원 ㉤ 호포제

교과서 | 93쪽

탐구 교실 흥선 대원군의 민생 안정 정책

활동 목표 | 흥선 대원군의 개혁 정책들의 목적과 영향에 대해 알 수 있습니다.

자료 1 호포제의 시행

군역에 뽑힌 장정들에게 군포를 받아들였으므로 그 폐단이 많아 백성들이 뼈를 깎는 원한을 갖고 있었다. 사족들은 한평생 한가하게 놀며 신역(身役)이 없었으므로 과거에도 이에 대한 여론이 있었다. 그러나 관행에 이끌려 결국 논의되지 못하였다. 갑자년(1864) 초 대원군이 뭇사람의 원망을 무릅쓰고, 귀천이 동일하게 장정 한 사람마다 세납전 2꾸러미를 바치게 하였는데, 이를 동포전(洞布錢)이라고 칭하였다. - 황현, 『매천야록』

근래에 호포가 한 번 나오면서 등급이 문란해져 벼슬아치나 선비, 하인들이 똑같이 취급되고 상하의 구별이 없어졌으니, 한탄스러움을 이길 수 없습니다. 단지 황구(黃口)나 백골(白骨)만을 불쌍히 여겨서 귀천에 관계없이 고르게 배분하려는 뜻에서 나온 것에 지나지 않습니다. 명분이 한번 무너지면 나라는 앞으로 어떻게 다스리겠습니까? 부디 호포를 혁파하여 명분을 바로잡으며 군액(軍額)을 바르게 하여 뜻하지 않는 사변에 대처하소서. - 『고종실록』

자료 2 서원 정리

대원군이 명령을 내려서 나라 안 서원을 모두 허물고 서원 유생들을 쫓아 버리도록 하였다. …… 대원군이 크게 화를 내며 말하였다. "진실로 백성에게 해가 되는 것이 있으면 비록 공자가 다시 살아난다 하더라도 나는 용서하지 않겠다. 하물며 서원은 우리나라 선유를 제사하는 곳인데 지금은 도둑의 소굴이 됨에 있어서랴." …… 형조와 한성부의 나졸들을 풀어서 대궐 문 앞에서 호소하려는 선비를 강 건너로 몰아내 버렸다. - 박제형, 『근세 조선 정감』

자료 3 사창제의 시행

사창에는 관장할 사람이 없어서는 안 되니 반드시 면에서 근면 성실하고 넉넉한 자를 택하여 관에 보고한 뒤 뽑는다. 또한 관에서 강제로 정하지 말고 그를 '사수'라 하여 환곡을 나누어 주고 수납하는 때를 맡아서 검사한다. …… 창고지기 1명도 사수가 지역민 중에 잘 선택하여 지키고, 출납하고 용량을 재는 등 모든 것을 해당 지역의 백성에게 맡긴다. - 『일성록』

- 호포제 시행에 누가 반발하였으며 누구에게 유리하였는지, 국가 재정에는 어떤 영향을 끼쳤는지 생각해 봅시다.
- 서원 정리의 목적을 파악하고 이에 반발한 세력과 지지한 사람들을 생각해 봅시다.
- 사창제 시행의 목적을 파악하고 이를 환영한 사람들을 생각해 봅시다.

- **<자료 1>** | 흥선 대원군은 삼정의 문란을 개혁하기 위해 군정에서는 양반에게도 군포를 징수하는 호포제를 시행하였다. 제시된 자료는 호포제 시행에 대한 양반층의 반발을 보여주고 있다.
- **<자료 2>** | 흥선 대원군은 서원의 폐단을 해소하기 위해 유생들의 저항에도 불구하고 서원을 대거 정리하였다.
- **<자료 3>** | 흥선 대원군은 삼정 중 환정(환곡 운영)의 문제를 개혁하기 위해 사창제를 시행하였는데, 사창을 마을 단위로 자치적으로 운영하게 하여 관리의 수탈을 막으려고 하였다.

1. <자료 1, 2, 3>의 개혁에 대해 당시 백성들이 어떻게 평가하였을지 말풍선에 써 보자.

예시 답안 호포제 실시로 양반도 군포를 부담하게 되고 사창제 시행으로 관리들의 수탈을 막을 수 있게 되었습니다. 아울러 서원을 정리하여 우리 백성들이 유생들의 횡포로부터 벗어날 수 있게 되었으니 어찌 훌륭하지 않겠습니까?

2. <자료 1, 2>의 개혁에 대해 당시 양반들이 어떻게 반응하였을지 말풍선에 써 보자.

예시 답안 호포제가 시행되면 양반과 상민의 구분이 사라질 것입니다. 아울러 서원은 선현을 봉사하고 후진을 양성하는 곳인데, 이를 철폐하면 성리학적 유교 국가는 곧 무너질 것입니다. 다만 사창제는 관리들의 횡포를 막는 올바른 정책이라고 여겨집니다.

간단 체크 정답 및 해설 12쪽

흥선 대원군은 삼정의 문란을 개혁하면서 양반에게도 군포를 징수하는 (　　　)을/를 실시하였다.

서구 열강의 접근과 조선의 대응

주제 22 통상 수교 거부 정책과 양요

이번 주제에서는 | 흥선 대원군 집권 시기 서구 열강의 침략적 접근과 조선의 대응을 알 수 있습니다.

교실 열기 병인양요와 신미양요가 강화도에서 일어난 까닭은 무엇일까?

예시 답안 | 강화도는 이양선이 한양으로 가는 것을 막는 수도 외곽 방어에 중요한 지역이었다.

1 흥선 대원군의 천주교 탄압, 병인박해[1]

(1) 배경: 러시아가 청으로부터 연해주 획득 → 조선에 통상 요구 (연해주 획득: 조선과 러시아가 두만강을 경계로 국경을 마주하게 되었다.)

(2) 과정: 흥선 대원군은 천주교 선교사를 이용, 프랑스를 끌어들여 러시아의 위협을 막고자 시도, 실패 → 천주교 탄압(병인박해, 1866)

2 제너럴 셔먼호의 통상 요구

(1) 배경: 미국 상선 제너럴 셔먼호가 대동강을 거슬러 올라와 평양에서 통상 요구

(2) 과정: 평양 군민과 충돌, 제너럴 셔먼호 불탐(제너럴 셔먼호 사건[2], 1866). (제너럴 셔먼호 불탐: 당시 평안도 관찰사였던 박규수가 주도하였다.)

3 병인양요의 전개

(1) 배경: 흥선 대원군의 천주교 탄압 정책(병인박해, 1866)

(2) 전개

- 1차 침입: 프랑스 함대가 한강을 거슬러 올라 양화진까지 탐사
- 2차 침입: 프랑스 함대의 강화도 침입 → 문수산성 전투(한성근 부대), 정족산성 전투(양헌수 부대, 승리) (승리: 결국 프랑스군이 철수하는 계기가 되었다.)

(3) 결과: 프랑스군은 의궤[3]를 비롯한 외규장각 도서 등 문화재와 재물을 약탈하고 철수함.

4 오페르트의 남연군 묘 도굴 사건

(1) 배경: 독일 상인 오페르트의 통상 요구와 조선 정부의 거절

(2) 전개: 오페르트 일행이 흥선 대원군의 아버지 남연군의 묘를 도굴하려다 실패 (오페르트 일행: 미국인 자본가와 프랑스인 선교사의 지원을 받았다.)

(3) 결과: 서양인에 대한 반감 고조, 흥선 대원군의 통상 수교 거부 정책 강화

5 신미양요의 전개

(1) 배경: 미국이 제너럴 셔먼호 사건을 이용한 조선과의 통상 수교 시도

(2) 전개: 미국 함대의 강화도 침략 → 초지진 상륙, 덕진진 점령 → 광성보 공격 → 어재연 부대의 항전(광성보 전투) (광성보 전투: 미군은 광성보를 함락하였으나 통상 수교에 실패하고 철수하였다.)

(3) 결과: 군사적 압박을 통한 통상 수교 실패 → 미군 철수

6 척화비[4] 건립

(1) 배경: 신미양요 이후 전국 각지에 건립, 서양과의 통상 수교 거부 정책의 의지 표명

(2) 내용: 서양 오랑캐가 침범하는데, 싸우지 않으면 화친하는 것이요, 화친을 주장하는 것은 나라를 파는 것이다. (내용: 비에 새긴 글의 내용은 대체로 병인양요 때 이미 반포한 것이다)

(3) 의의와 한계: 서구 열강의 무력 침략 일시 저지, 이후 서구 열강과의 개항에 제대로 대처하지 못한 한계

개념 쏙쏙

① 병인박해
흥선 대원군이 천주교를 탄압하여 수많은 천주교도와 9명의 프랑스 선교사를 처형한 사건이다.

② 제너럴 셔먼호 사건
미국 상선 제너럴 셔먼호가 대동강을 거슬러 올라와 통상을 요구하면서 인명을 살상하고 물자를 약탈하자, 평양의 관리와 백성이 함께 제너럴 셔먼호를 불태워 침몰시킨 사건이다.

③ 의궤
조선 시대에 왕실이나 국가에 큰 행사가 있을 때 후세에 참고할 수 있도록 일체의 관련 사실을 그림과 문자로 기록한 책이다.

④ 척화비
흥선 대원군이 프랑스와 미국의 침략을 물리친 후 척화의 의지를 널리 알리고자 전국 각지에 세운 비석이다.

교과서 95쪽

Q 외규장각 도서가 반환이 아닌 임대 형식으로 들어온 까닭은 무엇일까?

예시 답안 서구 열강은 제국주의 시절 약탈해 간 문화재의 반출을 막기 위해 반출 금지법을 제정해 두고 있다. 따라서 대한민국 정부와 민간단체의 노력에도 불구하고 약탈 문화재의 반환이 아닌 임대 형식으로 우리나라에 들어오게 되었다.

정리 교실 교과서 96쪽

㉠ 양헌수 ㉡ 외규장각 ㉢ 남연군 ㉣ 어재연 ㉤ 척화비

교과서 | 97쪽

탐구 교실 흥선 대원군의 대외 정책, 어떻게 평가할 것인가?

활동 목표 | 흥선 대원군의 대외 정책에 대해 알 수 있습니다.

자료 1 오페르트의 서신에 대한 답변(1868)

영종 첨사의 명의로 회답 편지를 써서 보냈다. "너희 나라와 우리나라(조선) 사이에는 원래 왕래도 없었고 또 서로 은혜를 입거나 원수진 일도 없었다. 그런데 이번 덕산 묘소에서 저지른 사건은 어찌 인간으로서 차마 할 수 있는 일이겠는가? 또 방비가 없는 것을 엿보고서 몰래 침입하여 소동을 일으키고 무기를 약탈하며 백성들의 재물을 강탈한 것도 사리로 볼 때 차마 할 수 있는 일이겠는가? 이런 지경에 이르렀기 때문에 우리나라 신하와 백성들은 단지 힘을 다하여 한마음으로 귀국과는 한 하늘을 이고 살 수 없다는 것을 다짐할 따름이다." -『고종실록』

자료 2 흥선 대원군과 미군 함대 사령관의 협상

흥선 대원군 귀국의 배가 우리 영토의 요새지 앞까지 침범해 들어오는 상황에서 우리 군인들의 임무가 방어인데 어찌 가만히 있을 수 있겠는가? 서로 대포를 쏜 사건에 대해 오해하지 말기 바란다.

로저스 제독 귀국의 조정은 우리가 파견한 관리와 협상하려 하지 않았다. 지난번에 우리에게 대포를 쏜 잘못을 인정하지 않고 있는데, 이 문제를 해결하려면 더 높은 관리를 파견하기 바란다.

활동 도우미

- 오페르트의 서신에 대한 답변을 통해 어떤 사건과 관련된 것이며 이 사건이 끼친 영향이 무엇인지 생각해 봅시다.
- 흥선 대원군과 미군 함대 사령관의 협상을 통해 어떤 사건과 관련된 것이며 당시 조선과 미국 측의 의도가 무엇이었는지 생각해 봅시다.

자료 해설

- **<자료 1>** | 오페르트의 서신에 대한 답변은 오페르트의 남연군 묘 도굴 사건과 관련이 있다. 당시 오페르트는 조선과의 통상 문제를 해결하기 위해 남연군의 묘를 도굴하려 하였으나 실패하였다.
- **<자료 2>** | 흥선 대원군과 미군 함대 사령관의 협상은 신미양요와 관련이 있다. 조선은 미국과의 충돌을 불가피한 것으로 여겼으나 미국은 조선과의 통상 문제 해결에 이를 이용하려고 하였다.

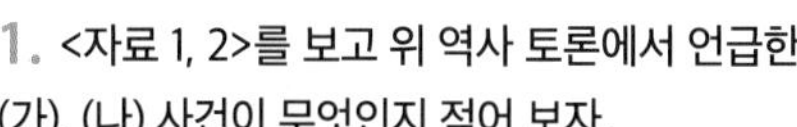

활동 풀이

1. <자료 1, 2>를 보고 위 역사 토론에서 언급한 (가), (나) 사건이 무엇인지 적어 보자.

- (가): 예시 답안 오페르트의 남연군 묘 도굴 사건(1868)
- (나): 예시 답안 신미양요(1871)

2. 토론에 참여한 학생들의 대화를 보고, 흥선 대원군의 대외 정책에 대하여 자신의 의견을 말해 보자.

예시 답안 1 흥선 대원군이 서구 열강의 침략적 접근에 굴복하지 않고 강경하게 맞서 이를 물리침으로써 조선의 자주독립을 유지할 수 있었다는 점에서 긍정적인 평가를 할 수 있습니다.

예시 답안 2 흥선 대원군의 통상 수교 거부 정책으로 인해 개항과 개화 정책의 추진이 늦어졌으며, 이로 인해 근대 국민 국가 수립에도 차질이 생긴 것은 아쉬운 일입니다.

간단 체크 정답 및 해설 12쪽

흥선 대원군은 신미양요 직후 전국 각지에 (　　)을/를 세워 통상 수교 거부의 의지를 강력히 표명하였다.

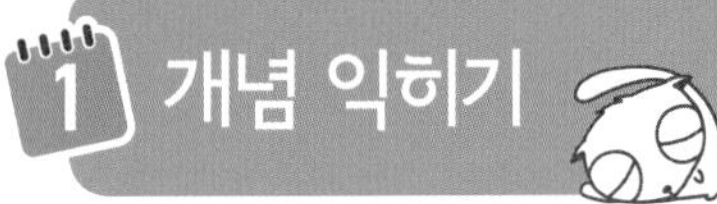

1 개념 익히기

01 아래 설명이 맞으면 O표, 틀리면 X표를 해 보자.

(1) 흥선 대원군이 집권한 뒤 삼정의 문란으로 농민 봉기가 전국적으로 확산되었다. ( )

(2) 흥선 대원군은 폐단의 온상이었던 서원을 정리하여 47개소만 남기고 모두 없애 버렸다. ( )

(3) 병인양요 때 양헌수 부대는 정족산성 전투에서 프랑스군에 승리를 거두었다. ( )

(4) 신미양요 때 어재연 부대는 광성보 전투에서 미군에 승리를 거두었다. ( )

02 빈칸에 알맞은 말을 채워 보자.

(1) 산업 혁명을 바탕으로 자본주의가 고도로 발달한 서구 열강의 대외 침략 정책을 ( )(이)라고 한다.

(2) 흥선 대원군이 천주교를 탄압한 ( )은/는 프랑스군이 강화도를 침입하는 병인양요의 구실이 되었다.

(3) 1866년에 일어난 ( )은/는 미군이 강화도를 침입하는 신미양요의 구실이 되었다.

(4) 흥선 대원군은 신미양요가 끝난 뒤 병인양요 때 반포한 글을 새긴 ( )을/를 전국 각지에 건립하였다.

03 서로 관련 있는 내용끼리 연결해 보자.

a. 전정 개혁 •	• ㄱ. 양전 시행
b. 군정 개혁 •	• ㄴ. 사창제 실시
c. 환정 개혁 •	• ㄷ. 호포제 시행

04 흥선 대원군의 경복궁 중건을 위한 정책에 해당하는 것을 <보기>에서 모두 고르시오.

보기
ㄱ. 원납전 징수　　ㄴ. 당백전 발행
ㄷ. 대전회통 편찬　　ㄹ. 삼군부 기능 부활

2 내신 유형 익히기

중요
01 흥선 대원군이 집권하던 시기에 있었던 사실로 옳지 않은 것은?

① 경복궁이 중건되었다.
② 전정 개혁을 추진하였다.
③ 임술 농민 봉기가 일어났다.
④ 비변사가 사실상 폐지되었다.
⑤ 양반에게도 군포를 징수하였다.

02 (가)의 운영에 대한 설명으로 옳은 것은?

> (가) 에는 관장할 사람이 없어서는 안 되니 반드시 면에서 근면 성실하고 넉넉한 자를 택하여 관에 보고한 뒤 뽑는다. 또한 관에서 강제로 정하지 말고 그를 '사수'라 하여 환곡을 나누어 주고 수납하는 때를 맡아서 검사한다.

① 마을 단위로 운영되었다.
② 물가의 폭등을 초래하였다.
③ 양반 유생들의 반발을 받았다.
④ 군정 문제를 해결하려고 하였다.
⑤ 세도 정치의 해소를 위해 추진되었다.

03 다음 자료에 나타난 정책에 대한 설명으로 옳은 것은?

> 서원전의 면세 규정을 폐지하고, 사액 서원을 수령이 직접 주관하게 하였다. 나아가 전국의 서원을 47개소만 남기고 모두 없애 버렸다.

① 양반들의 지지를 받았다.
② 국가 재정의 확충에 기여하였다.
③ 경복궁을 중건하기 위해 추진되었다.
④ 흥선 대원군이 집권하는 계기가 되었다.
⑤ 임술 농민 봉기가 일어나는 배경이 되었다.

총 문항수	8	처음 푼 날	월	일
정답 및 해설	12쪽	오답 푼 날	월	일

중요

04 (가), (나) 시기 사이에 있었던 사실로 옳은 것은?

> (가) 미국 상선 제너럴 셔먼호가 대동강을 거슬러 올라와 통상을 요구하였다.
> (나) 미국인 자본가와 프랑스 선교사의 지원을 받아 오페르트가 남연군 묘 도굴을 시도하였다.

① 병인박해가 시작되었다.
② 미군이 강화도를 침범하였다.
③ 전국 각지에 척화비가 건립되었다.
④ 러시아가 연해주 지역을 획득하였다.
⑤ 프랑스군이 외규장각 도서를 약탈하였다.

05 다음 자료에 나타난 전투에 대한 설명으로 옳은 것은?

> 정족산성 수성장 양헌수가 보고하기를 "…… 저들의 두령이 말을 타고 나귀를 끌고 짐바리와 술과 음식을 가지고 와서 동문과 남문 양쪽 문으로 나누어 들어올 때 우리 군사들이 좌우에 매복했다가 일제히 총탄을 퍼부었습니다. 저들은 죽은 자가 6명이고 아군은 죽은 자가 1명입니다."라고 하였다.

① 병인양요 때 일어났다.
② 병인박해가 시작되는 배경이 되었다.
③ 제너럴 셔먼호 사건에 영향을 끼쳤다.
④ 미군이 강화도에서 철수하는 계기가 되었다.
⑤ 오페르트의 남연군 묘 도굴 사건을 계기로 일어났다.

06 다음 비석에 대한 설명으로 옳은 것은?

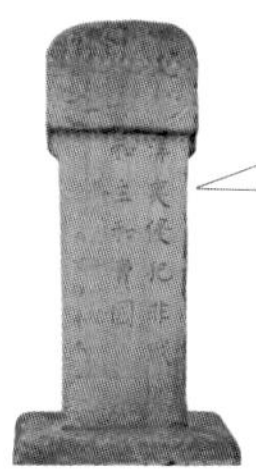

> 서양 오랑캐가 침범해 오는데 싸우지 않으면 화친을 하는 것이요, 화친을 주장하는 것은 나라를 팔아먹는 것이다.

① 병인양요의 배경이 되었다.
② 신미양요 때 약탈을 당하였다.
③ 병인박해가 시작되는 계기가 되었다.
④ 통상 수교 거부의 의지를 천명하였다.
⑤ 광성보 전투의 상황을 알려 주고 있다.

서술형 문제

07 다음 자료를 보고 물음에 답하시오.

> 이 화폐의 실질 가치는 당시 통용되었던 상평통보의 5~6배에 지나지 않았지만, 상평통보 1문전의 100배에 해당하는 명목 가치로 통용되었다. 또한 일반 상거래에 사용하기에는 화폐 단위가 너무 컸다.

(1) 밑줄 친 '이 화폐'의 명칭을 쓰시오.

(2) 밑줄 친 '이 화폐'를 발행한 목적을 서술하시오.

서술형 문제

08 다음 지도를 보고 물음에 답하시오.

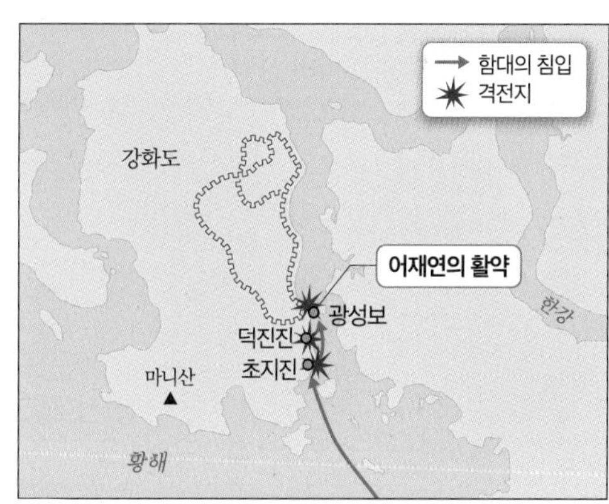

(1) 제시된 지도에 나타난 사건의 명칭을 쓰시오.

(2) 위 사건이 일어난 배경을 서술하시오.

동아시아의 변화와 근대적 개혁의 추진

주제 23 강화도 조약과 불평등 조약 체제

이번 주제에서는 | 강화도 조약 및 서구 열강과의 조약 체결 과정과 그 성격을 파악할 수 있습니다.

교실 열기 일본이 조선과 '조약'을 체결하려고 한 까닭은 무엇일까?

예시 답안 | 일본은 일찍이 그들이 미국에 당한 불평등 조약을 조선에 적용하려고 하였다.

1 중국과 일본의 개항

(1) 중국의 개항: 영국과의 제1차 아편 전쟁 패배 → 불평등 조약 체결(난징 조약, 후먼 조약)
   - 난징 조약: 5개 항구 개방, 홍콩 할양 등의 내용이 포함되어 있다.

(2) 일본의 개항: 미국 페리 제독의 무력시위와 에도 막부의 굴복 → 불평등 조약 체결(미·일 화친 조약, 미·일 수호 통상 조약)

2 고종의 친정과 대외 정책의 변화

(1) 일본의 문호 개방 요구: 메이지 유신 이후 일본과 외교 문제 발생, 일본에서 정한론 대두
   - 메이지 유신: 에도 막부 붕괴, 천황 중심의 새 정부 수립(1868)
   - 외교 문제: 일본이 보낸 외교 문서의 형식이나 용어 등이 전통적 격식에 어긋나 조선에서 접수를 거부하였다.

(2) 고종의 대외 정책 변화: 흥선 대원군의 하야, 고종의 친정 실시 → 통상 수교 거부 정책 완화

3 강화도 조약의 체결

(1) 배경: 고종의 친정, 일본의 무력시위(운요호 사건, 1875)
   - 운요호 사건: 일본 군함 운요호가 강화도에서 조선 수비대와 충돌한 뒤 영종도를 약탈하였다.

(2) 과정: 청의 권유 → 강화도 조약(조·일 수호 조규) 체결(1876)

4 강화도 조약과 부속 조약의 성격

(1) 강화도 조약

① 조선이 자주국임을 규정: 조선에 대한 청의 종주권 주장 차단, 일본의 침략적 의도

② 문호 개방: 부산 외 2개 항구 개항[1]

③ 불평등 조약: 해안 측량권·영사 재판권[2] 허용 등 조선의 주권을 침해하는 내용 포함

(2) 부속 조약

조·일 수호 조규 부록	일본 외교관의 내지 여행 사실상 허용, 개항장에서의 일본인 거류지[3](조계) 설정, 일본 화폐 유통 허용
조·일 무역 규칙	무관세 및 양곡의 무제한 유출 문제 발생

5 서구 열강과의 불평등 조약 체결

(1) 조·미 수호 통상 조약(1882)

① 배경: 1880년대 개화 정책 추진, 『조선책략』[4] 유포 등 미국과의 조약 체결에 우호적인 분위기 조성, 청의 알선

② 내용: 거중 조정[5]과 관세 부과 등 규정, 영사 재판권과 최혜국 대우[6] 등이 포함된 불평등 조약

(2) 기타: 영국, 독일, 러시아, 프랑스 등과 수호 통상 조약 체결

개념 쏙쏙

① 부산 외 2개 항구 개항
강화도 조약에 따라 1876년 부산을 개항한 이후 1880년 원산, 1883년 인천을 차례로 개항하였다.

② 영사 재판권
영사가 주재국에서 자국민 재판을 본국의 법으로 행하는 것이다. 즉, 외국인이 현재 거주하는 나라의 법률을 적용받지 않는 특권을 말한다.

③ 거류지
한 나라가 그 영토의 일부를 외국인에게 개방하여 거주와 영업을 허용한 지역으로, 중국에서는 조계라 불렀다.

④ 『조선책략』
일본에 있던 청의 외교관 황준헌이 쓴 것으로, 러시아의 남하를 저지하기 위해서 조선이 중국, 일본, 미국과 우호 관계를 맺을 것을 강조하였다.

⑤ 거중 조정
두 국가 중 한 국가가 제3국과 분쟁이 있을 경우 다른 한 국가가 두 국가 사이에서 분쟁을 조정하는 것을 말한다.

⑥ 최혜국 대우
조약을 맺은 한 나라가 제3국에 부여한 가장 유리한 조건을 해당 조약을 맺은 상대국에도 부여하는 것이다.

정리 교실 교과서 100쪽

㉠ 통상 개화론 ㉡ 운요호 사건
㉢ 강화도 조약

탐구 교실 동아시아 국가들이 체결한 불평등 조약

활동 목표 | 한·중·일 삼국이 체결한 불평등 조약의 내용을 알 수 있습니다.

자료 1 후먼 조약(1843)

제4조 광저우, 푸저우, 샤먼, 닝보, 상하이가 개항하면 영국 상인은 오직 이 다섯 항구에서만 무역이 허용된다.
제8조 청이 다른 나라와 새로운 조약을 체결할 경우, 그 조약이 영국과 맺은 것보다 유리하면 영국에도 그 조건을 인정한다.
제9조 영국인이 청의 영토에서 죄를 범하면, 영국 관헌이 체포하여 조사한다. -『청과 서양 열강이 맺은 조약들』, 1902.

청과 영국은 난징 조약의 내용을 명확히 규정하기 위해 후속 조약으로 후먼 조약을 체결하였다.

자료 2 미·일 수호 통상 조약(1858)

제3조 시모다, 하코다테 외에도 나가사키, 니가타, 효고 등을 개항한다.
제4조 일본에 수출입하는 모든 상품은 별도의 규정에 따라 관세를 낸다.
제6조 일본인에게 죄를 지은 미국인은 미국 영사 재판소에서 미국 법에 따라 처벌받는다. -『막말 외교 관계 문서』, 2007.

일본은 미·일 화친 조약 체결 이후 미국과 통상 조약 체결 협정을 진행하여 1858년에 미·일 수호 통상 조약을 체결하였다.

자료 3 조·미 수호 통상 조약(1882)

제1관 만약 상대방 국가가 어떤 불공평하고 경시당하는 일이 있으면 한 번 통지를 거쳐 반드시 서로 도와주며 중간에서 잘 조정해 두터운 우의와 관심을 보여 준다.
제5관 미국 상인과 상선이 조선에 와서 무역할 때 입출항하는 화물은 모두 세금을 바쳐야 하며, 세금을 거두는 권한은 조선이 자주적으로 한다. 일용품의 관세율은 10%를 초과하지 않는다.
제14관 이후 조선이 이 조약에 없는 어떠한 이익을 다른 나라 혹은 그 상인에게 베풀 경우, 미국 관민도 동일한 혜택을 받도록 한다. -『고종실록』

청과 미국 사이에 먼저 가조약이 체결되었고, 이후 조선과 미국 사이에 정식으로 조·미 수호 통상 조약이 체결되었다.

조·미 수호 통상 조약 체결 장면

- 청, 일본, 조선이 불평등 조약을 체결한 배경을 생각해 봅시다.
- 청, 일본, 조선이 각각 체결한 불평등 조약의 공통점과 차이점을 생각해 봅시다.

- **<자료 1>** | 청은 영국과의 제1차 아편 전쟁에서 패한 뒤 불평등 조약인 난징 조약과 후먼 조약을 체결하여 개항을 하였다.
- **<자료 2>** | 일본은 미국의 무력시위에 굴복하여 불평등 조약인 미·일 화친 조약과 미·일 수호 통상 조약을 체결하였다.
- **<자료 3>** | 조선은『조선책략』의 유포, 청의 알선 등을 배경으로 서구 열강 중 처음으로 미국과 조·미 수호 통상 조약을 체결하였는데, 역시 불평등 조약이었다.

1. <자료 1, 2>가 강화도 조약과 어떤 점에서 유사한지 말해 보자.

예시 답안 영사 재판권을 비롯한 불평등한 요소가 담겨 있다.

2. <자료1, 2, 3>에서 다음 용어와 관련 있는 조항을 각각 찾아보자.

용어	정의	관련 있는 조항
거중 조정	두 국가 중 한 국가가 제3국과 분쟁이 있을 경우 다른 한 국가가 두 국가 사이에서 분쟁을 조정하는 것을 말한다.	예시 답안 조·미 수호 통상 조약 제1관
협정 관세	한 국가가 다른 국가와의 조약으로 특정 물품에 대하여 관세율을 협의하여 정하는 것을 말한다.	예시 답안 미·일 수호 통상 조약 제4조, 조·미 수호 통상 조약 제5관
최혜국 대우	국가 간에 체결하는 통상 조약 등에서 다른 국가에 주어진 가장 유리한 대우를 조약 상대국에도 적용하도록 하는 것을 말한다.	예시 답안 후먼 조약 제8조, 조·미 수호 통상 조약 제14관

간단 체크 정답 및 해설 13쪽

조선은 운요호 사건을 구실로 문호 개방을 요구하는 일본과 (   ) 을/를 체결하였다.

동아시아의 변화와 근대적 개혁의 추진

주제 24 개화 정책의 추진과 반발

이번 주제에서는 | 정부의 개화 정책 추진과 이에 반발한 위정척사 운동, 임오군란을 알 수 있습니다.

교실 열기 고종은 왜 조사 시찰단을 비밀리에 파견하였을까?

예시 답안 | 1880년대에 보수적 유생들이 정부의 개화 정책 추진에 반대하고 있었기 때문이다.

1 개화 세력의 형성과 개화 정책의 추진

(1) 개화 세력의 형성: 박규수, 오경석, 유홍기 등의 통상 개화론[1] 주장 → 개화파의 형성(박규수 등이 김옥균, 박영효 등에 영향)

- 강화도 조약을 전후하여 점차 영향력이 확대되었다.

(2) 개화 정책의 추진

통리기무아문[2]	개화 정책 총괄, 아래에 12개 부서 설치
군사 제도	• 기존의 5군영을 무위영과 장어영으로 개편 • 별기군 창설(신식 군대, 일본인 교관을 초빙하여 근대식 군사 훈련)
근대 시설	기기창(무기 제조), 박문국(인쇄, 출판 담당), 전환국(화폐 발행) 등

2 외교 사절과 시찰단의 파견

(1) 수신사: 일본에 제1차 김기수(1876), 제2차 김홍집(1880) 파견

(2) 조사 시찰단(1881): 일본에 파견, 귀국 후 보고서 제출(개화 정책에 영향)

(3) 영선사: 청에 영선사 김윤식과 유학생, 기술자 파견 → 무기 제조 기술과 군사 훈련법 습득

- 박정양, 홍영식 등 60여 명으로 구성되었다.
- 기기창 설립에 기여하였다.

(4) 보빙사: 미국에 민영익 등 파견, 각종 근대 시설과 문물 시찰

3 위정척사 운동의 전개

(1) 배경: 보수적인 유생들의 위정척사 사상

- 바른 학문(성리학)을 지키고 사악한 학문(서양 학문, 천주교)을 배척한다는 뜻이다.

(2) 전개

1860년대	이항로, 기정진 등 흥선 대원군의 통상 수교 거부 정책 지지, 척화주전론 주장
1870년대	최익현 등 왜양일체론 주장, 개항에 반대
1880년대	『조선책략』 유포에 반발 → 이만손의 영남 만인소[3], 홍재학의 상소 등

- 왜양일체론: 개항 이후 일본은 서양과 같다는 주장이다.

(3) 한계와 의의: 양반 중심의 성리학적 질서 유지 목적, 반외세적·반침략적 성격

- 1890년대 이후 항일 의병 활동으로 계승되었다.

4 임오군란의 발발

(1) 배경: 신식 군대에 비해 구식 군대 차별, 서민의 생활 악화

- 개항 이후 외국 상품의 유입과 곡물 유출 등이 원인이 되었다.

(2) 전개: 구식 군인의 봉기, 도시 서민 합세 → 흥선 대원군 재집권, 개화 정책 백지화 → 청군 출병(흥선 대원군 납치) → 민씨 세력 재집권

- 통리기무아문 폐지, 별기군 폐지, 5군영 복구 등이 시행되었다.
- 궁궐 난입, 고관 살해, 일본인 교관 살해, 일본 공사관 습격 등이 발생하였다.

5 임오군란의 영향

(1) 일본: 제물포 조약[4] 체결(배상금 지불, 일본 공사관 경비병 주둔 허용)

(2) 청: 청군 주둔, 고문 파견(마젠창과 묄렌도르프), 조·청 상민 수륙 무역 장정[5] 체결

개념 쏙쏙

① 통상 개화론
북학 사상을 계승한 박규수, 오경석, 유홍기 등 초기 개화 사상가들은 부국강병을 위해 외국에 문호를 개방하고 그들의 기술을 적극 받아들일 것을 주장하였다.

② 통리기무아문
청의 총리아문을 본떠 설치한 개화 정책 총괄 기구로 외교, 군사, 산업, 통상 등의 업무를 담당하였다.

③ 영남 만인소
이만손 등 영남 지방의 유생들은 김홍집이 들여온 『조선책략』의 유포와 미국과의 수교 움직임에 반대하며 1881년에 만인소를 올렸다.

④ 제물포 조약
임오군란 때 일본 공사관이 습격당하고 일본인 사상자가 발생하자 일본은 조선에 병력을 파견하여 조약 체결을 강요하였다. 이 조약의 체결로 조선은 일본에 배상금을 지불하였으며, 일본 공사관에 경비병이 주둔하는 것을 인정하였다.

⑤ 조·청 상민 수륙 무역 장정
임오군란 이후 조선과 청 사이에 체결되었다. 이 장정에 따라 청은 조선에서 영사 재판권을 인정받았으며, 이후 청 상인은 개항장 밖에서 내륙 통상을 시작하였다.

정리 교실 교과서 104쪽

㉠ 별기군 ㉡ 조사 시찰단 ㉢ 왜양일체론 ㉣ 구식 군대 ㉤ 청군

교과서 | 105쪽

탐구 교실 개화 정책의 추진과 위정척사 운동

활동 목표 | 개화 정책과 위정척사 운동의 배경과 내용을 비교해 볼 수 있습니다.

자료 1 개화 정책을 지지하는 주장

곽기락 @Gi_Rak

지금 이해관계와 장단점도 따져 보지 않고 한갓 유림들의 여론에 따른다면 저들의 비웃음과 모욕을 받기에 알맞습니다. 지금 유생들의 상소문을 보면 큰소리와 잘난 체하는 이야기가 실용에 도움되지 않는 것이 많습니다.

윤선학 @Sun_crane

군신·부자·붕우·장유의 윤리는 인간의 본성에 부여된 것입니다. 그러므로 천지를 통하는 만고불변의 이치이고, 위에 존재하는 것으로서 도(道)가 됩니다. 반면 배·수레·군사·농사·기계의 편민이국(便民利國)하는 것은 외형적인 것으로서, 기(器)가 됩니다. 신이 변혁을 꾀하고자 하는 것은 기(器)이지, 도(道)가 아닙니다.

자료 2 위정척사 운동의 주장

이항로 @Hang_NO

양이의 화가 금일에 이르러 홍수나 맹수의 해로움보다도 더 심합니다. 전하께서 안으로는 관리들로 하여금 사학(천주교)의 무리를 잡아 베게 하시고, 밖으로는 장병들로 하여금 바다를 건너오는 적을 정벌하게 하소서.

홍재학 @Jae_crane

오늘날 온 나라에서 입는 것은 서양 직물이고, 서양 물감을 들인 옷이며, 온 나라에서 쓰는 것은 서양 물건입니다. 접견하는 사람도 서양 사람이고, 탐내어 침 흘리는 것도 서양의 기이하고 교묘한 것들입니다. 사는 것과 가까이하는 것과 지키는 일이 모두 서양의 것이니 형체와 기질과 마음이 어찌 다 서양 것으로 변화되지 않겠습니까?

- 곽기락과 윤선학의 글에 나타난 주장의 핵심 내용을 파악하고 이를 지지하는 세력을 생각해 봅시다.
- 이항로와 홍재학의 글에 나타난 주장의 핵심 내용을 파악하고 이러한 주장이 나오게 된 시대적 배경과 이를 지지하는 세력을 생각해 봅시다.

- <자료 1> | 곽기락과 윤선학의 글에는 위정척사 운동을 비판하는 온건 개화파의 동도서기론이 잘 나타나 있다. 이들은 1880년대 정부가 추진한 개화 정책을 지지하였다.
- <자료 2> | 이항로와 홍재학의 글은 각각 1860년대의 통상 반대 운동, 1880년대의 개화 정책 추진 반대 운동과 관련이 있다. 모두 보수적 유생들이 전개한 위정척사 운동에 해당한다.

활동 풀이

1. <자료 1>의 주장을 각각 한 문장으로 요약해 보자.

예시 답안

곽기락: 유림들의 여론에 따르지 말고 실용에 힘쓰자.

윤선학: 도(道)는 지키되 기(器)는 받아들여 개화 정책을 추진하자.

2. <자료 2>의 주장이 나오게 된 각각의 배경을 말해 보자.

예시 답안

이항로: 1860년대에 서구 열강의 침략적 접근으로 위기의식이 고조되었다.

홍재학: 1880년대에 정부가 개화 정책을 추진하였다.

3. <자료 1, 2>의 주장 중 하나를 선택하여 이를 평가하는 답글을 적어 보자.

예시 답안

OOO 님이 윤선학 의 게시물을 공유하였습니다. 20 년 월 일

윤선학은 도(道)는 지키되 기(器)는 받아들여 변혁을 꾀해야 한다고 주장하며 정부의 개화 정책 추진을 지지하였는데, 이는 당시 서구 열강의 침략적 접근에 대한 대응으로 매우 타당하다고 여겨진다.

간단 체크 정답 및 해설 13쪽

조선은 개항 이후 개화 정책을 추진하기 위해 중국의 총리아문을 본떠 (　　)을/를 설치하였다.

교과서 106~109쪽

동아시아의 변화와 근대적 개혁의 추진

주제 25 갑신정변과 열강의 각축

이번 주제에서는 | 갑신정변의 배경과 전개 과정, 이후 조선을 둘러싼 열강의 각축을 알 수 있습니다.

교실 열기 김옥균 등이 밑줄 친 '정변'을 일으킨 이유는 무엇일까?

예시 답안 | 김옥균 등은 청의 내정 간섭에서 벗어나 자주적인 근대 국가를 수립하려고 하였다.

1 개화파의 분화

(1) 온건 개화파와 급진 개화파

(온건 개화파: 김홍집, 김윤식, 어윤중 등 / 급진 개화파: 김옥균, 박영효, 홍영식 등)

온건 개화파	청의 양무운동을 본받아 동도서기론[1] 주장 - 점진적 개혁 추구, 청과의 우호 관계 중요시
급진 개화파	일본의 메이지 유신을 본보기로 문명개화론[2] 주장 - 급진적 개혁 추진, 청의 간섭에서 벗어나 자주적 근대 국가 수립 추구

(2) 개화파의 대립 심화: 임오군란 이후 청의 내정 간섭 심화, 김옥균의 일본 차관 도입 실패 등 → 급진 개화파의 정변 계획

2 갑신정변의 전개

(1) 배경: 청·프 전쟁으로 조선 주둔 청군 일부 철수, 일본 공사의 병력 지원 약속

(청·프 전쟁: 청이 베트남 문제로 프랑스와 대립하면서 1884년 5월 전쟁이 발발하였다.)

(2) 전개: 급진 개화파가 우정총국 개국 축하연을 이용하여 정변을 일으키고 정권 장악 → 새 정부 구성, 개혁 정강 발표(문벌 폐지, 인민 평등권 제정, 인재 등용, 재정의 일원화, 경제 개혁, 군제 개혁, 내각제 수립 등)

(3) 결과: 청군 개입과 일본군 철수로 실패, 김옥균, 박영효, 서광범 등 일본 망명

(실패: 갑신정변은 3일 만에 진압되었다.)

3 갑신정변의 의의와 영향

(1) 의의: 청의 간섭에서 벗어나 근대 국가를 수립하려고 한 정치 개혁 운동, 갑오개혁과 독립 협회 활동 등에 영향

(2) 한계: 준비 부족과 성급한 결행, 일본의 군사력에 의존, 백성들의 지지 미흡

(3) 영향: 조선과 일본의 한성 조약, 청과 일본의 톈진 조약[3] 체결

(한성 조약: 피해를 입은 일본인에 배상금 지불, 일본 공사관 신축비 보상 등의 내용이 포함되었다.)

4 갑신정변 이후 열강의 각축

거문도 사건[4]	조·러 밀약설 유포 → 영국이 러시아 남하 견제를 구실로 거문도를 불법 점령(1885~1887) → 청의 중재로 영국군 철수
조선 중립화론	• 독일 부영사 부들러: 조선의 영세 중립국 방안 건의 • 유길준: 열강이 보장하는 중립국 구상

5 열강의 각축 속 조선의 대응

(1) 조선의 대응: 갑신정변 이후 열강의 각축, 청의 간섭 심화 → 내무부[5] 설치, 개화 정책 추진, 자주 외교 추진 → 청의 간섭과 재정 부족 등으로 어려움에 처함.

(개화 정책 추진: 광혜원(근대식 병원), 전보국(전신 가설), 육영 공원(근대식 교육 기관), 연무 공원(사관 양성) 설립 등이 추진되었다.)

(2) 청의 내정 간섭: 흥선 대원군 환국, 위안스카이 파견 → 외교와 내정 간섭, 고종 폐위 시도, 전권 공사 파견 노력 저지 등

개념 쏙쏙

① 동도서기론(東道西器論)
동양의 전통적인 제도와 사상은 지키되 서구의 근대 기술은 받아들이자는 주장이다. 중국의 중체서용(中體西用)과 유사한 사상이다.

② 문명개화론
서양의 기술뿐만 아니라 사상·제도까지도 받아들여야 한다는 주장으로 일본의 메이지 유신은 이를 바탕으로 전개되었다.

③ 톈진 조약
갑신정변 이후 청과 일본 간에 체결되었다. 청과 일본 군대의 철수, 앞으로 조선에 파병할 때 상호 통고한다는 내용 등을 규정하여 이후 청·일 전쟁의 빌미를 제공하였다.

④ 거문도 사건
영국은 러시아의 남진 정책을 막아낸다는 구실로 1885년에 조선의 거문도를 불법 점령하였다. 영국은 군대를 주둔시켰다가 청의 중재로 러시아로부터 조선의 영토를 점령하지 않겠다는 약속을 받아내고, 1887년에 군대를 철수시켰다.

⑤ 내무부
갑신정변 이후 1885년 궁궐 내에 설치되어 1894년까지 존속하였다. 청의 간섭으로부터 기밀을 유지하는 동시에 군주권 및 조선의 주권을 보존할 목적으로 설치되었다

정리 교실 교과서 108쪽

[가로] 1. 거문도 사건 2. 급진 개화파 3. 한성 조약
[세로] 1. 문명개화론 2. 톈진 조약 3. 갑신

탐구 교실 내가 생각하는 갑신정변의 의의와 한계

교과서 | 109쪽

활동 목표 | 갑신정변의 의의와 한계에 대해 이해할 수 있습니다.

자료 1 서재필의 회고

김옥균은 청의 종주권 아래에 놓여 있는 굴욕감을 이겨내지 못하여 어떻게 하면 이 같은 치욕에서 벗어나 조선이 세계 각국 가운데에서 평등하고 자유로운 일원이 될 것인가 밤낮을 가리지 않고 노심초사하였다. 김옥균은 근대 교육을 받지 못했으나 시대 추이를 통찰하고 조선도 강력한 현대 국가가 되어야 함을 절실하게 바랐다. 그리하여 새로운 지식을 받아들이고 새로운 기술 채용에 따라 정부와 일반 사회의 인습을 일변할 필요를 확신하였다.

- 서재필, 『회고 갑신정변』

자료 2 김옥균의 상소

현재 세계는 상업을 주로 하여 서로 산업의 크고 많음을 경쟁하고 있는데, 아직도 양반을 제거하여 뿌리를 뽑지 않는다면 국가의 패망은 기어코 앉아서 기다리는 꼴이 될 뿐입니다. 전하께서 이를 철저히 반성하시어 하루빨리 무식 무능하고 수구 완고한 대신배를 축출하시고, 문벌을 폐하고 인재를 골라 중앙 집권의 기초를 확립하여 백성들의 신용을 얻으시고, 널리 학교를 세워 백성이 지식을 깨우치게 하옵소서.

- 고균기념회, 『김옥균전』

자료 3 갑신정변에 대한 부정적 평가

전에는 …… 개화당을 꾸짖는 자도 많이 있었으나, 개화가 이롭다는 것을 말하면 듣는 사람들도 감히 크게 반대하지는 않았다. 그런데 정변을 겪은 뒤부터 조정과 민간에서 모두 "이른바 개화당이라고 하는 자들은 충의를 모르고 외국인과 연결하여 나라를 팔고 겨레를 배반하였다."라고 말하고 있다.

- 윤치호, 『윤치호 일기』

갑신정변의 여러 적들(김옥균 등)은 서양을 존중하고 요순과 공맹을 비판하면서 유교를 야만이라고 하고, 도를 바꾸려 하면서 매번 개화라 일컬었다

- 김윤식, 『속음청사』

- 박은식, 『한국통사』

- 서재필의 회고와 김옥균의 상소를 통해 이들이 추진한 개혁의 방향과 이들이 만들고자 한 국가의 성격을 생각해 봅시다.
- 윤치호, 김윤식, 박은식의 글을 통해 갑신정변에 반대한 세력과 그들이 갑신정변에 부정적이었던 까닭을 생각해 봅시다.

- <자료 1> | 서재필은 갑신정변을 회고하면서 김옥균은 임오군란 이후 청의 내정 간섭에 반발하여 자주독립을 꿈꾸며 근대 국가를 수립하기 위해 노력하였다고 하였다.
- <자료 2> | 김옥균의 상소를 통해 산업의 발달, 교육의 진흥 등을 통해 부강한 근대 국가를 수립하는 것이 시급함을 강조하였다.
- <자료 3> | 윤치호, 김윤식, 박은식은 갑신정변의 실패를 설명하면서 정변에 반대한 세력과 그들이 갑신정변에 부정적이었던 까닭을 설명하고 있다.

활동 풀이

1. <자료 1, 2>를 토대로 김옥균이 갑신정변을 일으킨 배경과 목적이 무엇인지 말해 보자.

예시 답안 김옥균은 조선이 청의 종주권 아래에 놓여 있는 상황을 배경으로 갑신정변을 일으켰다. 그는 정변을 통해 조선이 청의 간섭에서 벗어나 근대 국가를 수립할 것을 목적으로 하였다.

2. <자료 3>에서 갑신정변을 부정적으로 평가한 사람들이 내세운 근거가 무엇인지 분석해 보자.

예시 답안 일본과 결탁한 점, 서양을 존중하고 유교를 배척한 점, 일본에 이용당한 점 등을 내세워 갑신정변에 부정적이었다.

2. <자료 1, 2, 3>을 참고하여 갑신정변의 역사적 의의와 한계를 써 보자.

- **의의:** 예시 답안 근대 국가를 수립하려는 정치 개혁 운동이었다.
- **한계:** 예시 답안 자체 역량이 부족하였으며, 일본에 의존하였고, 백성들의 지지를 얻지 못하였다.

간단 체크 정답 및 해설 13쪽

급진 개화파는 (   ) 개국 축하연을 이용하여 정변을 일으켜 새 정부를 구성하고 개혁 정강을 발표하였다.

1 개념 익히기

01 아래 설명이 맞으면 O표, 틀리면 X표를 해 보자.

(1) 강화도 조약은 해안 측량권과 영사 재판권을 규정한 불평등 조약이다. (　　)

(2) 차별 대우에 불만을 가진 별기군은 임오군란을 일으켜 궁궐에까지 난입하고 고관들을 살해하였다. (　　)

(3) 급진 개화파는 우정총국 개국 축하연을 이용하여 갑신정변을 일으켰다. (　　)

(4) 갑신정변 이후 고종은 통리기무아문을 설치하여 개화 정책을 추진하였다. (　　)

02 빈칸에 알맞은 말을 채워 보자.

(1) 조선은 미국과 거중 조정과 관세 부과, 영사 재판권과 최혜국 대우 등이 포함된 (　　　　)을/를 체결하였다.

(2) 조선 정부는 1881년에 박정양, 홍영식 등 60여 명으로 구성된 (　　　　)을/를 일본에 파견하였다.

(3) 1880년대에 유생들은 이만손을 중심으로 (　　　　)을/를 올려 정부의 개화 정책 추진에 반발하였다.

(4) 갑신정변 이후 영국은 러시아의 남하를 저지한다는 구실을 내세워 (　　　　)을/를 불법 점령하였다.

03 서로 관련 있는 내용끼리 연결해 보자.

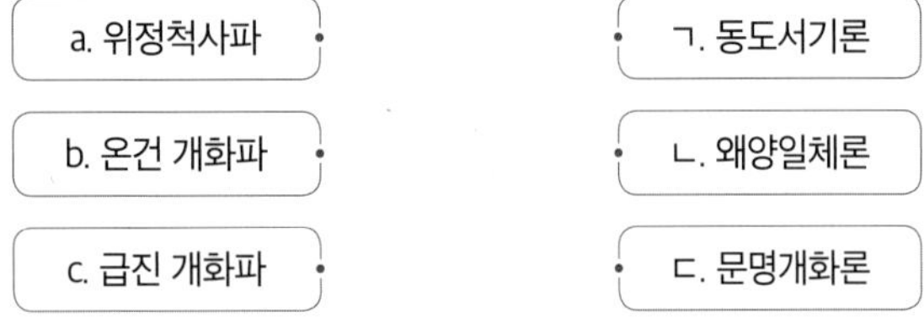

04 갑신정변 이후 체결되었던 조약을 <보기>에서 모두 고르시오.

보기

ㄱ. 한성 조약　　ㄴ. 톈진 조약
ㄷ. 제물포 조약　　ㄹ. 조·청 상민 수륙 무역 장정

2 내신 유형 익히기

중요

01 중국과 일본의 개항에 대한 설명으로 옳은 것은?

① 중국 - 미국에 처음으로 문호를 개방하였다.
② 중국 - 운요호 사건을 계기로 개항을 하였다.
③ 일본 - 난징 조약을 체결하였다.
④ 일본 - 제1차 아편 전쟁에서 패한 뒤 개항하였다.
⑤ 중국, 일본 - 불평등한 조건의 조약을 체결하였다.

02 다음 조약에 대한 설명으로 옳은 것은?

> 제1관 조선은 자주국이며 일본과 평등한 권리를 가진다.
> 제4관 조선국 정부는 부산 이외에 제5관에 제시한 두 곳의 항구를 별도로 개항하여 일본국 인민이 왕래하면서 통상하도록 허가한다.
> 제7관 조선국 연해의 도서와 암초는 종전에 자세히 조사하지 않아 매우 위험하므로 일본국 항해자가 자유로이 해안을 측량하고 지도를 만들도록 허가한다.

① 위정척사파의 지지를 받았다.
② 부산 외 2개 항구 개항을 규정하였다.
③ 조선책략의 유포를 계기로 체결되었다.
④ 미·일 화친 조약 체결에 영향을 끼쳤다.
⑤ 운요호 사건이 발생하는 계기가 되었다.

중요

03 조·일 무역 규칙에 대한 설명으로 옳은 것은?

① 영사 재판권을 규정하였다.
② 일본 화폐 유통을 허용하였다.
③ 정한론이 제기되는 계기가 되었다.
④ 양곡의 무제한 유출 문제를 초래하였다.
⑤ 일본 외교관의 내지 여행을 사실상 허용하였다.

총 문항수	14	처음 푼 날	월	일
정답 및 해설	13쪽	오답 푼 날	월	일

중요
04 다음 조약에 대한 설명으로 옳지 않은 것은?

> 제5관 미국 상인과 상선이 조선에 와서 무역할 때 출항하는 화물은 모두 세금을 바쳐야 하며, 세금을 거두는 권한은 조선이 자주적으로 한다. 일용품의 관세율은 10%를 초과하지 않는다.
> 제14관 이후 조선이 이 조약에 없는 어떠한 이익을 다른 나라 혹은 그 상인에게 베풀 경우, 미국 관민도 동일한 혜택을 받도록 한다.

① 청의 알선으로 체결되었다.
② 위정척사파의 반발을 초래하였다.
③ 서구 열강과 체결한 최초의 조약이다.
④ 영사 재판권을 허용한 불평등 조약이다.
⑤ 미국의 무력시위에 굴복하여 체결되었다.

05 (가)에 들어갈 내용으로 적절하지 않은 것은?

> 개항 이후 조선 정부는 개화 정책을 적극적으로 추진하였다. 우선 중국의 총리아문을 본떠 통리기무아문을 설치하고, 그 밑에 12개 부서를 두어 외교·통상·군사 등 각종 업무를 담당하게 하였으며, (가)

① 박문국과 전환국을 설치하였다.
② 신식 군대인 별기군을 창설하였다.
③ 의정부와 삼군부의 기능을 부활하였다.
④ 5군영을 무위영과 장어영으로 개편하였다.
⑤ 기기창을 두어 근대식 무기를 제조하였다.

06 (가) 사절단의 명칭으로 옳은 것은?

> 개항 이후 조선은 개화 정책을 추진하면서 1881년 일본에 비밀리에 (가) 을/를 파견하였다. 이들은 약 4개월 동안 일본의 정부 기관과 근대 시설 등을 살펴보고 돌아와 분야별로 고종에게 보고서를 작성하여 제출하였다.

① 통신사 ② 수신사
③ 영선사 ④ 보빙사
⑤ 조사 시찰단

중요
07 다음 자료의 주장에 대한 설명으로 옳지 않은 것은?

> 미국은 우리가 본래 모르던 나라입니다. 잘 알지 못하는데 공연히 타인의 권유로 불러들였다가 그들이 재물을 요구하고 우리의 약점을 알아차려 어려운 청을 하거나 과도한 경우를 떠맡긴다면 장차 어떻게 응할 것입니까.

① 조선책략의 유포에 반발하였다.
② 미국과의 통상 수교에 반대하였다.
③ 보수적인 유생들의 뜻이 반영되었다.
④ 박규수 등의 통상 개화론을 계승하였다.
⑤ 이만손 등이 올린 영남 만인소의 일부 내용이다.

08 다음 조약이 체결된 계기로 가장 적절한 것은?

> 제3조 조선국은 5만 원을 내어 해를 당한 일본 관리 유족, 부상자에게 주도록 한다.
> 제5조 일본 공사관에 군인 약간을 두어 경비한다. 비용은 조선국이 부담한다.

① 임오군란 ② 갑신정변
③ 병인박해 ④ 운요호 사건
⑤ 제너럴 셔먼호 사건

09 (가), (나) 세력에 대한 설명으로 옳지 않은 것은?

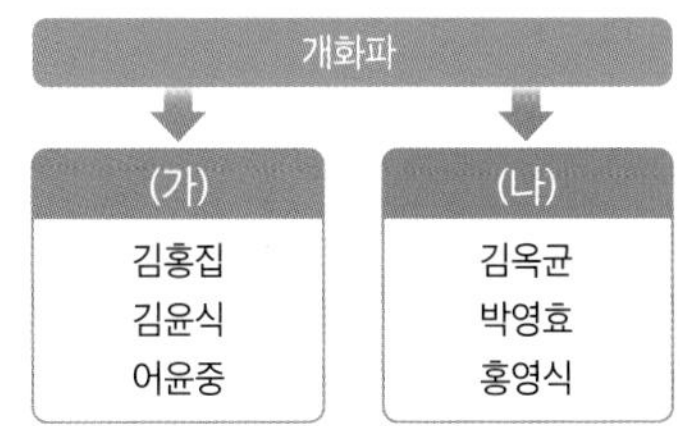

① (가) - 동도서기론을 내세웠다.
② (가) - 청의 양무운동을 본보기로 하였다.
③ (나) - 문명개화론을 내세웠다.
④ (나) - 일본의 메이지 유신을 본보기로 하였다.
⑤ (가), (나) - 청의 내정 간섭에 반발하였다.

중요

10 (가), (나) 시기 사이에 있었던 사실로 옳은 것은?

> (가) 급진 개화파는 우정총국 개국 축하연을 이용하여 정변을 일으켰다.
> (나) 홍영식은 왕을 호위하다가 살해되었고, 김옥균, 박영효, 서광범 등은 일본으로 망명하였다.

① 한성 조약이 체결되었다.
② 거문도 사건이 일어났다.
③ 청군이 정변에 개입하였다.
④ 부들러가 중립화론을 제기하였다.
⑤ 마젠창이 조선에 고문으로 파견되었다.

11 다음 조약에 대한 설명으로 옳은 것은?

> 제3조 장래 조선국에 만약 변란이나 중대 사건이 일어나 청·일 양국 혹은 어떤 한 국가가 파병하려고 할 때에는 응당 그에 앞서 쌍방이 문서로 통지해야 한다. 그 사건이 진정된 뒤에는 즉시 병력을 전부 철수하며 잔류시키지 못한다.

① 갑신정변의 계기가 되었다.
② 임오군란을 계기로 체결되었다.
③ 청·일 전쟁의 빌미를 제공하였다.
④ 왜양일체론이 제기되는 요인이 되었다.
⑤ 일본군이 조선에 주둔하는 근거가 되었다.

12 다음 정책이 추진된 시기를 연표에서 옳게 고른 것은?

> 고종은 궁궐 내에 내무부를 설치하고 개화 정책을 추진하였다. 또한 미국을 비롯하여 영국, 독일, 러시아, 이탈리아, 프랑스 등에 전권공사를 파견하여 외교의 다변화를 모색하였다.

병인양요	(가)	신미양요	(나)	강화도 조약 체결	(다)	임오군란	(라)	갑신정변	(마)	청·일 전쟁

① (가) ② (나) ③ (다) ④ (라) ⑤ (마)

서술형 문제

13 다음 글을 읽고 물음에 답하시오.

> 황준헌의 책자를 가지고 돌아와서 전하에게도 올리고 조정 반열에도 드러내 놓으면서 하는 말에, "여러 조목에 대한 그의 논변은 우리의 마음과도 부합됩니다. 서양 사람이 중국에 거주하지만 중국 사람들이 다 사학을 믿는다는 말은 듣지 못하였습니다."라고 하였으니, 이것이 과연 하늘을 이고 땅을 밟고 사는 사람의 입에서 나온 말입니까?

(1) 밑줄 친 '책자'의 명칭을 쓰시오.

(2) 위 글을 쓴 인물이 추진한 정치 운동의 명칭과 그 운동의 성격을 서술하시오.

서술형 문제

14 다음 글을 읽고 물음에 답하시오.

> 이날 밤 우정국에서 낙성식 연회를 가졌는데 총판 홍영식이 주관하였다. 연회가 끝나갈 무렵에 담장 밖에서 불길이 일어나는 것이 보였다. 이때 민영익도 우영사로서 연회에 참가하였다가 불을 끄려고 먼저 일어나 문밖으로 나갔는데, …… 칼을 맞고 대청 위에 돌아와서 쓰러졌다.

(1) 위 글에 나타난 사건의 명칭을 쓰시오.

(2) 위 글의 사건을 주도한 정치 세력의 명칭과 그 정치 세력의 성격을 서술하시오.

창의 융합 교실 내가 후원하고 싶은 개항기 정치 세력

교과서 110~111쪽

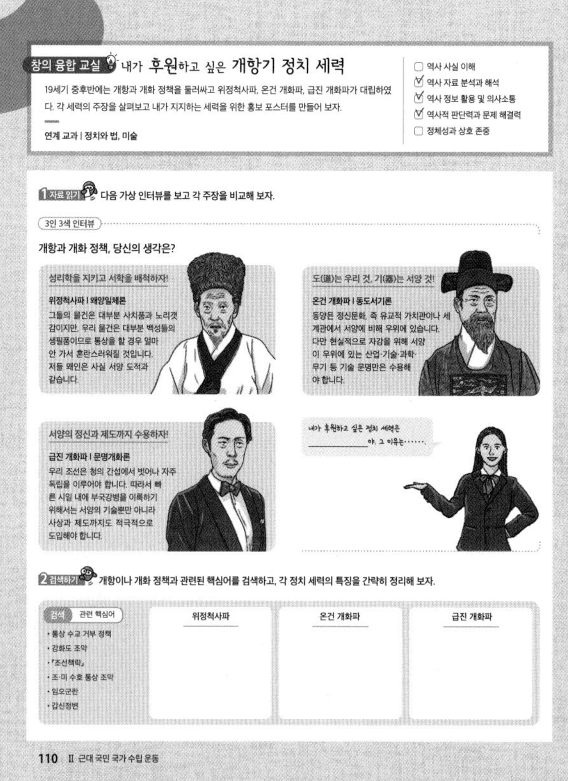

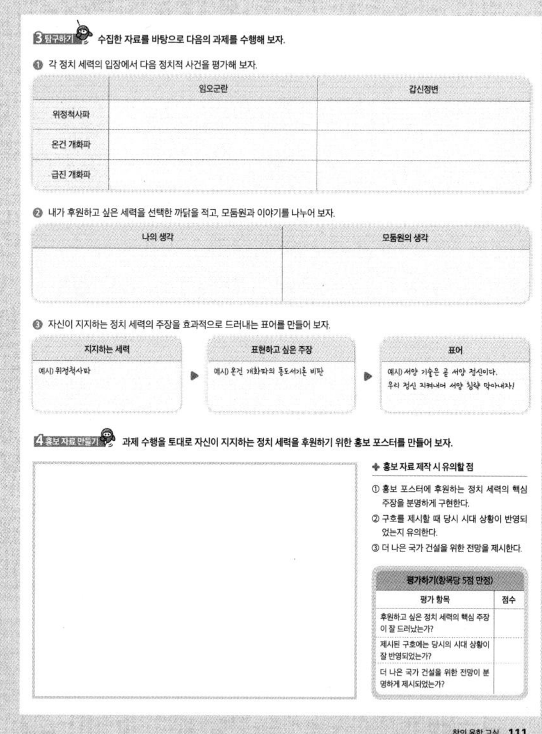

활동 목표

- 개항기에 어떤 정치 세력들이 활동하였는지 설명할 수 있다.
- 개항기에 활동하였던 정치 세력들의 주장을 비교하여 후원하고 싶은 정치 세력을 선택하고 그들을 위한 홍보물을 만들 수 있다.

활동 흐름

- 개항기 정치 세력을 비교하고 특징을 정리한다.
- 각 정치 세력의 시기별, 사건별 태도를 알아보고, 이를 모둠원과 함께 평가한다.
- 후원하고 싶은 정치 세력을 선택하고 그들을 위한 홍보 자료를 제작한다.
- 홍보 포스터를 보여주며 후원하고 싶은 세력의 핵심적 주장, 당시의 시대 상황, 그들이 전망하였던 더 나은 국가의 모습을 설명한다.

예시 답안

- **개항이나 개화 정책과 관련된 핵심어를 검색하고, 각 정치 세력의 특징을 간략히 정리해 보자.**

위정척사파 | 흥선 대원군의 통상 수교 거부 정책을 지지하였으나 개항과 개화 정책의 추진에는 반대하였다. 아울러 구식 군인들이 일으킨 임오군란과 급진 개화파가 일으킨 갑신정변에도 반대하였다.

온건 개화파 | 흥선 대원군의 통상 수교 거부 정책보다는 박규수 등 통상 개화론의 영향을 받아 개항과 개화 정책의 추진을 지지하였다. 그러나 임오군란과 갑신정변에는 반대하였다.

급진 개화파 | 온건 개화파처럼 흥선 대원군의 통상 수교 거부 정책보다는 박규수 등 통상 개화론의 영향을 받아 개항과 개화 정책의 추진을 지지하였다. 그러나 임오군란 이후 청의 내정 간섭과 개화 정책의 후퇴에 반발하여 일본 세력을 이용하여 갑신정변을 일으켰으나 실패하였다.

- **내가 후원하고 싶은 세력을 선택한 까닭을 적고, 모둠원과 이야기를 나누어 보자.** | 온건 개화파는 청의 내정 간섭에 제대로 대응하지 못하였고, 당시 조선이 근대화할 시간이 별로 없었다는 점을 제대로 인식하지 못한 것 같다.
- **자신이 지지하는 정치 세력의 주장을 효과적으로 드러내는 표어를 만들어 보자.** | 서양 기술 수용하여 부국강병 이룩하되 우리 정신 기반으로 근대 국가 수립하자!

교과서 112~115쪽

3 근대 국민 국가 수립을 위한 노력

주제 26 동학 농민 운동의 전개

이번 주제에서는 | 동학 농민 운동의 배경과 전개 과정 및 그 역사적 의의를 설명할 수 있습니다.

교실 열기 전봉준 등이 사발통문을 만든 까닭은 무엇일까?

예시 답안 | 농민 봉기에 많은 사람들을 동참시키면서도 주모자가 드러나지 않게 하려고 하였다.

1 농촌 사회의 동요와 교조 신원 운동

(1) 농촌 사회의 동요: 개항 이후 외세의 경제 침탈, 정부의 재정 지출 증가와 농민의 조세 부담 증대, 지방관의 수탈 → 1880년대 후반부터 농민 봉기 빈발

(2) 교조 신원 운동[1]

① 배경: 동학 탄압과 교조 최제우의 처형 → 제2대 교주 최시형의 교단 조직 정비

② 목적: 교조 최제우의 신원과 동학 탄압 중지 요구 (신원: 억울함을 풀어 준다는 의미이다.)

③ 전개:

- 공주와 삼례 등지에서 집회 개최, 교단 간부들이 서울 궁궐 문 앞에서 상소
- 보은 집회: 종교적 구호를 넘어 외세 배척, 탐관오리 숙청 등 표방

2 고부 농민 봉기의 발발

(1) 배경: 고부 군수 조병갑의 수탈 (불필요한 만석보를 짓고 물세를 거두는 등 수탈을 일삼았다.)

(2) 경과: 사발통문[2]을 돌려 세력 결집, 고부 관아 점령, 억울한 죄수 석방, 만석보 파괴 → 후임 군수의 회유로 농민들 해산

3 제1·2차 동학 농민 운동

(1) 제1차 농민 운동

① 배경: 안핵사[3] 이용태가 고부 농민 봉기 주모자 색출, 탄압

② 경과: 무장에서 봉기 → 백산에서 격문과 4대 강령 발표, 농민군 지휘부 구성 → 황토현 전투와 황룡촌 전투에서 승리 → 전주성 점령 (황토현 전투: 전라 감영에서 보낸 군대를 격파하였다. / 황룡촌 전투: 정부에서 파견한 홍계훈 부대를 격파하였다.)

(2) 전주 화약 체결

① 배경: 정부의 청군 요청 → 청군과 일본군 출병

② 경과: 전주 화약 체결 → 동학 농민군 해산

(3) 집강소 활동: 전라도 각지에 50여 개 집강소[4] 설치 → 동학 농민군 주도로 개혁 실천(탐관오리와 악덕 지주 처벌, 봉건적 신분 차별 폐지 등)

(4) 제2차 농민 운동

① 배경: 전주 화약 체결 후 정부가 청군과 일본군 철수 요구 → 일본군이 경복궁 침범한 뒤 내정 간섭

② 경과: 전라도 농민군이 삼례에서 봉기 → 충청도 농민군과 논산에 집결, 서울을 향해 북상 → 공주 우금치 전투에서 일본군과 관군에 패배

(5) 영향: 갑오개혁에 일부 개혁 요구 반영, 을미의병 등에 동학 농민군 잔존 세력 가담

개념 쏙쏙

① 교조 신원 운동
동학을 창시한 교조(최제우)의 억울함을 풀어달라고 요구하는 운동이다. 최제우는 세상과 백성을 현혹한다는 죄명으로 1864년에 처형당했다. 이 운동을 통해 정부로부터 동학을 인정받고 포교의 자유를 얻고자 하였다.

② 사발통문

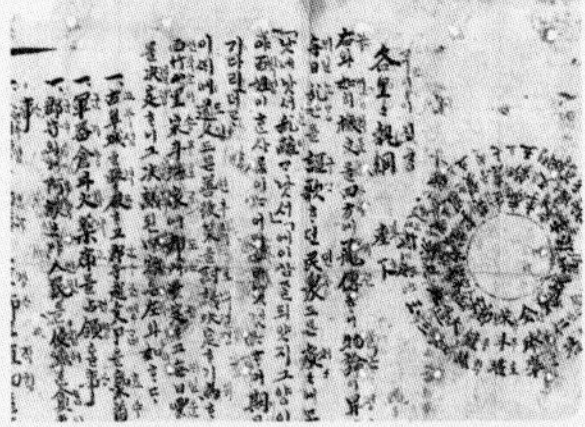

주모자가 드러나지 않도록 참가자의 이름을 사발 모양으로 빙 둘러가며 적은 것으로, 통문이란 여러 사람에게 알리는 글을 말한다.

③ 안핵사
지방에서 농민 봉기와 같은 사건이 발생했을 때 이를 처리하기 위해 중앙에서 파견한 임시 관리를 말한다.

④ 집강소
전주 화약 이후 전라도 각지에 설치되었던 농민군 자치 기구로, 이를 통해 동학 농민군이 행정과 치안을 담당하였다.

정리 교실 교과서 114쪽

㉠ 최제우 ㉡ 조병갑
㉢ 전주성 ㉣ 우금치

교과서 | 115쪽

탐구 교실 동학 농민 운동의 전개와 성격

활동 목표 | 동학 농민 운동의 전개 과정과 성격을 파악할 수 있습니다.

자료 1 전봉준의 재판 기록

재판을 받으러 가는 전봉준 부상을 입은 전봉준이 들것에 실려 일본 영사관에서 법무아문으로 이송되고 있다.

심문자: 작년 3월 무슨 사연으로 고부 등지에서 민중을 모았는가?
전봉준: (가)
심문자: 흩어져 돌아간 후에 무슨 일로 다시 군대를 일으켰는가?
전봉준: 안핵사 이용태가 내려와 의거 참가자 대다수가 일반 농민이었음에도 모두를 동학교도로 통칭하고 체포하여 살육하였기에 군대를 일으켰다.
심문자: 전주 화약 이후, 다시 군사를 일으킨 이유가 무엇인가?
전봉준: (나)

- 국사편찬위원회, 『동학난기록』

자료 2 동학 농민군의 「폐정 개혁안」

집강소의 활동(민족 기록화) 농민군의 힘이 강한 곳에서는 집강소가 실제적인 통치 기능을 수행하기도 하였다.

2. 탐관오리는 죄목을 조사하여 모두 엄벌에 처한다.
4. 불량한 유림과 양반들을 징계한다.
5. 노비 문서를 불태워 없앤다.
6. 모든 천인들의 대우를 개선하고 백정이 쓰는 평량갓을 없앤다.
7. 젊어서 과부가 된 여성의 재가를 허락한다.
8. 규정 이외의 모든 잡다한 세금은 일체 거두지 않는다.
9. 관리 채용에는 문벌을 타파하고 인재를 등용한다.
10. 왜와 내통한 자는 엄벌에 처한다.
11. 공사채를 불문하고 농민이 이전에 진 빚은 모두 무효로 한다.
12. 토지는 균등히 나누어 경작하게 한다.

- 오지영, 『동학사』

활동 도우미

- 전봉준의 재판 기록을 통해 전봉준이 여러 차례 농민 봉기를 일으킨 배경을 생각해 봅시다.
- 동학 농민군의 폐정 개혁안을 통해 동학 농민군이 이루고자 한 세상을 생각해 봅시다.

자료 해설

- **<자료 1>** | 전봉준은 우금치 전투 패배 이후 재기를 도모하다가 전라도 순창에서 체포되어 서울로 압송된 뒤 재판을 받고 처형되었다. 전봉준의 재판 기록에서 동학 농민 운동의 반봉건·반외세적 성격을 파악할 수 있다.
- **<자료 2>** | 동학 농민군은 전주 화약 이후 해산한 뒤 집강소를 중심으로 폐정 개혁을 실천하였다. 폐정 개혁안을 통해 동학 농민군이 이루고자 한 세상이 안으로는 평등한 국가, 밖으로는 자주독립국임을 알 수 있다.

활동 풀이

1. 본문을 참고하여 <자료 1>의 (가), (나)에 들어갈 전봉준의 발언을 적어 보자.

- (가): 예시 답안 고부 군수 조병갑이 불필요한 만석보를 짓고 물세를 거두는 등 수탈을 일삼았기에 민중을 모아 봉기를 일으켰다.
- (나): 예시 답안 일본군이 조선 정부의 철수 요구를 무시하고 경복궁을 침범하였으며, 국왕을 협박하고 조선의 내정에 간섭하기에 다시 군사를 일으켰다.

2. <자료 2>를 참고하여 동학 농민군이 이루고자 한 세상을 한 문장으로 표현하고 그 까닭을 말해 보자.

예시 답안 동학 농민군은 평등한 세상을 이루고자 하였다. 왜냐하면 노비 문서를 불태워 없앨 것, 모든 천인의 대우를 개선하고 백정이 쓰는 평량갓을 없앨 것, 여성의 재가를 허락할 것 등을 요구하였으며, 문벌을 타파하고 토지는 균등히 나누어 경작하게 하자는 개혁안을 제시하였기 때문이다.

간단 체크 정답 및 해설 15쪽

동학 농민군의 신분제 폐지 등의 요구는 (   )에 일정 부분 반영되었다.

교과서 116~119쪽

3 근대 국민 국가 수립을 위한 노력

주제 27 갑오개혁과 을미개혁

이번 주제에서는 | 갑오개혁과 을미개혁의 배경과 전개 과정 및 그 역사적 의의를 설명할 수 있습니다.

교실 열기 **유길준이 갑오개혁에 참여하면서 부끄러워한 까닭은 무엇일까?**

예시 답안 | 일본군이 경복궁을 침범한 뒤 내정 간섭을 하는 상황에서 개혁이 추진되었기 때문이다.

1 청·일 양국군의 출병과 조선의 대응

(1) 청·일 양국군의 출병: 동학 농민 운동을 계기로 청·일 양국 군대 조선 상륙

(2) 조선의 대응: 전주 화약 체결, 청·일 양국군 철수 요구 → 일본의 불응

- 일본은 청에 공동으로 조선 내정 개혁을 제의하였으나, 청의 거부로 양국의 군사적 긴장이 고조되었다.

2 일본군의 경복궁 침범과 청·일 전쟁

(1) 일본군의 경복궁 침범: 경복궁 침범, 김홍집 중심의 정부 구성

(2) 청·일 전쟁 발발: 일본군의 경복궁 침범 이후 청군 공격, 일본의 승리

- 온건 개화파 위주로 구성되었다.

3 제1차 갑오개혁과 군국기무처

- 교정청은 일본의 내정 개혁 요구에 대응하기 위해 설치한 자주적 개혁 기구이다.

(1) 교정청[1] 설치: 조선 정부의 자주적 개혁 추진

(2) 일본의 내정 간섭: 교정청 폐지, 군국기무처 설치

- 입법권을 가진 초정부적 기구로 제1차 갑오개혁을 주도하여, 약 210건의 안건을 의결하고 실행하였다.

(3) 주요 개혁: 군국기무처 주도 - 궁내부[2] 설치, 노비제 폐지, 독자적 연호 사용, 탁지아문으로 재정 일원화, 은 본위 화폐제 채택 등

4 제2차 갑오개혁과 「홍범 14조」

(1) 배경: 청·일 전쟁에서 승기를 잡은 일본이 조선 내정에 본격 개입

(2) 전개: 흥선 대원군 축출, 김홍집·박영효 연립 내각 구성, 군국기무처 폐지 → 고종이 종묘에 나아가 독립 서고문을 바치고 「홍범 14조」 선포

- 국정 개혁의 기본 강령, 조선이 자주 독립국임을 국내외에 선포하였다.

(3) 내용: 재판소 설치(사법권 독립), 「교육입국 조서」 반포, 의정부를 내각으로, 8아문을 7부로, 8도를 23부로 개편

5 삼국 간섭과 을미개혁

(1) 삼국 간섭: 청·일 전쟁에서 승리한 일본이 시모노세키 조약[3]으로 랴오둥반도 차지 → 러시아가 삼국 간섭 주도, 일본 랴오둥반도 반환

- 러시아가 프랑스, 독일과 함께 일본을 압박하였다.

(2) 을미사변[4]: 고종의 친러 정책 추진, 일본 견제 → 일본의 명성 황후 살해(을미사변) → 김홍집 내각 구성, 을미개혁 추진

(3) 을미개혁

① 내용: 태양력[5] 사용, '건양' 연호 채택, 소학교 설치, 종두법 시행, 우체사 설치, 단발령 공포 등

② 결과: 을미의병 발발, 아관 파천 단행(1896) → 김홍집 내각 붕괴, 개혁 중단

- 을미사변과 단발령에 반발한 유생들이 주도하였다.
- 고종이 러시아 공사관으로 처소를 옮긴 사건이다.

(4) 갑오·을미개혁의 의의와 한계

① 의의: 갑신정변과 동학 농민 운동의 개혁 의지 일부 반영, 일부 대한 제국의 정책으로 계승

② 한계: 개혁 주도 세력이 일본에 의지

개념 쏙쏙

① 교정청
전주 화약 체결 후 동학 농민군의 폐정 개혁 요구에 따라 조선 정부가 설치하였던 기구이다. 자주적으로 개혁을 추진하고자 하였으나 군국기무처가 설치되면서 폐지되었다.

② 궁내부
제1차 갑오개혁 때 왕실 사무를 담당하는 기구로 설치되었다. 이에 따라 왕실 사무와 정부 사무가 분리되었고, 국왕의 권한이 약화되었다.

③ 시모노세키 조약
청·일 전쟁 결과 청과 일본이 체결한 조약이다. 청은 일본에 랴오둥반도와 타이완 등을 할양하였는데, 랴오둥반도의 할양은 이후 삼국 간섭이 일어나는 배경이 되었다.

④ 을미사변
러시아가 삼국 간섭을 통해 일본의 랴오둥반도 차지를 저지하자, 조선은 친미·친러 성향의 인물들로 내각을 구성하여 일본을 견제하고자 하였다. 이에 조선 공사로 부임한 미우라가 일본 군인과 낭인을 앞세워 명성 황후를 시해한 사건이다.

⑤ 태양력 사용
을미개혁에 따라 태양력이 사용되면서 1895년 음력 11월 17일이 1896년 양력 1월 1일이 되었다.

정리 교실 교과서 118쪽

㉠ 군국기무처 ㉡ 궁내부 ㉢ 홍범 14조 ㉣ 랴오둥반도 ㉤ 단발령

탐구 교실 갑오·을미개혁을 이끈 김홍집 내각

교과서 | 119쪽

활동 목표 | 갑오·을미개혁의 내용과 영향에 대해서 알 수 있습니다.

1. 김홍집이 올린 게시물의 밑줄 친 (가)의 주요 내용을 써 보자.

예시 답안 홍범 14조가 반포되었던 (가)는 제2차 갑오개혁이다. 제2차 갑오개혁의 주요 내용으로는 재판소 설치, 교육입국 조서 반포, 의정부와 8아문을 내각과 7부로 개편, 8도를 23부로 개편 등이 있다.

2. 밑줄 친 (나) 사건 이후 추진된 개혁 내용 중 하나를 골라 당시 사회에 끼친 영향을 말해 보자.

예시 답안 (나) 사건은 일본이 명성 황후를 시해한 을미사변으로, 이후 을미개혁이 추진되었다. 특히, 을미개혁의 내용 중 단발령 공포는 유생들의 분노를 일으켜 이후 을미의병의 발발에 큰 영향을 끼쳤다.

- 김홍집이 누구의 영향을 받아 어떤 정치적 성향을 가지게 되었으며, 어떤 역할을 하였는지 생각해 봅시다.
- 김홍집이 갑오·을미개혁의 추진 과정에서 어떤 역할을 하였으며, 결과는 어떻게 되었는지 생각해 봅시다.

- **<자료 연보>** | 김홍집은 박규수 등이 주장한 통상 개화론의 영향을 받아 온건 개화파 관료로서 1880년대 정부의 개화 정책 추진에 기여하였으며, 1890년대 갑오·을미개혁의 추진에서 중요한 역할을 하였다.
- **<자료 대화창>** | 김홍집은 동학 농민 운동과 청·일 전쟁의 전개라는 시대 상황을 배경으로 제1, 2차 갑오개혁을 추진하였으며, 삼국 간섭과 을미사변 이후의 상황에서 을미개혁을 추진하였으나 아관 파천으로 개혁은 중단되었으며, 김홍집도 피살되었다.

간단 체크 정답 및 해설 15쪽

제2차 갑오개혁 때 고종은 종묘에 나아가 독립 서고문을 바치고 (　　)을/를 선포하였다.

근대 국민 국가 수립을 위한 노력

주제 28 독립 협회의 활동

이번 주제에서는 | 독립 협회의 창립 과정과 활동 내용, 만민 공동회와 관민 공동회에 대해 알 수 있습니다.

교실 열기 영은문이 헐린 자리 옆에 독립문을 세운 까닭은 무엇일까?

예시 답안 | 사대 외교의 상징인 영은문 터 옆에 독립문을 세워 조선이 자주독립국임을 내외에 알리려고 하였다.

1 독립 협회의 창립

(1) 독립신문 창간(1896. 4.): 아관 파천 이후 서재필이 정부의 지원을 받아 창간, 정부 시책을 대중에 전달, 민의를 반영하여 국가 정치에 도움이 되게 하겠다는 취지

- 독립신문: 우리나라 최초의 민간 신문, 한글판과 영문판으로 발행하였다.

(2) 독립 협회 창립(1896. 7.): 독립 기념물 조성 추진 → 독립 협회 창립 → 독립문[1] 건립 기금 마련을 위한 모금 운동 전개

- 독립 기념물 조성 추진: 청과의 사대 관계 청산 작업으로, 아관 파천 이후 본격화되었다.

2 독립 협회의 활동

(1) 활동: 기관지 『대조선 독립 협회 회보』 발간, 교육 진흥, 산업 개발, 미신 타파 등 계몽적 성격을 주제로 한 토론회 개최 → 민중 계몽, 자주독립과 자유 민권 사상 함양

(2) 성격 변화

초기	독립문 건립, 강연회와 토론회 개최 등, 안경수, 이완용 등 정부 고위 관리들이 주도
변화	본격적인 정치 활동 전개, 정부의 외세 의존 정책 비판 → 보수적 정부 관리들 이탈, 윤치호, 이상재 등이 주도, 점차 민중을 대변하는 정치 단체로 발전

3 만민 공동회[2]의 활동

(1) 배경: 러시아의 군사 교관과 재정 고문 파견, 부산 절영도 조차와 한·러 은행 설립 요구 등

- 조차: 조약을 통해 유상 또는 무상으로 다른 나라에 영토를 빌려주는 행위이다.

(2) 전개

자주 국권 운동	러시아의 내정 간섭과 이권 침탈 규탄 → 저지에 성공
자유 민권 운동	신체의 자유, 재산권, 언론·출판·집회·결사의 자유 보장 등 → 국민의 뜻을 국정에 적극적으로 반영하려는 국민 참정권 운동 전개

4 의회 설립 운동과 관민 공동회

(1) 의회 설립 운동: 입헌 군주제와 유사한 정치 체제 지향, 중추원 관제 개편 요구, 개혁적 성향의 박정양 내각 수립

- 중추원 관제 개편 요구: 국정 자문 기관인 중추원이 의회 기능을 수행할 수 있도록 개편하려는 시도였다.

(2) 관민 공동회 개최: 정부 대신과 각계각층 국민과 단체 참석, 「헌의 6조」[3] 결의 → 고종의 수용, 중추원 신관제[4] 공포

(3) 독립 협회의 해산

① 배경: 보수 세력이 독립 협회가 공화제를 추진한다고 모함

② 과정: 고종의 독립 협회 해산 명령, 지도자 체포 → 만민 공동회를 통한 저항 → 황국 협회[5]와 군대를 동원한 만민 공동회 진압, 독립 협회 강제 해산

개념 쏙쏙

① 독립문
독립 협회는 청의 사신을 영접하던 영은문이 헐린 자리 부근에 자주독립의 상징으로 독립문을 건립하였다.

② 만민 공동회
독립 협회가 주도하여 개최한 근대적 민중 집회로, 1898년 3월에 처음 개최된 후 여러 차례 열렸다.

③ 「헌의 6조」
관민 공동회에서 결의된 것으로 고종의 재가를 얻었으나, 독립 협회가 강제 해산되면서 실현되지 못하였다.

④ 중추원 신관제
중추원 의관은 관선과 민선 각각 25명으로 하였으며, 민선은 처음에 독립 협회에서 선출하도록 하였다. 이것은 제한된 의미에서나마 최초로 국민 참정권을 공인하였다는 점에서 역사적 의미를 지닌다.

⑤ 황국 협회
정부가 일본 상인들의 상권 침투에 대항하여 조선 상인들의 몰락을 타개하기 위해 보부상을 앞세워 조직한 단체로, 독립 협회와 만민 공동회를 탄압하는 데 이용되었다.

정리 교실 교과서 122쪽

㉠ 『독립신문』 ㉡ 자유 민권 ㉢ 만민 공동회 ㉣ 헌의 6조 ㉤ 황국 협회

교과서 | 123쪽

탐구 교실 독립 협회 활동의 성격

활동 목표 | 독립 협회의 활동 내용과 성격을 알 수 있습니다.

자료 1 독립 협회의 토론 주제

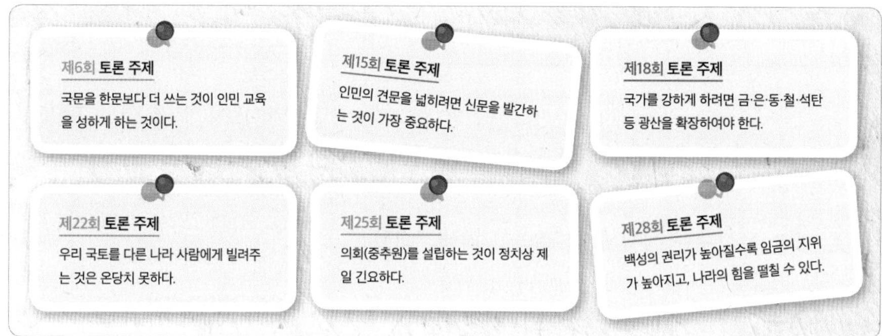

자료 2 독립 협회 회원의 가상 대화

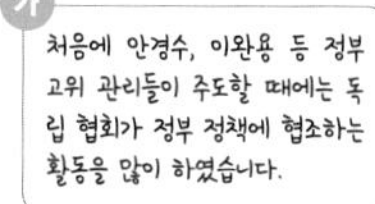

나 독립 협회가 정부 정책에 비판적인 태도를 취하여 정치 활동을 본격화하게 되자, 정부 고위 관리들은 독립 협회를 탈퇴하였습니다.

활동 도우미

- 독립 협회가 개최한 토론회의 토론 주제를 통해 독립 협회가 어떤 활동을 전개하였는지 생각해 봅시다.
- 독립 협회 회원의 가상 대화를 통해 독립 협회 활동의 성격이 어떻게 변화하였는지 생각해 봅시다.

자료 해설

- **<자료 1>** | 독립 협회는 토론회를 개최하여 민중의 계몽에 노력하였다. 토론 주제를 통해 독립 협회가 자주 국권 운동, 자유 민권 운동 등을 전개하였음을 알 수 있다.
- **<자료 2>** | 독립 협회 활동은 초기에 주로 민중 계몽 등에 집중되었으나 점차 정부의 외세 의존 정책을 비판하는 등 정치적 활동으로 성격이 바뀌어 갔다.

활동 풀이

1. <자료 1>의 독립 협회 토론회 주제를 자주 국권, 자유 민권, 기타로 구분하여 정리해 보자.

- 자주 국권: 예시 답안 제22회 토론 주제
- 자유 민권: 예시 답안 제28회 토론 주제
- 기타: 예시 답안 제6회, 제15회, 제18회, 제25회 토론 주제

2. <자료 2>의 (가), (나) 주장에 해당하는 독립 협회의 활동을 본문에서 찾아보자.

- **(가)의 주장:** 예시 답안 독립문 건립, 교육 진흥·산업 개발·미신 타파 등 계몽적 성격의 토론회 등
- **(나)의 주장:** 예시 답안 정부의 외세 의존 정책 비판, 만민 공동회 개최 등 민중을 대변하는 정치 단체로 발전 등

간단 체크 정답 및 해설 15쪽

독립 협회는 (   )을/를 개최하여 헌의 6조를 결의하였다.

교과서 124~127쪽

3 근대 국민 국가 수립을 위한 노력

주제 29 대한 제국과 광무개혁

이번 주제에서는 | 대한 제국의 성립 과정과 광무개혁의 내용 및 그 성격을 파악할 수 있습니다.

교실 열기 고종은 왜 붉은색 곤룡포 대신 황색 곤룡포를 입었을까?

예시 답안 | 중국의 제후국인 조선의 왕에서 자주독립한 대한 제국의 황제가 되었기 때문이다.

1 대한 제국의 성립

(1) 배경: 아관 파천 이후 새 내각 구성(단발령 폐지, 내각제 폐지와 의정부 제도 복구, 23부제 폐지와 13도제 시행 등)

→ 을미개혁의 내용 → 제2차 갑오개혁의 내용 → 제2차 갑오개혁의 내용

(2) 경과: 경운궁으로 환궁, '광무' 연호 제정 → 환구단[1]에서 황제 즉위식 거행, '대한 제국' 국호 선포

2 광무개혁 추진

(1) 원칙: 구본신참(舊本新參)[2]의 원칙에 따른 점진적 개혁

(2) 황제권 강화와 「대한국 국제」 반포

① 원수부[3] 설치: 황제 직할 기구, 황제가 군 통수권 직접 장악 → 친위대 증강, 시위대·진위대 확대·개편, 무관 학교 설치, 징병제 시행 준비

② 내장원 설치: 황실 재정 담당 기관, 각종 수익 사업 관할 → 수익 자금으로 황제권을 강화하고 근대적 개혁을 추진하였다.

③ 「대한국 국제」[4] 반포(1899): 자주독립국 천명, 전제 군주제 지향 → 입법·행정·사법에 걸친 절대권을 황제에게 부여하였다.

(3) 양전 사업과 지계 발급 사업

① 배경: 근대적 토지 제도와 지세 제도 수립 의도

② 내용

양전 사업	양지아문 설치(1898), 전국적인 양전 시행
지계 사업	지계아문 설치(1901), 지계(관계)[5] 발급 → 양지아문을 지계아문으로 통합

③ 의의: 토지 소유권의 법적 확인, 실제 경작 농지 규모의 정확한 파악 추구 → 근대적 토지 제도와 지세 제도 수립을 위한 기초 마련

(4) 상공업 진흥과 인재 양성

상공업 진흥	식산흥업 정책 추진, 궁내부 산하 기구의 활동(경의선 철도 부설 시작, 전화와 전차 등 근대 시설 도입) → 상업과 국제 무역 관장 기구를 설치하고, 전국 보부상단 업무도 관할하였다.
인재 양성	구본신참의 원칙에 따라 유학 교육과 성균관 교육 강화, 상공 학교·광무 학교 등 각종 실업 학교 설립, 사립 학교 설립(신교육 실시) → 황실 측근을 비롯한 전·현직 관리들이 주도하였다.

(5) 광무개혁의 의의와 한계: 열강의 세력 균형을 배경으로 추진된 근대적 개혁 → 러·일 전쟁 발발로 세력 균형이 깨지면서 개혁 중단

3 대한 제국의 외교 활동

(1) 외교 활동: 청과 대등한 입장에서 통상 조약 체결(1899)

(2) 기타: 만국 우편 연합, 국제 적십자사 가입, 파리 만국 박람회 참가(1900)

개념 쏙쏙

① 환구단
황제가 하늘에 제사를 지내는 제단으로 러시아 공사관에서 환궁한 고종은 환구단을 세워 하늘에 제사를 지내고 황제로 즉위하였으며, 이어 대한 제국의 성립을 선포하였다.

② 구본신참(舊本新參)
'옛것을 근본으로 하고 새로운 것을 참작한다.'라는 의미로, 대한 제국이 추진한 광무개혁의 기본 원칙이었다.

③ 원수부
황제 직속의 군 통수 기관이다. 황제가 대원수, 황태자가 원수를 맡아 국방·용병·군사의 명령을 장악하고 육·해군을 통솔하였다.

④ 대한국 국제
국가 운영의 기본 원칙을 담은 일종의 헌법으로, 대한 제국이 자주독립 제국임을 천명하고 황제에게 모든 권한이 집중된 전제 국가임을 선언하였다.

⑤ 지계(관계)
국가가 토지 소유자에게 발급한 토지 소유 증명 문서이다. 토지와 가옥 등에 대한 모든 소유권을 포괄하여 관에서 발급한 문서라는 뜻으로 관계(官契)라고도 불렸다.

정리 교실 교과서 126쪽

[가로] 1. 친위대 2. 지계 3. 만국 박람회 4. 구본신참
[세로] 1. 대한국 국제 2. 식산 3. 양지아문

탐구 교실 대한 제국이 지향한 국가의 모습

활동 목표 | 대한 제국이 실시한 정책의 성격을 알 수 있습니다.

자료 1 대한 제국 시기의 궁내부

1898년 이후에는 국왕권 제한을 위해 설치되었던 궁내부가 의정부를 압도할 만큼 방대한 기구로 확대되면서 의정부를 대신하여 국정 운영의 중심 기구로 등장하였다. 갑오개혁기에 163명의 관원으로 조직되었던 궁내부는 1898년 이후 12개의 기구가 신설되어 1903년 말에는 470여 명의 관원을 거느린 거대한 관청으로 성장하였다. …… 이들 신설 기구는 기존의 탁지부, 농상공부, 외부 등이 관장하였던 재원이나 업무를 가져갔다. 탁지부가 관장하던 화폐 주조권, 홍삼 전매권, 역둔토 소작료 징수권, 상업세·어세·염세·선세 등 허다한 재원들이 궁내부 내장원으로 이관되었으며 이로 인해 정부 재정은 극도로 궁핍해졌다.

- 연갑수 외, 『한국근대사1』

자료 2 대한 제국 애국가(1902)

하느님은 우리 황제를 도우소서
성수무강하시어
용이 해마다 물어오는 구슬을 산같이 쌓으시고
위엄과 권세를 하늘 아래 떨치시어
오! 영원토록 복과 영화로움이 더욱 새로워지게 하소서
하느님은 우리 황제를 도우소서 - 『서울 2000년사』, 2014.

대한 제국 선포 이후 고종은 국가 상징물로 애국가의 필요성을 느꼈다. 이에 독일 음악가 프란츠 폰 에케르트를 초빙하여 대한 제국 애국가를 제작하였다.

자료 3 대한 제국의 국가적 성소(聖所), 장충단

삼가 생각하건대 우리 대황제 폐하께서는 자질이 빼어나고 운수는 중흥을 만나시어 태산의 반석과 같은 왕업을 세우고 위험의 조짐을 경계하셨다. 그러나 어쩔 수 없이 가끔 주춤하기도 하셨는데 마침내 갑오·을미사변이 일어나 무신으로서 난국에 뛰어들어 죽음으로 몸 바친 사람이 많았다. 아! 그 의열(毅烈)은 서리와 눈발보다 늠름하고 명예와 절조는 해와 별처럼 빛나니, 길이 제향(祭享)을 누리고 기록으로 남겨야 마땅하다.

- 「장충단 비문」

장충단은 을미사변 당시 순국한 시위 대장 홍계훈 및 여러 군인을 기리기 위해 세운 제단이었다. 이후 추모 대상에 임오군란과 갑신정변 당시에 죽은 문신들도 포함하면서 나라를 위해 목숨을 바친 문무관 등 많은 사람을 추모하는 국가적 성소(聖所)로 자리 잡았다.

장충단비(서울 중구)

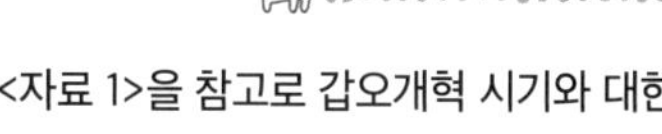

활동 풀이

1. <자료 1>을 참고로 갑오개혁 시기와 대한 제국 시기 궁내부의 정치적 성격을 비교해 보자.

- **갑오개혁 시기:** 예시 답안 궁내부는 제1차 갑오개혁 때 왕실 사무를 담당하는 기구로 설치되어 의정부와 분리되었다. 이는 왕실 사무와 국정 업무를 분리하여 왕권을 제한하려는 의도였다.
- **대한 제국 시기:** 예시 답안 대한 제국 때 궁내부는 의정부를 압도할 만큼 확대되어 국정 운영의 중심 기구가 되었다. 이는 전제 군주제를 지향하는 대한 제국의 황제권을 뒷받침하기 위한 의도였다.

2. <자료 2, 3>을 참고하여 고종이 대한 제국의 국민에게 요구한 의무가 무엇인지 말해 보자.

예시 답안 고종은 대한 제국을 선포하고 전제 군주제를 지향하였다. 따라서 국민들은 대한 제국, 나아가 황제에게 목숨을 바쳐 충성을 다하는 신민이 되어야 하였다.

활동 도우미

- 대한 제국 시기의 궁내부 활동을 통해 당시 추진되었던 개혁의 성격을 생각해 봅시다.
- 대한 제국 애국가와 대한 제국의 국가적 성소(聖所), 장충단을 통해 대한 제국이 지향하였던 국가의 모습을 생각해 봅시다.

자료 해설

- **<자료 1>** | 대한 제국은 전제 군주제 국가를 지향하였다. 이와 관련하여 황제권 강화를 위해 궁내부를 확대하였으며, 내장원을 설치하여 황실 재정을 확충하였다.
- **<자료 2>** | 대한 제국 수립 이후 고종은 대한 제국 애국가를 만들어 대한 제국의 지향점이 전제 군주제 국가임을 강조하였다.
- **<자료 3>** | 대한 제국 시기에 장충단은 대한 제국의 국가적 성소(聖所)로 자리 잡았는데, 이는 대한 제국이 지향한 전제 군주제 국가의 모습과 관련이 있다.

간단 체크 정답 및 해설 15쪽

대한 제국은 국가 운영의 기본 원칙을 담은 (   )을/를 제정하여 황제권 강화를 법적으로 뒷받침하였다.

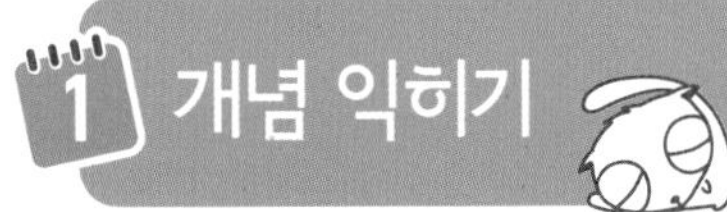

01 아래 설명이 맞으면 O표, 틀리면 X표를 해 보자.

(1) 동학 농민군은 교정청을 중심으로 봉건적 신분 차별 폐지 등 각종 개혁을 추진하였다. ( )

(2) 제2차 갑오개혁 때 고종은 종묘에 나아가 독립 서고문을 바치고 홍범 14조를 선포하였다. ( )

(3) 독립 협회는 관민 공동회를 개최하여 중추원 신관제를 공포하였다. ( )

(4) 대한 제국은 토지 소유자에게 토지 소유권을 보장하는 지계를 발급하였다. ( )

02 빈칸에 알맞은 말을 채워 보자.

(1) 동학교도들은 ( )을/를 전개하여 교조 최제우의 억울함을 풀어 주고 동학에 대한 탄압을 중지해 달라고 호소하였다.

(2) 삼국 간섭 이후 고종이 친러 정책을 추진하자 일본은 명성 황후를 살해하는 ( )을/를 저질렀다.

(3) ( )은/는 신체의 자유, 재산권, 언론·출판·집회·결사의 자유를 보장하는 자유 민권 운동을 전개하였다.

(4) 고종은 경운궁으로 환궁한 뒤 ( )에서 황제 즉위식을 거행하고 대한 제국 국호를 선포하였다.

03 서로 관련 있는 내용끼리 연결해 보자.

a. 제1차 갑오개혁 •	• ㄱ. 원수부 설치
b. 을미개혁 •	• ㄴ. 단발령 공포
c. 광무개혁 •	• ㄷ. 신분제 폐지

04 독립 협회의 활동 내용에 해당하는 것을 <보기>에서 모두 고르시오.

보기
ㄱ. 전주 화약 체결　　ㄴ. 군국기무처 설치
ㄷ. 만민 공동회 개최　　ㄹ. 의회 설립 운동 추진

중요
01 (가)에 들어갈 내용으로 가장 적절한 것은?

> 동학을 창시한 교조 최제우가 정부의 탄압으로 처형된 후, 2대 교주가 된 최시형은 교단 조직을 정비하며 교세 확장에 노력하였다. 동학이 급속도로 퍼져 나가자 정부는 더욱 동학교도들을 탄압하였다. 이에 동학교도들은 (가)

① 을미의병을 일으켰다.
② 아관 파천을 단행하였다.
③ 일본 공사관을 습격하였다.
④ 교조 신원 운동을 일으켰다.
⑤ 왕궁을 습격하고 고관들을 살해하였다.

02 다음 사건의 배경으로 가장 적절한 것은?

> 전봉준 등은 사발통문을 돌려 세력을 모은 뒤 고부 관아를 점령하고 억울한 죄수를 석방하였다. 정부는 새로운 군수를 임명하여 농민들을 달래고자 하였다.

① 당백전이 발행되었다.
② 을미사변이 일어났다.
③ 병인박해가 시작되었다.
④ 제물포 조약이 체결되었다.
⑤ 조병갑의 수탈이 심하였다.

03 (가), (나) 시기 사이에 있었던 사실로 옳은 것은?

> (가) 황룡촌 전투에서 정부군을 격파한 농민군은 마침내 전주성을 점령하였다.
> (나) 북상하던 농민군은 공주 우금치에서 일본군과 관군을 상대로 치열하게 싸웠지만 패하였다.

① 전주 화약이 체결되었다.
② 거문도 사건이 일어났다.
③ 운요호 사건이 일어났다.
④ 만민 공동회가 개최되었다.
⑤ 임술 농민 봉기가 일어났다.

중요
04 (가)에 들어갈 내용으로 가장 적절한 것은?

> **심문자:** 전주 화약 체결 이후에 다시 군사를 일으킨 이유가 무엇인가?
> **전봉준:** (가) 때문이다.

① 단발령이 공포되었기
② 명성 황후가 살해되었기
③ 흥선 대원군이 납치되었기
④ 청의 내정 간섭이 심하였기
⑤ 일본군이 경복궁을 침범하였기

05 다음 강령을 발표한 세력에 대한 설명으로 옳은 것은?

> 1. 사람을 죽이거나 가축을 잡아먹지 말라.
> 2. 충효를 다하여 세상을 구하고, 백성을 편안하게 하라.
> 3. 일본 오랑캐를 몰아내고 나라의 정치를 깨끗하게 하라.
> 4. 군대를 몰고 서울로 쳐들어가 권세가와 귀족을 모두 없애라.

① 영남 만인소를 올렸다.
② 일본 공사관을 습격하였다.
③ 황토현 전투에서 승리하였다.
④ 청의 양무운동을 본보기로 삼았다.
⑤ 흥선 대원군의 서원 정리에 반발하였다.

06 밑줄 친 '전쟁'이 진행되던 시기에 있었던 사실로 옳은 것은?

> 정부는 농민군과 전주 화약을 체결하고 청·일 양국에 군대 철수를 요구하였다. 그러나 일본군은 경복궁을 침범한 뒤 청과 전쟁을 일으켰다.

① 삼국 간섭이 일어났다.
② 톈진 조약이 체결되었다.
③ 문수산성 전투가 벌어졌다.
④ 외규장각 도서가 약탈되었다.
⑤ 제1차 갑오개혁이 추진되었다.

중요
07 (가) 기구가 의결한 개혁 내용으로 옳지 않은 것은?

> 그림은 (가) 의 회의 모습이다. 이 기구는 입법권을 가진 초정부적 기구로, 약 210건의 안건을 의결하였다.

① 경무청을 신설하였다.
② 공사 노비제를 혁파하였다.
③ 중추원 신관제를 공포하였다.
④ 은 본위 화폐제를 채택하였다.
⑤ 재정을 탁지아문으로 일원화하였다.

08 다음 사건의 배경으로 가장 적절한 것은?

> 고종은 종묘에 나아가 청과의 관계를 끊고 자주독립하겠다는 독립 서고문을 바쳤다. 그리고 국정 개혁의 기본 강령이라 할 수 있는 홍범 14조를 선포하였다.

① 대한 제국이 성립되었다.
② 청·일 전쟁이 발발하였다.
③ 통리기무아문이 설치되었다.
④ 김홍집·박영효 연립 내각이 구성되었다.
⑤ 독립 협회가 자주 국권 운동을 전개하였다.

09 밑줄 친 '개혁'에 대한 설명으로 옳은 것은?

> 을미사변 이후 정부는 김홍집을 중심으로 내각을 다시 구성하여 개혁을 추진하였다.

① 군국기무처가 주도하였다.
② 아관 파천으로 중단되었다.
③ 교육입국 조서를 반포하였다.
④ 문명개화론에 입각하여 추진되었다.
⑤ 갑신정변이 일어나는 배경이 되었다.

중요
10 갑오·을미개혁이 추진되던 시기에 있었던 사실로 옳지 않은 것은?

① 단발령이 공포되었다.
② 삼국 간섭이 일어났다.
③ 군국기무처가 폐지되었다.
④ 시모노세키 조약이 체결되었다.
⑤ 23부제가 폐지되고 13도제가 시행되었다.

11 (가) 건축물에 대한 설명으로 옳지 않은 것은?

> 예전에 영은문이 있던 자리에 새로 문을 세우되 그 문 이름은 (가) (이)라 하고, 새로 문을 그 자리에다 세우는 뜻은 세계 만국에 조선이 완전 독립국이란 표를 보이자는 뜻이오.

① 독립 협회가 건립을 주도하였다.
② 아관 파천 중에 건립이 추진되었다.
③ 왕실을 비롯한 다양한 계층이 건립 기금을 내었다.
④ 서재필을 비롯한 정부 관료들이 건립을 추진하였다.
⑤ 을미사변 당시 순국한 군인들을 기리기 위해 건립되었다.

12 (가)에서 (나)로 독립 협회의 성격이 변화한 배경으로 가장 적절한 것은?

> (가) 초기에는 안경수·이완용 등 정부 고위 관리들이 독립 협회를 이끌었다.
> (나) 보수적 정부 관리들이 빠져나가고 이후 윤치호, 이상재 등이 독립 협회를 주도하였다.

① 러·일 전쟁이 발발하였다.
② 황국 협회와 충돌이 발생하였다.
③ 정부의 외세 의존 정책을 비판하였다.
④ 공화제를 시행하려 한다는 모함을 받았다.
⑤ 고종이 러시아 공사관으로 처소를 옮겼다.

중요
13 (가)에 대한 설명으로 옳은 것은?

> 독립 협회는 1898년 3월부터 종로에서 (가) 을/를 개최하여 러시아의 내정 간섭과 이권 침탈을 규탄함으로써 이를 막아내는 데 성공하였다.

① 자주 국권 운동을 전개하였다.
② 공사 노비제 폐지를 주장하였다.
③ 독립문 건립을 위해 창립되었다.
④ 을미사변과 단발령 공포에 반발하였다.
⑤ 황제권 강화를 법적으로 뒷받침하였다.

14 다음 건의문에 대한 설명으로 옳은 것은?

> 제1조 외국인에게 의지하지 말고 관민이 합심하여 황제권을 공고히 할 것.
> 제2조 외국과의 조약은 해당 부처의 대신과 중추원 의장이 함께 날인하여 시행할 것.
> 제3조 재정은 탁지부에서 전담하여 맡고 예산과 결산을 국민에게 공포할 것.
> 제4조 중대한 범죄는 공판하고 피고의 인권을 존중할 것.
> 제5조 칙임관은 정부에 그 뜻을 물어 과반수가 동의하면 임명할 것.

① 군국기무처에서 의결되었다.
② 관민 공동회에서 결의되었다.
③ 고종이 선포한 국정 개혁의 기본 강령이다.
④ 급진 개화파가 새 정부를 구성하고 발표하였다.
⑤ 대한 제국이 광무개혁을 추진하면서 마련하였다.

15 밑줄 친 '개혁'의 내용으로 옳은 것은?

> 대한 제국은 전제 군주제를 기반으로 자주적 근대화를 이룩하기 위해 개혁을 추진하였다.

① 원수부를 설치하였다.
② 8아문을 7부로 바꾸었다.
③ 태양력의 사용을 결정하였다.
④ 한성 사범학교 관제를 제정하였다.
⑤ 조혼을 금지하고 과부의 재가를 허용하였다.

중요

16 다음 건축물이 조성된 시기를 연표에서 옳게 고른 것은?

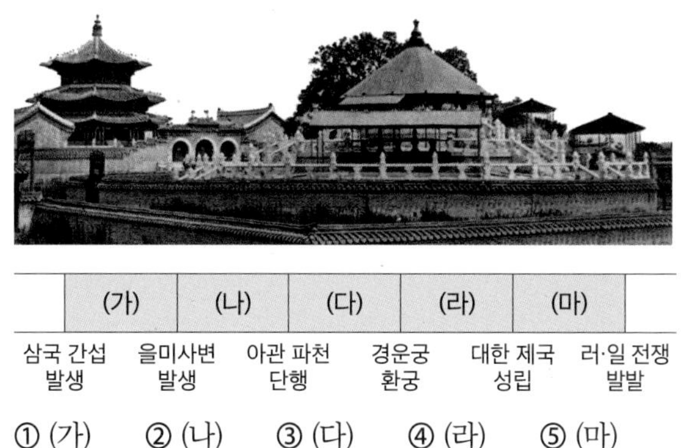

	(가)	(나)	(다)	(라)	(마)	
삼국 간섭 발생		을미사변 발생	아관 파천 단행	경운궁 환궁	대한 제국 성립	러·일 전쟁 발발

① (가) ② (나) ③ (다) ④ (라) ⑤ (마)

17 다음 자료에 대한 설명으로 옳은 것은?

> 제1조 대한국은 세계 만국에 공인된 자주독립 제국이다.
> 제2조 대한 제국의 정치는 만세에 걸쳐 불변할 전제 정치이다.
> 제3조 대한국 대황제는 무한한 군권(君權)을 누린다.
> 제6조 대한국 대황제는 법률을 제정하여 그 반포와 집행을 명령하고, 대사·특사·감형·복권을 명령한다.

① 전제 군주제를 지향하였다.
② 청의 내정 간섭을 비판하였다.
③ 독립 협회의 건의를 수용하였다.
④ 아관 파천 중에 제정·공포되었다.
⑤ 의회 설립 운동에 따라 마련되었다.

18 밑줄 친 '이 개혁'에 대한 설명으로 옳지 않은 것은?

> 이 개혁은 러시아와 일본을 비롯한 열강의 세력 균형을 배경으로 추진된 근대적 개혁이었다. 그러나 러·일 전쟁이 발발하면서 열강의 세력 균형이 깨지자 개혁은 중단되고 말았다.

① 대한국 국제를 반포하였다.
② 자주적 근대화를 추구하였다.
③ 구본신참의 원칙에 따라 추진되었다.
④ 전제 군주제를 기반으로 단행되었다.
⑤ 김홍집을 비롯한 온건 개화파가 주도하였다.

서술형 문제

19 다음 글을 읽고 물음에 답하시오.

> 동학교도들은 1890년대에 [(가)]을/를 전개하였다. 공주와 삼례 등지에서 집회가 열렸으며, 교단 간부들이 궁궐 문 앞에서 상소를 올렸다. 보은에서 진행된 집회에서는 종교적 구호를 넘어 외세 배척과 탐관오리의 숙청 등을 내세우기도 하였다.

(1) (가) 운동의 명칭을 쓰시오.

(2) 동학교도들이 (가) 운동을 전개하면서 요구한 것을 서술하시오.

서술형 문제

20 다음 글을 읽고 물음에 답하시오.

> 대한 제국은 1898년 양지아문 설치와 별도로 1901년 [(가)]을/를 설치하고 토지 소유자에게 토지 소유권을 보장하는 문서를 발급하였다. 1902년에는 양지아문의 토지 측량 사업을 [(가)](으)로 통합하였다.

(1) (가) 기구의 명칭을 쓰시오.

(2) 대한 제국이 위의 정책을 추진한 목적을 서술하시오.

교과서 128~131쪽

일본의 침략 확대와 국권 수호 운동

주제 30 일본의 국권 침탈

이번 주제에서는 | 일제의 국권 침탈 과정에서 체결된 조약들의 내용을 정리할 수 있습니다.

교실 열기 민영환의 유서에서 밑줄 친 '일본의 행위'는 무엇을 의미할까?

예시 답안 | 고종의 승인도 없이 1905년 11월 17일 을사늑약을 강제로 체결한 것을 의미한다.

1 러·일 전쟁의 발발과 국권 침탈의 시작

(1) 러·일 전쟁(1904~1905)

① 원인: 삼국 간섭[1] 이후 만주와 한반도에서 러시아와 일본의 대립 격화

② 경과: 영·일 동맹 체결 → 대한 제국의 국외 중립 선언 → 전쟁 발발 → 일본, 발트 함대 격파 → 미국의 중재로 종전

- 1904년 1월 22일 대한 제국은 전쟁에 개입하지 않겠다고 선언하였다.

③ 결과: 가쓰라·태프트 밀약, 제2차 영·일 동맹, 포츠머스 조약 체결 → 한반도에 대한 일본의 독점적 지배권 승인

- 열강들의 식민지 분할 협정에 해당한다.

(2) 국권 침탈의 시작: 러·일 전쟁 중에 강제 체결

① 한·일 의정서: 군사 전략상 필요한 지역 점령

② 제1차 한·일 협약: 재정 고문(메가타), 외교 고문(스티븐스) 파견 → 고문 정치[2]

- 친일파 미국인으로 일본의 한국 침략을 돕고 미국에서 일본의 한국 지배를 선전하였다.

2 외교권을 박탈한 을사늑약 체결과 저항

(1) 과정: 일본군의 경운궁 포위, 조약 체결 강요 → 친일 대신들 찬성

(2) 내용: 대한 제국의 외교권 강탈, 통감부 설치 → 초대 통감으로 이토 히로부미 부임

(3) 을사늑약 체결에 대한 저항

① 고종: 을사늑약 서명 거부, 을사늑약 무효 선언

② 언론: 『황성신문』에 장지연의 논설 「시일야방성대곡」[3] 게재

③ 관료: 민영환 자결, 조병세·이상설 을사늑약 폐기 상소

④ 민중: 상인들은 상가 철시 운동, 학생들은 동맹 휴학, 의병 봉기

3 헤이그 특사 파견과 한·일 신협약 체결

(1) 헤이그 특사 파견

① 내용: 고종이 제2차 만국 평화 회의에 이준, 이상설, 이위종 파견

② 활동: 을사늑약의 부당성을 국제 사회에 알림, 이준 순국

③ 영향: 고종 강제 퇴위, 한·일 신협약 체결

- 이준은 1907년 8월 22일(음력 7월 14일) 헤이그에서 순국하였는데 원인은 밝혀지지 않았다.

(2) 한·일 신협약 체결(1907)

① 내용: 통감이 추천하는 일본인을 한국 관리로 임명 → 일본인 차관 임명

② 비밀 각서[4]: 대한 제국의 군대 강제 해산

4 일본의 대한 제국 강제 병합

(1) 기유각서(1909): 대한 제국의 사법권 강탈

(2) 경찰권 이양 각서(1910. 6.): 경찰권 박탈

(3) 한국 병합 조약(1910. 8.): 총리대신 이완용과 통감 데라우치 사이에 체결

- 제3대 통감, 한국 강제 병합 이후 초대 총독이 되었다.

개념 쏙쏙

① 삼국 간섭
청·일 전쟁 결과 체결된 시모노세키 조약으로 일본이 청으로부터 랴오둥 반도를 할양받았다. 이에 러시아는 독일, 프랑스와 함께 일본에 랴오둥 반도를 청에 반환하도록 압력을 가하였고, 결국 일본이 이에 굴복하였는데 이를 삼국 간섭이라 한다.

② 고문 정치
고문을 파견하여 상대국의 재정과 외교 등 내정을 간섭하려는 정치를 말한다. 일본은 제1차 한·일 협약 체결을 계기로 재정과 외교 분야에서 고문을 파견하여 대한 제국의 재정권과 외교권을 장악하였다.

③ 「시일야방성대곡」
1905년 11월 20일자 『황성신문』 2면에 실렸던 사설로 그 뜻은 '이날 목 놓아 크게 통곡한다'는 의미이다. 여기서 '이날'은 을사늑약이 체결된 날인데, 실제 을사늑약은 11월 17일 체결되었는데 논설은 3일 후에 실렸다. 이 논설 게재로 『황성신문』은 무기 정간되고 장지연은 체포되었다.

④ 각서
어떤 일을 할 것을 약속하는 뜻으로 상대방에게 주는 문서를 가리키는데, 외교상으로는 조약에 덧붙여 해석이나 보충 사항을 정하거나 예외 조건을 붙이는 등에 이용된다.

정리 교실 교과서 130쪽

1. ㉡ 2. ㉣ 3. ㉤ 4. ㉠ 5. ㉢

교과서 | 131쪽

탐구 교실 풍자화로 보는 일본의 국권 침탈

활동 목표 | 외국에서 그려진 풍자화를 통해 일본이 대한 제국의 국권을 침탈하는 과정과 이에 대한 열강의 반응을 설명할 수 있습니다.

자료 1 러·일 전쟁 풍자화

-『러·일 전쟁의 흥미진진한 경험』 1904.

거대한 황소로 풍자된 러시아가 작은 일본인과 맞서고 있는데, 그 사이에 한국(COREA)이 놓여 있다. 뒤쪽 먼발치에서 영국 국기가 그려진 옷을 입은 영국인이 일본인을 향해 외치고 있다.

자료 2 헤이그 특사 사건 풍자화

-『오사카 퍽』 1907. 11. 15.

일본인이 끄는 '평화'라는 유모차에 선비 차림의 한국인이 천진한 표정으로 앉아 있고, 미국인과 중국인이 이를 지켜보고 있다. 뒤에는 헤이그 특사들이 끌려 나가는 모습이 보이는데, 이를 통해 일본의 위선적이고 잔인한 폭거를 비판하고 있다.

일본의 국권 침탈 과정

- 1904. 2. 러·일 전쟁 발발
- 1904. 2. 한·일 의정서
- 1904. 8. 제1차 한·일 협약
- 1905. 7. 가쓰라·태프트 밀약
- 1905. 8. 제2차 영·일 동맹
- 1905. 9. 포츠머스 강화 조약
- 1905. 11. 을사늑약
- 1907. 6. 헤이그 특사 파견
- 1907. 7. 한·일 신협약
- 1910. 8. 한국 병합 조약

활동 풀이

1. 연표에서 <자료 1, 2>의 풍자화와 관련 있는 조약을 찾아 각각 써 보자.

예시 답안

- **<자료 1>**: 러·일 전쟁을 풍자하고 있다. 러·일 전쟁 중에 일본은 한·일 의정서와 제1차 한·일 협약을 강제로 체결하였고, 전쟁 종료 후 을사늑약을 강요하여 대한 제국의 외교권을 박탈하였다.
- **<자료 2>**: 헤이그 특사 사건을 풍자하고 있다. 고종 황제는 을사늑약의 부당성을 국제 사회에 알리고자 헤이그에 특사를 파견하였으며, 그 결과 한·일 신협약이 체결되어 일본인 차관이 임명되었으며 비밀 각서에 의해 군대가 강제 해산되었다.

2. 짝과 함께 각각의 풍자화에 나타난 당시의 국제 정세를 정리해 보자.

예시 답안

- **<자료 1>**: 러·일 전쟁이 아직 일어나지 않았으나 전쟁 발발의 움직임이 다가오던 시기이다. 거대한 황소로 표현된 대국 러시아에 맞서 일본은 영국과 동맹을 맺고 대립하고 있는 국제 정세를 보여 주고 있다.
- **<자료 2>**: 을사늑약으로 사실상 대한 제국의 국권을 빼앗은 일본은 고종이 헤이그 특사 사건을 일으키자 이를 무마하려 하였다. 당시 중국은 일본을 노골적으로 비판하고 있으며, 미국은 일본의 조치에 대해 단순히 비판하지만 관여하지 않고 있음을 보여 주고 있다.

- 풍자화에 등장하는 인물이나 동물이 어느 나라를 상징하는지 생각해 봅시다.
- 풍자화에 등장하는 인물의 행동이나 말을 통해 당시 열강이 일본에 대해 어떠한 태도를 취하고 있는지 생각해 봅시다.

- **<자료 1>** | 거대한 황소는 러시아를, 그 앞에 선 인물은 일본을 의미한다. 두 나라 사이에 한국(COREA)이 있다. 이는 한국을 차지하기 위해 러시아와 일본이 대립하고 있음을 보여준다. 저 멀리 일본에 소리치는 인물은 영국을 상징한다. 러시아 견제를 위해 영·일 동맹이 체결된 상황을 보여준다.
- **<자료 2>** | 일본이 끄는 유모차 안에 있는 어린 아이는 한국이다. 이를 지켜보는 미국과 중국이 완곡하게 이를 비판하고 있는 그림이다. 저 멀리 헤이그 특사들이 일본인들에 의해 끌려나오고 있는데 이는 헤이그 특사가 만국 평화 회의장에 입장하지 못한 상황을 보여 주고 있다.

간단 체크 정답 및 해설 17쪽

헤이그 특사 사건을 계기로 일제는 고종을 퇴위시키고, (   )을/를 체결하여 일본인 차관을 임명하였다.

일본의 침략 확대와 국권 수호 운동

주제 31 국권 수호를 위한 항일 의병

이번 주제에서는 | 한말 의병 봉기의 계기가 된 사건과 의병 봉기의 시기적 특징을 정리할 수 있습니다.

교실 열기 최익현이 쓰시마섬으로 끌려간 까닭은 무엇일까?

예시 답안 | 최익현은 을사늑약이 체결되자 의병을 일으켰는데 우리 관군과의 전투를 피해 스스로 의병을 해산하고 체포되어 일제에 의해 쓰시마섬으로 끌려갔다.

1 을미의병의 봉기

(1) 배경: 을미사변과 단발령 발표

(2) 주도: 이소응, 유인석 등 유생이 주도, 동학 농민군의 잔여 세력 등 가담

(3) 활동: 친일 관리 처단, 지방 관청과 일본군 습격

(4) 해산: 아관 파천 이후 고종의 단발령 철회 및 의병 해산 권고 조칙 발표

고종은 러시아 공사관에서 단발을 강제하지 않겠다는 조칙을 발표하였다.

2 을사의병의 봉기

(1) 배경: 을사늑약의 강제 체결

(2) 의병장의 활동

민종식	전직 관료 출신, 의병을 이끌고 한때 홍주성 점령
최익현	유생 출신, 정읍·순창 장악 → 관군에 체포되어 쓰시마섬에서 순국
신돌석	평민 출신, 울진·평해 등지에서 활동, 태백산 등지에서 큰 활약

최익현은 1906년 전북 태인에서 의병을 봉기하였으며 순창에서 진위대의 공격을 받아 체포되었다.

3 정미의병의 봉기

(1) 배경: 헤이그 특사 파견으로 인한 고종 강제 퇴위, 대한 제국의 군대 해산

(2) 특징: 해산된 군인들이 가담하여 의병의 전투력·조직력 강화

→ 각계각층이 참여한 거족적인 항일 의병 전쟁으로 발전

(3) 13도 창의군[1]: 전국 의병 연합 부대(총대장: 이인영, 군사장: 허위)

→ 각국 영사관에 의병 부대를 국제법상 교전 단체로 인정할 것 요구

이인영은 서울 진공 작전을 앞두고 부친상을 당하자 장례를 위해 문경으로 돌아갔다.

(4) 서울 진공 작전(1908): 양주에 집결, 선봉대가 동대문 밖 30리까지 진격

4 호남 의병 전쟁의 전개

(1) 배경: 서울 진공 작전 실패 이후, 호남 지역이 의병의 중심지로 부상

(2) 위축: 일제의 이른바 '남한 대토벌' 작전[2](1909)으로 세력 약화 → 일부 의병들 만주, 연해주 이동

5 항일 의거 활동의 전개

(1) 오적 암살단(1906): 기산도 등이 조직, 군부대신 이근택 집 습격

(2) 자신회[3](1907): 나철, 오기호 등이 조직, 박제순·이완용 등 처단 시도

(3) 전명운·장인환: 미국에서 친일파 스티븐스 사살 → 대한인 국민회[4] 결성

(4) 안중근: 하얼빈역에서 이토 히로부미 저격 → 뤼순 감옥에서 순국

안중근은 감옥에서 「동양 평화론」을 집필하였다.

(5) 이재명: 명동 성당 앞에서 이완용 습격

개념 쏙쏙

① 13도 창의군
1907년 8월 일본에 의해 군대 해산이 이루어지자 9월 전국적인 의병 조직이 결성되었는데 그 이름이 13도 창의군이었다. '창의(倡義)'란 국가가 위급한 상황을 맞아 의병을 일으킨다는 의미를 지니고 있다.

② '남한 대토벌' 작전
1909년 9월부터 약 두 달 동안 일제가 당시 가장 강력한 항일 의병이 활동하던 호남 지역에 대해 감행했던 대대적인 공세를 말한다. 일본군이 육지와 바다에서 호남 지역을 포위하고 의병을 몰아붙여 103명의 의병장과 4천여 명의 의병을 체포하거나 학살하였다.

③ 자신회
1907년 나철, 오기호가 중심이 되어 을사늑약 체결에 협조했던 박제순, 이지용, 이근택, 이완용, 권중현 등 을사오적을 처단하기 위해 결성한 항일 단체를 말한다. 이들의 거사는 실패하였고 나철과 오기호는 거사의 정당성을 주장하며 자수하였다.

④ 대한인 국민회
1908년 장인환과 전명운이 친일 미국인인 스티븐스를 저격했던 사건을 계기로 안창호가 중심이 되어 미국의 한인 단체를 통합하여 조직되었다. 대한인 국민회에서는 자금을 모아 만주나 연해주의 독립운동을 지원하였다.

정리 교실 교과서 134쪽

㉠ 활빈당 ㉡ 을사늑약 ㉢ 서울 진공 작전 ㉣ '남한 대토벌' 작전 ㉤ 스티븐스

탐구 교실 항일 의병이 일어난 배경

활동 목표 | 한말 의병 봉기의 배경과 당시 의병 활동의 특징을 시기적으로 구분하여 설명할 수 있습니다.

자료 1 의병장 이세영의 재판 진술

> 저는 을미년 8월에 극악한 ㉮ 변고가 있은 후에 김복한, 이설 등과 함께 복수할 것을 공모하고 홍주에서 의병을 일으킬 것을 제창하였는데, 공교롭게도 이승우의 번복으로 마침내 뜻을 이루지 못하고 말았습니다. 지난해 10월 ㉯ 늑약(勒約)의 일로 치욕과 분한 생각을 누를 길 없어 즉시 세상 모르게 죽어 버리려고 하였습니다. 금년 4월에 민종식과 함께 의병을 일으켜 홍주성에 들어가 차지하였습니다. 그러나 의병들의 식량이 얼마 준비되지 못하였고, 한편 고립된 성에 외부의 지원병이 없었기 때문에 마침내 실패하고 집에 돌아가 명령을 기다리다가 공주진 부대의 군사에게 붙잡혔습니다. -『고종실록』

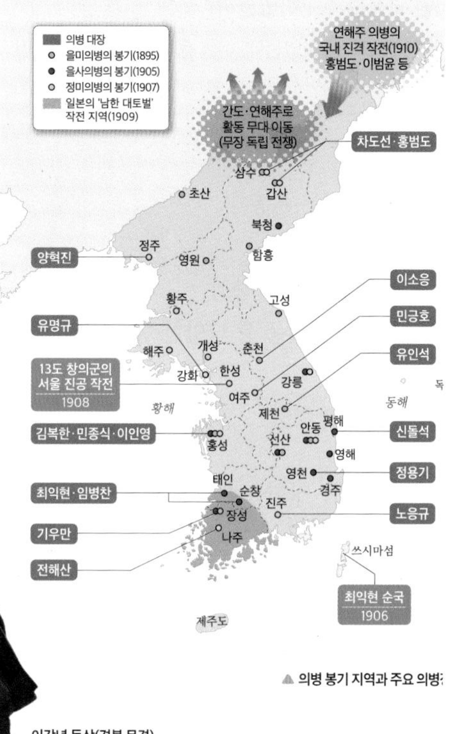

▲ 의병 봉기 지역과 주요 의병장

자료 2 의병장 이강년의 격문(1907)

> 왜적이 국권을 임의로 조정하여 황제를 양위할 꾀가 결정되었고, 흉악한 칼날로 위협하여 임금을 섬나라로 납치할 것을 음모하였다. 조약(을사늑약)을 강제로 체결하여 우리나라를 빼앗았고, …… 머리를 깎이고 의관을 바꾸니 나라의 풍속은 오랑캐로 변하였고, 국모를 시해하고 임금을 협박하니 갑오·을미의 원수를 아직도 갚지 못하였다. 이민을 보낸다는 것은 우리를 바다 밖으로 쫓아낼 음흉한 계책이요, 저들이 이 강산을 빼앗아 영주하겠다는 것은 고금 천하에 없었던 일이다. 그 허다한 죄상은 하늘도 미워할 것이니 우리 국민 된 자 모두가 저들을 죽일 의무가 있는 것이다. - 이강년, 『운강선생창의일록』

이강년 동상(경북 문경)

활동 도우미

- 이세영이 재판 진술을 통해 의병 봉기를 일으킨 시기와 당시 상황을 생각해 봅시다.
- 격문은 의병 봉기의 이유를 밝히는 글입니다. 이강년의 격문을 통해 당시 상황과 그가 의병 봉기를 일으킨 사건을 생각해 봅시다.

자료 해설

- <자료 1> | 이세영은 제천 출신 의병장으로 을사늑약 체결 이후 의병으로 활약하다가 민종식과 함께 홍주성을 차지하였으나 관군에 체포되어 종신 유배에 처해졌다. 자료를 통해 이세영은 을미사변 이후 의병을 봉기하려 했으나 뜻을 이루지 못하였고, 을사늑약 체결 이후 의병을 봉기하였음을 알 수 있다.
- <자료 2> | 이강년은 문경 출신 의병장으로 을미사변과 단발령 발표 이후 의병을 봉기하였고, 정미의병 때 의병장으로 활약하였다. 1908년 청풍 전투에서 체포되어 그해 10월 서울 서대문 형무소에서 순국하였다.

활동 풀이

1. <자료 1>에서 의병 봉기의 원인이 된 (가), (나)가 가리키는 사건을 쓰고, 지도를 참고하여 관련된 의병장을 적어 보자.

- **(가) 변고:** 예시 답안 자료에서 '변고'는 일본에 의해 명성 황후가 시해당한 을미사변을 가리키며, 을미의병 당시 의병장으로는 유생인 이소응, 유인석 등이 대표적이다.
- **(나) 늑약:** 예시 답안 자료에서 '늑약'은 일제가 대한 제국이 외교권을 강탈했던 을사늑약을 가리키며, 을사의병 당시 의병장으로는 전직 관료 출신인 민종식, 유생인 최익현, 평민 출신인 신돌석 등을 들 수 있다.

2. <자료 2>를 참고하여 당시 항일 의병 봉기가 일어난 원인을 정리해 보자.

예시 답안 자료는 이강년이 의병을 일으키면서 쓴 격문으로 여기에는 왜 의병을 일으켰는지를 밝히는 내용이 있다. 첫 번째 문장의 '왜적이 국권을 임의로 조정하여 양위할 꾀가 결정되었고'를 통해 고종의 강제 퇴위를 계기로 의병을 일으켰음을 밝히고 있다. 또한 이전 의병 봉기의 원인으로 을미사변과 단발령, 을사늑약을 거론하고 있다. 이를 통해 한말 의병은 을미사변과 단발령, 을사늑약 체결, 고종의 강제 퇴위를 계기로 봉기하였음을 파악할 수 있다.

간단 체크 정답 및 해설 17쪽

을미의병, 을사의병, 정미의병의 대표적인 의병장을 한 사람씩만 들어 보시오.

교과서 136~138쪽

일본의 침략 확대와 국권 수호 운동

주제 32 애국 계몽 운동의 전개

이번 주제에서는 | 한말 조직되었던 여러 애국 계몽 단체의 활동을 파악할 수 있습니다.

교실 열기 이승훈은 오산 학교에서 어떤 교육을 추구하였을까?

예시 답안 | 이승훈은 오산 학교를 설립하여 신식 교육을 하였는데, 이를 통해 민족의 힘을 길러 국권 회복에 목표를 두었다.

1 애국 계몽 운동의 대두

(1) 개념: 민족의 실력을 길러 국권을 회복하려는 운동

(2) 배경: 을사늑약 강제 체결을 배경으로 대두 — 애국 계몽 단체는 러·일 전쟁 발발 이후 결성되었다.

(3) 주도: 신문화를 수용한 관료, 지식인, 자산가 등이 중심

(4) 분야: 민중 계몽, 근대 교육, 산업 진흥, 언론 활동 등 다양한 형태로 진행

2 애국 계몽 단체의 활동

(1) 보안회(1904): 일제의 황무지 개간권 요구[1] 철회를 위한 반대 운동 전개 → 일제가 황무지 개간권 요구를 철회 → 보안회 해산 — 일제의 황무지 개간권 요구에 대항하여 농광회사도 설립되었다. 이들은 우리 손으로 황무지를 개간할 것을 주장하였다.

(2) 헌정 연구회(1905): 독립 협회 계승, 의회 설립을 통한 입헌 정체[2] 수립 추구, 일진회 비판, 국민을 대상으로 근대적 의식 각성에 노력 → 일제의 탄압으로 해체

(3) 대한 자강회(1906): 헌정 연구회 계승, 전국에 지회 설치, 월보 간행 → 고종 강제 퇴위 반대 운동 전개 → 일제 탄압으로 해체 — 대한 자강회는 전국에 25개 지회를 설치하였고, 1906년 7월 『대한 자강회 월보』를 창간하여 1907년 7월까지 총 13권을 발행하였다.

3 비밀 결사, 신민회의 결성

(1) 결성: 미국에서 돌아온 안창호가 양기탁, 이회영, 신채호 등과 결성

① 특징: 사회 여러 계층이 참여한 비밀 결사 형태의 단체 — 신민회에는 『대한매일신보』에 관여하던 계몽 운동가, 서울 및 서북 지역의 신흥 상공인 등 800여 명이 참여하였다.

② 목표: 국권 회복과 공화정 체제의 근대 국민 국가 건설

(2) 활동: 실력 양성 운동과 무장 투쟁 준비 활동을 동시에 전개

① 실력 양성 운동

교육	인재 양성을 위해 대성 학교(평양), 오산 학교(정주) 설립
산업	평양에 자기 회사 설립 → 민족 산업 육성
문화	평양과 서울에 태극 서관[3] 설립 → 계몽 서적 출판

② 국외 독립운동 기지 건설 운동

삼원보[4] 개척	서간도 지역의 삼원보에 독립운동 기지 개척
신흥 강습소	후에 신흥 무관 학교로 개편

— 1911년 삼원보에 세워진 한인 독립군 양성 학교이다.

(3) 해체: 1911년 일제가 조작한 105인 사건으로 해체

개념 쏙쏙

① 황무지 개간권 요구
일제가 황무지 개척을 빌미로 토지를 약탈하려고 했던 사건을 말한다. 나가모리라는 일본인이 궁내부 산하 어공원이라는 기관에서 관장하던 산림, 개천과 연못, 황무지 개척권을 이양받기 위해 일본 공사를 통해 정부에 압력을 가하였으나, 보안회 등의 반대로 실패하였다.

② 입헌 정체
헌법에 의해 규정되는 정치 체제를 말하는데, 입헌 군주정과 입헌 공화정으로 구분할 수 있다. 헌정 연구회에서는 입헌 군주제가 외세의 침략을 막고 국권을 유지할 수 있는 체제라고 주장하였다.

③ 태극 서관
1905년 이승훈 등이 평양에서 설립된 서점으로 주로 계몽 서적을 출판하였다. 태극 서관을 설립한 인물들이 신민회 회원이 되면서 태극 서관은 신민회의 산하 기관으로서 연락과 집회를 위한 장소가 되었다. 전국에 지점을 설치하고자 하였으나 실제로는 서울에 지점을 개설하는 데 그쳤다.

④ 삼원보
신민회가 만주의 봉천성 유하현 삼원보에 세운 최초의 해외 독립운동 기지이다. 이곳에 신한민촌을 건설하고 토지 개간과 농업 경영을 하기 위한 자치 기구로 경학사를 조직하였다.

정리 교실 교과서 137쪽

㉠ 실력 양성 ㉡ 보안회
㉢ 대한 자강회 ㉣ 공화정
㉤ 신흥 강습소

탐구 교실 신민회의 독립운동 기지 건설

활동 목표 | 신민회 해외 독립군 기지 건설 과정과 신흥 무관 학교의 교육 내용을 설명할 수 있습니다.

자료 1 신민회의 해외 독립군 기지 창건 운동

1. 독립군 기지는 일제의 통치력이 미치지 않는 청국령 만주 일대를 자유 지대로 보고 이곳에 설치하되, 후일 독립군의 국내 진입에 가장 편리한 지대를 최적지로 한다.
2. 최적지가 선정되면 자금을 모아 일정 면적의 토지를 구입하되, 이에 소요되는 자금은 국내에서 신민회의 조직을 통해 비밀리에 모금한다.
3. 토지가 매입되면 국내 애국적 인사와 청년들을 계획적으로 단체 이주를 시켜 신한민촌을 건설하고, 농업 경영으로 경제적 자립을 실현한다.
4. 새로 건설된 신한민촌에서는 강력한 민간 단체를 조직하고, 교회와 무관 학교를 설립하여 문무 겸비의 교육을 실시하고 무관을 양성하도록 한다.
5. 무관 학교 졸업생과 이주해 오는 청년들을 중심으로 강력한 독립군을 창건한다. 강력한 정병주의를 채택하고 현대식 훈련과 무기로 무장된 현대식 군대를 만든다.
6. 독립군이 강력하게 양성되면 최적의 기회를 포착하여 독립 전쟁을 일으켜서 국내로 진입한다. - 주요한, 『안도산전서』

자료 2 신흥 무관 학교의 설립과 교육 과정

1910년 겨울 이회영 형제들은 압록강을 건너 유하현 삼원보에 옮겨 가 경학사를 설립하고, 신흥 강습소를 세워서 무장 독립 투쟁을 위한 인재 양성을 꾀하였다. 이후 통화현 합니하로 옮겨 학교를 확장하고 이름을 신흥 무관 학교로 바꾸었다. 학제는 4년제의 본과와 6개월의 장교반, 3개월의 부사관반을 두었다. 입학의 최저 연령은 18세로 정하였으며 입학 이전에 엄격한 신체 검사를 실시하였다. 보병·기병·포병 등 병과 훈련과 전략학 등을 가르쳤고, 일반 교과목으로 『고등 산술』, 『국어 문법』, 『대한 지리』, 『대한 국사』 등도 가르쳤다. 엄정한 군기를 위해 전투 출동 준비를 알리는 비상 나팔 소리에 집합하고, 어두운 밤중에 자기의 이름이 붙은 총을 찾아서 휴대하는 등의 훈련을 하였다.

신흥 무관 학교 옛 터(중국 랴오닝)

활동 도우미

- 해외 독립운동 기지를 만드는 이유, 건설 과정, 그리고 그것을 위해 노력한 사람들은 누구인지 생각해 봅시다.
- 해외 독립운동 기지에는 어떤 단체가 만들어지고, 어떤 활동이 이루어졌는지 생각해 봅시다.

자료 해설

- <자료 1> | 신민회는 해외 독립운동 기지 건설을 위해 노력하였다. 그 결과 만주 삼원보에 한인촌을 건설하였는데 자료에는 최적지 선정 - 자금 모금 - 토지 매입 - 신한인촌 건설 - 민간단체 조직 - 무관 학교 설립 - 독립 전쟁을 통한 국권 회복이라는 과정이 상세히 나타나 있다.
- <자료 2> | 이회영 형제들이 사재를 털어 건설한 삼원보에는 신흥 강습소가 설립되었다. 3·1 운동 이후 이름이 신흥 무관 학교로 바뀌었는데, 교육 과정을 보면 이 학교가 군사력 양성을 위한 군사 교육을 실시하였음을 알 수 있다. 신흥 무관 학교 출신들은 후일 한국 광복군의 주축을 이루었다.

활동 풀이

1. <자료 1, 2>에서 신민회가 독립군 양성을 위해 준비한 것이 무엇인지 찾아보자.

예시 답안 신민회는 독립 전쟁론에 입각하여 독립 전쟁을 통해 국권 회복을 추구하였다. 신민회는 장기적으로 독립운동에 매진할 수 있는 독립운동 기지 건설에 노력하였는데 우선 의지가 굳은 사람들을 선발하여 만주로 이주시켜 한인촌을 만들고 여기에 무관 학교를 설립하여 군사력을 양성하려 하였다.

2. 신민회가 무장 투쟁을 준비할 때 가장 필요하다고 여겼던 것이 무엇인지 생각해 보고, 이를 다음 삽화에 표현해 보자.

예시 답안 독립운동 자금, 독립운동을 할 사람들, 독립 전쟁을 위한 군사력 양성

간단 체크 정답 및 해설 17쪽

신민회가 건설한 삼원보에는 자치 단체로 (　　)이/가 조직되었다.

일본의 침략 확대와 국권 수호 운동

주제 33 독도와 간도

이번 주제에서는 | 독도와 간도가 우리 영토임을 여러 근거를 통해 확인할 수 있습니다.

교실 열기 독도 의용 수비대는 어떤 활동을 하였을까?

예시 답안 | 독도 의용 수비대는 독도를 침범한 일본 배를 격퇴하는 등 독도 경비를 담당하였다.

1 우리 고유의 영토 독도

(1) 독도에 관한 기록

① 『삼국사기』: 지증왕 때 이사부가 우산국을 정복하여 신라 영토에 편입

- 우산국: 지금의 울릉도에 있었던 소국으로 활발한 해상 활동을 하였다.

② 『세종실록지리지』: 울릉도와 독도에 대한 기록

③ 『신증동국여지승람』: 목판본 지도인 팔도총도에 독도 표시

④ 『동국문헌비고』: 독도 명칭에 대한 기록 → 조선은 우산, 일본은 송도

- 『동국문헌비고』: 영조 때 편찬된 백과사전적 저서로 조선의 문물 제도 전반에 걸쳐 다루고 있다.

(2) 조선 시대 독도 관리

① 쇄환 정책: 태종 때 왜구 피해로 인해 울릉도 거주민을 본토로 이주

② 안용복[1]: 숙종 때 울릉도와 독도에 출현한 일본 어부 격퇴 → 일본에 건너가 울릉도와 독도가 조선 영토임을 확인

③ 울릉도 개척령(1882)[2]: 고종 때 발표, 울릉도에 관리 파견, 내륙 주민을 울릉도로 이주

④ 대한 제국 칙령 제41호(1900): 울릉도를 군으로 승격, 독도를 울릉군에 편입 → 독도를 대한 제국의 영토로 고시

- 대한 제국 칙령 제41호: 민간 단체인 독도 수호대가 대한 제국 칙령 제41호가 발표되었던 10월 25일을 독도의 날로 정하여 기념하고 있다.

2 일본의 독도 강탈

(1) 배경: 러·일 전쟁 발발 직후 한·일 의정서 체결(군사적 요충지 임의 사용)

(2) 시마네현 고시 제40호(1905): 독도를 불법적으로 시마네현에 편입

- 시마네현: 현재 시마네현에서는 독도가 편입되었던 2월 22일을 다케시마의 날로 정하여 기념식을 거행하고 있다.

(3) 근거: 처음에는 무주지 선점론[3], 최근에는 일본의 고유 영토론 주장

3 백두산정계비와 간도 귀속 문제

(1) 간도 귀속 문제: 숙종 때 백두산정계비를 세워 청과 압록강과 토문강을 경계로 국경 확정 → 토문강에 대한 해석 차이로 귀속 문제 발생(조선은 쑹화강 지류, 청은 두만강으로 해석)

(2) 간도 관리

① 관리 파견: 1902년 이범윤을 간도에 파견하고 이듬해 간도 관리사로 임명, 간도를 함경도 행정 구역에 편입

- 간도 관리사: 정부는 이범윤을 간도에 주재시켜 우리 동포들의 생명과 재산을 보호하는 임무를 맡겼다.

② 간도 파출소 설치: 1907년 일제는 간도 파출소를 설치하여 간도를 대한 제국의 영토로 간주

4 간도 협약의 체결

(1) 내용: 일본이 남만주 철도 부설권과 푸순 탄광 채굴권을 얻는 대가로 간도를 청의 영토로 인정

(2) 부당성: 불법적으로 체결된 을사늑약에 의거하여 체결 → 원천 무효

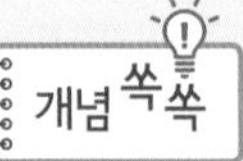

개념 쏙쏙

① 안용복
숙종 때인 1693년과 1696년 두 차례 울릉도에서 고기잡이하는 일본 어민을 발견하고 일본까지 건너가 울릉도와 독도가 조선의 영토임을 확인받고 귀국하였다. 귀국 후 사사로이 국제 문제를 일으켰다는 이유로 귀양을 가게 되었다.

② 울릉도 개척령(1882)
일본인들이 울릉도에서 불법적으로 나무를 벌목하여 가져가고 있다는 것을 보고받은 고종은 일본에 서계를 보내 이를 엄금하도록 조치하고, 울릉도 개척령을 내려 내륙 주민을 울릉도로 이주시키도록 하였다.

③ 무주지 선점론
주인 없는 땅은 먼저 점령하는 국가의 소유라는 의미이다. 1905년 1월 작성된 일본 내각 문서에는 무주지인 독도를 자국민에 의한 국제법적 점령의 예에 따라 편입 조치한다고 명기되어 있다. 그런데 2008년 일본 외무성은 일본이 17세기에 독도에 대한 영유권을 확인하였다고 주장하면서 독도에 대한 고유 영토론을 주장하였다.

정리 교실 교과서 140쪽

㉠ 16세기에 편찬된 『신증동국여지승람』에는 팔도총도가 수록되었는데 여기에는 독도가 그려져 있다.
㉡ 대한 제국 칙령 제41호를 통해 울릉도가 군으로 승격되고 독도가 울릉군에 포함되었다.
㉢ 일제는 을사늑약 체결 이후 청과 간도 협약을 맺고 불법적으로 간도를 청에 넘겨주었다.

탐구 교실 문학 작품을 통해 본 간도(間島)

교과서 | 141쪽

활동 목표 | 소설『북간도』를 통해 당시 사람들의 간도에 대한 생각과 간도로 이주할 수 밖에 없었던 시대 상황을 설명할 수 있습니다.

사이섬 농사

'사이섬'이란 이곳, 종성부(鍾城府) 중에서 동쪽으로 십 리쯤 떨어진 이 동네 앞을 흐르는 두만강 흐름 속에 있는 섬이었다. …… '사이섬 농사'란 여기 가서 농사를 짓는다는 말이었다. 그러나 그것은 겉에 내세우는 표방에 지나지 않았다. 불모(不毛)의 섬에서 어떻게 곡식이 나랴? 그러므로 사이섬에 가서 농사를 짓는다는 건 핑계에 지나지 않는 것이었고, 사실은 청국 땅에 건너가는 것이었다.

……

더욱이 중흥기의 강희, 건륭 두 임금은 이 지방을 청조(淸朝) 발상의 성지라고 하여 통치하에 있는 타민족 외에는 이민을 허가하지 않았다. 제 백성을 그랬거든 다른 민족에 있어서랴. 우리나라와 청국 사이에는 서로 이민을 철거케 하는 비공식 협정이 맺어진 모양이었다. 조정에서는 어느 결에 두만강의 월강을 금지했고, 이를 범하는 자에게는 월강죄(越江罪)의 극형으로 임했다. 이러고 보니, 조·청 양국 민족이 이 지역에는 얼씬도 할 수 없었다. 가위 무인지경이었다.

……

아득한 옛날, 만주는 우리 민족의 발상지였고, 천여 년 전의 고구려와 그 뒤를 잇는 발해 때에는 우리 판도의 중심지였다. 지금은 청국의 영토로 되어 있으나 사실은 우리나라 땅이라고 할아버지는 말하였다. 그 증거로 할아버지는 1백 50여 년 전에 세운 정계비를 보면 알 일이라고 말했다. 마을 아이들의 훈장 노릇도 한 일이 있는 할아버지는 한복이를 무릎에 앉혀 놓고 비분강개한 어조로 말하곤 했다. "그 빗돌에는 강 건너가 우리 땅이라고 똑똑히 새겨 있다."

- 안수길,『북간도』

간도에서 생활하였던 경험을 바탕으로 저술한 안수길의 5부작 대하소설『북간도』는 북간도 지역에서 살았던 이한복, 이장손, 이창윤, 이정수 4대의 삶을 다루고 있다.

간도 유래비(사이섬 비석) 옌볜 투먼시에 있는 한 마을에 세워졌는데, 오래 지 않아 중국 정부가 철거해 버렸다.

- 소설『북간도』가 다루고 있던 시기를 파악하고 조선 농민들의 상황을 생각해 봅시다.
- 소설 북간도에 나오는 내용들을 실제 역사적 사실과 비교하여 일치하는 지 정리해 봅시다.

- <자료> |『북간도』는 안수길이 1959년 발표한 장편 소설이다. 여기서 '사이섬 농사'란 청나라 땅인 만주에 넘어가서 농사를 짓는다는 것이다. 당시 만주는 청나라가 자신의 조상이 살았던 신성한 땅이라 하여 다른 민족의 출입을 금지하고 있었다. 이로 인해 미개척 상태로 오랜 세월 남아 있던 만주에 생활이 어려워진 조선 농민들이 국가에서 금지했던 월경을 감행하여 농사를 지었던 상황을 보여 주고 있다. 당시 살았던 농민들은 백두산정계비를 근거로 간도가 우리 영토임을 확신하고 있다는 것을 알 수 있다.

활동 풀이

1. 주인공이 청국 땅에서 농사짓는 것을 '사이섬 농사'라고 부른 까닭이 무엇인지 써 보자.

예시 답안 소설에서 주인공은 두만강 건너 청국 땅에 가서 농사를 짓지만 당시 조선에서는 월경을 엄벌에 처하였기 때문에 청나라로 넘어가는 것이 아니라 두만강 중간에 있는 사이섬에 가서 농사를 짓는 것이라고 변명하기 위해 사이섬 농사라고 불렀음을 알 수 있다. 여기서 사이섬이란 두만강 중간에 있는 섬을 의미하는데, 두만강을 건너가면 청나라 국경으로 넘어가는 것이지만 사이섬까지는 월경이 아니라는 의미이기도 하다.

2. 할아버지가 밑줄 친 것처럼 말한 근거는 무엇인지 본문을 참고하여 알아보자.

예시 답안 할아버지는 청과 조선이 국경을 정하기 위해 세운 백두산정계비에 의해 만주가 조선 영토라고 말하고 있다. 소설의 내용에서 할아버지는 백두산정계비를 직접 보았으며, 비문에 간도가 조선의 영토라고 새겨져 있다고 확신하고 있음을 알 수 있다. 이는 할아버지가 비석에 청과 조선의 국경으로 명시되어 있는 토문강이 두만강이 아니라 만주의 쑹화강이라고 확신하고 있는 것이다.

간단 체크 정답 및 해설 17쪽

간도 귀속 문제는 백두산정계비의 토문강에 대한 청과 조선의 해석 차이로 발생하였다. (O, X)

1 개념 익히기

01 아래 설명이 맞으면 O표, 틀리면 X표를 해 보자.

(1) 한·일 의정서 체결을 계기로 일제는 독도를 불법적으로 자국 영토에 편입하였다. (　　)

(2) 을사늑약 체결 결과 통감부가 설치되었다. (　　)

(3) 신민회는 105인 사건으로 해체되었다. (　　)

(4) 간도 협약 체결을 계기로 일제는 간도에 간도 파출소를 설치하였다. (　　)

02 빈칸에 알맞은 말을 채워 보자.

(1) 을사늑약 체결 이후 장지연은 황성신문에 (　　　) (이)란 논설을 발표하였다.

(2) 일제는 (　　　) 파견을 문제 삼아 고종을 강제 퇴위 시키고 한·일 신협약을 강제로 체결하였다.

(3) 경기도 양주에 집결한 (　　　)은/는 서울 진공 작전을 전개하였으나 일본군에 밀려 패퇴하였다.

(4) (　　　)은/는 교육과 산업을 통한 자강을 내세우고 전국에 지회를 두고 월보를 간행하였다.

03 서로 관련 있는 내용끼리 연결해 보자.

a. 기유각서 •	• ㄱ. 군대 해산
b. 한·일 신협약 •	• ㄴ. 사법권 박탈
c. 제1차 한·일 협약 •	• ㄷ. 메가타 파견

04 신민회의 활동에 해당하는 사실만을 <보기>에서 있는 대로 고르시오.

> 보기
> ㄱ. 고종 강제 퇴위 반대 운동 전개
> ㄴ. 일제의 황무지 개간권 요구 저지
> ㄷ. 공화정체의 근대 국민국가 건설 추구
> ㄹ. 정주에 오산 학교, 평양에 대성 학교 설립

2 내신 유형 익히기

01 중요 다음 사실들을 시기 순으로 옳게 나열한 것은?

> ㄱ. 군대 해산　　ㄴ. 통감부 설치
> ㄷ. 러·일 전쟁 발발　　ㄹ. 헤이그 특사 사건

① ㄱ - ㄴ - ㄷ - ㄹ　② ㄱ - ㄷ - ㄹ - ㄴ
③ ㄴ - ㄱ - ㄷ - ㄹ　④ ㄷ - ㄴ - ㄱ - ㄹ
⑤ ㄷ - ㄴ - ㄹ - ㄱ

02 다음 그림이 풍자하는 전쟁 중에 있었던 사실로 옳지 않은 것은?

① 한·일 의정서가 강제로 체결되었다.
② 일본이 영국과 군사 동맹을 체결하였다.
③ 메가타와 스티븐스가 고문으로 파견되었다.
④ 서울과 신의주 간 군용 철도 부설이 시작되었다.
⑤ 미국과 일본 간에 가쓰라·태프트 밀약이 체결되었다.

03 (가), (나) 시기의 상황으로 옳은 것은?

	(가)	(나)	

을사늑약 체결 — 고종 강제 퇴위 — 한국 병합 조약

① (가) - 단발령이 발표되었다.
② (가) - 최익현이 의병을 일으켰다.
③ (나) - 친일 단체인 일진회가 조직되었다.
④ (나) - 비밀 결사인 신민회가 해체되었다.
⑤ (가), (나) - '광무'라는 연호가 사용되었다.

중요

04 다음 조약 체결 직후의 상황으로 가장 적절한 것은?

> 제5조 한국 정부는 통감이 추천한 일본인을 한국의 관리로 임명한다.
> 제6조 한국 정부는 통감의 동의 없이 외국인을 초빙하여 고용하지 않는다.

① 군대가 해산되었다.
② 고종 황제가 퇴위하였다.
③ 고문 정치가 시작되었다.
④ 러·일 전쟁이 발발하였다.
⑤ 조선 총독부가 설치되었다.

05 다음 격문 발표의 계기로 가장 적절한 것은?

> 원통함을 어찌 할까. 국모(國母)의 원수를 생각하며 이미 이를 갈았는데, 참혹함이 더욱 심해져 임금께서 머리를 깎이시고 의관을 찢기는 지경에 이른데다가 또 이런 망극한 화를 당하였으니, 천지가 뒤집어져 우리가 각기 하늘에서 부여받은 본성을 보전할 길이 없게 되었다. 우리 부모로부터 받은 몸을 금수로 만드니 이 무슨 일인가.

① 을미사변이 일어났다.
② 군국기무처가 설치되었다.
③ 동학 농민군이 봉기하였다.
④ 일제가 통감부를 설치하였다.
⑤ 대한 제국이 일본에 병합되었다.

06 밑줄 친 '이 시기' 의병에 대한 설명으로 옳지 않은 것은?

> 이 시기 해산 군인들이 의병에 합류하면서 의병 부대는 전투력이 한층 강화되고 조직화되었다. 이로 인해 의병 봉기는 노동자, 상인, 학생 등 각계각층이 참여한 거족적인 항일 의병 전쟁으로 발전하였다.

① 서울 진공 작전을 전개하였다.
② 의병 연합 부대를 결성하였다.
③ 고종의 강제 퇴위를 계기로 봉기하였다.
④ 최익현, 신돌석 등이 의병장으로 활약하였다.
⑤ 각국 공사관에 교전 단체로 인정할 것을 요구하였다.

중요

07 다음 강령을 제정했던 단체에 대한 설명으로 옳은 것은?

> 1. 국민에게 민족의식과 독립 사상을 고취한다.
> 2. 동지를 발견하고 단합하여 국민 운동 역량을 축적한다.
> 3. 상공업 기관 건설로 국민의 부력(富力)을 증진한다.
> 4. 교육 기관 설립으로 청소년 교육을 진흥한다.

① 일진회로 발전하였다.
② 신흥 무관 학교를 설립하였다.
③ 입헌 군주제 실시를 목표로 삼았다.
④ 을사늑약 체결을 계기로 해체되었다.
⑤ 전국에 지회를 두고 월보를 간행하였다.

08 다음 취지문을 발표한 단체의 활동으로 옳은 것은?

> 무릇 나라의 독립은 오직 자강의 여하에 달려 있는지라. 우리 대한이 자강을 배우지 못하여 인민이 스스로 우매해지고 국력이 쇠퇴하여 마침내 금일의 어려움에 이르러 필경 다른 나라의 보호를 받으니 이는 모두 자강의 도에 뜻을 두지 않은 이유라.

① 서울과 평양에 태극 서관을 설립하였다.
② 러시아의 이권 침탈을 규탄하여 저지하였다.
③ 고종의 강제 퇴위를 반대하는 운동을 전개하였다.
④ 일제의 황무지 개간권 요구를 저지하는 데 성공하였다.
⑤ 의회 제도를 중심으로 한 입헌 정치를 수립하려 하였다.

09 의사들의 의거가 옳게 연결된 것만을 <보기>에서 고른 것은?

> 보기
> ㄱ. 안중근 - 이토 히로부미를 사살하였다.
> ㄴ. 장인환 - 을사오적의 암살을 시도하였다.
> ㄷ. 이재명 - 이완용을 습격하여 중상을 입혔다.
> ㄹ. 오기호 - 친일 미국인 스티븐스를 사살하였다.

① ㄱ, ㄴ ② ㄱ, ㄷ ③ ㄴ, ㄷ
④ ㄴ, ㄹ ⑤ ㄷ, ㄹ

정답 및 해설 17쪽

중요

10 다음 사실들의 공통적인 배경으로 옳은 것은?

- 장지연이 황성신문에 「시일야방성대곡」이란 논설을 발표하였다.
- 민영환이 후일을 부탁하는 유서를 남기고 자결하였다.
- 전직 관료인 민종식이 의병을 이끌고 한때 홍주성을 점령하였다.

① 기유각서 체결 ② 고문 정치 시작
③ 군대 강제 해산 ④ 을사늑약 체결
⑤ 한국 병합 조약 체결

11 독도와 관련된 설명으로 옳지 않은 것은?

① 16세기 편찬된 신증동국여지승람에 수록된 팔도총도에 독도가 그려져 있다.
② 숙종 때 안용복은 일본에 건너가 울릉도와 독도가 우리 영토임을 주장하였다.
③ 고종은 울릉도 개척령을 통해 관리를 파견하고 내륙 주민을 섬으로 이주시켰다.
④ 대한 제국 칙령 제41호에는 울릉도를 군으로 승격하고 그 안에 독도를 포함시킨 내용이 있다.
⑤ 일본은 러·일 전쟁이 끝난 직후 독도를 불법적으로 시마네현에 편입하고 이를 다케시마라 하였다.

12 다음 조약이 체결된 시기를 연표에서 옳게 고른 것은?

제1조 일·청 양국 정부는 토문강을 청과 한국의 국경으로 하고 강 원천지에 있는 정계비를 기점으로 하여 석을수를 두 나라의 경계로 한다.
제3조 청국 정부는 이전과 같이 토문강 이북의 개간지에 한국 국민이 거주하는 것을 승인한다.

1894		1897		1904		1905		1907		1910
	(가)		(나)		(다)		(라)		(마)	
청·일 전쟁 발발		대한 제국 수립		러·일 전쟁 발발		을사늑약 체결		고종 퇴위		한국 병합 조약 체결

① (가) ② (나) ③ (다) ④ (라) ⑤ (마)

서술형 문제

13 다음 조약을 읽고 물음에 답하시오.

제2조 일본국 정부는 한국과 타국 사이에 현존하는 조약의 실행을 완수하는 책임을 지며 한국 정부는 금후 일본국 정부의 중개를 거치지 않고서는 국제적 성질을 가진 어떠한 조약이나 약속을 하지 않을 것을 약속한다.
제3조 일본국 정부는 그 대표자로서 한국 황제 폐하의 아래에 1명의 통감(統監)을 두되, 통감은 오로지 외교에 관한 사항을 관리하기 위하여 서울에 주재하고, 직접 한국 황제 폐하를 궁중에서 알현할 권리를 가진다.

(1) 위 조약의 명칭을 쓰시오.

(2) 위 조약에 대한 우리 민족의 저항을 두 가지만 서술하시오.

서술형 문제

14 다음 글을 읽고 물음에 답하시오.

간도 지역은 청의 발상지로 청은 이 지역을 신성하게 여겨 다른 지역 사람들의 이주를 금하였다. 그러나 19세기 후반 들어 관리의 수탈을 피하려는 조선인의 간도 이주가 급격하게 늘어났다. 이들은 황무지를 개간하고 논밭을 만들어 생활의 터전으로 삼았다. 조선인의 이주가 늘어나자 조선과 청 사이에 간도 영유권 문제가 발생하였다. 이 과정에서 숙종 때 세운 ㉠ 비석의 비문 해석을 두고 ㉡ 조선과 청의 주장이 대립하였다.

(1) 밑줄 친 ㉠의 명칭을 쓰시오

(2) 밑줄 친 ㉡에서 조선과 청의 주장을 서술하시오.

창의 융합 교실 외국에서도 인정한 우리의 영토, 독도

교과서 142~143쪽

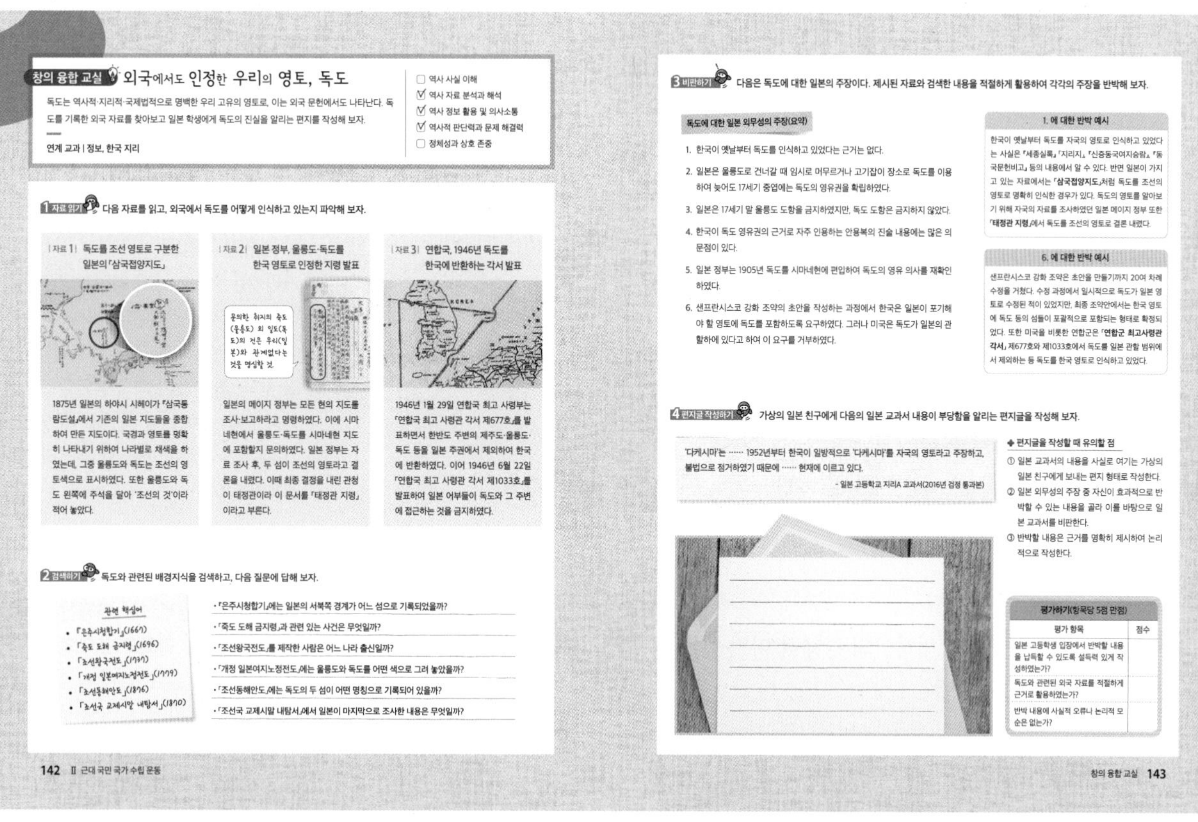

활동 목표

- 독도가 우리의 고유 영토임을 근거를 들어 설명할 수 있다.
- 일본의 불법적인 독도 영유권 주장을 논리적으로 반박할 수 있다.

활동 흐름

- 독도에 대해 기록한 외국 자료를 찾아 그 내용을 정리한다.
- 독도에 대한 배경 지식을 인터넷, 관련 서적 등을 찾아 파악한다.
- 독도에 대한 일본의 주장을 일본 외무성 홈페이지에서 확인한다.
- 일본의 주장에 대한 우리의 반박을 논리적으로 제시한다.

예시 답안

독도와 관련된 배경지식을 검색하고, 다음 질문에 답해 보자.

- **『은주시청합기』에는 일본의 서북쪽 경계가 어느 섬으로 기록되었을까?** | 독도를 송도로 기록하고 일본의 서북 한계를 오키섬으로 규정하였다.
- **「죽도 도해 금지령」과 관련 있는 사건은 무엇일까?** | 1696년 에도 막부는 일본 어민의 죽도, 즉 울릉도 출어를 금지하는 명령을 내렸다. 이는 안용복이 일본 어민이 울릉도와 독도에서 고기잡이하는 것을 항의했던 사건의 결과 이루어졌다.
- **「조선왕국전도」를 제작한 사람은 어느 나라 출신일까?** | 프랑스의 당빌이 「조선왕국전도」를 작성하였다. 여기에 울릉도와 독도를 동해안에 근접하게 표시하였다.
- **「개정 일본여지노정전도」에는 울릉도와 독도를 어떤 색으로 그려 놓았을까?** | 1775년 일본 학자 나가쿠보 세키스이가 「신각일본여지노정전도」를 그려 막부에 허가를 신청했지만 울릉도와 독도가 일본 영토로 표시되어 있나는 이유로 거설당하였다. 이에 1778년 울릉도와 독도를 일본 경위도선 밖에 그린 「개정 일본여지노정전도」를 제작하여 허가를 받았다.
- **「조선동해안도」에는 독도의 두 섬이 어떤 명칭으로 기록되어 있을까?** | 러시아에서 제작되고 1876년 일본에서 번역된 「조선동해안도」에는 독도의 서도를 '메넬라이(Menelai)', 동도를 '올리부차(Olivutsa)'로 표시하였다.
- **「조선국 교제시말 내탐서」에서 일본이 마지막으로 조사한 내용은 무엇일까?** | 메이지 정부의 태정관에서 조사한 「조선국 교제시말 내탐서」에는 울릉도와 독도가 조선의 섬이 된 배경을 조사하였다.

5 개항 이후 나타난 경제적 변화

주제 34 열강의 경제적 침략

이번 주제에서는 | 개항 이후 일본을 비롯한 열강의 경제 침략 과정과 그 영향을 설명할 수 있습니다.

교실 열기 일본 상인들은 왜 조선에서 쌀과 콩을 대량으로 수입하였을까?

예시 답안 | 당시 일본은 인구의 급속한 증가로 식량 가격이 상승하였고 당시 조선의 곡물 가격이 일본에 비해 현저히 낮았기 때문에 조선으로부터 쌀과 콩을 대량으로 수입하였다.

1 청·일 상인 간 상권 경쟁의 심화

(1) 거류지 무역[1]: 개항 직후 일본 상인의 활동 범위가 개항장에서 10리 이내로 제한 → 객주, 여각, 보부상 등 조선 상인들이 일본 상인과 소비자 매개

- 10리는 4km이며 그 기점은 개항장의 빙파제였다.
- 숙박업과 함께 매매 중개, 위탁 매매, 금융업, 창고업 등 다양한 활동을 하였다.

(2) 청·일 상인의 내륙 진출

① 계기: 조·청 상민 수륙 무역 장정(1882), 조·일 통상 장정[2](1883) 체결

- 지방관의 허가를 받아야 한다는 조건이 있지만 청 상인의 여행의 자유가 인정되어 내륙 진출이 가능해졌다.

② 영향: 청 상인과 일본 상인 간 상권 경쟁 격화

2 제국주의 열강의 이권 침탈

(1) 배경: 아관 파천 이후 러시아의 경제적 이권 차지 → 열강의 이권 침탈 심화

(2) 열강의 이권 침탈 내용

① 철도 부설권: 경인선(미국 → 일본), 경의선(프랑스 → 일본), 경부선(일본)

- 경의선 부설권을 얻었지만 공사 착공을 못해 반납하였다.

② 기타: 광산 채굴권, 삼림 채벌권 등

국가	연도	내용
러시아	1896	울릉도·압록강 유역 삼림 채벌권, 종성 광산 채굴권
미국	1896	함경도 갑산 광산·평안도 운산 금광 채굴권
독일	1897	강원도 당현 금광 채굴권
영국	1900	평안도 은산 금광 채굴권

3 일본의 토지 침탈

(1) 배경: 러·일 전쟁 중 군용지 점령 및 철도 용지의 명목으로 토지 약탈

(2) 동양 척식 주식회사(1908): 대규모 토지 약탈을 배경으로 설립, 지속적으로 토지를 약탈하여 이를 일본인에게 분양

4 일제의 금융·재정 장악과 화폐 정리 사업

(1) 배경: 러·일 전쟁 중 제1차 한·일 협약 체결로 재정 고문 메가타 파견

(2) 내용: 상평통보, 백동화를 일본 제일 은행권으로 교체

① 과정: 화폐 조례[3] 공포(1905) → 일본 제일 은행이 신화폐 발행 담당

② 경과: 백동화의 경우 갑종, 을종, 병종 화폐로 구분 → 갑종은 신화폐로 교환, 을종의 경우 40% 가치만 인정, 병종의 경우 교환 거부

- 탁지부령 '구 백동화 교환에 관한 건'에 의해 시행되었으며 품질, 무게, 모양이 정화(正貨)로 인정받을 만한 것만 갑종으로 규정하였다.

(3) 영향: 일본이 대한 제국의 금융 지배, 상공업자 몰락, 차관 도입 형태로 처리

개념 쏙쏙

① 거류지 무역

거류지는 외국인에게 영업과 거주를 허락한 지역을 가리키며, 거류지에서 이루어지는 무역을 거류지 무역이라고 한다. 개항 초기 외국 상인들은 개항장 10리 안에서만 활동할 수 있었기 때문에 무역이 거류지 무역의 형태를 띠었다.

② 조·일 통상 장정

1883년 조선과 일본 간의 근대적 통상 관계를 전반적으로 규정한 통상 조약을 말한다. 강화도 조약의 부속 조약으로 체결된 조·일 무역 규칙을 개정한 것으로 이를 통해 일본은 최혜국 대우를 인정받았고, 일본 수출입 상품에 대한 관세 부과가 이루어졌다. 또한 국내 식령이 부족할 경우 방곡령 선포가 가능하다고 규정하였다.

③ 화폐 조례

대한 제국은 1901년 금본위 화폐 제도의 채용을 골자로 하는 화폐 조례를 공포하였는데 이는 러시아 화폐 체제를 모델로 하였다. 그러나 이 화폐 조례는 일본 세력이 강화되면서 실시되지 못하였다. 이후 재정 고문으로 파견된 메가타의 건의로 1901년 공포되었던 화폐 조례를 1905년에 실시한다는 칙령을 공포하였다. 이에 따라 화폐 정리 사업이 시행되었다.

정리 교실

교과서 146쪽

㉠ 거류지 무역 ㉡ 최혜국 대우
㉢ 경인선 ㉣ 동양 척식 주식회사
㉤ 화폐 정리 사업

교과서 | 147쪽

탐구 교실 일본 상인의 내륙 진출과 관세 징수 문제

활동 목표 | 일본 상인들의 내륙 진출 과정을 조약의 규정을 통해 확인하고, 관세 부과 과정을 설명할 수 있습니다.

자료 1 일본 상인의 내륙 진출 과정

조·일 수호 조규 부록(1876)

제4관 부산 항구에서 일본국 인민이 통행할 수 있는 도로의 거리는 부두로부터 계산하여 동서남북 각 직경 10리(4km)로 정한다. -『고종실록』

조·일 수호 조규 속약(1882)

제1관 부산, 원산, 인천의 각 항구의 통행 이정(里程)을 이제부터 사방 각 50리로 넓히고, 2년이 지난 뒤 다시 각각 100리로 한다. -『고종실록』

자료 2 일본과의 관세에 관한 규정

조·일 무역 규칙(1876)

돛대가 여럿인 상선 및 증기 상선의 세금은 5원이다. ……
일본국 정부에 속한 모든 선박은 항세를 납부하지 않는다. -『고종실록』

조·일 통상 장정(1883)

입항하거나 출항하는 각 화물이 해관을 통과할 때는 응당 본 조약에 첨부된 세칙(稅則)에 따라 관세를 납부해야 한다. -『고종실록』

자료 3 두모진 수세 사건

조·일 무역 규칙 체결 후, 일본은 조선 대표와의 추가 회의에서 화물의 출입에도 수년간 면세를 허용하기로 합의하였다. 이후 조선은 1878년 부산 두모진에서, 일본과 무역을 하는 조선 상인을 상대로 관세를 징수하였다. 징세가 시작되자, 무역 거래 물품 가격이 급등하였고, 이에 일본 상인들이 몰려와서 항의하였다. 조선 정부에서는 내국인에게 부과하는 세금이므로, 일본이 상관할 일이 아니라는 태도를 취하였다. 일본은 이를 강화도 조약에 대한 위반 행위로 보고 조선 정부에 항의서를 제출하고 무력시위를 벌였다. 결국 조선 정부는 이에 굴복하여 관세 징수를 중지하였다.

1. <자료 1>을 읽고 일본의 상권 범위를 오른쪽 지도 제물포에서부터 주어진 축척으로 표시해 보자(1리는 400m로 계산).

예시 답안 제물포항 방파제를 중심으로 반지름 0.8cm인 원을 그림.

2. <자료 2>에서 관세 규정이 변화하게 된 계기를 <자료 3>과 연관지어 말해 보자.

예시 답안 조·미 수호 통상 조약에서 관세 부과가 이루어짐에 따라 조·일 통상 장정에서도 관세 부과가 이루어졌다.

3. <자료 2>를 참고하여 <자료 3>에서 조선 정부가 일본 상인에게 직접 세금을 거둘 수 없었던 이유를 써 보자.

예시 답안 조·일 무역 규칙에 일본국 정부에 속한 모든 선박은 항세를 납부하지 않는다고 규정하고 있기 때문이다. 조선에서는 조약 규정에 따라 일본 상인에게는 관세를 부과하지 못하지만 국내 상인들에게는 관세 부과가 가능하다고 생각했다. 그러나 관세 부과로 조선에서 수입하는 물품의 가격이 오르자 일본 상인들이 일본 정부를 통해 항의하였다.

- 일본인들이 자유롭게 통행할 수 있는 거리가 조·일 수호 조규 부록과 조·일 통상 장정에서 어떻게 달라졌는지를 비교해 봅시다.
- 조·일 통상 장정 체결 결과 관세 부과가 이루어졌음을 파악하고 그 이전 정부에서 관세 부과를 위한 노력을 생각해 봅시다.

- **<자료 1>** | 조·일 수호 조규 부록은 강화도 조약의 부속 조약으로 일본인의 통행 거리를 10리로 규정하였는데, 이것이 조·일 수호 조규 속약에서 100리로 확대되었음을 보여 주고 있다.
- **<자료 2>** | 조·일 무역 규칙에서 무관세를 규정하였다가 조·일 통상 장정에서 관세 부과가 이루어졌음을 알 수 있다.
- **<자료 3>** | 두모진 수세 사건은 정부의 정당한 조세 징수에 일본 상인들이 일본 정부의 지원을 받아 부당하게 이를 방해한 사건이다.

간단 체크 정답 및 해설 19쪽

일본 상인들은 1876년 강화도 조약 체결부터 1883년 조·일 통상 조약 체결 때까지 무관세 무역을 하였다. (O, X)

교과서 148~151쪽

5 개항 이후 나타난 경제적 변화

주제 35 경제적 구국 운동

이번 주제에서는 | 열강의 경제 침략에 저항한 경제적 구국 운동의 전개 과정을 설명할 수 있습니다.

교실 열기 **여성들이 패물을 빼서 갚으려 한 국채는 어떻게 발생하게 되었을까?**

예시 답안 | 1907년 대한 제국의 국채 1,300만 원은 을사늑약 체결 이후 일본인을 위한 시설 도입과 화폐 정리 사업 때 화폐 발행 비용으로 발생하였다.

1 근대적 상회사의 설립

(1) 배경: 외국 상인의 내륙 진출 → 같은 업종의 상인들이 합자 회사로 설립

(2) 특징: 정부에 영업세를 납부하는 대신 보호를 받음.

(합자 회사: 두 사람 이상이 자본을 출자하여 설립한 회사를 말한다.)

(3) 대표적 회사: 평양의 대동 상회[1], 한성의 장통 상회[2] 등

(4) 영향: 『한성순보』에서 「회사설」을 소개하는 등 주식회사의 설립 및 운영 방법 소개

2 은행의 설립

(1) 배경: 개항 이후 일본 금융 기관의 침투 및 일본 상인의 고리대금업 성행

(2) 주요 은행: 조선은행, 한성은행, 대한 천일 은행

3 방곡령 사건의 발발

(1) 방곡령[3]: 조·일 통상 장정의 규정에 의해 흉년으로 곡물이 부족할 때 지방관이 선포

(지방관이 선포: 방곡령은 조선 시대 지방관의 관습적인 고유 권한이었는데 조·일 통상 장정에서 명문화되었다.)

(2) 방곡령 사건

① 원인: 함경도(1889)와 황해도(1890) 관찰사가 방곡령 선포

② 경과: 일본이 1개월 전 문서 통보 규정을 들어 항의 → 외교 문제로 비화

③ 결과: 방곡령을 취소하고 일본 상인들에게 거액의 배상금 지불

4 상권 수호 운동과 이권 수호 운동

(1) 상권 수호 운동: 외국 상인의 서울 진출 → 시전 상인들이 황국 중앙 총상회 조직 (1898)

(황국 중앙 총상회: 시전 상인의 독점적 이익을 수호하기 위해 조직되었으며, 독립 협회와 함께 해산되었다.)

(2) 이권 수호 운동: 아관 파천 이후 열강의 이권 침탈 → 독립 협회가 전개

5 일제의 황무지 개간권 요구 철회

(1) 배경: 일본인이 대한 제국에 50년간 황무지 개간권 위임 요구

(2) 내용: 보안회 설립 → 황무지 개간권 요구 반대 운동 전개, 농광 회사 설립

(농광 회사: 관료들이 중심이 되어 황무지 개간을 허가받아 설립되었다. 일본이 황무지 개간권 요구 철회를 조건으로 폐쇄를 요구하여 해체되었다.)

6 국채 보상 운동의 전개

(1) 배경: 1907년 국채가 정부의 1년 예산에 해당하는 1,300만 원에 도달

(2) 내용: 금연, 금주, 패물 모으기 등의 방법으로 모금하여 국채 상환

① 시작: 대구에서 김광제, 서상돈 등이 시작

② 전개: 서울에서 국채 보상 기성회 조직, 『대한매일신보』 등의 호응으로 모금 운동 전개

③ 결과: 일제 통감부가 양기탁의 공금 횡령 사건을 조작하여 탄압 → 실패

개념 쏙쏙

① 대동 상회

1883년 평안도 상인 20명이 수십만 냥 이상의 자금을 출자하여 평양에 설립한 유통 회사이다. 선박도 소유하고 있고, 쌀과 목화 등의 상품을 전국에 매매하였다. 또한 개항장인 인천에 지점을 설치해 조선의 물품을 외국에 수출하기도 했다.

② 장통 상회

1883년 서울 장통방에서 설립된 상회사로 대동 상회에 이은 우리나라 두 번째 상회사이다. 서울의 중촌인들이 설립했으며 내아문의 보호를 받았다는 기록이 있다.

③ 방곡령

천재지변이나 전쟁 등으로 식량 공급이 문제가 되거나 곡물 값이 폭등했을 때 지방관이 직권으로 그 지방에서 산출한 곡식을 타지방이나 타국으로 유출하는 것을 금하는 조치를 말한다.

교과서 149쪽

Q 독립 협회는 러시아와 영국 두 열강의 이권 침탈 행위를 각각 어떻게 평가하였을까?

예시 답안 독립 협회는 러시아의 한·러 은행 설립은 맹렬히 반대하면서도 영국의 북아메리카 침입에 대해서는 긍정적으로 평가하는 이중성을 보이고 있다.

정리 교실 교과서 150쪽

㉠ 상회사 ㉡ 대한천일은행
㉢ 방곡령 ㉣ 황국 중앙 총상회
㉤ 농광 회사 ㉥ 국채 보상 운동

탐구 교실 세계 기록 유산, 국채 보상 운동 기록물

활동 목표 | 국채 보상 운동 기록물이 세계 기록 유산에 등재된 이유를 통해 국채 보상 운동의 의의를 설명할 수 있습니다.

유네스코 세계 기록 유산 Memory of the World

국채 보상 운동 기록물

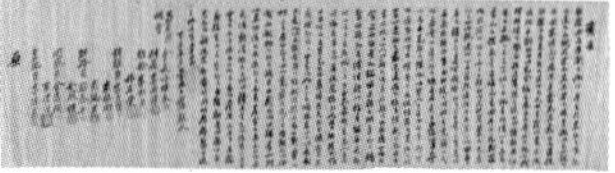

경남 창원 단연회소의 광고 대한 제국의 외채가 1,300만 원이 넘은 위태로운 시점에서 국민 모두가 절약하여 외채 갚기에 노력하자는 내용을 담고 있다.

상세 정보

- **국가** 대한민국(Republic of Korea, 大韓民國)
- **소장 및 관리 기관** 한국 금융사 박물관, 국사 편찬 위원회, 국가 기록원, 독립 기념관, 국립 고궁 박물관, 국채 보상 운동 기념 사업회, 한국 국학 진흥원, 서울대 중앙 도서관, 고려대 도서관, 연세대 학술 정보원 등
- **등재연도** 2017년

- 한국의 국채 보상 운동 기록물은 국가가 진 빚을 국민이 갚기 위해 1907년부터 1910년까지 일어난 국채 보상 운동의 전 과정을 보여 주는 기록물이다.
- 한국의 국채 보상 운동은 영국 언론인과 해외 이주민에 의해 전 세계에 알려지면서 외채로 시달리는 다른 피식민지국에 큰 자극이 되었다. 그 후 중국(1909), 멕시코(1938), 베트남(1945) 등 제국주의 침략을 받은 여러 국가에서 한국과 거의 유사한 방식으로 국채 보상 운동이 일어났다.

유네스코 세계 기록 유산 등재 기준

- **시간**: 국제적인 일의 중요한 변화의 시기를 현저하게 반영하거나 인류 역사의 특정한 시점에서 세계를 이해할 수 있도록 이바지하는 경우
- **장소**: 세계 역사와 문화의 발전에 중요한 기여를 했던 특정 장소와 지역에 관한 주요한 정보를 담고 있는 경우
- **사람**: 전 세계 역사와 문화에 현저한 기여를 했던 개인 및 사람들의 삶과 업적에 특별한 관련을 갖는 경우
- **대상/주제**: 세계 역사와 문화의 중요한 주제를 구현하고 있는 경우

▶ **한국의 세계 기록 유산(근현대)**
- 국채 보상 운동 기록물
- KBS 특별 생방송 '이산가족을 찾습니다' 기록물
- 새마을 운동 기록물
- 5·18 민주화 운동 기록물

▶ **주요 세계 기록 유산 목록**
- '흑인과 노예' 기록물(콜롬비아)
- 안네 프랑크의 일기(네덜란드)
- 「마그나카르타」 원본(영국)
- 공포의 문서(파라과이)
- 바르샤바 게토 기록물(폴란드)
- 여성 참정권 탄원서(뉴질랜드)
- 난징 대학살 기록물(중국)
- 베토벤 교향곡 제9번(독일)
- 1866년 벤츠 특허장(독일)
- 십진 미터법의 도입(프랑스)
- 인간과 시민에 관한 권리 선언(프랑스)

- 유네스코 세계 기록 유산에 등재될 수 있는 기준을 생각해 봅시다.
- 국채 보상 운동 기록물은 어떤 점에서 유네스코 세계 기록 유산으로 등재되었는지 생각해 봅시다.

- <자료> | 국채 보상 운동 기록물이 세계 여러 나라의 유사한 운동에 영향을 끼쳐서 유네스코 세계 기록 유산에 등재되었다고 설명하고 있다. 구체적인 기록물로는 경남 창원 단연회소의 광고 등 여러 기관에서 보관하고 있는 관련 기록물이 포함되어 있다. 또한 우리나라의 세계 기록 유산 목록과 세계 여러 나라의 주요 기록 유산 목록이 제시되었다. 이를 통해 국채 보상 운동은 전 세계가 주목하는 경제적 민족 운동이라는 사실을 확인할 수 있다.

활동 풀이

1. 국채 보상 운동 기록물이 지닌 세계사적 의의를 유네스코 세계 기록 유산 등재 기준을 참고하여 알아보자.

예시 답안 국채 보상 운동 기록물은 '인류 역사의 특정한 시점에서 세계를 이해할 수 있도록 이바지한 경우', 그리고 '전 세계 역사와 문화에 현저한 기여를 했던 개인 및 사람들의 삶과 업적에 특별한 관련을 갖는 경우'에 해당하여 등재되었다.

2. 오른쪽에 소개된 주요 세계 기록 유산 중 하나를 선택하여 유네스코 세계 기록 유산으로 선정된 이유를 조사해 보자.

예시 답안 흔히 프랑스 인권 선언이라 불리는 '인간과 시민에 관한 권리 선언'의 경우 자유, 평등, 주권재민 사상과 언론의 자유 등 근대 민주주의와 시민 사회의 원칙을 포함하여 있다. 프랑스 인권 선언은 이후 세계 여러 나라 헌법에 커다란 영향을 미쳐 유네스코 세계 기록 유산에 등재되었다.

간단 체크 정답 및 해설 19쪽

국채 보상 운동은 1907년 (　　)에서 시작되어 전국으로 확대되었다.

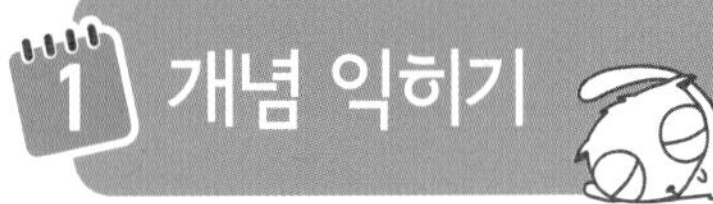

1 개념 익히기

01 아래 설명이 맞으면 O표, 틀리면 X표를 해 보자.

(1) 개항 직후 거류지 무역이 이루어졌다. ( )

(2) 조·일 통상 장정 체결 이후 일본과의 무관세 무역이 확산되었다. ( )

(3) 화폐 정리 사업 결과 통화량이 급증하였다. ( )

(4) 일제의 황무지 개간권 요구가 알려지자 보안회가 조직되어 반대 운동을 전개하였다. ( )

02 빈칸에 알맞은 말을 채워 보자.

(1) 임오군란 이후 (　　　)이/가 체결되어 청 상인들의 내륙 진출이 이루어졌다.

(2) 우리나라 최초의 은행은 (　　　)(으)로 관료 자본이 중심이 되어 설립되었다.

(3) (　　　)에 의거하여 선포되었던 함경도와 황해도의 방곡령은 한·일 간 외교 문제로 비화되었다.

(4) 국채 보상 운동은 (　　　)에서 시작되어 전국으로 확산되었다.

03 서로 관련 있는 내용끼리 연결해 보자.

a. 국채 보상 운동 •	• ㄱ. 독립 협회
b. 상권 수호 운동 •	• ㄴ. 국채 보상 기성회
c. 이권 수호 운동 •	• ㄷ. 황국 중앙 총상회

04 열강의 이권 침탈 내용으로 옳은 것만을 <보기>에서 있는 대로 고르시오.

보기
ㄱ. 러시아 - 경의선 철도 부설권
ㄴ. 미국 - 전등, 전화, 전차 부설권
ㄷ. 일본 - 경부선과 경원선 철도 부설권
ㄹ. 프랑스 - 압록강과 두만강 유역 삼림 벌채권

2 내신 유형 익히기

중요
01 다음 상황이 나타나게 된 배경으로 가장 적절한 것은?

① 상회사가 설립되었다.
② 청·일 전쟁이 발발하였다.
③ 강화도 조약이 체결되었다.
④ 일제가 통감부를 설치하였다.
⑤ 외국 상인들의 내륙 진출이 허용되었다.

02 다음 상황에서 실시된 일제의 정책으로 옳은 것은?

러·일 전쟁 중 일제는 한·일 의정서를 체결하여 군용지를 점령하고, 철도 용지라는 명목으로 광대한 토지를 빼앗았다.

① 지계를 발급하였다.
② 농광 회사를 설립하였다.
③ 토지 조사 사업을 시행하였다.
④ 동양 척식 주식회사를 설립하였다.
⑤ 한국 농민들에게 토지를 분배하였다.

중요
03 다음 자료를 활용한 탐구 활동으로 가장 적절한 것은?

1905년 일본 제일 은행이 발행한 이 지폐는 1엔, 5엔, 10엔권이 있었다.

① 보안회의 활동 시기를 조사한다.
② 전환국이 설치된 배경을 파악한다.
③ 화폐 정리 사업의 과정을 분석한다.
④ 독립 협회의 이권 수호 운동을 정리한다.
⑤ 고문으로 부임한 스티븐스의 활동을 알아본다.

04 다음 자료를 활용한 탐구 활동으로 가장 적절한 것은?

> 한성 중앙 각 점포가 함께 회의하여 점포의 경계를 정하되, 동쪽으로는 철물교, 서쪽으로는 송교, 남쪽으로는 작은 광교, 북쪽으로 안현까지 외국인의 상업 행위를 허락하지 말고, 그 경계 밖의 우리나라 각 점포는 본회에서 관할할 것이다.

① 보안회의 활동 내용을 조사한다.
② 독립 협회의 자유 민권 운동을 파악한다.
③ 황국 중앙 총상회의 결성 배경을 알아본다.
④ 화폐 정리 사업의 경제적 영향을 분석한다.
⑤ 함경도와 황해도 방곡령 사건의 결과를 정리한다.

05 다음 주장을 펼친 단체로 옳은 것은?

> 지금 일본 공사 하기와라가 나가모리 도키치로의 청원에 따라 우리 외부(外部)에 공문을 보내어 산림, 강, 평지, 황무지에 대한 권리를 청구하였습니다. …… 만일 이를 외국인에게 줘 버린다면 전국의 강토를 모두 빼앗기게 되며 수많은 사람이 참혹한 빈곤에 빠져 구제할 수 없게 될 것입니다.

① 보안회 ② 신민회 ③ 독립 협회
④ 대한 자강회 ⑤ 국채 보상 기성회

06 다음 민족 운동에 대한 설명으로 옳지 않은 것은?

> 우리 2천만 가운데 여자가 천만이요, 그 가운데 반지 있는 이가 반은 넘을 터이니, 한 쌍에 2원씩만 하면 1천만 원이 여인들 가운데 있다. 여보시오. 여보시오. 우리 여자 동포님들! 한마음 한 뜻으로 때를 잃지 말고 반지 한번 벗게 되면 1천만 명이 손가락을 속박한 것 벗음으로 외국인의 수모를 씻어 내고 자유 국권 되찾아 독립 기초 이루리라!

① 일제의 탄압으로 지속되지 못하였다.
② 평양에서 시작되어 전국으로 확산되었다.
③ 금주, 금연을 통한 모금 운동을 전개하였다.
④ 대한매일신보, 황성신문 등의 호응을 받았다.
⑤ 차관 도입으로 인한 경제적 예속을 탈피하려 하였다.

서술형 문제

07 그래프를 보고 물음에 답하시오.

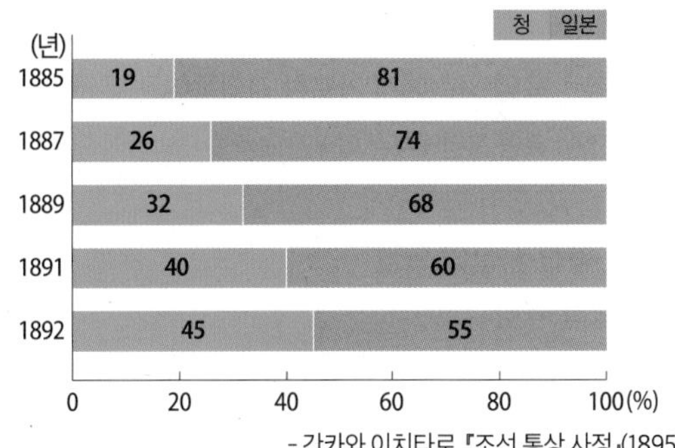

- 간카와 이치타로, 『조선 통상 사정』(1895)

<청과 일본으로부터의 수입액 비율>

(1) 그래프를 통해 알 수 있는 무역의 변화를 서술하시오.

(2) 위와 같은 변화가 나타나게 된 배경을 1880년대 전반에 일어난 두 사건을 언급하여 서술하시오.

서술형 문제

08 다음 글을 읽고 물음에 답하시오.

> 큰 침수를 당하여 곡식 수확에 큰 피해가 예상되는 바, 특히 콩의 경우 극심한 흉작이 될 것이 불 보듯 훤합니다. 도내의 쌀과 콩 등 곡물에 대해 내년 추수 때까지 잠정적으로 유출을 금지하는 것이 마땅합니다. 바라건대 조약에 따라 기한에 1개월 앞서 일본 공사에게 알려, 원산에 주재하고 있는 일본국 영사에게 전달해서 상민들이 일체 준수하게 해 주십시오.

(1) 밑줄 친 '조약'의 명칭을 쓰시오.

(2) 위 명령에 대한 일본 상인들의 반응을 서술하시오.

교과서 152~155쪽

개항 이후 나타난 사회·문화적 변화

주제 36 근대 문물의 수용

이번 주제에서는 | 개항 이후 근대 문물의 수용 시기와 그 영향을 설명할 수 있습니다.

교실 열기 육영 공원에서 가르친 교과목에는 무엇이 있었을까?

예시 답안 | 육영 공원에서는 미국인 교사를 초빙하여 영어, 수학, 정치학 등 근대 학문을 가르쳤다.

1 교통·통신 시설의 도입

(1) 도입 과정

① 전차: 한성 전기 회사에서 전차·전등 가설(1899) (황실이 설립, 콜브란이 운영하였다.)

② 우편: 우정총국 설립(1884) → 갑신정변으로 중단, 을미개혁 때 재개

③ 전신: 서울과 인천·의주 간 전신선 가설 (모두 청에 의해 1885년 가설되었고 청의 정치적 목적으로 이용되기도 하였다.)

④ 전화: 궁궐에 처음 가설, 점차 서울 시내 민간에까지 확대

(2) 문제점: 외세의 이권 침탈이나 침략 목적과 연관 → 민중의 반감

2 신문의 발간

(1) 신문의 발간

① 『한성순보』(1883): 박문국[1]에서 발간한 관보, 신문물 소개

② 『독립신문』(1896): 최초의 민간 신문, 서재필 창간

③ 『황성신문』(1898): 국한문 혼용체, 장지연이 쓴 「시일야방성대곡」 게재

④ 『제국신문』(1898): 부녀자·하층민 대상, 순 한글로 발간

⑤ 『대한매일신보』(1904): 영국인 베델 사장, 항일 의병 관련 기사 게재

(2) 일제 탄압: 신문지법[2](1907), 보안법[3](1907)을 제정하여 반일 기사 탄압

3 근대식 병원의 설립

① 광혜원(1885): 정부에서 설립, 알렌이 운영 → 제중원으로 개칭 (광혜원은 갑신정변 때 죽음을 당한 홍영식의 집에 1885년 개원하였는데 곧 제중원으로 개칭되었다.)

② 세브란스(1904): 미국 선교 단체가 제중원 운영권 획득

③ 광제원[4](1899): 정부에서 설립한 내부 병원이 개칭

④ 대한 의원(1907): 통감부가 관립 의학교와 광제원 통합

⑤ 자혜 의원(1909): 지방에 설립한 관립 병원, 근대 의료 기술 보급

4 근대 학교의 설립

(1) 사립 학교

① 원산 학사(1883): 원산 주민들이 설립 → 유학, 무술, 근대 학문 교육 (원산학사는 문예반과 무예반을 두었는데 공통으로 물리 등 근대 학문과 실용적 학문을 가르치고, 문예반은 유교 경전, 무예반은 병서를 가르쳤다.)

② 배재 학당, 이화 학당: 선교를 목적으로 개신교 선교사들이 설립

③ 민족 교육을 위해 사립 학교 설립 → 일제의 사립 학교령(1908)으로 탄압 (사립 학교 설립 시 학부대신의 허가를 받아야 하고 경우에 따라 학부대신이 폐교를 명할 수 있다는 내용이다.)

(2) 관립 학교

① 동문학(1883): 정부에서 통역관 양성을 목적으로 설립

② 육영 공원(1886): 주로 고관 자제와 젊은 관리들에게 근대 학문 교육

③ 신식 학제 도입: 갑오개혁 이후 학무아문 설치, 교육입국 조서 발표(1895) → 소학교, 중학교, 사범학교, 외국어 학교 설립

개념 쏙쏙

① 박문국
1883년 동문학의 부속 기구로 설치되어 우리나라 최초의 신문인 『한성순보』를 간행하였다. 갑신정변 때 불에 탔으며 정변 직후 폐지되었다. 1885년 다시 설치되어 1886년 『한성주보』를 창간하였다.

② 신문지법
1907년 7월 통감부가 제정한 법률로 보안법보다 3일 전에 제정되었다. 그 내용은 신문 및 기타 인쇄물의 기사가 외교나 군사상 비밀에 저촉되거나 안녕 질서를 방해하는 경우 그 발매 금지와 차압, 발행 정지, 금지를 이사관이 집행할 수 있다는 것이다.

③ 보안법
1907년 제정된 법으로 한국인에게만 적용되었다. 주요 내용은 결사의 해산, 정치적으로 불온한 행동을 하는 자에 대한 특정 장소 출입 금지, 불온한 말이나 행동을 한 자에 대한 처벌 등이다. 이 법을 통해 일제는 한국 정부와 경찰을 내세워 항일 운동을 하는 인물과 단체를 합법적으로 탄압할 수 있었다.

④ 광제원
1899년 설립된 내부 병원이 1900년 광제원으로 개칭되었다. 일반 환자들의 진료가 주된 업무였으나 죄수들에 대한 진료와 전염병을 취급하는 별도의 시설도 있었다. 1907년 광제원 제도가 폐지됨에 따라 병원 업무는 대한 의원으로 이관되었다.

정리 교실 교과서 154쪽

㉠ 우정총국 ㉡ 『한성순보』
㉢ 광혜원 ㉣ 육영 공원

교과서 | 155쪽

탐구 교실 근대 교통·통신 시설을 바라보는 다양한 시각

활동 목표 | 근대 교통·통신 시설이 도입되면서 이를 바라보는 국내 각 계층의 다양한 시각을 이해할 수 있습니다.

가 한성에 최초로 전신이 도입된 것은 갑신정변 이후인 1885년 9월 무렵이었습니다. 한성과 인천에 전신을 가설한 것을 시작으로 이후 평양을 거쳐 의주에 이르는 전신선까지 완공되었습니다. 이 전신들은 우리 청의 자금과 기술로 가설하였으며, 비용은 조선 정부가 부담하였습니다. 전신이 가설되었을 때 이를 이용할 수 있는 조선인은 극히 적었으며, 주로 청 정부의 관료들이 많이 이용하였습니다.

나 우리는 개혁의 일환으로 전통적 통신 수단인 봉수·역원 제도를 폐지하고 지방과의 행정 연락 수단을 마련하기 위해 교통·통신 사업을 시행하였습니다. 또한 미국인 콜브란과 함께 한성 전기 회사를 설립하고 동대문에 발전소도 건립하였습니다. 전기 사업의 일환으로 도성에 전차를 개설하고, 일부 지역에 전등도 설치하였습니다. 궁궐에서 사용하던 전화도 이 시기에 점차 공공장소에 설치하였습니다.

다 전신과 전화가 천 리의 먼 거리에 말을 통하게 한다는데, 우리 같은 농민들에게는 먼 이야기에 불과합니다. 전신과 전화를 이용한 이들은 주로 관료들과 조선에 있던 외국인들이었지, 우리에게는 오히려 불편한 존재였습니다. 전봇대와 전깃줄은 논과 밭을 가로질러 함부로 설치되었고, 정부는 전봇대로 쓴다는 나무를 공출하고, 이를 세우기 위해 각종 부역을 우리에게 전가하였습니다.

라 철도와 전신주는 우리 의병군의 항일 운동에서 주요 공격 대상이 되었습니다. 우리가 이러한 교통·통신 시설을 공격한 까닭은 근대 문명의 상징물을 공격하여 서양 문물을 배격하자는 의미도 있었지만, 당시 전신과 철도가 우리나라의 내정을 장악한 일본의 통치 수단으로 활용되었기 때문입니다. 러·일 전쟁 이후 일본이 강점한 전신과 철도 시설은 우리 의병군의 항쟁을 탄압하는 기술이었습니다.

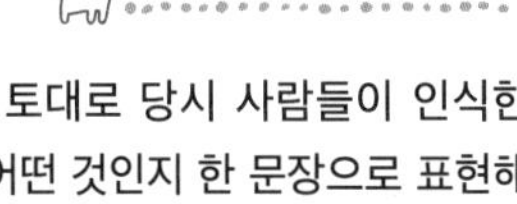

1. (가)~(라)를 토대로 당시 사람들이 인식한 근대 문물이란 어떤 것인지 한 문장으로 표현해 보자.

- **(가)에게 근대 문물이란** 예시 답안 청나라 사람들에게 근대 통신 시설은 조선에서 청의 정치적 영향력 확대를 위한 수단이었다.
- **(나)에게 근대 문물이란** 예시 답안 개화파 관료에게는 생활상의 편리를 제공하여 근대 국가로 발전하기 위한 도구였다.
- **(다)에게 근대 문물이란** 예시 답안 농민들에게는 자신들과는 상관없고 경제적 부담만을 가중시키는 불편한 존재였다.
- **(라)에게 근대 문물이란** 예시 답안 의병들에게는 외세 침략의 상징으로 공격의 대상이었다.

2. (가)~(라)를 참고하여 열강이 조선에 근대 시설을 설치한 목적이 무엇인지 적어 보자.

예시 답안 열강은 조선을 자본주의 체제로 끌어들이고 이를 통해 수탈과 침략을 용이하게 하기 위해 교통·통신 시설을 비롯한 각종 근대 시설을 도입하였다.

3. 위 내용을 바탕으로 개항 이후 도입된 근대 시설이 사람들의 가치관과 생활에 어떤 영향을 미쳤을지 자유롭게 써 보자.

예시 답안 근대 시설은 일부 계층에게는 생활상의 편리함을 제공하였으나, 피지배층에게는 외세 침략과 수탈의 도구로 인식되었다.

[활동 도우미]

- 근대 교통·통신 시설에는 어떠한 것이 있는지, 그리고 그 시설들이 생활에 어떤 변화를 초래했는지 생각해 봅시다.
- 이들 시설들을 대하는 여러 계층의 입장을 생각해 봅시다.

- <가> | 청의 관리로 보이는 인물의 입장이다. 조선에 전신을 처음 도입한 것이 청이었음을 강조하고 이것이 한국인 특히 정부 관료들에게 편리함을 제공하였다는 자부심을 보이고 있다.
- <나> | 개화파 관리는 개화 정책의 일환으로 교통·통신 시설을 도입하였다고 주장하고 있다. 특히 중앙 정부와 지방 간의 연락에 유용함을 강조라고 있다.
- <다> | 농민에게 교통·통신 시설은 생활상의 편리는 거의 없고 오히려 농사에 방해가 된다는 입장을 보이고 있다.
- <라> | 의병에게 있어 철도, 전신주는 공격 대상이었다. 이 시설들이 일본이 우리나라를 침략하는 수단으로 이용되었다고 생각하기 때문이었다.

간단 체크 정답 및 해설 21쪽

경인선은 (　　)에 의해 부설되었고, (　　)은/는 한성 전기 회사에 의해 가설되었다.

교과서 156~158쪽

개항 이후 나타난 사회·문화적 변화

근대 의식의 확산과 생활의 변화

이번 주제에서는 | 근대 의식의 확산 과정을 파악하고 이로 인한 생활상의 변화를 설명할 수 있습니다.

교실 열기 백정 박성춘이 대중 앞에서 연설할 수 있었던 배경은 무엇일까?

예시 답안 | 갑오개혁을 통해 법제적으로 신분제가 타파되었고, 독립 협회의 활동으로 평등 의식이 확산된 것이 배경이 되었다.

1 근대 의식의 확산

(1) 과정: 개항 이후 사회 내부에서 평등 사회를 지향하는 움직임 대두

① 갑신정변: 개화당 정부가 14개조 정강에서 인민 평등권 확립 주장

② 동학 농민 운동: 노비 문서 소각, 7종 천인의 차별 철폐 등 주장

③ 갑오개혁: 개화당과 동학 농민군의 주장 일부 수용 → 신분제 폐지

(2) 민권 의식의 성장

① 독립 협회: 자유 민권 운동 전개, 의회 설립을 통한 입헌 정치 지향

② 애국 계몽 단체: 헌정 연구회, 대한 자강회 활동으로 계승

2 여성의 사회 활동

(1) 여권 신장

① 「여권통문」(1898): 북촌[1] 양반 부인들이 발표, 여성 교육권, 직업권, 정치 참여권 주장

② 찬양회[2]: 여성 운동 단체, 여학교 설립 운동, 여성 계발 사업 등 전개

(2) 여성 활동: 교육 단체: 여자 교육회[3], 진명 부인회, 국채 보상 부인회 등 단체 조직 → 여성 교육을 위한 학교 설립, 국채 보상 운동에 적극 참여

진명 부인회: 1900년대 초 설립된 여성 단체로 국채 보상 운동에 참여하고 여성 교육 기관을 후원하였다.

3 해외 이주 동포들의 생활

(1) 배경: 19세기 후반 경제적 빈곤과 사회적 혼란 속에서 해외 이주 급증

(2) 해외 이주

① 만주: 한인촌 건설 → 북간도(용정), 서간도(유화현 삼원보 등)

② 연해주: 19세기 말 한인촌 개척 → 러시아 당국의 강제 이주로 신한촌 건설(1911)

③ 미주: 1902년 노동자 이민 시작 → 하와이 노동 이민(사진 신부)

신한촌: 블라디보스토크 외곽에 건설되었다.

노동자 이민: 1902년 12월 22일 제물포항에서 한국 역사상 첫 공식 이민선이 출항하여 1903년 1월 13일 하와이 호놀룰루 항에 102명의 노동자가 도착하면서 시작되었다.

4 의식주 생활의 변화

(1) 의생활: 서양식 복제 도입

① 남자: 관복 간소화, 두루마기 유행, 마고자나 조끼 등 새로운 의복 등장

② 여자: 장옷이나 쓰개치마가 사라지고 양장과 양산이 등장

(2) 식생활: 서양식 식사 예절 수용 → 커피 보급, 겸상과 두레상 등장

(3) 주생활: 신분에 의한 규제 폐지 → 독립문, 명동 성당, 덕수궁 석조전 등 근대식 건축물 등장

쓰개치마: 조선 중기 이후 양반층 부녀자가 외출할 때 얼굴을 가리는 용도로 사용한 치마 모양의 쓰개이다.

두레상: 여러 사람이 둘러 앉아 식사를 하는 큰 상을 말한다.

명동 성당: 천주교도 김범우의 집터에 건립, 고딕 양식의 벽돌 건물이다.

석조전: 3층 석조 건물로 유럽 궁전 건축을 모방하였다.

개념 쏙쏙

① 북촌

청계천과 종각의 북쪽에 있는 동네라 하여 북촌이라 불렸다. 현재의 종로구 재동, 가회동, 삼청동 등이 포함된다. 조선 시대 왕족이나 고위 관직에 있던 사람들이 많이 거주하였다. 『매천야록』에서는 북촌에는 노론이 살고, 남촌에는 소론 이하 3색이 섞여서 살았다고 기록하였다.

② 찬양회

1898년 북촌에 사는 양반 부인 400여 명이 「여권통문」을 발표하였는데 통문 발표에 참여했던 부인들이 모여 같은 해 9월 12일 우리나라 최초의 여성 운동 단체인 찬양회를 조직하였다. 찬양회에서는 여학교 설립 운동을 전개하여 순성 여학교를 설립하였다.

③ 여자 교육회

1906년 여성 교육을 목적으로 설립된 여성 단체이다. 여성 교육을 위한 초등 교육 기관인 양규의숙을 설립하고 이를 재정적으로 후원하고 그 운영을 담당할 목적으로 조직되었다. 양규의숙은 1906년을 넘기지 못하고 문을 닫았는데, 이후 여자 교육회는 계몽적인 여성 운동을 추진하였다.

정리 교실 교과서 157쪽

㉠ 갑오개혁 ㉡ 여권통문

㉢ 두레상

탐구 교실 해외 이주 동포들의 생활

교과서 | 158쪽

활동 목표 | 19세기 후반 국외 여러 지역으로 이주한 해외 동포들의 생활 모습을 설명할 수 있습니다.

• 만주나 연해주에 건설된 실제 한인촌의 사례를 알아보고 한인촌에서 어떤 생활을 했는지 정리해 봅시다.

• 각 지역에서 한국인들이 독립운동을 위해 어떤 활동을 했는지 생각해 봅시다.

자료 1 만주 지역 이주민의 삶

한인들은 1880년대 두만강 건너편의 북간도 일대에 이주하여 한인촌을 세웠으며, 1890년대에는 하얼빈 일대까지 이주하였다. 북간도로 이주한 한인은 옌볜 지역에서 우물을 발견하고 정자를 세웠는데, 이후 우물의 이름을 따서 마을 이름을 용정(龍井)으로 지었다. 한편 서간도 일대에도 집안현, 통화현, 유하현, 장백현 등에 한인 사회가 형성되었다.

용정 지역 기원지 우물(중국 룽징)

자료 2 연해주의 신한촌

연해주의 블라디보스토크에 사는 한인들이 늘어나자, 시 당국에서는 1893년 한인들만 집단으로 거주하도록 하는 구역을 설정하고 '한인촌' 혹은 '개척리'라 불렀다. 그러나 1911년 러시아 당국은 페스트 창궐을 이유로 한인촌을 강제 철거하고, 한인들을 새로 설정된 구역으로 강제 이주시켰다. 한인들은 그곳을 개간하여 새로운 한인 마을을 만들었는데, 한국을 새롭게 부흥한다는 의미로 '신한촌'이라 명명하였다.

신한촌 기념탑(러시아 블라디보스토크)

자료 3 하와이 이민과 '사진 신부'

1902년 5월 미국이 한국인 노동자의 하와이 이민을 건의하자, 고종은 수민원을 설립하고 하와이 이민자를 선발하였다. 1902년 제물포를 떠나 신체검사를 통과한 97명이 하와이에서 새 삶을 시작하였다. 하와이로 이주한 노동자들은 대부분 독신 남성이었기 때문에 중개업자를 통해 한국에서 신부를 구하기 시작하였는데, 이때 하와이로 온 여성들은 배우자의 사진만 보고 결혼한다 하여 '사진 신부'라고 불렸다.

사진 신부들의 모습

• **<자료 1>** | 만주 이주 동포들은 북간도에 가장 많이 거주하였고, 서간도에도 독립운동을 위해 한인촌이 건설되었다. 특히 용정촌에 많은 한인 이주민들이 거주하였다는 것을 보여 주고 있다.

• **<자료 2>** | 연해주는 국권 피탈 이후 독립운동을 위해 이주한 동포들이 많았다. 특히 블라디보스토크에 신한촌이 건설되었다는 내용이다.

• **<자료 3>** | 미국 하와이에 이주 동포들은 만주나 연해주 이주 동포와 달리 노동 이민 형태를 띠었음을 보여 주고 있다. 미국 정부의 요청에 따라 대한 제국 정부의 정식 모집에 의해 노동자들이 하와이로 이주하여 점차 미국, 남아메리카까지 이주가 확대되었다.

활동 풀이

1. <자료 1, 2>에서 해외 이주 동포들이 한인촌을 건설한 이유가 무엇인지 말해 보자.

예시 답안 만주나 연해주로 이주한 동포들은 일단 생계 유지를 위해 황무지 개간을 해야 했고, 확실한 경제 기반을 갖추지 못해 서로 도움을 주고받기 위해 한인촌을 건설하여 집단 생활을 하였다. 후에 이러한 한인촌은 독립운동 기지로서의 역할도 하였다.

2. <자료 2, 3>을 참고로 연해주와 하와이 이주의 차이점을 서술해 보자.

예시 답안 연해주 이주는 19세기 후반 농민들이 생활상의 어려움을 피해서 이주하거나 혹은 국권 피탈 이후 독립운동을 위해 이주한 사람들이 많았다. 따라서 연해주 이민 동포들은 러시아 정부의 탄압과 차별 대우를 받았다. 이에 비해 하와이 이주는 우리 역사상 최초로 정부가 이민자를 모집하여 공식적으로 파견했다는 특징이 있다.

간단 체크 정답 및 해설 21쪽

(　　)에는 용정촌, 블라디보스토크에는 (　　) 등과 같은 한국인 마을이 들어섰다.

6 개항 이후 나타난 사회·문화적 변화

주제 38 국학 연구와 문예 및 종교의 새 경향

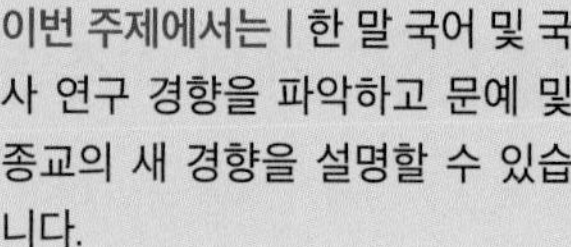

이번 주제에서는 | 한 말 국어 및 국사 연구 경향을 파악하고 문예 및 종교의 새 경향을 설명할 수 있습니다.

교실 열기 국문 연구소에서의 주시경의 활동은 어떻게 결실을 맺었을까?

예시 답안 | 국문 연구소의 주임 위원으로 활동했던 주시경은 「국문 연구 의정안」을 작성하였고, 그의 제자들이 일제 강점기 조선어 연구회를 조직하여 한글 연구에 힘썼다.

1 민족의식을 일깨운 역사 연구

(1) 근대 계몽 사학

① 목적: 역사 연구를 통한 민족의 주체성 확립 및 애국심 고취

② 활동: 신채호(대한매일신보에 '독사신론' 연재), 박은식 등, 영웅들의 전기(『을지문덕전』, 『이순신전』), 외국의 독립 운동사(『월남 망국사』), 혁명사 등 편찬

→ 독사신론: 고대사에 관한 역사서로 민족주의 사학의 연구 방향을 제시하였다.

(2) 조선 광문회[1]: 1910년 최남선과 박은식 등이 조직, 우리 민족의 고전 정리 및 간행, 고전의 보존 및 보급에 노력

2 한글 사용의 확대와 국어 연구

(1) 한글 사용의 확대: 갑오개혁 이후 공문서에 국한문 혼용체 사용, 『독립신문』, 『제국신문』 등 순 한글 신문 등장

(2) 국문 연구소(1907)

① 설립: 대한 제국 정부가 체계적인 한글 연구를 위해 설립(주시경, 지석영)

② 활동: 「국문 연구 의정안」[2] 마련 → 일제 강점기 조선어 연구회로 계승

→ 「국문 연구 의정안」: 한글의 문자 체계와 맞춤법의 원리를 규명하였다.

→ 조선어 연구회: 1921년 조직되었으며 1931년 조선어 학회로 이어졌다.

3 문학과 예술의 새 경향

(1) 배경: 개항 이후 전통적인 한문학 쇠퇴, 서양 문화의 유입

(2) 문학의 새 경향

① 신소설: 『혈의 누』(이인직), 『자유종』(이해조), 『금수회의록』(안국선) 등

② 신체시: 자유로운 형식의 시(최남선의 「해에게서 소년에게」)

→ 『금수회의록』: 1908년 발표된 소설로 동물들이 등장하여 인간의 사악함을 비판하였다.

(3) 예술의 새 경향

① 음악: 판소리 정리(신재효), 창가(독립가, 권학사 등), 창극 유행

② 미술: 서양 화풍 소개 → 서양식 유화 보급(최초의 서양 화가 고희동)

③ 연극: 신소설이 연극으로 공연 → 원각사 설립

→ 원각사: 1908년 현재 광화문 새문안 교회 자리에 건립되어 판고리와 창극 등을 주로 공연하였다. 이인직의 『은세계』를 신연극이라는 이름으로 공연하였다.

4 종교계의 변화

(1) 천주교: 1886년 포교의 자유 획득 → 사회 사업에 치중(양로원, 보육원)

(2) 유교: 개신 유학자들이 유교 개혁 주장 → 『유교 구신론』[3](박은식)

(3) 불교: 불교의 자주성 회복과 근대화 추구 → 『조선불교유신론』(한용운)

(4) 대종교: 나철과 오기호 창시(단군 신앙 기초) → 중광단[4] 조직

(5) 개신교: 서양 의술과 근대 교육 보급에 공헌 → 사립 학교, 병원 설립

(6) 천도교: 손병희가 동학을 개편(1905) → 『만세보』 간행

개념 쏙쏙

① 조선 광문회

일제가 한국 병합 이후 한국사 교육 금지와 고전 문화재 반출을 자행하자, 최남선 등이 우리 고전의 수집·간행과 보급을 목적으로 1910년 설립한 단체이다. 『동국통감』, 『열하일기』를 간행하였고, 조선어 사전인 말모이 편찬을 준비하였으나 성공하지 못하였다.

② 「국문 연구 의정안」

1909년 국문 연구소가 국어 맞춤법 제정을 위해 국어의 음운과 철자법에 관해 연구하여 제출한 보고서를 말한다. 이 보고서는 국어 맞춤법을 마련하기 위한 국가적 사업이라는 점에 의의가 있다.

③ 『유교 구신론』

박은식이 1909년 쓴 글로 새로운 시대에 맞게 유교를 계승하기 위해서 실천적인 성격의 양명학을 더욱 보급하고 실천 윤리를 중시해야 한다고 주장하였다.

④ 중광단

1909년 창시된 대종교 세력이 만든 항일 독립운동 단체로, 이후 북로 군정서에 편입되어 항일 무장 투쟁을 전개하였다. 서일이 국외로 탈출하는 의병들을 규합해서 조직한 것으로, 서일이 단장을 맡았다.

정리 교실

교과서 160쪽

㉠ 『독사신론』 ㉡ 국문 연구소
㉢ 프랑스 ㉣ 『유교 구신론』

탐구 교실 문학과 예술의 새 경향

교과서 | 161쪽

활동 목표 | 개항 이후 서양 문물 도입으로 나타난 문학과 예술에 있어서의 새 경향을 분야별로 설명할 수 있습니다.

자료 1 문학의 새 경향

계몽사상을 다룬 신소설

신소설은 순 한글로 쓰여진 과도기의 소설로 이인직의 『혈의 누』가 시초이다. 『혈의 누』는 청·일 전쟁 중 혼자가 된 여주인공이 미국으로 건너가 신여성이 된다는 내용이다. 이해조의 『자유종』은 네 명의 여자가 등장하여 여성의 사회적 지위 향상, 교육 및 사회 풍속 개선 등을 토론하는 내용이다. 안국선의 『금수회의록』은 동물을 의인화하여 인간의 도덕성 타락과 혼란을 비판하는 내용이다.

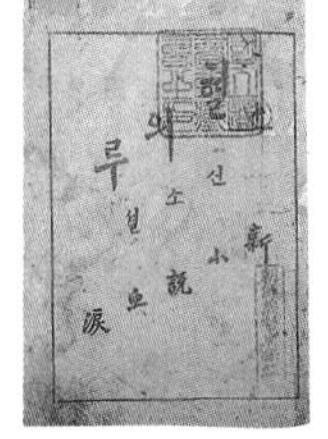

이인직의 『혈의 누』

최초의 신체시, 최남선의 「해에게서 소년에게」

최남선은 1908년 신체시 「해에게서 소년에게」를 발표하였다. 이 시는 순 한글로 쓰여졌으며, 전통적인 운율에서 탈피하여 새로운 운율을 추구한 실험적인 작품이었다.

처……ㄹ썩, 처……ㄹ썩, 척, 쏴……아.
때린다, 부순다, 무너 버린다.
태산(泰山) 같은 높은 뫼, 집채 같은 바윗돌이나,
요것이 무어야, 요게 무어야.
나의 큰 힘 아느냐, 모르느냐, 호통까지 하면서
때린다, 부순다, 무너 버린다.
처……ㄹ썩, 처……ㄹ썩, 척, 튜르릉, 콱.

- 최남선, 「해에게서 소년에게」

자료 2 예술의 새 경향

서양식 미술의 도입

미술계는 개항 이후에 서양 화풍을 직접 접하게 되었다. 이에 따라 개항 이후 서양식 유화가 그려지기 시작하였다. ㉮ 고희동은 1909년 일본 도쿄 미술 학교 서양화과에 입학하면서 최초의 서양화가로 이름을 남겼다.

창가

창가는 전통적인 시가를 서양식 곡에 우리말 가사를 붙여 부르는 노래이다. 『독립신문』이 전개한 ㉯ '애국가 짓기 운동'이 계기가 되어 애국가는 물론 독립가나 권학가 등 애국 계몽을 목적으로 한 창가가 지어졌다. 1896년 배재 학당에는 창가라는 과목이 있었다는 기록이 전해지는데, 이를 통해 창가가 근대 학교의 교과목이었음을 알 수 있다.

최초의 서양식 극장, 원각사

1908년에 문을 연 원각사는 우리나라 최초의 서양식 극장이었다. 원각사에서는 판소리·민속 무용과 함께 ㉰ 창극이 공연되었다. 1908년 11월에는 이인직의 『은세계』를 신극이라는 이름으로 공연하였다.

원각사

활동 도우미

- 신소설과 신체시의 등장 시기와 이전의 문학 작품과의 차이점을 비교하여 정리해 봅시다.
- 인터넷 등을 활용하여 문학, 음악, 미술, 연극으로 구분하여 새로운 경향을 조사해 봅시다.

자료 해설

- **<자료 1>** | 신소설에 대한 설명과 최초의 신체시인 최남선의 「해에게서 소년에게」의 해설과 원문을 제시하였다. 개항 이후 서양 문물 수용의 영향으로 문학에서 나타난 새로운 변화는 신소설과 신체시의 등장이었다. 신소설과 신체시 모두 순한글로 쓰여졌으며 전통적인 형식이나 주제에서 탈피하였다는 공통점이 있다.
- **<자료 2>** | 예술에 있어서는 서양식 유화의 등장, 음악에 있어서 창가의 유행, 연극에 있어서 원각사의 건립과 창극의 공연을 등 수 있다. 창가는 전통적인 가사에 서양식 곡조를 붙여 부르는 노래로 그 주제는 계몽적인 내용이 많았다.

활동 풀이

1. <자료 1>의 신소설과 신체시에 나타난 공통점은 무엇인지 써 보자.

예시 답안 신소설과 신체시는 다같이 대한 제국 말에 등장하였고 고대 문학과 현대 문학의 과도기적 성격을 지니고 있다. 또한 신소설과 신체시는 모두 순 한글로 쓰여졌다는 공통점을 지니고 있다.

2. <자료 2>의 (가), (나), (다) 중 하나를 선택하여 그 내용을 간략하게 조사해 보자.

예시 답안

- **(가)**: 『독립신문』은 국권 수호를 위해서는 국민들의 애국심이 중요하다고 생각하여 애국가 짓기 운동을 전개하였다. 그 결과 1896년부터 1898년까지 3년 동안 총 13곡의 애국가를 게재하였다.
- **(다)**: 창극은 20세기 초 판소리가 변해서 만들어진 것으로 여러 배역들이 역할을 분담하고 노래도 나누어 부르면서 생겨났다. 1908년 궁내부 직할 공연장인 원각사의 개관을 계기로 창극이 유행하였다.

간단 체크 정답 및 해설 21쪽

1908년 11월 서양식 극장인 원각사에서 이인직의 (　　　)이/가 신극으로 공연되었다.

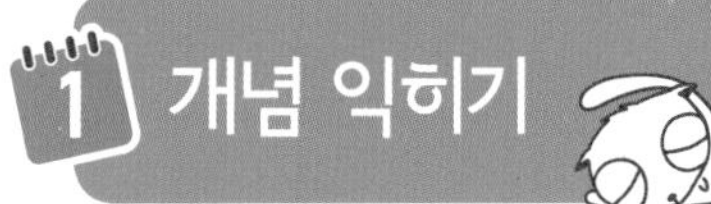

1 개념 익히기

2 내신 유형 익히기

01 아래 설명이 맞으면 O표, 틀리면 X표를 해 보자.

(1) 우정총국 설립으로 시작된 근대적 우편 사무는 을미사변으로 중단되었다. (   )

(2) 1883년 박문국이 설치되면서 최초의 신문인 한성순보가 간행되었다. (   )

(3) 교육입국 조서 발표를 배경으로 소학교, 중학교, 사범학교 등 각종 관립 학교가 설립되었다. (   )

(4) 조선 광문회에서 국문 연구 의정안을 마련하였다. (   )

02 빈칸에 알맞은 말을 채워 보자.

(1) 황실이 설립하고 콜브란 등이 운영한 (   )은/는 서대문과 청량리 간 전차를 개통하였다.

(2) 1907년 통감부는 (   )을/를 제정하여 황성신문, 제국신문 등 언론을 탄압하였다.

(3) 1886년 정부는 (   )을/를 설립하여 주로 고관 자제들을 대상으로 근대 학문을 가르쳤다.

(4) 신채호는 대한매일신보에 발표한 (   )에서 역사 서술의 주체를 민족으로 설정하였다.

03 서로 관련 있는 내용끼리 연결해 보자.

a. 오기호 •	• ㄱ. 유교구신론
b. 박은식 •	• ㄴ. 대종교
c. 최남선 •	• ㄷ. 신체시

04 개항 이후 나타난 사회·문화적 변화로 옳은 것만을 <보기>에서 있는 대로 고르시오.

보기
ㄱ. 제중원은 세브란스 병원으로 계승되었다.
ㄴ. 광제원은 1907년 대한 의원으로 통합되었다.
ㄷ. 찬양회는 크리스트교 포교를 목적으로 조직되었다.
ㄹ. 정부는 사립 학교령을 제정하여 사립 학교를 장려하였다.

중요
01 밑줄 친 '올해'에 볼 수 있는 광경으로 옳은 것은?

<u>올해</u> 1년 동안 가장 큰 사건은 지난 4월 초파일 한성에서 있었던 전차 개통이었다. 내국인은 물론 주한 외국인들 사이에서도 전차는 큰 화제를 모았다. 동대문에서 종로까지 운행하던 전차는 전차타기를 즐기다 가산을 탕진한다는 유행어가 나올 정도로 승객이 많아지자 노선이 대폭 증설되었다.

① 대한매일신보를 읽고 있는 학생
② 육영 공원에서 공부하는 젊은 관료들
③ 인천까지 기차를 타고 가는 서울 시민
④ 국문 연구소에서 국어를 연구하는 학자들
⑤ 천도교 교단의 출범을 선포하는 교주 손병희

02 밑줄 친 '신문'에 대한 설명으로 옳은 것은?

우리 조정에서도 박문국을 설치하고 관리를 두어 외국의 신문을 폭넓게 번역하고 아울러 국내의 일까지 기재하여 나라 안에 말리는 동시에 다른 나라에까지 공포하기로, 신문의 이름을 순보라 하여 견문을 넓히고 여러 가지 의문점을 풀어 주고, 상업에도 도움을 주고자 하였다.

① 순 한글로 간행되었다.
② 신문지법의 탄압을 받았다.
③ 우리나라 최초의 신문이다.
④ 영국인 베델이 발행인으로 참여하였다.
⑤ 을사늑약 이후 항일 의식을 고취하였다.

03 다음에서 설명하고 있는 병원으로 옳은 것은?

고종의 신뢰를 얻은 미국 영사관 소속 의사 알렌의 요청으로 설립된 우리나라 최초의 서양식 병원이다. 건물은 한성 재동에 세워졌으며, 통리교섭통상사무아문이 관할하였다. 미국 감리교단에서 파견한 의료 선교사들의 도움으로 활발하게 운영되었다.

① 광제원 ② 제중원 ③ 대한 의원
④ 자혜 의원 ⑤ 세브란스 병원

중요
04 (가)에 들어갈 내용으로 가정 적절한 것은?

> 갑오개혁을 통해 학무아문이 설치되고, 교육 제도가 신식 학제에 따라 개편되었다. 1895년 고종은 교육입국 조서를 발표하여 근대 교육의 중요성을 강조하였다. 이를 배경으로 하여 (가)

① 동문학이 설립되었다.
② 육영 공원이 설립되었다.
③ 사립 학교령이 반포되었다.
④ 대성 학교, 오산 학교를 설립하였다.
⑤ 소학교, 사범학교 등 각종 관립 학교가 세워졌다.

05 (가)에 들어갈 학교로 옳은 것은?

> 개화 정책이 추진되면서 정부는 근대 학문을 가르치는 학교 설립에 나섰다. 정부는 (가) 을/를 설립하고 미국 정부의 협조로 세 사람의 교사를 초빙하여 유능한 문무 현직 관료와 양반 자제들을 선발하여 외국어와 근대 학문을 가르쳤다.

① 동문학 ② 육영 공원 ③ 원산 학사
④ 오산 학교 ⑤ 한성 사범학교

06 다음 선언문에 대한 탐구 활동으로 가장 적절한 것은?

> 우리보다 먼저 문명개화한 나라들을 보면 남녀평등권이 있는지라. 여자도 어려서부터 학교에 다니며 각종 학문을 다 배워 이목을 넓히고 장성한 후에 남자와 부부의 의를 맺어 평생을 살더라도 남자의 압제를 전혀 받지 아니하고 후대를 받는 것은 그 학문과 지식이 남자와 못지않으므로 권리도 같으니 어찌 아름답지 않으리오.

① 찬양회의 결성 과정을 조사한다.
② 교육입국 조서의 영향을 분석한다.
③ 이화 학당의 설립 배경을 파악한다.
④ 국채 보상 부인회의 활동을 알아본다.
⑤ 독립 협회의 자유 민권 운동을 정리한다.

중요
07 개항 이후 근대 문물의 수용으로 나타난 생활양식의 변화로 옳은 것을 <보기>에서 고른 것은?

> 보기
> ㄱ. 상류층에서 커피를 기호 식품으로 즐겼다.
> ㄴ. 경복궁 근정전 등 서양식 건축물이 건립되었다.
> ㄷ. 두루마기가 유행하고 마고자나 조끼가 등장하였다.
> ㄹ. 상차림에서 겸상이나 두레상보다 독상이 일반화되었다.

① ㄱ, ㄴ ② ㄱ, ㄷ ③ ㄴ, ㄷ ④ ㄴ, ㄹ ⑤ ㄷ, ㄹ

중요
08 다음 주장을 한 인물에 대한 설명으로 옳은 것은?

> 국가의 역사는 민족의 흥망성쇠를 서술하는 것이다. 민족을 빼면 역사가 없을 것이며, 역사를 알지 못한다면 그 민족의 애국심이 사라질 것이다. …… 만일 민족을 주체로 한 역사 서술이 이루어지지 않는다면 이는 무(無) 정신의 역사라.

① 국문 연구소를 설립하였다.
② 대한매일신보를 운영하였다.
③ 민족주의 사학의 기틀을 마련하였다.
④ 식민사관에 입각하여 역사를 연구하였다.
⑤ 동명성왕실기, 천개소문전 등을 저술하였다.

09 밑줄 친 '이 지역'에 대한 탐구 활동으로 적절한 것은?

> 이 지역으로의 이민은 20세기 초에 한인들이 노동 이민을 떠난 것에서 비롯되었다. 이들 이주민들은 주로 도시 출신자들로서 그들의 이민에는 경제적 이유뿐만 아니라 정치적, 교육적, 종교적 동기도 있었다. 그들은 주로 교회를 중심으로 교민들의 결속을 강화하였다.

① 안중근 의거의 의미를 알아본다.
② 간도 협약의 체결 과정과 내용을 분석한다.
③ 신흥 무관 학교의 졸업생 명단을 파악한다.
④ 대한인 국민회의 성립 과정과 역할을 조사한다.
⑤ 신민회가 건설한 국외 독립운동 기지를 조사한다.

정답 및 해설 21쪽

10 개항 이후 나타난 문학과 예술의 새 경향으로 옳은 것만을 <보기>에서 고른 것은?

보기
ㄱ. 문학에서 한글 소설과 사설시조가 등장하였다.
ㄴ. 음악에서 판소리가 정리되고 창가가 유행하였다.
ㄷ. 미술에서 민화가 유행하고 진경산수화가 등장하였다.
ㄹ. 최초의 서양식 극장인 원각사에서 창극이 공연되었다.

① ㄱ, ㄴ ② ㄱ, ㄷ ③ ㄴ, ㄷ ④ ㄴ, ㄹ ⑤ ㄷ, ㄹ

중요

11 밑줄 친 '개혁론'의 내용으로 가장 적절한 것은?

개화기의 유교는 강한 반침략성을 띠었지만 개화와 개혁을 외면하여 시대의 흐름에 역행하는 면이 있었다. 이에 개신 유학자들은 유교의 개혁을 주장하였는데 특히 박은식의 개혁론이 대표적이다.

① 성리학의 개혁을 시도하였다.
② 실천적 유교 정신을 강조하였다.
③ 유교적 예학을 재확립하려 하였다.
④ 미신 타파 및 평등사상 전파 등을 주장하였다.
⑤ 보육원과 양로원 운영 등 사회사업에 관심을 가졌다.

12 (가) 종교에 대한 설명으로 옳은 것은?

교도인 이용구 등이 일본의 앞잡이가 되어 교단을 흡수하려 하자, 제3대 교주 손병희는 교명을 (가) (으)로 개칭하고 적극적인 포교 활동으로 교세를 확장하였다.

① 자신단을 조직하였다.
② 선교를 위해 사립 학교를 설립하였다.
③ 조선불교유신론에 따라 개혁에 나섰다.
④ 서양 의술 및 평등 의식 보급에 기여하였다.
⑤ 만세보를 발간하고 민족의식 고취에 앞장섰다.

서술형 문제

13 다음 글을 읽고 물음에 답하시오.

개항 이후 정부의 개화 정책 추진으로 통신, 전기, 교통 분야에서 근대 시설이 갖추어져 갔다. ㉠ 우편 사무가 시작되었고 전신선이 가설되었으며, 서울의 서대문에서 청량리 사이에 ㉡ 전차 운행도 시작되었다. 이러한 시설은 국민의 생활상의 편리를 제공하였으나, ㉢ 민중의 반감을 사기도 하였다.

(1) 밑줄 친 ㉠, ㉡을 담당했던 기관의 이름을 각각 쓰시오.

(2) 밑줄 친 ㉢의 이유를 서술하시오.

서술형 문제

14 다음 연설문을 읽고 물음에 답하시오.

이 사람은 바로 대한에서 가장 천한 사람이고 매우 무식합니다. 그러나 임금께 충성하고 나라를 사랑하는 뜻은 대강 알고 있습니다. 이제 나라를 이롭게 하고 백성을 편리하게 하는 방도는 관리와 백성이 마음을 합한 뒤에야 가능하다고 생각합니다. 저 천막에 비유하면, 한 개의 장대로 받치자면 힘이 부족하지만 만일 많은 장대로 힘을 합친다면 그 힘은 매우 튼튼합니다. 삼가 원하건대, 관리와 백성이 마음을 합하여 우리 대황제의 훌륭한 덕에 보답하고 국운이 영원토록 무궁하게 합시다.

(1) 위 연설을 한 사람의 이름과 연설이 이루어졌던 행사의 명칭을 각각 쓰시오.

(2) 위 연설을 통해 알 수 있는 당시 사회의 변화를 서술하시오.

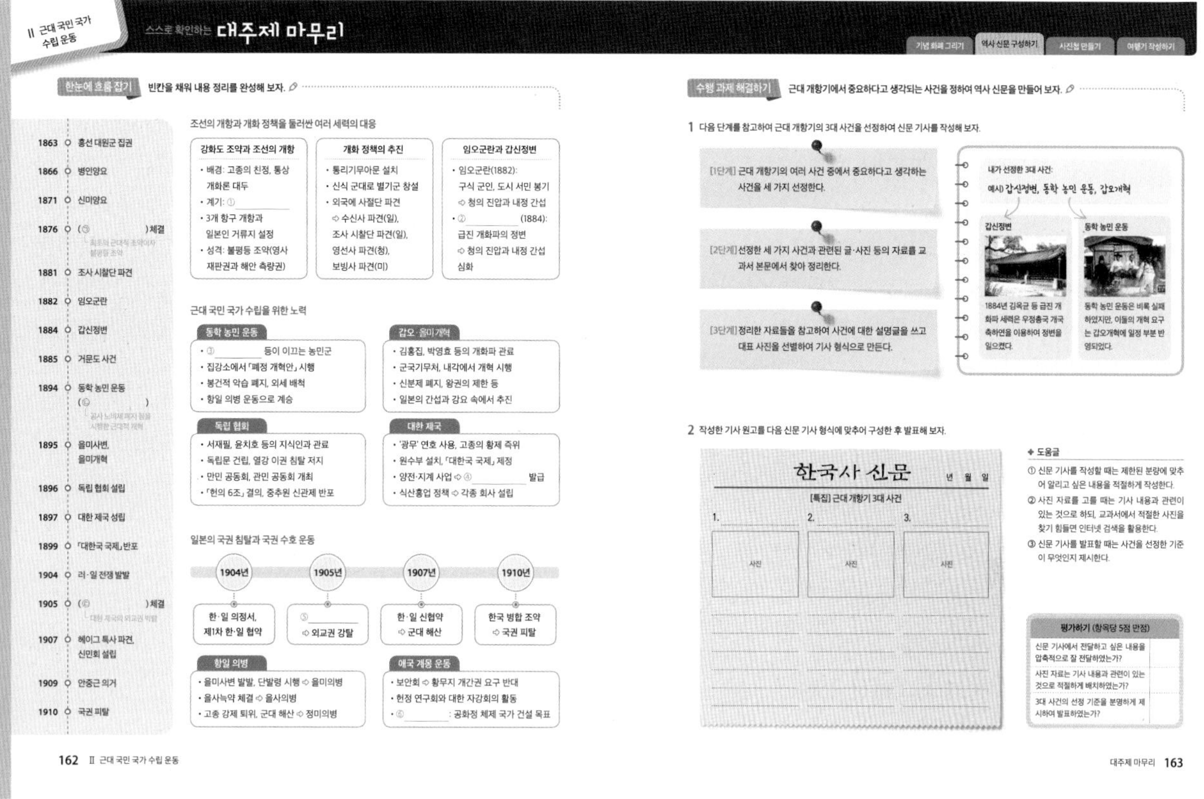

Ⅱ 근대 국민 국가 수립 운동

스스로 확인하는 대주제 마무리

한눈에 흐름 잡기 빈칸을 채워 내용 정리를 완성해 보자.

1863 흥선 대원군 집권
1866 병인양요
1871 신미양요
1876 (㉠)체결
1881 조사 시찰단 파견
1882 임오군란
1884 갑신정변
1885 거문도 사건
1894 동학 농민 운동 (㉡)
1895 을미사변, 을미개혁
1896 독립 협회 설립
1897 대한 제국 성립
1899 「대한국 국제」 반포
1904 러·일 전쟁 발발
1905 (㉢)체결
1907 헤이그 특사 파견, 신민회 설립
1909 안중근 의거
1910 국권 피탈

조선의 개항과 개화 정책을 둘러싼 여러 세력의 대응

강화도 조약과 조선의 개항
- 배경: 고종의 친정, 통상 개화론 대두
- 계기: ①
- 3개 항구 개항과 일본인 거류지 설정
- 성격: 불평등 조약(영사 재판권과 해안 측량권)

개화 정책의 추진
- 통리기무아문 설치
- 신식 군대로 별기군 창설
- 외국에 사절단 파견 ⇨ 수신사 파견(일), 조사 시찰단 파견(일), 영선사 파견(청), 보빙사 파견(미)

임오군란과 갑신정변
- 임오군란(1882): 구식 군인, 도시 서민 봉기 ⇨ 청의 진압과 내정 간섭
- ② (1884): 급진 개화파의 정변 ⇨ 청의 진압과 내정 간섭 심화

근대 국민 국가 수립을 위한 노력

동학 농민 운동
- ③ 등이 이끄는 농민군
- 집강소에서 「폐정 개혁안」 시행
- 봉건적 악습 폐지, 외세 배척
- 항일 의병 운동으로 계승

갑오·을미개혁
- 김홍집, 박영효 등의 개화파 관료
- 군국기무처, 내각에서 개혁 시행
- 신분제 폐지, 왕권의 제한 등
- 일본의 간섭과 강요 속에서 추진

독립 협회
- 서재필, 윤치호 등의 지식인과 관료
- 독립문 건립, 열강 이권 침탈 저지
- 만민 공동회, 관민 공동회 개최
- 「헌의 6조」 결의, 중추원 신관제 반포

대한 제국
- '광무' 연호 사용, 고종의 황제 즉위
- 원수부 설치, 「대한국 국제」 제정
- 양전·지계 사업 ⇨ ④ 발급
- 식산흥업 정책 ⇨ 각종 회사 설립

일본의 국권 침탈과 국권 수호 운동

1904년: 한·일 의정서, 제1차 한·일 협약
1905년: ⑤ ⇨ 외교권 강탈
1907년: 한·일 신협약 ⇨ 군대 해산
1910년: 한국 병합 조약 ⇨ 국권 피탈

항일 의병
- 을미사변 발발, 단발령 시행 ⇨ 을미의병
- 을사늑약 체결 ⇨ 을사의병
- 고종 강제 퇴위, 군대 해산 ⇨ 정미의병

애국 계몽 운동
- 보안회 ⇨ 황무지 개간권 요구 반대
- 헌정 연구회와 대한 자강회의 활동
- ⑥ : 공화정 체제 국가 건설 목표

수행 과제 해결하기 근대 개항기에서 중요하다고 생각되는 사건을 정하여 역사 신문을 만들어 보자.

1 다음 단계를 참고하여 근대 개항기의 3대 사건을 선정하여 신문 기사를 작성해 보자.

[1단계] 근대 개항기의 여러 사건 중에서 중요하다고 생각하는 사건을 세 가지 선정한다.
[2단계] 선정한 세 가지 사건과 관련된 글·사진 등의 자료를 교과서 본문에서 찾아 정리한다.
[3단계] 정리한 자료들을 참고하여 사건에 대한 설명글을 쓰고 대표 사진을 선별하여 기사 형식으로 만든다.

내가 선정한 3대 사건: 예시) 갑신정변, 동학 농민 운동, 갑오개혁

2 작성한 기사 원고를 다음 신문 기사 형식에 맞추어 구성한 후 발표해 보자.

한국사 신문 년 월 일
[특집] 근대 개항기 3대 사건

162 Ⅱ 근대 국민 국가 수립 운동 / 대주제 마무리 163

한눈에 흐름 잡기

㉠ 강화도 조약 ㉡ 갑오개혁 ㉢ 을사늑약 ① 운요호 사건
② 갑신정변 ③ 전봉준 ④ 지계 ⑤ 을사늑약 ⑥ 신민회

수행 과제 해결하기

과제 목표

- 신문 만들기를 통해 근대 개항기에 일어난 사건 중 오늘날까지 가장 큰 영향을 준 사건이 무엇인지 설명할 수 있다.
- 각 사건에 대한 정확한 이해와 함께 해당 사건들이 왜 중요한지 신문 기사로 작성할 수 있다.

활동 도우미

- 모둠을 구성하고 구성원의 토의를 통해 3대 사건을 선정한다.
- 신문의 구성을 알아보기 위해 『독립신문』 등 실제 근대 신문을 활용한다.
- 모둠원의 역할을 분담하여 자료 수집, 자료 정리, 기사 작성 등을 각각 담당하되 상호 협력한다.

예시 답안

- **3대 사건** | 갑신정변, 동학 농민 운동, 갑오개혁
- **기사 원고(1)** | 김옥균의 3일 천하

오늘 김옥균, 박영효, 홍영식, 서광범 등 개화당이 일으킨 정변이 청의 군사에 의해 진압되었다. 창덕궁에서 고종을 호위하던 홍영식, 박영교 및 7인의 생도는 현장에서 살해되었고, 김옥균 등은 일본군을 따라 피신하였나고 한다. 이틀 전 우정총국 정변에 이어, 어제 내각을 구성했던 개화당 정권이 청군 1,500명에 의해 무너졌다. 개화당 지원을 약속했던 일본군은 열세를 느끼자 철수하였다고 한다.

- **기사 원고(2)** | 군국기무처의 개혁

오늘 군국기무처를 설치하고 총재에 영의정 김홍집이 임명되었다. 4일 전 일본군이 경복궁에 난입한 이후 며칠 사이에 새로운 내각이 수립되고 오늘 군국기무처가 설치되었다. 군국기무처의 위원에는 박정양, 김윤식, 유길준 등이 포함되어 있으며 날마다 모여 크고 작은 사무를 협의하여 시행하라는 조서가 있었다. 앞으로 동학 농민군의 요구 사항과 일본의 개혁 요구 등이 정책에 반영될 것이라 한다.

01 다음 조약에 대한 설명으로 옳은 것은?

> 제4관 이후 부산 항구에서 일본국 인민이 통행할 수 있는 도로의 이정(里程)은 부두로부터 동서남북 각 직경 10리로 정한다.
> 제7관 일본국 인민은 본국의 현행 여러 화폐로 조선국 인민이 소유한 물품과 교환할 수 있으며, 조선국 인민은 그 교환한 일본국의 여러 화폐로 일본국에서 생산한 여러 가지 상품을 살 수 있다.
> -『고종실록』

① 영사 재판권을 허용하였다.
② 최혜국 대우를 규정하였다.
③ 정한론이 제기되는 계기가 되었다.
④ 조선책략 유포를 계기로 체결되었다.
⑤ 강화도 조약 부속 조약으로 체결되었다.

02 다음 상소를 올린 계기로 가장 적절한 것은?

> 미국은 우리가 본래 모르던 나라입니다. 잘 알지 못하는데 공연히 타인의 권유로 불러들였다가 그들이 재물을 요구하고 우리의 약점을 알아차려 어려운 청을 하거나 과도한 경우를 떠맡긴다면 장차 어떻게 응할 것입니까.
> -『일성록』

① 병인양요가 일어났다.
② 임오군란이 일어났다.
③ 조선책략이 유포되었다.
④ 강화도 조약이 체결되었다.
⑤ 흥선 대원군이 납치되었다.

03 다음 상소를 올린 인물에 대한 설명으로 옳은 것은?

> 군신·부자·붕우·장유의 윤리는 인간의 본성에 부여된 것입니다. 그러므로 천지를 통하는 만고불변의 이치이고, 위에 존재하는 것으로서 도(道)가 됩니다. 반면 배·수레·군사·농사·기계의 편민이국(便民利國)하는 것은 외형적인 것으로서, 기(器)가 됩니다. 신이 변혁을 꾀하고자 하는 것은 기(器)이지, 도(道)가 아닙니다.

① 척화주전론을 내세웠다.
② 위정척사파에 해당한다.
③ 갑신정변을 주도하였다.
④ 점진적인 개혁을 주장하였다.
⑤ 일본의 메이지 유신을 본보기로 삼았다.

04 다음 자료의 개혁이 추진되었던 시기에 볼 수 있던 모습으로 적절한 것은?

> 지방관의 사법권과 군사권을 박탈하였으며, 재판소를 설치하여 사법권을 독립시켰다.

① 을미의병을 일으키는 유생
② 독립신문을 읽고 있는 학생
③ 개혁을 추진하는 내무대신 박영효
④ 자주 국권을 외치는 만민 공동회의 민중
⑤ 국채 보상 운동 참여를 독려하는 언론인

05 다음 조약이 체결된 시기를 연표에서 옳게 고른 것은?

> 장래 조선국에 만약 변란이나 중대 사건이 일어나 청·일 양국 혹은 어떤 한 국가가 파병하려고 할 때에는 응당 그에 앞서 쌍방이 문서로 통지해야 한다. 그 사건이 진정된 뒤에는 즉시 병력을 전부 철수하며 잔류시키지 못한다.

병인양요	(가)	신미양요	(나)	강화도 조약 체결	(다)	임오군란	(라)	갑신정변	(마)	갑오개혁

① (가) ② (나) ③ (다) ④ (라) ⑤ (마)

06 (가) 단체에 대한 설명으로 옳은 것은?

> (가) 의 토론 주제
>
> 제6회 국문을 한문보다 더 쓰는 것이 인민 교육을 성하게 하는 것이다.
>
> 제15회 인민의 견문을 넓히려면 신문을 발간하는 것이 가장 중요하다.
>
> 제18회 국가를 강하게 하려면 금·은·동·철·석탄 등 광산을 확장하여야 한다.
>
> 제25회 의회(중추원)를 설립하는 것이 정치상 제일 긴요하다.
>
> 제28회 백성의 권리가 높아질수록 임금의 지위가 높아지고, 나라의 힘을 떨칠 수 있다.

① 지계를 발급하였다.
② 광무개혁을 추진하였다.
③ 육영 공원을 설립하였다.
④ 의회 설립 운동을 추진하였다.
⑤ 고종 강제 퇴위 반대 운동을 전개하였다.

07 (가)의 선포 이후 추진된 활동으로 옳지 않은 것은?

> 고종은 러시아 공사관에 거처하는 동안 경운궁을 증축한 뒤 1897년 2월 경운궁으로 돌아왔다. 8월에는 연호를 '광무'로 바꾸었으며, 10월에는 환구단에서 황제 즉위식을 거행하고 이튿날 (가) (이)라는 새로운 국호를 선포하였다.

① 만국 우편 연합에 가입하였다.
② 파리 만국 박람회에 참가하였다.
③ 벨기에, 덴마크와 국교를 수립하였다.
④ 묄렌도르프를 외교 고문으로 임명하였다.
⑤ 청과 대등한 입장에서 통상 조약을 체결하였다.

08 (가), (나) 사이 시기에 있었던 사실로 옳은 것은?

> (가) 일본국 정부는 한국과 타국 간에 현존하는 조약의 실행을 완수하는 임무를 담당하고 한국 정부는 지금부터 일본국 정부의 중개를 거치지 않고서는 국제적 성질을 가진 어떤 조약이나 약속을 맺지 않을 것을 서로 약속한다.
>
> (나) 한국 황제 폐하는 한국 전부에 관한 모든 통치권을 완전 또는 영구히 일본 황제 폐하에게 양여한다. 일본국 황제 폐하는 이 같은 양여를 수락하고 완전히 한국을 일본 제국에 병합함을 승낙한다.

① 농광 회사가 설립되었다.
② 융희라는 연호가 사용되었다.
③ 대한국 국제 9조가 반포되었다.
④ 가쓰라·태프트 밀약이 체결되었다.
⑤ 메가타가 재정 고문으로 파견되었다.

09 밑줄 친 '비석'에 대한 탐구 활동으로 가장 적절한 것은?

> 백두산과 어활강의 중간에 삼나무 숲이 울창하게 펼쳐진 것이 거의 3백 리에 달했고, 거기서 5리를 더 가니 비로소 비석을 세운 곳에 당도하였습니다. 그런데 그 형태가 허름하고 견고하지 않았으며, 정밀하게 다듬지도 않았습니다. 청의 신하 목극등과 더불어 경계를 정하고 세운 것 치고는 많이 허술하였습니다.
>
> \- 홍치종의 보고

① 안용복의 활동을 조사한다.
② 안중근이 의거를 일으킨 곳을 알아본다.
③ 간도 귀속 문제가 발생한 경위를 파악한다.
④ 대한 제국 칙령 제41호의 내용을 분석한다.
⑤ 신흥 무관 학교가 설립된 지역을 지도에서 찾아본다.

10 (가), (나)의 영향으로 옳은 것을 <보기>에서 고른 것은?

> (가) 조선에서 가뭄과 홍수, 전쟁 등으로 국내에 양식이 결핍할 것을 우려하여 일시 쌀 수출을 금지하려고 할 때에는 1개월 전에 지방관이 일본 영사관에게 통지하여 일본 상인들에게 전달하여 일률적으로 준수하는 데 편리하게 한다.
> (나) 중국 상인이 조선의 양화진(楊花津)과 서울에 들어가 영업소를 개설한 경우를 제외하고 각종 화물을 내지로 운반하여 상점을 차리고 파는 것을 허가하지 않는다. 양국 상인이 내지로 들어가 토산물을 구입하려고 할 때에는 허가증을 발급한다.

보기
ㄱ. (가) - 일본이 최혜국 대우를 인정받았다.
ㄴ. (가) - 일본 수출입 상품에 관세가 면제되었다.
ㄷ. (나) - 청·일 상인 간 상권 경쟁이 치열해졌다.
ㄹ. (나) - 마젠창과 묄렌도르프가 고문으로 파견되었다.

① ㄱ, ㄴ ② ㄱ, ㄷ ③ ㄴ, ㄷ
④ ㄴ, ㄹ ⑤ ㄷ, ㄹ

11 다음 자료를 활용한 탐구 활동으로 가장 적절한 것은?

> 내가 아무리 상식이 없는 나무하는 목동이라 할지라도 데라우치 같은 자 하나 죽이기 위해 수백 명을 동원하지는 아니할 것 아니냐. 또한 백여 명이 총독 하나 죽이기 위해 권총을 가지고 이틀이나 요소요소를 지킬 뿐만 아니라 조직적으로 지휘까지 했다는데, 어찌해서 딱총소리 한 방 없었느냐.

① 신민회의 해체 경위를 조사한다.
② 이재명 의거의 영향을 분석한다.
③ 안악 사건이 일어난 배경을 파악한다.
④ 오적 암살단의 주요 구성원을 알아본다.
⑤ 13도 창의군의 설립 및 해체 과정을 정리한다.

12 다음 취지서를 발표했던 운동에 대한 설명으로 옳지 <u>않은</u> 것은?

> 국채 1,300만 원은 우리 대한의 존망에 관계가 있는 것이다. 갚아 버리면 나라가 존재하고 갚지 못하면 나라가 망하는 것은 대세가 반드시 그렇게 이르는 것이다. 현재 국고에서는 이 국채를 갚아 버리기 어려운즉 장차 3천리 강토는 우리나라와 백성의 것이 아닌 것으로 될 위험이 있다. 토지를 한번 잃어버리면 다시 회복하기 어려운 것이다. 어떻게 월남 등의 나라와 같은 처지를 면할 수 있을까?

① 국채 보상 기성회가 주도하였다.
② 일제 통감부의 탄압으로 중단되었다.
③ 평양에서 시작되어 전국으로 확산되었다.
④ 여성들도 탈환회 등을 조직하여 참여하였다.
⑤ 대한매일신보 등 언론 기관의 호응을 받았다.

13 다음 주장을 한 인물에 대한 설명으로 옳은 것은?

> 오호라 어떻게 하면 우리 이 귀에 항상 애국이란 한 글자가 울리게 할까. 가로되 오직 역사로써 할지니라. 오호라 어떻게 하면 우리 이천만의 눈에 항상 나라라는 한 글자가 배회하게 할까. 가로되 오직 역사로써 할지니라. …… 역사가 어떤 것이기에 그 효과가 신성함이 이와 같은가. 가로되 역사라는 것은 그 나라, 그 국민의 소장(消長)한 실제의 자취이니, 역사가 있으면 그 나라가 심흥(心興)하나니라.

① 동물을 의인화한 금수회의록을 발표하였다.
② 미국과 유럽을 돌아보고 서유견문을 남겼다.
③ 국문 연구 의정안 마련에 주도적인 역할을 하였다.
④ 유교 구신론을 주창하여 유교계의 개혁을 시도하였다.
⑤ 독사신론을 써서 민족주의 사학의 방향을 제시하였다.

14 다음 시가 쓰여진 이후 상황으로 옳지 않은 것은?

> 십 년 만에 다시 한양성에 와 보니
> 오직 남산만이 옛 모습을 간직하고 있구나.
> 좁은 길 유리창엔 전등불이 밝혀져 있고
> 하늘을 가르는 전깃줄 따라 전차 소리 요란하네.
> 멀리 바다 건너 온 이들은 신식 예법을 행하고
> 임금님도 천추에 황제라는 칭호를 처음 가지셨네.

① 하와이 이민이 시작되었다.
② 한성 전기 회사가 전기 사업을 하였다.
③ 방곡령 사건이 외교 문제로 비화하였다.
④ 조선 광문회가 고전을 수집하고 편찬하였다.
⑤ 대한매일신보가 항일 논조의 기사를 게재하였다.

주관식·서술형 평가

15 다음 자료를 읽고 물음에 답하시오.

> (가) 에는 관장할 사람이 없어서는 안 되니 반드시 면에서 근면 성실하고 넉넉한 자를 택하여 관에 보고한 뒤 뽑는다. 또한 관에서 강제로 정하지 말고 그를 '사수'라 하여 환곡을 나누어 주고 수납하는 때를 맡아서 검사한다. …… 창고지기 1명도 사수가 지역민 중에 잘 선택하여 지키고, 출납하고 용량을 재는 등 모든 것을 해당 지역의 백성에게 맡긴다.

(1) (가)에 들어갈 명칭을 쓰시오.

(2) (가) 제도를 시행한 배경과 목적을 서술하시오.

16 다음 비문을 읽고 물음에 답하시오.

> 서쪽으로는 압록강, 동쪽으로는 토문강을 청과 조선의 경계로 삼는다(西爲鴨綠, 東爲土門, 故於分水嶺).

(1) 위 비문이 새겨져 있는 비석의 명칭을 쓰시오.

(2) 위 비문에서 청과 조선의 해석이 서로 달랐던 부분을 설명하시오.

일제 식민지 지배와 민족 운동의 전개

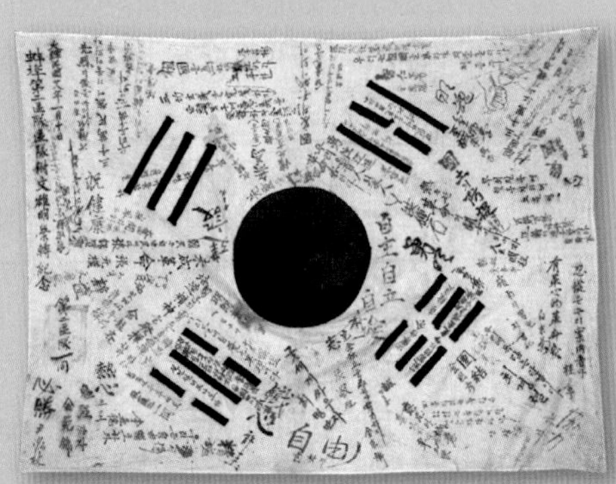

학습 계획표

- 자신의 일정에 맞게 계획을 세워보고, 실제 학습일을 적어 봅시다.
- 학습을 마무리한 후 스스로 학습 목표를 얼마나 달성하였는지 점검해 봅시다.

1. 일제의 식민지 지배 정책	쪽수	계획일	학습일	목표 달성도
주제 39 일제의 무단 통치	138~139쪽	월 일	월 일	☆☆☆☆☆
주제 40 일제의 민족 분열 통치	140~141쪽	월 일	월 일	☆☆☆☆☆
개념 익히기 / 내신 유형 익히기	142~143쪽	월 일	월 일	☆☆☆☆☆

2. 3·1 운동과 대한민국 임시 정부	쪽수	계획일	학습일	목표 달성도
주제 41 1910년대 국내외 민족 운동	144~145쪽	월 일	월 일	☆☆☆☆☆
주제 42 독립을 향한 외침, 3·1 운동	146~147쪽	월 일	월 일	☆☆☆☆☆
주제 43 대한민국 임시 정부의 수립과 활동	148~149쪽	월 일	월 일	☆☆☆☆☆
개념 익히기 / 내신 유형 익히기	150~153쪽	월 일	월 일	☆☆☆☆☆

3. 민족 운동의 성장	쪽수	계획일	학습일	목표 달성도
주제 44 항일 무장 독립 투쟁의 전개	154~155쪽	월 일	월 일	☆☆☆☆☆
주제 45 일제를 놀라게 한 의열 투쟁	156~157쪽	월 일	월 일	☆☆☆☆☆
주제 46 실력 양성 운동의 추진	158~159쪽	월 일	월 일	☆☆☆☆☆
주제 47 민족 유일당 운동의 전개	160~161쪽	월 일	월 일	☆☆☆☆☆
개념 익히기 / 내신 유형 익히기	162~164쪽	월 일	월 일	☆☆☆☆☆

이 대주제를 배우면

- 제1차 세계 대전 전후 세계 정세의 변화를 살펴보고, 일제의 식민지 지배 정책과 경제 구조 변화의 특징을 파악할 수 있다.
- 3·1 운동 이후 나타난 국내외 민족 운동의 흐름을 파악할 수 있다.
- 일제의 침략 전쟁 이후 식민 지배 방식의 변화를 살펴보고, 이에 맞서 전개한 민족 운동을 파악하며 신국가 건설에 대한 구상을 탐구할 수 있다.

일제의 식민지 지배 정책

주제 39 일제의 무단 통치

이번 주제에서는 | 1910년대 일제의 식민지 지배 정책의 특징을 이해할 수 있습니다.

교실 열기 교사들은 왜 제복을 입고 칼을 든 채로 사진을 찍었을까?

예시 답안 | 1910년대 일제의 무단 통치의 특징 중 하나로 위압적인 분위기를 조성하기 위함이었다.

1 국제 정세의 변화, 제1차 세계 대전과 러시아 혁명

(1) 민족 자결주의[1]: 제1차 세계 대전의 전세가 연합국의 승리로 기울 무렵 미국 대통령 윌슨이 주창, 식민지 약소민족의 독립운동에 큰 영향 → 승전국의 식민지에는 적용되지 않음.

- 일본은 영국을 도와 연합국에 참전하였으므로 승전국이었다.

(2) 러시아 혁명[2]: 차르 전제 정치 붕괴 → 레닌을 중심으로 세계 최초의 사회주의 정부 수립 → 식민 지배를 받고 있던 민족들의 독립운동 지원 약속

2 헌병 경찰 제도를 통한 무단 통치 실시

(1) 식민 통치 기구 설치

① 조선 총독부: 식민 통치의 최고 기구(조선 총독은 일본 육·해군 대장 출신 임명)

② 중추원: 조선 총독부의 자문 기구, 친일파로 구성

(2) 1910년대 일제의 통치 방식: 무단 통치

- 헌병 경찰의 힘으로 이루어진 강압적인 통치 방식이다.

① 헌병 경찰 제도 시행: 헌병이 경찰 업무까지 담당, 한국인의 일상생활 통제

② 즉결 처분권 행사: 「범죄 즉결례」, 「경찰범 처벌 규칙」, 「조선 태형령」 등 악법 활용

- 태형은 당시 일본에서는 없어진 신체형으로 한국인들에게만 적용되었다. 3·1 운동 이후 없어졌다.

③ 공포 분위기 조성: 일반 관리, 교사에게도 제복을 입고 칼을 차게 함.

3 기본권 제한과 식민지 교육의 도입

(1) 기본권 제한: 한국인의 언론·집회·결사의 자유 등 모든 정치 활동 금지·탄압

(2) 식민지 교육 도입: 「제1차 조선 교육령」[3] 발표 → 일본어 보급, 한국인에게는 보통 교육과 초보적 실업 교육만 실시, 고등 교육 기회 제한

4 일본 자본주의의 침투

(1) 「회사령」 제정(1910): 회사를 설립할 때 조선 총독의 허가 필요 → 한국인의 기업 설립 억제, 민족 자본의 성장 억압

(2) 사회 간접 자본 확충: 철도·도로·항만 등 기반 시설 구축 → 식민 지배의 기반 마련

- 이를 통해 한국에서 생산되는 농산물, 자원 등의 일본 유출과 일본 상품의 한국 판매가 더욱 쉬워졌다.

5 토지 조사 사업의 시행

(1) 신고주의 방식: 조선 총독이 정한 기간 내에 토지 소유자가 직접 신고한 토지만 소유지로 인정

- 공공 기관의 토지, 소유권이 불분명한 마을과 문중의 공유지 등이 조선 총독부의 소유가 되었다.

(2) 결과

① 조선 총독부의 지세 수입 증가: 토지 대장에 누락된 토지 파악 → 지세 부과 대상 확대 → 식민지 지배의 경제적 기반 확보

② 일본인 대지주 증가: 총독부는 국유지로 만든 토지를 동양 척식 주식회사[4]와 일본인 농업 이주민에게 헐값에 넘김.

③ 농민의 소작농화: 농민의 관습적 경작권 부정 → 지주의 권한 강화, 소작농 몰락

- 관습상 소작농이 지주에게 소작료만 내면 오랫동안 농사를 지을 수 있었다.

개념 쏙쏙

① 민족 자결주의
각 민족은 자기 민족의 운명을 스스로 결정할 권리가 있다는 내용이다. 이것이 국내외 독립운동가들에게 알려지면서 3·1 운동의 계기가 되었다. 하지만 민족 자결의 원칙은 패전국의 식민지에만 적용되었다.

② 러시아 혁명
제1차 세계 대전에 참전한 러시아는 전쟁이 계속될수록 국민의 생활이 어려워졌다. 이에 노동자, 병사, 농민들은 혁명을 일으켜 러시아 제정이 무너지고 임시 정부가 수립되었다(2월 혁명). 그러나 임시 정부가 개혁을 미룬 채 전쟁을 계속하자 레닌 등은 임시 정부를 무너뜨리고 노동자와 농민의 정부를 내세운 최초의 사회주의 국가를 수립하였다(10월 혁명).

③ 「제1차 조선 교육령」
조선인을 일왕의 신민으로 만들기 위한 토대가 되는 일본어 보급을 목적으로 하였다. 이른바 일본에 '충량한 국민'으로 만들고자 하였으며, 일제가 착취할 수 있는 실용적인 근로인·하급 관리·사무원 양성을 목표로 하였다.

④ 동양 척식 주식회사
1908년 일제가 식민지 농업 경영과 일본인 이민 사업을 위해 설립한 국책 회사이다. 총독부로부터 국유지를 넘겨받아 일본인 농업 이주민이나 농업 회사에 싼값으로 넘겼다.

정리 교실 교과서 168쪽

㉠ 민족 자결주의 ㉡ 조선 총독부
㉢ 조선 태형령 ㉣ 회사령
㉤ 토지 조사 사업

탐구 교실 일제는 한국인의 일상을 어떻게 통제하였을까?

활동 목표 | 일제의 사법 제도를 통해 한국인의 일상생활까지 통제하였음을 이해할 수 있습니다.

자료 1 「범죄 즉결례」(1910)

제1조 경찰서장 또는 그 직무를 취급하는 자는 그 관할 구역 안의 다음 각 호의 범죄를 즉결할 수 있다.
제2조 즉결은 정식 재판을 하지 않으며 피고인의 진술을 듣고 증빙을 취조한 후 곧바로 언도해야 한다.

- 조선 총독부, 「조선 총독부 제령」

해설 일제는 한국인에게 벌금, 구류, 태형 등의 처벌을 즉시 내릴 수 있는 권한을 헌병 경찰에게 부여하였다.

자료 2 「경찰범 처벌 규칙」(1912)

제1조 다음 각 호에 해당하는 자는 구류 또는 과료에 처한다.
2. 일정한 주거 또는 생업 없이 이곳저곳 배회하는 자
7. 구걸을 하거나 시키는 자
8. 단체 가입을 강요하는 자
19. 함부로 대중을 모아 관공서에 청원, 진정을 남용하는 자
20. 불온한 연설을 하거나 또는 불온 문서, 도서, 시가를 게시, 반포, 낭독하거나 큰 소리로 읊는 자
32. 경찰관서에서 특별히 지시하거나 명령하는 사항을 위반하는 자
33. 부정한 목적으로 사람을 은닉한 자
49. 전선에 근접하여 연을 날리거나 기타 전선에 장해가 되는 행위를 하거나 하게 한 자

- 조선 총독부, 「조선 총독부 법령」

자료 3 태형 처벌 사례

시장에서 익지 않은 감을 판매하였다는 이유로 태형 15대

거주하는 근처가 청결하지 않다는 이유로 태형 20대

업무를 본 후 헌병 경찰이 가라고 하는 길로 가지 않았다는 이유로 태형 5대

활동 도우미

- 1910년대 일제는 헌병 경찰 제도를 도입하여 치안 유지를 넘어선 광범위한 업무를 담당하게 함으로써 한국인의 일상생활을 통제하였음을 알 수 있습니다.
- 「조선 태형령」, 「범죄 즉결례」, 「경찰범 처벌 규칙」의 주요 내용을 살펴보고 이러한 제도가 한국인의 일상생활을 어떻게 통제하였는지 살펴봅니다.

자료 해설

- <자료 1> | 「범죄 즉결례」는 일제가 한국인들에게 벌금, 구류, 태형 등의 처벌을 즉시 내릴 수 있는 권한을 규정한 것이다.
- <자료 2> | 「경찰범 처벌 규칙」은 부랑자, 구걸하는 사람 등까지 처벌할 것을 규정하고 있으며, 언론·집회·결사의 자유를 철저히 억압하였다.
- <자료 3> | 일제가 한국인들을 태형으로 처벌한 사례를 통해 한국인들의 기본권을 탄압했음을 알 수 있다.

활동 풀이

1. <자료 1, 2, 3>을 통해 일제의 사법 제도가 한국인의 생활에 어떠한 영향을 끼쳤을지 말해 보자.

예시 답안 한국인은 「범죄 즉결례」, 「조선 태형령」 등을 통해 정식 법 절차나 재판을 거치지 않고 벌금이나 구류, 태형 등 즉결 처분을 받았다. 이로써 한국인은 일상생활 전반에 걸쳐 헌병 경찰의 많은 억압과 통제를 받았다.

2. 이 시기 사법 제도의 문제점을 생각해 보고, 조선 총독부에 보내는 항의 서한을 작성해 보자.

예시 답안 「범죄 즉결례」에 의하여 정식 재판이 없는 즉결 처분이 가능함으로써 한국인들의 신체적 자유 및 인권이 침해될 여지가 많습니다. 또한 「조선 태형령」은 일본에서는 없어졌지만 한국인에게만 적용한 것으로 한국인의 신체적 자유를 침해하고 한국인과 일본인을 차별하는 정책이기도 합니다. 게다가 「경찰범 처벌 규칙」은 부랑자, 구걸하는 사람까지 구류 또는 과료에 처하는 등 범죄의 경중을 가리지 않은 과도한 처벌입니다. 이 모든 것은 폭력적이고 위협적인 모습입니다.

간단 체크 정답 및 해설 25쪽
일제는 (   )을/를 통해 한국인에게 태형을 가할 수 있었다.

일제의 식민지 지배 정책

주제 40 일제의 민족 분열 통치

이번 주제에서는 | 1910년대 일제의 식민지 정책의 특징인 문화 통치의 개념을 이해할 수 있습니다.

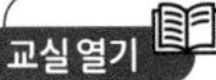

교실 열기 쌀의 수출은 한국인에게 어떠한 영향을 끼쳤을까?

예시 답안 | 대지주의 토지 겸병이 심해지고, 가난한 농민들은 소작농으로 몰락하였다.

1 허울뿐인 문화 통치

(1) 배경: 3·1 운동을 계기로 무단 통치의 한계 인식, 국제 여론 악화

(2) 문화 통치의 특징

① 조선 총독에 문관도 임명한다고 선언 → 실제로는 한 명도 임명되지 않음.

(조선 총독은 주로 육군 대장 출신이었고, 3·1 운동 이후 한 명의 해군 대장 출신이 임명되었다.)

② 헌병 경찰 제도를 보통 경찰제[1]로 전환 → 실제로는 이전보다 경찰력 강화

③ 언론·출판·집회·결사의 자유 일부 허용: 실제로는 신문 기사의 검열·삭제, 압수·정간 등 탄압 강화

(『동아일보』, 『조선일보』 등 한국인이 발행하는 신문들이 창간되고, 『개벽』을 비롯한 다양한 잡지가 발간되었다.)

④ 「치안 유지법」[2] 제정(1925) → 독립운동 감시와 탄압 더욱 강화

2 일제의 친일파 육성

(1) 한국인의 정치 참여 선전: 총독의 자문 기구인 중추원 확대, 지방 제도 개편 → 친일파 양성을 통해 한민족을 분열시키고자 함.

① 부·읍·면 협의회는 의결권이 없는 형식적인 자문 기구에 불과함.

② 선거권과 피선거권 역시 지주와 자산가에게만 부여

(일제는 지주와 자산가들에게 선거권과 피선거권을 부여함으로써 한국인들의 자치권을 보장한다는 명분을 내세우고 친일파를 양성하여 민족 분열을 꾀하고 한국인들의 독립운동을 방해하였다.)

(2) 일부 한국인 일제와의 타협 주장

① 참정권 운동: 한국인이 일본 의회에 진출해야 한다는 주장

② 자치 운동[3]: 조선 의회 설립을 목표로 함.

3 「회사령」 폐지

(1) 회사 설립 신고제 전환: 일본 자본이 자유롭게 한국에 들어올 수 있도록 회사 설립을 허가제에서 신고제[4]로 변경

(2) 일본 자본의 한국 진출 본격화: 한국인 회사 설립도 증가하였으나 일본인 자본에 비해 소규모였음.

(미쓰이, 미쓰비시와 같은 일본 대기업이 진출하였다.)

(한국인들이 세운 기업은 운수업, 양조업, 정미소 같은 소규모 회사들이 대부분이었다.)

(3) 일본 상품에 대한 관세 폐지(1923): 한국을 일본의 상품 시장으로 삼고자 함, 값싼 일본산 제품 유입 → 한국인 기업은 큰 타격을 입음.

4 산미 증식 계획 시행

(1) 배경: 제1차 세계 대전 이후 일본의 공업화 진전 → 쌀 수요 급증으로 쌀값 폭등, 쌀 소동 발생 → 한국의 쌀 생산을 늘려 자국의 식량 부족 문제를 해결하고자 함.

(2) 내용: 수리 조합 조직, 종자와 농기구 개량, 개간과 간척 사업 시행

(3) 결과: 늘어난 쌀의 양보다 많은 쌀이 일본으로 수출

① 지주: 쌀 증산에 드는 비용을 소작농에게 전가 → 쌀 수출을 통해 부 축적

② 농민: 쌀 생산에 필요한 비용(수리 조합비 등) 부담으로 인해 몰락, 쌀 대신 잡곡 섭취 → 만주나 연해주로 이주

(저수지·보 등 수리 시설의 신설, 보수, 관리 등을 위해 만든 조직이다. 지주가 부담하던 건설비와 조합비를 소작농에게 전가하는 일이 많았다. 이에 농민들은 전국적인 수리 조합 반대 운동을 벌였다.)

개념 쏙쏙

① 보통 경찰제
일제는 3·1 운동을 계기로 헌병 경찰제를 보통 경찰제로 바꾸었다. 관리나 교원의 제복 착용을 폐지하고 한국인에게만 적용하던 태형도 없앴다. 하지만 경찰의 숫자와 유지 비용은 3배 이상 증가하였다.

② 치안 유지법
천황제나 사유 재산 제도를 부정하는 운동을 막는 내용이 중심이다. 이를 통해 한국인의 사상을 통제하고 사회주의 등 독립운동을 탄압하는 수단으로 활용하였다.

③ 자치 운동
일제 지배 아래에서 식민지 조선에 독자적 의회를 설치하고 일정 부분 내정의 자치권을 부여하자는 주장이다. 식민 통치의 안정적 지배를 위해 일본인 관료들과 학자들에 의해 제기되었다. 식민 통치를 인정하고 자치적인 권리를 얻어야 한다는 친일파들이 동조하였다.

④ 신고제
조선 총독부는 1920년 회사의 설립을 허가제에서 신고제로 바꾸었다. 이는 제1차 세계 대전으로 호황을 누리고 자본을 축적한 일본이 한국의 값싼 노동력을 활용하기 위함이었다.

정리 교실 교과서 172쪽

㉠ 문화 통치 ㉡ 치안 유지법
㉢ 자치 운동 ㉣ 신고제
㉤ 산미 증식 계획

교과서 | 173쪽

탐구 교실 '문화 통치'의 실상

활동 목표 | 1920년대 일제의 '문화 통치'의 기만성을 이해하고 이를 비판적으로 평가할 수 있습니다.

자료 1 조선 총독 사이토 마코토가 밝힌 조선 통치의 방향(1919. 9.)

정부는 관제를 개혁하여 총독 임용의 범위를 확장하고, 경찰 제도를 개정하며, 또한 일반 관리 및 교원의 대검을 폐지함으로써 시대의 흐름에 순응하고, 시정의 간소화 및 교화의 보급을 꾀하였다. …… 조선인의 임용 및 대우 등에 관해서도 더욱 고려하여 각자 그 소임을 얻게 하고, 또한 조선 문화 및 옛 관습으로 진실로 채택할 만한 것이 있다면 이를 통치의 자료로 제공하게 하겠다. 또한 …… 장래 기회를 보아 지방 자치 제도를 실시하여 국민의 생활을 안정시키고, 일반의 복리를 증진할 것이다. 바라건대, 관민이 서로 흉금을 털어 협력 일치하여 조선 문화를 향상함으로써 문화 정치의 기초를 확립함으로써 …… .

- 조선 총독부, 『사이토 마코토 문서』

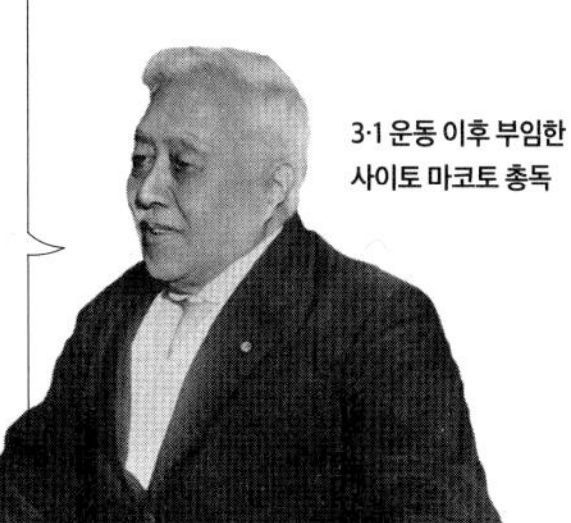

3·1 운동 이후 부임한 사이토 마코토 총독

자료 2 친일파 양성

1. 핵심적 친일 인물을 골라 이들을 귀족, 양반, 유생, 부호, 실업가, 교육가, 종교가 계층에 침투시켜 계급과 사정을 참작하여 각종 친일 단체를 조직하게 한다.
2. 각종 종교 단체도 중앙 집권화해서 그 최고 지도자에 친일파를 앉히고 고문을 붙여 어용화한다.
3. 양반 유생 가운데 직업이 없는 자에게 생활 방도를 마련해 주는 대가로 이들을 온갖 선전과 민정 염탐에 이용한다. 한국인 부호 자본가에게 일본과 조선 자본가의 연계를 추진한다.

- 사이토 마코토, 「조선 민족 운동에 대한 대책」

자료 3 면협의회 의원 선거

일제 시대에 지방 자문 기구 의원을 선출하는 선거의 한 장면이다. 일정 금액 이상을 납부한 사람들에게만 선거권과 피선거권을 부여하였다.

활동 풀이

1. <자료 1>을 읽고 '문화 통치'로 나타난 변화가 무엇인지 정리해 보자.

예시 답안 총독 임명을 문관으로 할 것을 표방하였고, 헌병 경찰제를 보통 경찰제로 전환하였다. 이외에도 일반 관리 및 교원의 대검 폐지, 지방 제도 개편 등이 있다.

2. <자료 2, 3>을 참고하여 <자료 1>의 내용을 비판해 보자.

예시 답안 1920년대 일제가 내세운 '문화 통치'는 사실상 기만적인 것이었다. 친일파를 양성하여 일제의 통치를 선전하고 3·1 운동과 같은 전민족적인 독립운동이 일어나지 못하도록 조선 민족을 분열시키고자 하였다. 또한 중추원을 확대하고 지방 제도를 개편하였지만, 의결권이 없는 자문 기구였으며 대부분 일제가 추천한 인물로 구성되었다. 일부 선거를 통해 지방 자문 기구 의원을 선출하기도 하였으나, 선거권과 피선거권은 일부 지주나 자산가에게만 부여됨으로써 일제에 충성하는 인물로 구성되었다.

활동 도우미

- 1920년대 일제의 이른바 '문화 통치'는 친일파를 양성하고 민족을 분열시켜 한국을 효과적으로 지배하기 위한 것임을 이해합니다.
- 이른바 '문화 통치'는 조선의 문화와 관습을 존중하겠다는 표방과는 달리, 실제로는 친일 단체를 조직하고 친일파를 양성하라는 대책을 내세우고 선거권과 피선거권도 일정 이상 재산을 가진 사람들에게만 제한하였음을 파악하도록 합니다.

자료 해설

- **<자료 1>** | 1919년 3·1 운동 이후 부임한 조선 총독 사이토 마코토의 이른바 '문화 통치'의 통치 방향이다. 이후 실제로 전개된 통치 내용을 살펴보면 기만성을 엿볼 수 있다.
- **<자료 2>** | 일제의 친일파 양성과 관련된 내용으로 한민족의 분열을 조장하여 독립운동을 막고자 함을 알 수 있다.
- **<자료 3>** | 일제는 일정 금액 이상의 세금을 납부한 극히 일부의 지주와 자본가들에게 선거권과 피선거권을 부여하였다.

간단 체크 정답 및 해설 25쪽

일제가 1925년 제정한 것으로, 한국인의 독립운동을 감시하고 탄압하였던 이 법의 이름은?

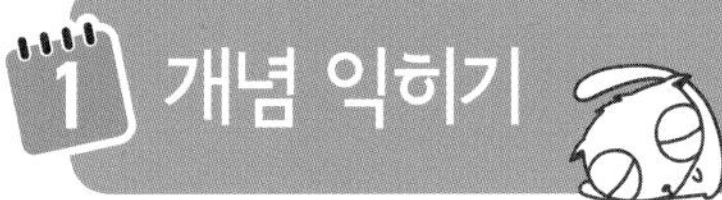

2 내신 유형 익히기

01 아래 설명이 맞으면 O표, 틀리면 X표를 해 보자.

(1) 일제는 1910년대 헌병이 경찰 업무까지 담당하는 헌병 경찰 통치를 실시하였다. ( )

(2) 1920년 회사령 폐지로 회사 설립이 신고제에서 허가제로 바뀌었다. ( )

(3) 산미 증식 계획의 시행으로 지주제가 약화되고 소작농의 비율이 증가하였다. ( )

(4) 1920년대 이른바 '문화 통치'가 실시되면서 보통 경찰제로 바뀌었다. ( )

02 빈칸에 알맞은 말을 채워 보자.

(1) 일제는 ( )을/를 통해 한국인에게 태형을 가할 수 있었다.

(2) 1910년대 일제는 ( )을/를 발표하여 일본어를 보급하고 일왕에 복종하는 한국인을 양성하고자 하였다.

(3) 조선 총독부는 토지 조사 사업을 통해 확보한 국유지를 ( )에 넘겼다.

(4) 일제는 한국의 쌀 생산량을 늘리기 위해 관개 시설을 만들고 관리하는 ( )을/를 만들었다.

03 서로 관련 있는 일제의 식민지 정책을 연결해 보자.

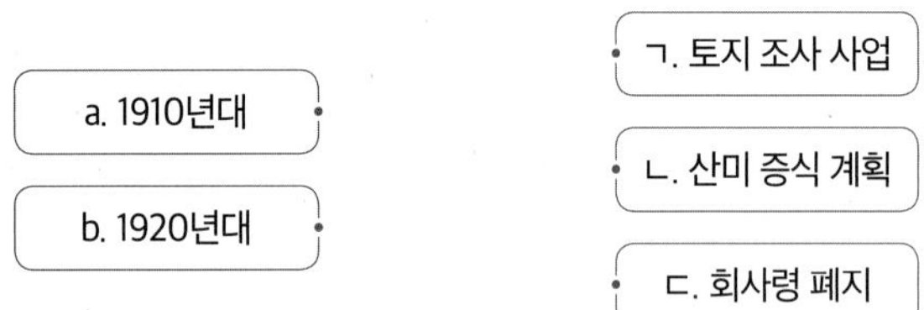

04 1920년대의 일제가 시행한 정책을 <보기>에서 모두 고르시오.

보기

ㄱ. 보통 경찰제 도입	ㄴ. 치안 유지법 시행
ㄷ. 토지 조사 사업 시행	ㄹ. 제1차 조선 교육령 발표

01 다음 내용이 발표된 이후 국내외에 미친 영향으로 옳은 것은?

> 각 민족은 다른 민족의 간섭 없이 정치적 운명을 스스로 결정할 권리가 있다.

① 3·1 운동과 같은 민족 운동이 일어나게 되었다.
② 러시아 혁명이 일어나 사회주의 정권이 수립되었다.
③ 국내에서 사회주의 사상이 전파되는 계기가 되었다.
④ 일본은 영·일 동맹에 따라 연합국 측에 참전하였다.
⑤ 동맹국과 연합국 간의 제1차 세계 대전이 발발하였다.

중요

02 (가)에 들어갈 내용으로 옳은 것은?

> <조사 계획서>
> 일제의 무단 통치
> 1910년대 일제의 무단 통치의 특징을 구체적인 사례를 중심으로 조사한다.
> • 방법: 문헌 조사, 인터넷 조사
> • 내용: (가)

① 헌병 경찰제가 시행되었다.
② 치안 유지법이 만들어졌다.
③ 경성 제국 대학이 설립되었다.
④ 여자 정신 근로령이 공포되었다.
⑤ 동아일보와 조선일보 발행을 허용하였다.

03 토지 조사 사업에 대한 설명으로 옳지 않은 것은?

① 소작인들은 경작권을 인정받았다.
② 지주의 배타적인 소유권을 보장하였다.
③ 일제는 이 사업을 통해 지세 수입을 늘렸다.
④ 조선 총독부는 사업에서 확보한 토지를 동양 척식 주식회사에 넘겼다.
⑤ 정해진 기간에 토지 소유권자가 직접 신고하는 것을 원칙으로 하였다.

중요

04 다음 법령에 대한 설명으로 옳지 않은 것은?

> 제1조 회사 설립은 조선 총독의 허가를 받아야 한다.
> 제5조 회사가 본령이나 본령에 의한 명령과 허가 조건에 위반하거나 또는 공공질서와 선량한 풍속에 반하는 행위를 할 때, 조선 총독은 사업의 정지와 지점의 폐쇄 또는 회사의 해산을 명한다.

① 이 법령은 「회사령」이다.
② 1920년 회사 설립을 신고제로 바꾸었다.
③ 이 법령 시행으로 민족 자본이 성장하게 되었다.
④ 폐지 후 일본 자본이 한국에 본격적으로 들어왔다.
⑤ 한국을 일본의 원료 공급지이자 상품 시장으로 만들려고 하였다.

05 다음 정책이 공통으로 나타난 시기를 연표에서 고르면?

> • 산미 증식 계획을 처음 실시하였다.
> • 언론·출판·집회의 자유를 부분적으로 허용하였다.
> • 보통 경찰제를 도입하고 관리와 교원의 제복과 칼 착용을 금지하였다.

1910	1919	1931	1937	1941	1945
(가)	(나)	(다)	(라)	(마)	
국권 피탈	3·1 운동	만주 사변	중·일 전쟁	태평양 전쟁	8·15 광복

① (가) ② (나) ③ (다)
④ (라) ⑤ (마)

06 밑줄 친 '이 계획'에 대한 설명으로 옳지 않은 것은?

> 제1차 세계 대전 이후 일본에서 쌀값이 폭등하여 전국적으로 쌀 소동이 일어났다. 이를 계기로 일제는 쌀 부족 문제를 해결하기 위해 한국에 이 계획을 시행하였다.

① 대지주의 토지 겸병이 더욱 심해졌다.
② 쌀농사 위주의 단작 농업이 정착되었다.
③ 한국인의 1인당 쌀 소비량이 감소하였다.
④ 한국인에게 식량 배급과 미곡 공출을 실시하였다.
⑤ 일제는 만주로부터 값싼 잡곡을 대량 수입하였다.

서술형 문제

07 다음 자료를 읽고 물음에 답하시오.

> 제2조 교육은 교육에 관한 칙어에 입각하여 충량한 국민을 육성하는 것을 본의로 한다.
> 제5조 보통 교육은 보통의 지식 기능을 부여하고, 특히 국민된 성격을 함양하며, 국어(일본어)를 보급함을 목적으로 한다.

(1) 위 법령의 명칭을 쓰시오.

(2) 위 법령의 특징에 대해 서술하시오.

서술형 문제

08 다음 자료를 읽고 물음에 답하시오.

> 제1조 ① 국체(천황제)를 변혁하거나 사유 재산 제도를 부인하는 것을 목적으로 결사를 조직하거나 또는 사정을 알고 이에 가입한 자는 10년 이하의 징역 또는 금고에 처한다.
> 제7조 이 법은 시행 구역 외에서 죄를 범한 자에게도 적용한다.

(1) 위 법령의 명칭을 쓰시오.

(2) 위 법령 시행으로 나타난 결과를 서술하시오.

2 3·1 운동과 대한민국 임시 정부

1910년대 국내외 민족 운동

이번 주제에서는 | 1910년대 국내외에서 전개된 민족 운동을 이해할 수 있습니다.

안동의 명문 사대부였던 이상룡은 왜 서간도로 이주하였을까?

예시 답안 | 이상룡 등은 서간도로 이주하여 학교를 세우고 독립운동 기지 건설 운동을 준비하였다.

1 국내에서 전개된 비밀 결사 운동

(1) 국내 비밀 결사 운동의 정치적 성격

① 복벽주의: 군주제 지향

복벽주의는 국권 회복 후 황제를 다시 세운다는 정치 이념을 말한다.

② 공화주의: 공화제 지향 → 민주 공화국 수립을 목표로 함.

(2) 국내 항일 비밀 결사

대한 독립 의군부(1912)	• 의병장 출신 임병찬 등이 고종의 밀명을 받고 조직한 비밀 결사 • 복벽주의 이념에 따라 고종의 복위를 목표로 전국적 의병 봉기 준비 • 일본 정부와 조선 총독부에 국권 반환 요구서를 발송하려다 발각되어 해체
대한 광복회 (1915)	• 박상진 등이 조직한 비밀 결사 • 공화정 수립을 목표로 삼고 군대식 조직을 갖춤. • 독립군 양성, 무기 구입, 군자금 모집, 친일파 처단 활동 등 전개

2 국외에서 진행된 독립운동 기지 건설 운동

1910년대 민족 운동가들은 일제에 의해 강제 병합된 이후 만주, 연해주 등 국외로 이주하였다. 이들은 자치 기관을 세우고 독립군을 양성하는 학교를 세우는 등 독립운동 기지 건설 운동을 추진하였다.

(1) 만주 지역

서간도	• 신민회 회원들이 주도 → 삼원보에 신한민촌 건설 • 이회영, 이상룡 등 경학사[1] 조직 → 한족회로 발전 • 신흥 강습소(이후 신흥 무관 학교)[2]를 세워 독립군 양성
북간도	• 19세기 후반부터 많은 농민 이주 → 한인 집단촌 형성 • 이상설이 서전서숙, 김약연이 명동 학교를 세워 민족 교육 실시 • 서일 등 대종교 간부들은 중광단을 조직하여 독립군 양성

김약연의 명동 학교는 이상설의 서전서숙을 이어받았다.

3·1 운동 이후에는 북로 군정서로 확대·개편하여 활동하였다.

(2) 중국 상하이

① 동제사, 신한청년당[3] 조직

② 신규식 등의 대동단결 선언 발표(1917): 국민 주권론과 공화주의를 바탕으로 한 임시 정부 조직 주장 → 대한민국 임시 정부 수립 기반

(3) 연해주 지역: 1860년대부터 이주 → 한인 집단촌인 신한촌 건설

① 권업회: 한인 자치 단체, 『권업신문』 발행

② 대한 광복군 정부(1914)[4]: 정통령에 이상설, 부통령에 이동휘 선출

(4) 미주 지역: 1903년 하와이 이주 후 한인 동포 사회 형성

① 대한인 국민회(1910): 장인환·전명운 의거를 계기로 여러 독립운동 단체 통합, 공화제 지향

장인환과 전명운의 스티븐스 처단 의거를 계기로 재미 한인 단체의 목소리가 통합되었다. 미국 본토, 하와이, 멕시코 등지에 지부를 설치하고 자금을 모아 만주와 연해주의 독립운동을 지원하였다.

② 대조선 국민 군단(1914): 박용만이 하와이에서 조직, 독립군 사관 양성

개념 쏙쏙

① 경학사(한족회)
신민회 회원들이 1910년대 초 만주에서 조직한 독립운동 단체로, 자치 기관의 성격을 지닌다. 이후 부민단으로 이어졌고 한족회로 발전하여 서로 군정서라는 독립군을 조직하였다.

② 신흥 강습소(신흥 무관 학교)
만주에 설립한 독립군 양성 학교로 신흥 무관 학교로 이어졌다. 이 학교 출신들은 이후 서로 군정서와 북로 군정서, 임시 정부 산하의 한국 광복군 등에서 활동하였다.

③ 신한청년당
여운형 등이 중심이 되어 조직한 단체이다. 미국 윌슨 대통령의 민족 자결주의가 발표되자, 여운형 등은 미국 대통령 특사와 접촉하기도 하였으며, 김규식 등을 파리 강화 회의에 보내기도 하였다. 또한 국내외 독립운동가들에게 민족 자결주의와 관련된 국제 정세를 알림으로써 3·1 운동이 일어나는 데 영향을 끼쳤다.

④ 대한 광복군 정부
1914년 러시아 블라디보스토크에 수립되었다. 이상설과 이동휘가 각각 정·부통령으로 선출되었다. 그러나 제1차 세계 대전이 일어나자 일본과 협조하였던 러시아 정부에 의해 러시아에 있던 한인들의 정치 활동이 금지되고 정부 수립의 모체인 권업회가 해산되면서 해체되었다.

정리 교실

교과서 175쪽

㉠ 민주 공화국 ㉡ 복벽주의
㉢ 독립운동 기지

탐구 교실 독립운동의 두 흐름, 복벽주의와 공화주의

교과서 | 176쪽

활동 목표 | 1910년대 국내외 독립운동의 두 흐름이었던 복벽주의와 공화주의를 이해할 수 있습니다.

자료 1 독립운동의 방향에 대한 세 인물의 생각

의친왕 (고종의 다섯째 아들)

우리 집안은 남달리 조선 5백 년 동안의 주인으로서 …… 그 이외의 한국인은 하인 또는 손발과 같은 관계인데, 그 하인·손발인 2천만 사람들이 주인을 생각하여 조선 독립을 위해 소요하고 있음에 그 주인이 모르는 체하고 있을 수는 없다.

- 국사편찬위원회, 『한민족독립운동사 사료집 5』

전협 (대동단 단장)

우리나라가 오래 군주 국가로 내려온 터이니 지금 대통령을 세운다고 하여도 민족의 단결은 이루어지기 어렵소. 그러니 우리 왕을 하나 세웁시다. 고종 황제의 아드님 한 분을 모시고 상하이로 나가서 …… 임시 정부를 우리 왕통 정부로 만들어 봅시다.

- 이현주, 「일제하 장지영의 민족운동」

구춘선 (대한 국민회 회장)

임시 정부 이외에 복벽주의 단체들의 군인이 되어 죽는다는 것은 하등의 가치도 없고 어떠한 성공도 이룰 수 없을 것이다. 가치 있고 성공적으로 죽으려 한다면 공화 정부의 군적에 등록하여 공화 정부의 군인이 되어라.

- 김정명, 『명치백년사총서3』

자료 2 「대동단결 선언」(1917)

융희 황제(순종)가 삼보(三寶: 토지, 인민, 정치)를 포기한 경술년(1910) 8월 29일은 우리 동지들이 이를 계승한 8월 29일이니, 그 사이에 순간의 쉼도 없다. 우리 동지들은 주권을 완전히 상속하였으니, 황제권이 소멸한 때가 곧 민권이 발생하는 때요, 구한국 최후의 하루는 곧 신한국 최초의 하루다. …… 그러므로 경술년 융희 황제의 주권 포기는 곧 우리 국민 동지들에 대한 묵시적 선위이니 우리 동지들은 당연히 주권을 계승하여 통치할 특권이 있고 또 대통을 상속할 의무가 있도다.

- 여러 곳의 단체들이 모두 모여 유일무이한 최고 기관을 만든다.
- 한곳에 본부를 두고, 한인을 통합하되 지역별로 지부를 두어 운영한다.
- 헌법에 준하는 규칙을 만들어 인민의 의지에 부합하는 방식으로 활동한다.

- 『한국학논총9』, 1987.

활동 풀이

1. <자료 1>의 세 인물이 복벽주의와 공화주의 중 어떤 방향을 지지하고 있는지 각각 분류해 보자.

예시 답안 의친왕과 전협은 복벽주의, 구춘선은 공화주의를 지지하였다.

2. <자료 2>의 입장에서 의친왕과 전협의 주장을 비판해 보자.

예시 답안 민주 공화제의 관점에서, 의친왕이 자신과 왕실을 가리켜 '주인', 국민을 '하인'이나 '손발'로 표현하는 것은 옳지 않다.

3. 위 내용들을 참고하여 1919년에 대한민국 임시 정부가 공화주의를 표방한 까닭이 무엇인지 생각해 보자.

예시 답안 중국의 신해혁명, 러시아 혁명 등 국제 사회의 변화 속에서 공화정이 세계적인 흐름으로 자리 잡았으며, 고종과 순종의 무기력함으로 인해 군주제에 대한 비판 제기 등도 들 수 있다.

활동 도우미

- 1910년대 국내외 독립운동가들은 크게 복벽주의와 공화주의를 추구하는 세력으로 구분할 수 있으며, 이를 통해 독립운동 세력의 다양한 목소리가 존재하였음을 이해합니다.
- 복벽주의와 공화주의라는 두 가지 대조적인 독립운동의 흐름이 3·1 운동 이후 민주 공화제를 표방하는 대한민국 임시 정부 수립으로 이어지는 과정을 추론합니다.

자료 해설

- **<자료 1>** | 의친왕과 전협은 복벽주의를 내세웠으며, 구춘선은 공화주의를 지지하고 있다.
- **<자료 2>** | 1917년 신규식 등이 발표한 대동단결 선언은 국민 주권론과 민주 공화제를 내세우며 임시 정부의 필요성을 주장하고 있다.

간단 체크 정답 및 해설 26쪽

1910년대 국내외 민족 운동은 크게 정치적으로 군주제를 지향하는 복벽주의와 공화제를 지향하는 (   )로 구분되었으나, 결국 민주 공화제를 표방하는 대한민국 임시 정부로 이어졌다.

교과서 177~179쪽

3·1 운동과 대한민국 임시 정부

독립을 향한 외침, 3·1 운동

이번 주제에서는 | 3·1 운동의 배경, 과정, 의의를 설명할 수 있습니다.

교실 열기 3·1 운동은 우리 역사 속에서 어떤 의미를 가지는 사건일까?

예시 답안 | 3·1 운동은 당시 '민족'과 '독립' 요구 외에도 다양한 요구가 분출되었던 장이었으며, 이후 일제의 식민지 정책을 변화시키고 사회적 변화의 계기가 된 사건이었다.

1 3·1 운동의 배경

(1) 국제 정세의 변화

① 러시아 혁명 이후 레닌[1]의 식민지 민족 해방 운동 지원 선언

② 제1차 세계 대전이 끝나갈 무렵 미국 대통령 윌슨이 민족 자결주의 원칙 제시 → 세계 여러 약소민족은 독립의 희망을 품게 됨.

(2) 국내외의 독립 선언의 움직임

① 외교 활동: 상하이의 신한청년당은 김규식을 파리 강화 회의[2]에 대표로 파견하여 독립 의지 알림. → 독립 청원서 제출

여운형 등이 중심이 된 신한청년당은 미국 특사를 통해 독립 청원서를 보냈고, 김규식 등은 파리 강화 회의에 독립 청원서를 제출하였다. 이 소식이 국내외에 알려짐으로써 3·1 운동이 일어나게 되는 계기를 마련하였다.

② 국외 독립 선언: 일본 도쿄 유학생의 2·8 독립 선언 발표, 한국의 독립 주장 → 3·1 운동에 직접적 영향을 줌.

③ 국내의 만세 시위 계획: 고종의 죽음(고종 독살설 유포) → 반일 감정 고조 → 종교계 지도자와 학생들이 연합하여 만세 시위 준비

정확히 확인되지는 않았으나 일제가 고종 독살에 관여했다는 소문이 당시 팽배하였다.

2 3·1 운동의 전개

(1) 종교계와 학생들의 준비

당시 신한청년당과 관련된 인물들은 국내에 들어와 천도교, 기독교계의 인물들과 접촉하며 민족 자결주의와 파리 강화 회의에 김규식 등을 파견한 것을 알리며 독립의 분위기를 고조시키는 데에 큰 역할을 하였다.

① 민족 대표들이 독립 선언서 작성(독립 청원 외교 노선, 대중적 비폭력 방침)

② 전국 여러 도시에 독립 선언서와 태극기 배포

(2) 독립 선언서 발표

① 서울 탑골 공원에서 학생과 시민이 모여 독립 선언서 낭독

② 평화적 만세 시위 전개: 전국 여러 도시에서 독립 선언식과 만세 시위 전개

(3) 만세 시위의 발전

① 민족 운동으로 발전: 학생(동맹 휴학), 상인(철시), 노동자(동맹 파업) 등 모든 계층 참여

② 무력 투쟁으로 발전: 도시에서 농촌 지역으로 확산 → 점차 적극적인 무력 투쟁 양상으로 변화

③ 국외의 한인 사회로 확산: 만주, 연해주, 일본, 미국 등지에서 만세 시위 전개

(4) 일제의 무력 탄압: 일제의 폭력적 진압과 학살 자행(화성 제암리 학살[3])

3 3·1 운동의 의의

(1) 일제의 식민 통치 방식 변화: 무단 통치에서 문화 통치로 전환

(2) 거국적 민족 운동으로 발전: 청년, 여성, 농민, 노동자 계층의 성장

3·1 운동을 계기로 청년, 여성, 농민, 노동자 계층이 성장하여 독립운동의 주역으로 성장할 수 있었다.

(3) 독립운동의 방향성 제시: 독립운동을 체계적으로 조직할 지도부의 필요성 제기 → 민주 공화제를 바탕으로 한 대한민국 임시 정부 수립

개념 쏙쏙

① 레닌
러시아의 혁명가이자 소련(소비에트 사회주의 공화국 연방)의 지도자이다. 10월 혁명을 이끌어 러시아를 최초의 사회주의 국가로 완성하였다. 식민지 피압박 민족들의 해방과 독립 선언을 지원함으로써 사회주의와 공산주의 확산을 꾀하고자 하였다.

② 파리 강화 회의
제1차 세계 대전의 전후 처리를 위해 프랑스 파리에서 열린 회의이다. 한국의 독립운동 세력은 파리 강화 회의에서 민족 자결주의가 관철될 것이라는 희망을 가지고 대표를 파견하였다. 그러나 승전국이었던 일본의 방해와 서구 열강의 외면으로 한국의 독립 문제는 상정조차 하지 못했으며, 이후 외교적 방식의 독립운동은 큰 타격을 받았다.

③ 화성 제암리 학살
1919년 3·1 운동에 대한 일제의 보복 행위로 일어난 사건이다. 1919년 4월 15일 일본군과 경찰은 제암리의 주민들을 교회에 가두고 총격과 방화로 학살하였다. 외국인 선교사들(언더우드, 스코필드 등)에 의해 알려졌다.

정리 교실 교과서 178쪽

㉠ 신한청년당 ㉡ 문화 통치
㉢ 대한민국 임시 정부

탐구 교실 3·1 운동에 대한 상반된 시각의 언론 보도

교과서 | 179쪽

활동 목표 | 3·1 운동에 대한 언론 보도를 비판적으로 분석하여 의도와 목적을 파악할 수 있습니다.

자료 1 3·1 운동에 대한 일본 언론 보도

3월 중순경부터 경상남북 양도, 특히 불온한 주민의 소굴인 안동을 중심으로 폭도가 빈발하였다. …… 불량한 한국인의 선동이 군중을 몰아 제멋대로 흉폭함을 드러내는 경향이 있어서 관권(조선 총독부)은 주모자를 검거하고, 이에 대한 적극적인 진압에 힘쓰고 있다. 그러나 상황이 앞에 쓴 바와 같으므로 이를 진압하는 데에 부득이 무기를 사용하기에 이르렀기 때문에 …….

-『아사히 신문』 1919. 4. 6.

자료 2 3·1 운동에 대한 중국 언론 보도

한인들이 의거를 일으키는 것은 일본의 무도함 때문이다. 일본이 한인의 국가사상 소멸과 독립에 대한 희망을 파괴하려고 시도한 지 십여 년이 되었다. …… 한국인의 이번 독립운동으로 한인에 대해 더욱 잔혹해졌다. 오직 세계에 일본의 폭력성을 알리는 데 더 큰 의미가 있다. 일본이 비록 이를 감춘다고 할지라도 이미 천하에 드러났으니 이것은 한국인의 한 줄기 희망이다.

-『민국일보』 1919. 3. 23.

자료 3 일제의 보도 통제에 대한 폭로

사건의 발단은 조선의 사실상 마지막 황제 고종의 인산일(因山日)을 이틀 앞둔 3월 1일부터 시작되었다. 그러나 소요의 기미가 있는데, 설사 독립운동과 같은 사건이 한국에서 일어나더라도 이에 대해 일체의 보도를 하지 말라는 경시청장의 통고문을 접수한 것은 이보다 앞선 1월 28일의 일이었다. 2월 14일에도 한국인의 독립 선언문 보도 금지 명령이 내려졌다. 2월 19일 『재팬 크로니클』지는 보도 금지된 사실과 선언문을 배포한 사람들이 비밀 재판을 받고 1년간의 징역을 선고받은 사실을 담은 기사를 크게 보도하였다 …… 그러나 2월 19일 기사 보도 후 경찰 당국으로부터 판매 금지를 당하고 말았다.

- 재팬 크로니클, 『한국의 독립운동』

자료 4 일제의 만행으로 폐허가 된 제암리 마을

1919년 4월 15일 화성 제암리에 파견된 일본군은 20여 명의 마을 사람들을 예배당으로 모이게 한 후, 밖에서 문을 잠근 채 무차별 사격을 가하고 불을 질러 학살의 증거를 인멸하려 하였다. 이 사건은 외국인 선교사들이 찍은 사진과 목격담이 보고서로 작성되면서 널리 알려졌다.

- 3·1 운동의 배경, 전개 과정, 영향 등 전체적 맥락을 파악하도록 합니다.
- 3·1 운동을 보도하는 상반된 언론의 시각을 통해 텍스트 속에 숨겨진 의도와 목적을 파악하고, 역사적 맥락을 이해함으로써 사료를 비판적으로 읽을 수 있도록 합니다.

- <자료 1> | 3·1 운동에 대한 일본 보도이며 한국인을 묘사하는 '불온', '폭도', '불량', '흉폭'이라는 단어를 통해 3·1 운동에 참여한 한국인에 대한 부정적인 시각이 드러나며, 일제의 폭력 진압을 합리화하고 있음을 알 수 있다.
- <자료 2> | 3·1 운동에 대한 중국 보도로 3·1 운동의 원인이 일본의 폭력성에 있음을 지적하고 있다.
- <자료 3> | 3·1 운동과 관련된 한국인들의 독립운동에 대해 일제가 보도 금지 명령을 내리고 이를 어긴 신문을 판매 금지 및 관련된 사람들을 처벌했다는 내용이다.
- <자료 4> | 일제가 3·1 운동에 대한 보복으로 일으킨 제암리 학살 사건에 대한 설명이다.

1. <자료 1, 2>를 읽고 3·1 운동을 각각 어떻게 보도하고 있는지 비교해 보자.

예시 답안 <자료 1>의 일본 언론 보도는 3·1 운동에 대해 부정적으로 평가하고 있다. 3·1 운동 참가자들을 가리켜 '불온한 주민', '폭도', '불량한 한국인', '흉폭함' 등의 수식어를 통해 일부 한국인들의 선동이라고 사건을 축소하여 해석하며, 일본 경찰의 폭력 진압을 '부득이 무기를 사용'하였다는 표현을 통해 합리화하고 있음을 알 수 있다. 그러나 <자료 2>는 3·1 운동이 일본의 무자비한 식민 통치로 인해 일어났음을 지적하고 있다.

2. <자료 2, 3, 4>를 읽고 <자료 1>을 비판하는 기사를 써 보자.

- **제목:** 예시 답안 3·1 운동의 진실을 은폐하는 일제의 만행
- **내용:** 예시 답안 일제는 3·1 운동의 의의를 축소하고 폭력 진압을 은폐하기 위해 보도를 통제하고 있다. 3·1 운동 참여자에 대해서는 '불온한 주민', '폭도', '불량한', '흉폭함'이라는 수식어를 통해 일본 경찰의 폭력 진압을 합리화하고 있다. 심지어 3·1 운동에 대한 보복으로 학살을 저지르기까지 하였다.

간단 체크 정답 및 해설 26쪽

민주 공화제를 표방한 대한민국 임시 정부 수립을 배경으로 3·1 운동이 일어나게 되었다. (O, X)

2 3·1 운동과 대한민국 임시 정부

주제 43 대한민국 임시 정부의 수립과 활동

이번 주제에서는 | 대한민국 임시 정부의 수립과 활동에 대해서 이해할 수 있습니다.

교실 열기 대한민국 임시 정부가 중국 상하이에 위치한 까닭은?

예시 답안 | 중국 상하이는 일제의 영향력이 상대적으로 약하고, 서양 열강의 조계지가 있어서 외교 활동에 유리하였기 때문이다.

1 대한민국 임시 정부의 수립

(1) 배경: 3·1 운동을 계기로 독립운동을 총괄적으로 이끌어 갈 조직의 필요성 제기

(2) 여러 지역의 임시 정부 수립

대한 국민 의회[1]	연해주에서 전로 한족회 중앙 총회를 정부 형태로 개편	통합 논의
상하이 임시 정부	중국 상하이에서 신한청년당을 중심으로 여러 정치 세력 참여	
한성 정부[2]	국내에서 13도 대표가 국민 대회를 개최하여 구성	

(3) 대한민국 임시 정부 수립

① 방식: 한성 정부의 법통을 계승하고 대한 국민 의회 흡수

② 임시 정부 위치: 상하이 → 일제의 영향력 미약, 서양 열강의 조계지가 있어 외교 활동에 유리, 각 지역의 독립운동 세력과 연락 편리

③ 임시 정부 형태: 대통령제(대통령 이승만, 국무총리 이동휘) → 삼권 분립(임시 의정원, 국무원, 법원)에 입각한 민주 공화제 채택

2 대한민국 임시 정부의 활동

(1) 외교 활동: 김규식을 파리 강화 회의에 대표로 파견하여 각국 대표에게 독립 청원서 발송, 미국에 구미 위원부[3] 설치

(2) 독립운동 자금 모금: 국외에 거주하는 동포에게 독립 공채 발행

(3) 연통제와 교통국 조직

연통제	국내외 비밀 행정 조직으로 정보 보고, 임시 정부 문서와 명령 전달, 군자금 조달 담당
교통국	임시 정부의 통신 기관으로 정보 수집과 분석, 국내와의 연락 담당

(4) 문화 활동: 『독립신문』 발행, 『한·일 관계 사료집』 간행 등

국제 연맹에 한국 독립을 호소하기 위해 만든 자료집이다.

3 국민대표 회의 개최와 대한민국 임시 정부의 개편

(1) 대한민국 임시 정부의 위기: 연통제와 교통국이 일제에 의해 발각, 임시 정부 내의 독립운동 노선 갈등, 신채호 등이 위임 통치[4]를 청원한 이승만 비판

(2) 대한민국 임시 정부의 변화 모색

무장 투쟁을 주장하는 세력들은 외교 활동의 한계가 지적되자, 중국 상하이가 아닌 만주나 연해주 등으로 근거지를 이동하자고 주장하였다.

① 국민대표 회의 개최(1923): 개조파와 창조파의 대립 → 성과 없이 회의 결렬

개조파	임시 정부 조직만 바꾸자는 입장
창조파	임시 정부를 해체하고 새로운 조직을 만들자는 주장

② 임시 정부 체제 개편: 이승만을 탄핵하여 면직, 국무령 중심의 내각 책임제로 전환

제2대 대통령에 취임한 박은식은 대통령제를 국무령제로 바꾸었다.

개념 쏙쏙

① 대한 국민 의회
1919년 러시아 연해주 지역에 세운 임시 정부 조직이다. 대한민국 임시 정부 통합을 위해 해산을 결정했지만, 통합 과정에서 갈등이 발생하여 대한 국민 의회 세력 중 이동휘만 임시 정부에 참여하였다.

② 한성 정부
임시 정부에 대한 열망 속에서 1919년 4월 국내에서 세워진 임시 정부이다. 13도 대표를 모아 '국민대회'라는 국민적 절차에 의해 조직되었다는 점으로 인해 여러 임시 정부 통합 과정에서 정통성을 가졌다.

③ 구미 위원부
1919년 미국과 유럽을 대상으로 외교 활동을 펼치기 위해 미국 워싱턴에 설립된 조직이다.

④ 위임 통치
이승만 등이 국제 연맹에 위임 통치할 것을 청원하는 내용으로, 이는 신채호 등이 이승만을 비판하는 계기가 되었다.

교과서 180쪽

Q 「대한민국 임시 헌법」에서 찾을 수 있는 민주 공화제의 특징은 무엇일까?

예시 답안 민주 공화제의 특징은 제2조 대한민국 주권은 대한 인민 전체에 있다는 내용을 통해 가장 잘 드러난다.

정리 교실 교과서 182쪽

㉠ 3·1 운동 ㉡ 민주 공화제
㉢ 상하이 ㉣ 국민대표 회의

교과서 | 183쪽

탐구 교실 임시 정부 개편과 독립운동 방향을 둘러싼 다양한 논의

활동 목표 | 임시 정부 개편과 독립운동 방향을 둘러싼 다양한 논의를 역사적 맥락을 고려하여 이해하고 평가할 수 있습니다.

자료 1 임시 정부 개편에 대한 두 가지 시각

㉮ 국제적으로 열강이 우리 독립운동에 주목하지 않고 내적으로도 독립운동 단체의 움직임이 위축되고 있는 것은 단체들이 통일되지 못했기 때문이다. 지금 임시 정부는 이러한 사태에 어떠한 대응도 하지 못하고 그저 어딘가에 있다는 말만 듣는 정도이니 다시금 무장 운동을 준비할 책임 있는 독립운동 기관을 하나 세워야 할 것이다.

- 『독립신문』, 1923. 1. 24.

㉯ 우리는 불과 2천만 동포를 통합하지 못하고 무슨 계열이니 하여 나뉘어 있다. 단체 불통일과 주도권 싸움 때문에 우리 군인들이 이국에서 무장 해제까지 당하고 목숨을 잃었다. 우리 정부는 마치 빈집과 같아서 이런 사태에 제대로 대응하지 못하고 있다. 그렇다고 해도 지난 5년 동안 활동한 역사가 있으니 이를 없애지 말고 고칠 것은 고쳐서 계속 유지하는 것이 가하다.

- 『독립신문』, 1923. 1. 24.

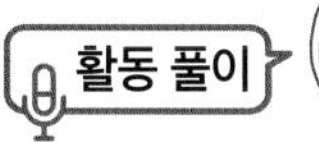

1. <자료 1>의 (가)와 (나)는 각각 어떤 입장을 대표하는지 정리해 보자.

예시 답안 (가)는 임시 정부의 해체와 새로운 기관을 만들 것을 주장한 창조파의 입장을 대표하며, (나)는 임시 정부의 조직과 개편을 주장한 개조파의 입장을 대표한다.

2. 다음은 가상의 독립운동가 단체 대화방이다. 대화를 읽고 독립운동이 나아가야 할 방향에 대한 자신의 생각을 적어 보자.

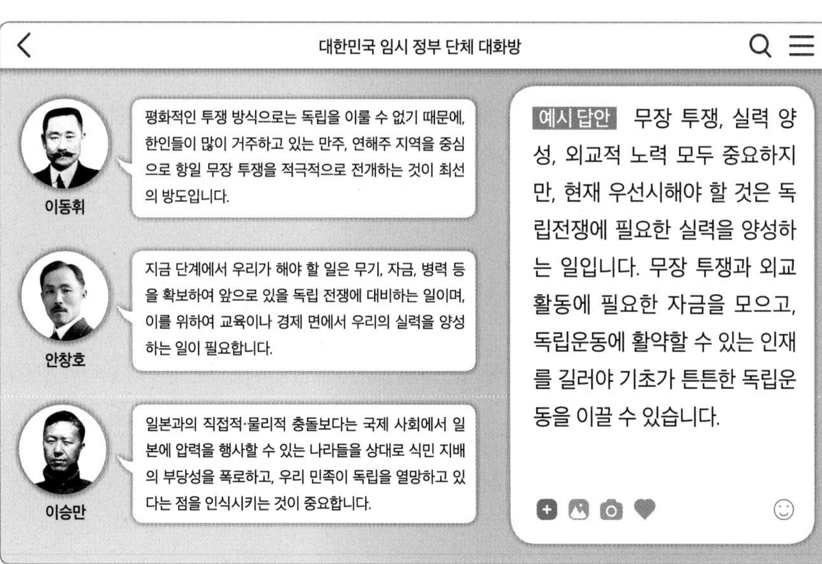

- 대한민국 임시 정부 내에서 다양한 독립운동의 방법이 제기되어 갈등이 나타났음을 이해합니다.
- 가상의 독립운동가 단체 대화방을 활용하여 각 입장을 대표하는 독립운동의 방향과 방법의 차이점을 분석하고 장단점을 파악해 봅니다.

- **<자료 1>** | (가)는 임시 정부의 해체와 새로운 기관을 만들 것을 주장한 창조파, (나)는 임시 정부의 조직과 개편을 주장한 개조파의 글이다.
- **<자료 2>** | 이동휘는 만주와 연해주를 중심으로 무장 투쟁을 전개하자는 입장, 안창호는 독립 전쟁을 위해서 실력을 키우자는 준비론의 입장, 이승만은 외교론의 입장을 대표하고 있다.

간단 체크 정답 및 해설 26쪽

1919년 3·1 운동 이후 조직적이고 체계적인 독립운동의 필요성이 제기되면서 중국 상하이에서 민주 공화제를 표방한 (　　　)가 수립되었다.

1 개념 익히기

01 아래 설명이 맞으면 O표, 틀리면 X표를 해 보자.

(1) 군주제를 지향하는 정치 체제를 공화주의라고 한다. ( )

(2) 3·1 운동의 결과 대한 민국 임시 정부가 수립되었다. ( )

(3) 대한민국 임시 정부는 민주 공화제를 표방하였다. ( )

(4) 개조파는 임시 정부를 해체하고 새로운 조직을 만들자고 주장하였다. ( )

02 빈칸에 알맞은 말을 채워 보자.

(1) 박상진 등은 국권 회복과 민주 공화정 수립을 목표로 대구에서 ( )을/를 결성하였다.

(2) 미국 대통령 윌슨이 발표한 ( )은/는 3·1 운동에 많은 영향을 끼쳤다.

(3) 3·1 운동 이후 일제는 무단 통치에서 ( )로/으로 바꾸었다.

(4) 중국 상하이에서 조직된 ( )은/는 미국에 독립 청원서를 보내고 파리 강화 회의에서 외교 활동을 펼쳤다.

03 서로 관련 있는 내용끼리 연결해 보자.

a. 미주 지역	ㄱ. 권업회
b. 중국 상하이	ㄴ. 신한청년당
c. 연해주 지역	ㄷ. 대한인 국민회

04 3·1 운동의 의의로 옳은 것을 <보기>에서 모두 고르시오.

보기
ㄱ. 민족 유일당 운동 전개
ㄴ. 대한민국 임시 정부 수립
ㄷ. 문화 통치로 통치 방식 전환
ㄹ. 국민 대표 회의 개최와 임시 정부 개편

2 내신 유형 익히기

중요
01 (가)의 활동으로 옳지 않은 것은?

> 북한 신의주와 맞닿아 있는 중국 단둥은 이륭양행이 위치했던 곳이다. 이륭양행은 아일랜드계 영국인 조지 쇼가 1919년에 설립하여 경영하던 무역 회사였다. 쇼는 상하이에 수립된 (가) 의 활동을 도왔다.

① 『독립신문』을 발행하였다.
② 복벽주의 이념에 따라 의병을 일으켰다.
③ 국내와의 연락을 담당한 교통국을 두었다.
④ 연통제를 조직하여 정보 보고, 군자금 조달 업무를 담당하게 하였다.
⑤ 임시 사료 편찬 위원회를 설치하여 독립운동과 관련된 사료를 수집하였다.

02 다음 설명과 관련된 인물로 옳은 것은?

> • 대한 광복회에서 활동하였다.
> • 군대식 조직을 갖추고 독립군을 양성하며 무기를 구입하고 군자금 모집, 친일 부호 처단 등의 활동을 전개하였다.

① 김약연 ② 안중근 ③ 이동휘
④ 임병찬 ⑤ 박상진

중요
03 다음 선언서를 발표한 민족 운동의 특징으로 옳은 것은?

> 우리는 오늘 조선이 독립국이며, 조선인이 이 나라의 주인임을 선언한다. 우리는 이를 세계 모든 나라에 알려 인류가 평등하다는 큰 뜻을 분명히 하고, 우리 후손이 스스로 살아갈 정당한 권리를 영원히 누리게 할 것이다.

① 복벽주의를 기치로 내세웠다.
② 일제의 문화 통치가 배경이 되었다.
③ 일본에 유학하였던 학생들이 발표하였다.
④ 대한민국 임시 정부 수립에 영향을 끼쳤다.
⑤ 식민지 피압박 민족들의 해방 운동을 지원할 것을 약속하였다.

04 다음 자료를 활용한 탐구 주제로 가장 적절한 것은?

> 의병장 임병찬이 고종의 밀명을 받고 조직하였다. 일본 정부와 조선 총독부에 국권 반환 요구 운동을 계획하였지만 일제에 발각되었다.

① 대동단결 선언 발표
② 미주 지역의 독립운동
③ 신흥 무관 학교 설립
④ 대한 광복군 정부 수립
⑤ 대한 독립 의군부의 활동

중요
05 (가)~(다) 지역은 1910년대 국외 독립운동 기지가 건설된 곳이다. 이에 대한 설명으로 옳은 것은?

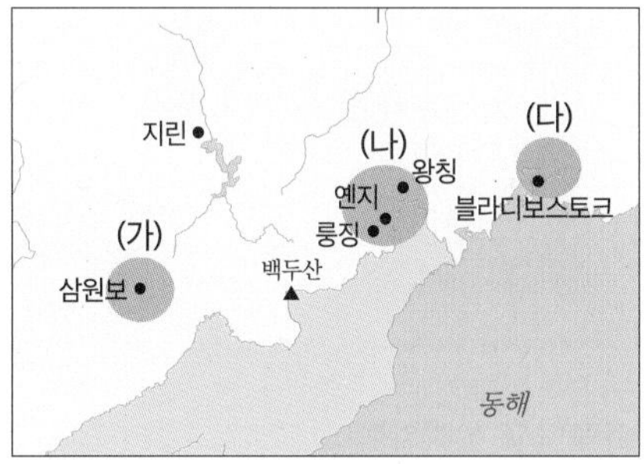

① (가): 대한 광복군 정부를 수립하였다.
② (가): 독립군 양성을 위해 신흥 강습소를 세웠다.
③ (나): 한인 자치 기구인 경학사를 결성하였다.
④ (나): 김규식 등이 신한청년당을 조직하였다.
⑤ (다): 대한인 국민회를 중심으로 외교 활동을 전개하였다.

06 3·1 운동의 배경으로 옳은 것은?

① 대한민국 임시 정부가 수립되었다.
② 일제의 문화 통치가 원인이 되었다.
③ 순종의 장례식날을 계기로 일어났다.
④ 미국의 윌슨 대통령이 민족 자결주의를 발표하였다.
⑤ 식민지 차별 교육에 반대하며 광주 지역 학생들이 궐기하였다.

중요
07 (가), (나) 입장을 잘 보여 주는 주장으로 옳은 것을 <보기>에서 고른 것은?

> ㄱ. (가) - 국제 연맹에 위임 통치서를 제출하자.
> ㄴ. (가) - 임시 정부를 인정하되 고쳐서 유지해야 한다.
> ㄷ. (나) - 임시 정부는 독립운동 최고 대표 기관이다.
> ㄹ. (나) - 상하이는 임시 정부의 장소로 적합하지 않다.

① ㄱ, ㄴ ② ㄱ, ㄹ ③ ㄴ, ㄷ ④ ㄴ, ㄹ ⑤ ㄷ, ㄹ

08 다음 답사 지역의 제목으로 가장 적절한 것은?

> 나는 블라디보스토크에 있는 신한촌을 방문하였다. 한때 1만여 명에 달하는 한인이 모여 살았지만 지금은 쓸쓸히 서 있는 기념탑을 통해 그 존재를 확인할 수 있을 뿐이다. 이곳에서 권업회가 조직되고 『권업신문』이 발행되었다고 한다.

① 중앙아시아로 강제 이주된 한인
② 양세봉을 중심으로 한 조선 혁명군의 활동지
③ 1910년대 연해주의 독립운동 기지 건설 활동
④ 국내 진공 작전을 계획한 한국 광복군 주둔지
⑤ 외국인 선교사들의 선교 활동과 사립학교 설립

09 다음에서 설명하는 인물로 옳은 것은?

> • 고종의 밀명으로 헤이그 특사로 파견되었다.
> • 북간도 지역에서 서전서숙을 세웠다.
> • 대한 광복군 정부에서 활동하였다.

① 신규식 ② 신돌석 ③ 이동휘
④ 이상설 ⑤ 이회영

중요
10 (가), (나) 이념에 대한 설명으로 옳은 것을 <보기>에서 고른 것은?

> 1910년대 국내외 독립운동은 정치 이념에 따라 다음 두 가지로 구분된다. (가)는 군주제를 지향하며 국권을 되찾아 황제를 다시 세우겠다는 것이고, (나)는 국권 회복 후 국민의 대표자가 법에 따라 나라를 다스리는 형태이다.

보기
ㄱ. (가)는 민족주의 세력이, (나)는 사회주의 세력이 추구하였다.
ㄴ. 대한 광복회가 (가)를 주장하였다.
ㄷ. 대한 독립 의군부가 (가)의 실현을 목표로 하였다.
ㄹ. 대한민국 임시 정부는 (나)에 해당되는 정치 체제를 추구하였다.

① ㄱ, ㄴ ② ㄱ, ㄹ ③ ㄴ, ㄷ ④ ㄴ, ㄹ ⑤ ㄷ, ㄹ

11 대동단결 선언의 역사적 의의로 옳은 것은?

① 복벽주의의 이념을 추구하였다.
② 임시 정부의 필요성을 주장하였다.
③ 3·1 운동의 직접적인 배경이 되었다.
④ 중국 국민당과 연합하는 계기가 되었다.
⑤ 독립운동 기지 건설 운동을 추진하는 원동력이 되었다.

12 다음 공판 기록과 관련된 민족 운동에 대한 설명으로 옳은 것은?

> 문: 그대는 어째서 국기를 만들고, 또 혈서를 썼는가.
> 답: 신문에서 이번 강화 회의에서 약소국을 독립시킨다는 것을 보았기 때문에 조선도 독립하면 좋겠다고 생각하여 그렇게 했던 것이다.

① 고액의 소작료를 낮춰달라는 운동을 전개하였다.
② 한·중 연합군을 결성하여 일본군과 전쟁을 벌였다.
③ 한국인 본위의 교육 제도를 마련해줄 것을 주장하였다.
④ 학생이 주도한 1920년대 최대 규모의 항일 운동이었다.
⑤ 일제는 이에 대한 보복으로 제암리 학살 사건을 일으켰다.

13 다음 선언 이후에 일어난 사실로 옳은 것은?

> 우리 민족은 정당한 방법으로 우리 민족의 자유를 추구하겠지만, 만일 이로써 성공하지 못하면 우리 민족은 생존의 권리를 위하여 온갖 자유 행동을 취하여 최후의 1인까지 자유를 위하는 뜨거운 피를 흘릴 것이다.

① 회사령이 공포되었다.
② 민족 자결주의가 제창되었다.
③ 토지 조사 사업이 시행되었다.
④ 여운형을 중심으로 신한청년당이 조직되었다.
⑤ 국내뿐만 아니라 국외에서도 3·1 운동이 전개되었다.

중요
14 다음 자료를 발행한 단체의 활동으로 옳은 것은?

① 의열단을 조직하였다.
② 3·1 운동을 주도하였다.
③ 조선 의용대를 창설하였다.
④ 『대한매일신보』를 발행하였다.
⑤ 이승만을 중심으로 한 구미 위원부를 두었다.

15 검색어 (가)에 들어갈 말로 적절한 것은?

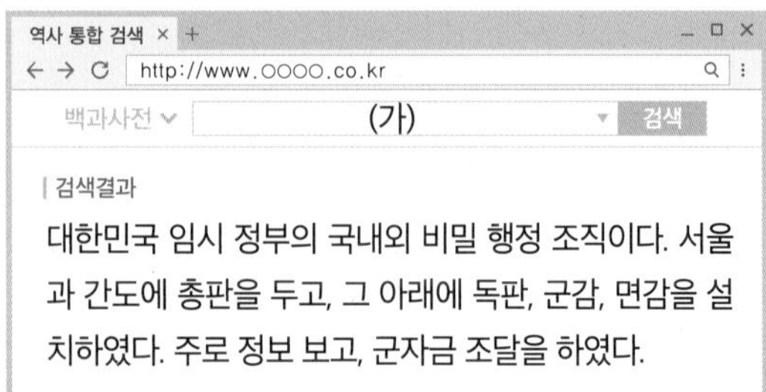

① 교통국 ② 연통제 ③ 이륭양행
④ 독립 공채 ⑤ 독립신문

16 다음 사건이 일어난 순서대로 옳게 배열한 것은?

① (가) - (나) - (다)　② (가) - (다) - (나)
③ (나) - (가) - (다)　④ (나) - (다) - (가)
⑤ (다) - (나) - (가)

17 (가)에 들어갈 탐구 주제로 적절한 것은?

> 탐구 주제: (가)
> • 활동
> - 파리 위원부와 구미 위원부 등 외교 활동
> - 연통제와 교통국 조직
> - 1923년 국민대표 회의 개최
> - 1940년 충칭에서 한국 광복군 창설

① 대한민국 임시 정부의 활동
② 1920년대 실력 양성 운동의 전개
③ 만주 지역 무장 독립 전쟁의 전개
④ 전 민족의 단합을 추구한 민족 유일당 운동
⑤ 의열단 활동에 참여한 독립운동가들의 활동

18 대한민국 임시 정부의 특징으로 옳은 것은?

① 민주 공화제를 표방하였다.
② 윤봉길 의거를 계기로 수립되었다.
③ 국내의 대표적인 민족 협동 전선 단체였다.
④ 군주제를 지향하여 주권은 황제에게 있다고 보았다.
⑤ 김원봉을 중심으로 조직되었으며 조선 혁명 선언을 지침으로 하였다.

서술형 문제

19 다음 내용과 관련된 민족 운동의 역사적 의의를 두 가지 서술하시오.

> 한인들이 의거를 일으키는 것은 일제의 무도함 때문이다. 일본이 한인의 국가사상 소멸과 독립에 대한 희망을 파괴하려고 시도한 지 십여년이 되었다. (중략) 한국인의 이번 독립운동으로 한인에 대해 더욱 잔혹해졌다. 오직 세계에 일본의 폭력성을 알리는 데 더 큰 의미가 있다.
>
> - 민국일보, 1919. 3. 23. -

서술형 문제

20 다음 글을 읽고 물음에 답하시오.

> 대한민국 임시 정부는 국내의 한성 정부안을 바탕으로 통합 정부를 수립하기로 하였다. 그리고 여러 차례 논의를 거친 후 대한민국 임시 정부의 소재지를 (가) 에 두기로 정하였다.

(1) (가)에 들어갈 지역을 쓰시오.

(2) 대한민국 임시 정부의 위치를 (가)에 두기로 한 이유를 두 가지 서술하시오.

3 민족 운동의 성장

주제 44 항일 무장 독립 투쟁의 전개

이번 주제에서는 | 1920년대 만주 지역의 독립운동의 전개 과정을 이해할 수 있습니다.

교실 열기 '이름 없는 독립군'들은 어떤 활동을 펼쳤을까?

예시 답안 | 국내외 독립운동 과정에서 이들은 각자의 맡은 바 임무에 따라 치열한 항일 투쟁을 주도하였다.

1 큰 승리를 거둔 봉오동 전투와 청산리 전투

(1) 무장 독립 전쟁 준비: 3·1 운동 이후 만주 지역에 수많은 독립군 부대 편성(서간도의 서로 군정서, 북간도의 대한 독립군과 북로 군정서)

(2) 독립군의 승리

① 봉오동 전투: 홍범도의 대한 독립군을 중심으로 한 독립군 연합 부대의 활약

② 훈춘 사건: 봉오동 전투에서 패배한 일제가 중국 마적들을 매수하여 훈춘의 일본 영사관을 습격하게 한 후, 독립군의 소행이라고 주장하며 독립군 공격

일제는 중국 마적들을 통해 사건을 조작하여 만주로 출병할 수 있는 구실을 만들었다.

③ 청산리 전투[1]: 홍범도 연합 부대와 김좌진의 북로 군정서의 활약

2 독립군의 시련, 간도 참변과 자유시 참변

(1) 간도 참변: 봉오동 전투와 청산리 대첩에서 패배한 일제는 간도 지역의 한인 마을을 파괴하고 한국인을 무차별 학살 → 독립군 부대는 일본군의 계속되는 공세를 피해 북만주로 퇴각

(2) 자유시 참변[2]: 독립군의 러시아 자유시(스보보드니)로 이동 → 독립군 부대 통합 과정에서 주도권 다툼 → 러시아 적군에 의해 무장 해제 → 수많은 독립군 희생

3 시련을 극복하고 성립한 3부

(1) 3부의 성립: 독립군의 만주 귀환, 독립운동 단체 통합 → 1920년대 중반 참의부, 정의부, 신민부 등 3부 성립

(2) 3부의 특징

압록강 연안 지역에서 성립하였다.

① 관할 구역이 서로 다름: 남만주 지역은 참의부·정의부, 북만주 지역은 신민부

② 공화주의 자치 정부: 민정 기관(행정 담당) + 군정 기관(독립군 훈련 및 작전 담당)

(3) 미쓰야 협정: 일제가 만주 지역 독립군 색출을 위해 만주 군벌과 맺은 협정

한인 독립운동가들을 중국 관리들이 체포하여 일본에 넘긴다는 내용이다. 이로 인해 만주 지역의 독립군 활동은 큰 제약을 받았다.

4 국외의 민족 유일당 운동, 3부의 통합

(1) 3부 통합 배경: 민족 유일당 운동[3] 전개

(2) 3부의 통합: 남만주에 국민부(조선 혁명당, 조선 혁명군)와 북만주에 혁신 의회(한국 독립당, 한국 독립군) 조직

5 일제에 저항하기 위해 연대한 한·중 연합군

한·중 연합 작전으로 영릉가 전투와 홍경성 전투에서 승리를 거두었다.

(1) 조선 혁명군의 활동: 양세봉의 활동, 1930년대 중후반까지 지속

(2) 한국 독립군의 활동: 지청천 중심 → 대한민국 임시 정부에 합류

(3) 만주 지역 한인 사회주의자들의 활동: 동북 인민 혁명군(이후 동북 항일 연군) 편성 → 조국 광복회 결성

개념 쏙쏙

① 청산리 전투(1920)
김좌진이 이끄는 북로 군정서와 홍범도의 대한 독립군을 중심으로 한 독립군 연합 부대는 청산리 일대에서 6일 동안 10여 차례의 전투 끝에 일본군을 크게 물리쳤다.

② 자유시 참변(1921)
일제는 소련 정부에 독립군의 무장 해제를 요구하였는데 혁명 후 내란 발생으로 인해 불안했던 소련은 한인 독립군 부대에 무장 해제 명령을 내리고 독립군을 사살하고 포로로 잡았다. 또한 내부적으로 공산주의 분파 간의 대립이 얽혀 일어났다.

③ 민족 유일당 운동
중국의 제1차 국·공 합작의 영향으로 중국 관내에서는 1920년대 중후반 독립을 위해 모든 세력이 힘을 합쳐야 한다는 공감대가 형성되었다. 이에 민족주의자와 사회주의자가 통합하여 민족 유일당을 만들고자 하는 움직임이 나타났다.

정리 교실

교과서 186쪽

㉠ 봉오동
㉡ 홍범도 연합 부대 및 김좌진의 북로 군정서 중심
㉢ 자유시
㉣ 3부
㉤ 국민부
㉥ 한국 독립당

탐구 교실 잊혔던 독립운동가들

활동 목표 | 공식 역사 속에서 잊혔던 독립운동가들을 찾아보고 그들의 삶을 살펴봅니다.

자료 1 홍범도가 재조명된 계기

광복 직후 봉오동 전투에 관해 직접 언급한 글은 없다. 또한 청산리 전투의 두 주역인 김좌진과 홍범도는 아주 대조적인 존재였다. 김좌진은 추모하는 사람이 있지만, 홍범도는 그의 언행을 추억하는 사람이 없었다. 홍범도라는 존재는 1920년대 중반을 지나면 국내 언론에서조차 제대로 보도되지 않았다. 그것은 그가 민족 운동 전선에서 활동하지 않았을 뿐만 아니라 소련 공산당 당원으로 노령 지역에 있었던 것과 무관하지 않았을 것이다. …… 1980년대 들어 새로운 일본 측의 정보 문서가 참조되고 중국 및 소련과 교류가 활발해지면서 홍범도의 연합 부대 역시 청산리 전투의 한 주역임이 밝혀졌다. 세계적인 차원에서 이루어진 냉전 체제의 해체를 계기로 대결적이고 배타적인 이념으로부터 자유롭기 시작하고 교류가 시작되면서 봉오동 전투와 청산리 전투를 재조명할 수 있는 환경이 만들어지기 시작한 것이다.

- 신주백, 「한국 현대사에서 청산리 전투에 관한 기억의 유동」

홍범도

자료 2 소외된 여성 독립운동가들

2016년 3·1절을 기준으로 국가 보훈처에서 훈·포상을 받은 독립 유공자는 1만 4,329명, 이 중 여성은 272명(1.9%)에 지나지 않는다. 보훈처에서 발굴한 전체 여성 독립운동가 규모(2,747명)에 비하면 포상은 10%에 불과하다. 자료가 부족하거나 행적이 확인되지 않아 포상에서 제외된 경우가 대부분이다. …… 치마 속에 군자금을 숨겨 압록강을 건넜던 정정화 선생처럼 당시 많은 여성이 태극기와 서류를 감춰 운반하고, 군수 물자를 보자기에 싸서 운반하는 등 독립운동에 적극적으로 참여하였으나, 무장 투쟁을 우선시한 남성 중심의 기준에 의해 평가 절하될 수밖에 없었다.

- 『한국일보』, 2016. 2. 29.

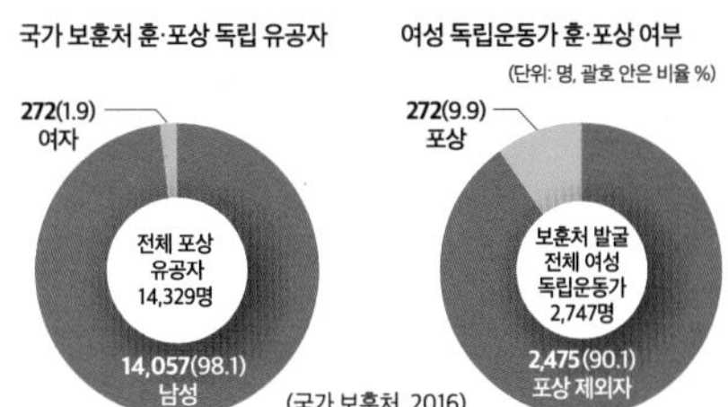

(국가 보훈처, 2016)

활동 풀이

1. <자료 1>을 통해 홍범도가 재조명될 수 있었던 배경이 무엇인지 말해 보자.

예시 답안 홍범도가 재조명될 수 있었던 배경에는 1980년대 일본 측 새로운 문서가 밝혀지고, 공산주의 국가였던 중국 및 소련의 교류가 활발해지면서 청산리 전투의 한 주역임이 밝혀지게 되었다.

2. <자료 2>는 어떤 문제를 지적하고 있는지 분석해 보자.

예시 답안 여성 독립운동가들이 실제로 독립운동에 적극적으로 참여하였음에도 불구하고 남성 독립운동가들의 보조 역할로 평가 절하되거나 자료 부족, 행적 미확인 등의 이유로 포상에서 제외되었다.

3. <자료 1, 2>와 비슷한 이유로 재조명받지 못한 독립운동가가 더 있는지 조사해 보자.

예시 답안 공산주의 국가였던 중국 및 소련과의 교류 부족으로 인한 자료 부족, 사회주의 운동의 행적 등으로 인해 잊혀진 독립운동가들에 주목할 수 있다.

활동 도우미

- 여성, 학생 등의 독립운동가들이나 사회주의 운동 이력, 광복 이후 행적 등을 통해 공식 기억에서 잊혀진 독립운동가들을 살펴봅니다.
- 독립운동가들을 소개한 책, 누리집(국가보훈처 홈페이지, 한국사데이터베이스) 등 다양한 자료를 통해 잘 알려지지 않거나 잊혀진 독립운동가들을 검색하여 봅시다.

자료 해설

- **<자료 1>** | 독립운동가 홍범도는 자유시 참변 이후 소련과 중앙아시아에서 거주하였기 때문에 국내에 알려진 정보가 거의 없었다. 하지만 1980년대 일본 측 문서가 밝혀지고, 중국 및 소련과 교류가 활발해지면서 홍범도의 활약에 대한 정보가 많이 알려졌다.
- **<자료 2>** | 여성 독립운동가들은 남성 위주의 사회적 분위기 속에서 그 활동상이 남성 독립운동가를 보조하는 역할 정도로 축소되고 폄하되었으나, 최근 활약상이 재조명됨으로써 재평가되고 있다.

간단 체크 정답 및 해설 28쪽

자유시 참변 이후 만주로 돌아온 독립군이 체제를 재정비하여 참의부, 정의부, 신민부와 같은 (　　)을/를 조직하였다.

교과서 188~190쪽

3 민족 운동의 성장

주제 45 일제를 놀라게 한 의열 투쟁

이번 주제에서는 | 1920년대 의열 투쟁 활동을 통해 독립운동가들의 활동을 이해할 수 있습니다.

교실 열기 의열단원들은 어떤 목표 아래에 항상 죽음을 각오하였을까?

예시 답안 | 일제 통치 기관을 파괴하고 일제 고관이나 친일파를 처단하려고 하였을 것이다.

1 의열단의 활동

(1) 조직: 3·1 운동 이후 만주 지역에서 김원봉을 중심으로 조직, 신채호의 「조선 혁명 선언[1]」을 활동 지침으로 삼음.

(2) 활동: 주로 상하이와 국내를 중심으로 의열 투쟁 전개 → 일제 통치 기관 파괴, 일제 고관이나 친일파 처단

박재혁	부산 경찰서에 폭탄 투척(1920)
김익상	조선 총독부에 폭탄 투척(1921)
김상옥	종로 경찰서에 폭탄 투척(1923)
김지섭	일본 궁성에 폭탄 투척(1924)
나석주	동양 척식 주식회사에 폭탄 투척(1925)

(3) 노선 변경: 1920년 후반 이후 의열 투쟁에 한계를 느끼고 조직적인 항일 투쟁으로 전환 → 이후 중국 관내 독립운동 단체 통합을 위해 민족 혁명당[2] 결성 주도(1935)

1920년대 후반 김원봉을 비롯한 단원들은 중국 황푸 군관 학교에 입학하여 정규 군사 훈련을 받는 한편, 1930년대에는 독립군 간부 양성을 위한 조선 혁명 간부 학교를 설립하였다.

2 한인 애국단의 활동

(1) 조직

① 일제가 대공황[3]의 위기를 타개하기 위해 만주 사변[4] 이후 대륙 침략을 본격화함.

② 국민대표 회의 이후 내부 분열 등을 겪은 대한민국 임시 정부에 활기를 불어 넣기 위해 김구를 중심으로 한인 애국단 조직

(2) 이봉창과 윤봉길의 활동(1932)

이봉창	• 일본 도쿄에서 일왕의 마차에 폭탄 투척 • 일제가 이봉창 의거에 대하여 중국 신문들이 우호적으로 보도했다는 이유로 인해 상하이를 기습 공격(상하이 사변)
윤봉길	• 중국 상하이 훙커우 공원에서 열린 상하이 사변 승전 기념식장에 폭탄 투척 • 일제의 주요 장성과 고위 관료 다수 살상

(3) 영향

① 윤봉길 의거를 계기로 중국 국민당 정부의 대한민국 임시 정부 지원 → 중국 영토 내에서 한국 광복군 조직의 토대가 됨.

당시 일제의 계략으로 인해 만주 지역의 중국인과 한국인들의 관계는 악화되고 있었다(만보산 사건). 그러나 윤봉길 의거를 계기로 중국 국민당 정부는 대한민국 임시 정부 세력을 지원하였다.

② 윤봉길 의거 이후 일제의 감시와 탄압 심화 → 대한민국 임시 정부는 1940년 충칭에 정착할 때까지 중국 각지로 이동

1937년 중·일 전쟁을 계기로 일본은 중국을 침략하였고, 이에 임시 정부 요인들은 중국 국민당 정부를 따라 이동하였다.

개념 쏙쏙

① 조선 혁명 선언
1923년 신채호가 의열단의 독립 이념과 방법을 제시하기 위해 쓴 것이다. 「조선 혁명 선언」에서 혁명은 민중의 직접적 봉기에 의해서 가능하고, 의열 투쟁은 이를 자극하기 위한 것이라고 선언하였다.

② 민족 혁명당
김원봉과 의열단 세력이 중심이 되어 중국 관내 독립운동 단체들을 통합하기 위해 결성한 것이다. 이를 중심으로 1937년 조선 민족 전선 연맹과 1938년 산하에 조선 의용대를 조직하였다.

③ 대공황
1929년 미국에서 시작된 경제 위기로 여러 회사와 은행의 도산과 대량 실업자 양산 등으로 이어졌고, 이후 전 세계에 영향을 끼쳤다. 일본은 대공황의 위기를 타개하기 위해 1931년 만주 사변, 1937년 중·일 전쟁을 통해 대륙 침략의 야욕을 보였다.

④ 만주 사변
일제는 류타오후 사건(柳條湖事件)을 조작하여 남만주 철도 폭파 사건이 중국군의 소행이라는 구실로 만주를 침략하였다. 그리하여 만주 지역에 만주국을 세웠다. 이후 일제는 1937년 중·일 전쟁을 일으키며 대륙 침략을 이어갔다.

정리 교실

교과서 189쪽

㉠ 김원봉 ㉡ 민족 혁명당
㉢ 김구 ㉣ 이봉창 ㉤ 윤봉길

탐구 교실 이봉창이 상하이로 간 까닭

교과서 | 190쪽

활동 목표 | 이봉창의 재판 기록을 통해 독립운동가들의 삶을 느끼고 이해할 수 있습니다.

❶ 1919년 3월 1일 전국적인 만세 시위가 일어났지만, 일본인이 경영하는 상점 점원으로 겨우 끼니를 이어가던 19살 이봉창은 조선의 독립에 큰 관심이 없었다.

❷ 용산역에서 근무하던 이봉창은 열심히 일했지만, 조선인이라는 이유로 월급과 승진에서 일본인들에게 차별받는 현실에 박탈감을 느꼈다.

❸ 이봉창은 일본에 가면 차별받지 않는다는 말을 듣고 일본으로 건너가 이름을 '기노시타 쇼조'로 바꾸며 진짜 일본인이 되려 노력하였지만, 여전히 차별받았다.

❹ 어느 날 이봉창은 일왕의 즉위식을 보러 갔다가 한글과 한문이 섞인 편지를 가지고 있다는 이유로 구금되었고, 점차 조선 독립에 관심을 가지게 되었다.

❺ 일본 생활에 지친 이봉창은 좋은 일자리를 구할 수 있다는 기대와 조선인이라는 이유로 차별받지 않고 떳떳하게 살 수 있다는 생각을 품고 상하이로 건너갔다.

❻ 상하이에 도착한 이봉창은 대한민국 임시 정부를 찾아갔다. 임시 정부 요인들은 처음에 이봉창을 경계했지만, 김구는 이봉창과 여러 차례 진지한 대화를 나누었다.

- 이봉창 재판 기록 등을 통해 평범한 인간으로서 독립운동가들의 삶과 고뇌를 감정이입함으로써 독립운동가들의 삶을 생생하게 느껴 봅니다.
- 평범한 삶을 살았던 이봉창과 같은 사람들이 독립운동을 선택할 수밖에 없었던 식민지 구조적인 모순과 함께 조선인과 일본인의 융합을 내세우면서도 실질적으로 차별하였던 상황을 이해합니다.

- <자료 1> | 독립운동가 이봉창은 조선인으로서 차별받지 않는 삶을 꿈꾸며 일본으로 건너갔다. 하지만 일제가 내세운 것과 달리 실상은 조선인이라는 이유만으로 차별받는 현실에 눈을 뜨게 되었고, 결국 대한민국 임시 정부를 찾아가 독립운동을 결심하게 되었다.

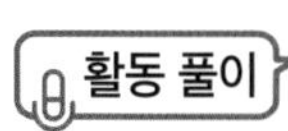

활동 풀이

1. 이봉창이 상하이로 간 까닭은 무엇일까?

예시 답안 평범한 삶을 살고자 하였던 이봉창조차도 식민지의 구조적 모순과 민족적 차별로 인해 자신이 '조선인'임을 끊임없이 자각하게 되었으며, 결국 독립운동에 관심을 가지게 되었다.

2. 장면 ❻의 말풍선에 김구와 이봉창이 나누었을 대화를 자유롭게 적어 보자.

예시 답안 이봉창: 일본어로 제 이름을 바꾸면서까지 일본인으로 살아보려고 하였지만, 차별이라는 사슬은 절대 끊어지지 않았습니다. 우리 민족의 독립을 위해 제가 할 수 있는 모든 것을 하고 싶습니다.

김구: 일제 식민지라는 구조적인 모순을 깨닫게 되어 기쁩니다. 우리 함께 독립을 위해 어떤 일을 할 수 있는지 이야기를 해 보도록 합시다.

간단 체크 정답 및 해설 28쪽

윤봉길은 중국 상하이 훙커우 공원에서 열린 상하이 승전 기념식장에 폭탄을 던졌다. (O, X)

민족 운동의 성장

주제 46 실력 양성 운동의 추진

이번 주제에서는 | 1920년대 실력 양성 운동의 흐름을 파악할 수 있습니다.

교실 열기 '우리 것을 쓰자.'라는 신문 광고가 나온 배경은 무엇일까?

예시 답안 | 회사령이 폐지되고 일본과 한국 사이의 관세가 폐지됨으로써 한국인 회사와 자본가들의 위기의식이 높아졌다.

1 내 살림 내 것으로, 물산 장려 운동

(1) 민족 운동의 분화: 3·1 운동 이후 사회주의 사상 유입 → 독립을 추구하는 민족 운동은 민족주의 계열과 사회주의 계열로 분화

(2) 실력 양성 운동[1]의 전개: 민족주의 세력을 중심으로 교육을 통한 인재 양성, 민족 자본 육성, 언론을 통한 문맹 퇴치 운동 등

(3) 물산 장려 운동

① 배경: 1920년 「회사령」 폐지와 한·일 간 관세 철폐[2] 움직임 → 한국인 회사와 자본가들이 위기를 맞이함.

② 내용: 일본인 기업의 조선 진출로부터 한국인 회사를 보호하기 위해 조선인 물품을 사용하자는 운동 전개

평양의 조만식 등이 중심이 되어 시작된 물산 장려 운동은 '내 살림 내 것으로', '조선 사람 조선의 것'이라는 구호를 내세웠으며 금주·금연·소비 절약 운동을 함께 전개하였다.

③ 결과: 일제의 탄압과 방해로 큰 성과를 거두지 못함.

④ 한계: 한국인 기업의 생산량이 수요를 따르지 못해 상품 가격 상승, 자본가와 상인의 이익 추구에 이용되기도 함. → 사회주의자들의 비판

사회주의자들은 물산 장려 운동이 중산 계급의 이익만을 추구하는 운동이라고 비판하였다.

2 우리 힘으로 대학을, 민립 대학 설립 운동

(1) 배경

① 「제2차 조선 교육령」(1922)으로 인해 한국인들을 위한 대학 설립이 가능해짐.

② 조선인의 고등 교육(대학) 요구

3·1 운동을 계기로 조선인들의 높아진 교육열과 요구에 의해 일제는 1922년 제2차 조선 교육령을 통해 고등 교육 기회 제공을 규정한 대학 설립의 내용을 담았다.

(2) 내용: 1920년대 초 이상재를 중심으로 조선 민립 대학 기성회 조직 → 전국적인 모금 운동 전개

(3) 결과: 일제의 감시와 탄압, 자연재해, 지방 유력자들의 참여 부족으로 실패 > 일제가 조선 내 일본인 학생들을 위해 경성 제국 대학 설립(1924)

일제가 조선인들의 민립 대학 설립 운동을 무마하고, 조선 내 일본인들의 고등 교육 요구를 수용하기 위해 설립한 대학이다.

3 아는 것이 힘, 문맹 퇴치 운동

(1) 농촌 계몽 운동의 성격: 1920년대 말부터 언론 기관을 중심으로 문자를 보급하여 농민을 계몽하고 생활 환경을 개선하고자 함.

(2) 문맹 퇴치 운동의 전개

① 『조선일보』의 문자 보급 운동: '아는 것이 힘, 배워야 산다.'라는 구호를 내세움.

② 『동아일보』의 브나로드 운동[3]: '배우자, 가르치자, 다 함께 브나로드'라는 구호로 한글 보급, 농촌 계몽 운동 전개

(3) 결과: 일제가 문맹 퇴치 운동이 민족 운동의 색채를 띤다는 이유로 탄압함.

개념 쏙쏙

① 실력 양성 운동
1920년대 민족주의 세력이 전개한 것으로, 독립을 이루기 위해서는 먼저 실력을 기르자는 운동이다. 민족 기업 설립, 경제적 실력 양성 운동, 교육과 문화 부분에서 실력을 키우자는 방향으로 전개되었다.

② 관세 철폐
일본과 조선 사이의 관세가 철폐됨으로써 일본인 자본과 회사 및 물품이 조선에 더욱 많이 유입되었다. 이로 인해 조선인 회사와 자본가들은 위기 의식을 느끼게 되었으며, 한국인 회사 물품을 사용하자는 물산 장려 운동으로 이어지게 되었다.

③ 브나로드 운동
19세기 러시아 학생들과 지식인들이 추진한 농촌 계몽 운동에서 비롯하였다. '브나로드'는 러시아어로 '민중 속으로'를 뜻하는 말로, 이상 사회를 건설하려면 지식인으로서 먼저 민중을 깨우쳐야 한다는 취지로 만든 구호이다. 이 운동은 1930년대 우리나라에 영향을 주면서 신학문을 배운 학생들에 의해 퍼져나갔다.

정리 교실 교과서 192쪽

㉠ 「회사령」
㉡ 사회주의자
㉢ 경성 제국 대학
㉣ 브나로드 운동

교과서 | 193쪽

탐구 교실 물산 장려 운동을 바라보는 다양한 목소리

활동 목표 | 물산 장려 운동을 둘러싼 다양한 관점과 견해를 통해 물산 장려 운동의 실력 양성 운동의 의의와 한계를 이해합니다.

가 민족 기업과 자본을 보호하자는 물산 장려 운동이 시작된 이유는 일본 자본이 본격적으로 한국에 진출하면서 한국인 자본가들에게 어려운 상황이 만들어졌기 때문입니다. 그러므로 민족 자본을 살리기 위해서 토산품을 애용해야 합니다.

나 물산 장려 운동으로 한국인 회사가 발전하더라도 결국 그 이윤은 한국인 자본가에게 돌아가게 되는 것이지 일반 백성들은 아무것도 얻을 수 없습니다. 한국인 자본가들은 자신들의 이익을 위해 백성들을 이용하는 것일 뿐입니다.

다 물산 장려 운동을 하려면 먼저 질 좋은 토산품의 생산량을 늘려야 합니다. 생산량은 그대로인데 소비만 늘어난다면, 물가가 올라서 가격이 비싸집니다. 게다가 외국 물품들은 값이 싸고 토산품보다 품질도 좋은데 무조건 토산품만 사라고 해서는 설득력이 없습니다.

라 아닙니다. 물산 장려 운동이 성공하려면 먼저 토산품 애용부터 시작해야 합니다. 지금 토산품의 생산량이 적은 이유는 토산품을 애용하는 사람이 적기 때문입니다. 토산품을 애용하는 사람이 늘어나야 생산자도 늘어나고, 토산품의 품질도 점차 좋아질 것입니다.

- 가상 인물 네 명의 의견을 통해 물산 장려 운동을 둘러싼 다양한 관점과 견해가 있음을 이해합니다.
- 한국인 회사의 물품을 사용하는 것은 민족 전체의 이익(㉮)인지 아니면 소수 자본가들의 이익(㉯)인지에 대하여 자신의 의견을 제시합니다. 또한 토산품 생산량을 늘리지 않고 소비만 장려하면 물가 상승 등의 여러 문제점이 나타난다(㉰)는 견해와 토산품 애용 및 소비를 촉진해야 생산이 늘어날 수 있다(㉱)는 주장을 비교함으로써 자신의 생각을 논리적으로 전개해 봅니다.

- <자료 1> | ㉮와 ㉯는 물산 장려 운동이 민족 자본을 살리는 길이라는 주장(㉮)과 결국 이익은 자본가에게만 돌아가는 것(㉯)이라는 주장이 서로 대립하고 있다. ㉰와 ㉱는 토산품의 생산량을 늘리지 않고 소비만 장려하면 결국 물가가 오르기 때문에 생산량 증진이 필요하다는 입장(㉰)과 우선 토산품을 애용해야 생산이 늘어나므로 소비가 우선임을 주장(㉱)하는 내용이다.

활동 풀이

1. 일제가 시행한 1920년대 경제 정책과 연관 지어 ㉮의 밑줄 친 '어려운 상황'이 무엇인지 생각해 보자.

예시 답안 회사령 철폐와 한국과 일본 사이의 관세 폐지 움직임이 전개되자 한국인 회사와 자본가들이 위기에 처하였다.

2. (가)~(라)의 주장을 각각 한 문장으로 요약하고, 물산 장려 운동에 대한 자신의 생각을 써 보자.

예시 답안 ㉮: 한국인 회사의 물품을 사용해야 민족 자본을 살릴 수 있다, ㉯: 한국인 회사의 물품을 쓰더라도 결국 이익은 한국인 자본가들에게만 돌아간다, ㉰: 토산품 생산량을 늘리지 않고 소비만 장려하면 결국 물가가 오르기 때문에 생산량 증진이 필요하다. ㉱: 토산품 애용을 해야 생산이 늘어나므로 토산품 애용과 소비가 우선이다. ㉮와 ㉯, 그리고 ㉰와 ㉱를 각각 비교하여 자신의 생각을 논리적으로 제시한다.

간단 체크 정답 및 해설 28쪽

1920년대 실력 양성 운동의 하나로 일본인 기업과 물품으로부터 한국인 회사를 보호하고 조선인 물품을 사용하자고 주장한 운동은?

민족 운동의 성장

민족 유일당 운동의 전개

이번 주제에서는 | 민족 유일당 운동을 바탕으로 한 신간회 성립 배경과 역사적 의의를 이해할 수 있습니다.

교실 열기 민족 유일당 운동의 전개로 어떤 결과가 나타났을까?

예시 답안 | 중국 관내 지역 및 만주 지역에서 전개된 민족 유일당 운동으로 국내에서 비타협 민족주의 세력과 사회주의 세력이 중심이 되어 신간회를 결성하였다.

1 사회주의 운동 세력의 등장

(1) 사회주의의 유입: 러시아 혁명 이후 소비에트 러시아 정부가 식민지에 대한 지원을 내세우면서 사회주의에 대한 관심 고조

1920년 7월 모스크바에서 개최된 제2차 코민테른 대회에서 레닌은 피압박 약소민족의 해방 투쟁에 대한 지원을 강조하였다.

(2) 사회주의의 확산: 3·1 운동 이후 사회주의 단체가 만들어지고 사회주의 사상 전파 → 조선 공산당[1] 조직(1925)

2 민족 협동의 물꼬를 튼 6·10 만세 운동

(1) 대규모 만세 운동 계획: 민족주의 세력과 사회주의 세력이 계획하였으나 발각 → 학생들이 중심이 됨.

(2) 6·10 만세 운동 전개: 순종의 장례식날인 6월 10일 격문을 뿌리며 서울 곳곳에서 만세 시위 전개

(3) 의의: 6·10 만세 운동을 계기로 학생층은 독서회, 결사, 동맹 휴학 등을 통해 식민지 교육 정책에 반대 → 민족 협동 전선의 토대 마련

6·10 만세 운동 이후 동맹 휴학 발생 건수가 점차 증가하였다.

3 민족 협동 전선, 신간회의 결성

(1) 배경

국외적 배경	중국의 제1차 국·공 합작[2], 만주의 3부 통합 운동, 코민테른의 민족 통일 전선 지지 (코민테른: 공산주의자 국제 조직의 약칭이다. 국제 사회주의 운동의 방향을 제시하였다.)
국내적 배경	• 민족주의 세력의 분열: 비타협적 민족주의 세력과 타협적 민족주의 세력(자치 운동 주장)의 대립 (자치 운동: 일제 지배 아래에서 식민지 조선에 독자적 의회를 설치하고 일정 부분 자치권을 부여하자는 주장이다.) • 사회주의 세력: 치안 유지법으로 어려움을 겪음. → 정우회 선언[3]을 발표하여 민족주의 세력과 협동 강조

(2) 신간회 창립(1927): 비타협적 민족주의 세력과 사회주의 세력의 연합

여성 운동 진영도 근우회로 통합되었다.

4 신간회의 활동과 해소

(1) 활동: 강연과 토론을 통한 계몽 운동 전개, 노동·농민 운동 등과 연계하여 소작 쟁의와 노동 쟁의 지원, 광주 학생 항일 운동 조사단 파견 등

신간회는 광주 학생 항일 운동 조사단을 파견하고 이를 대규모로 조직하려고 하였으나 이로 인해 일제에 발각되어 지도부가 체포되었다.

(2) 해소: 일제의 탄압, 내부 노선 갈등 → 사회주의 세력의 해소 주장 → 사실상 해체

해소란 단순히 조직이나 단체를 해체하여 없애는 것이 아니라 다른 운동으로 발전한다는 의미이다.

5 전국으로 퍼진 광주 학생 항일 운동

(1) 배경: 동맹 휴학, 비밀 결사 등을 통한 학생 운동의 조직화

(2) 의의: 학생 중심의 운동, 사회 운동 단체와 연계한 전 민족적 항일 운동

개념 쏙쏙

① 조선 공산당
국내외 사회주의 단체 통합 노력으로 1925년 국내에서 조직된 사회주의 운동 단체이다. 6·10 만세 운동 계획 등에 관여하였으나 사전에 발각되어 여러 차례 위기를 겪었으며, 결국 일제의 검거로 1928년 해체되었다.

② 제1차 국·공 합작
중국 국민당과 공산당 세력이 연합하여 형성된 연합 전선을 가리킨다. 중국 국민당은 1919년 10월 쑨원을 중심으로 성립하였고, 중국 공산당은 1921년 세계 공산주의 운동을 지원하는 기관이었던 코민테른의 지도 아래 조직되었다.

③ 정우회 선언
치안 유지법 시행과 일제의 사회주의 세력 검거로 인해 위기를 맞은 사회주의 세력이 사회주의 단체 통합에서부터 시작하여 민족 협동 전선을 꾀한 선언이다. 이는 신간회 창립 배경이 되었다.

교과서 194쪽

Q 격문을 통해 알 수 있는 6·10 만세 운동의 성격은 무엇일까?

예시 답안 일본인 공장 직공의 총파업, 일본인 지주에게 소작료 거부 등의 주장을 통해 사회주의의 영향을 받았음을 추론할 수 있다.

정리 교실 교과서 196쪽

㉠ 6·10 만세 ㉡ 광주 학생 항일
㉢ 타협적 ㉣ 비타협적
㉤ 조선 공산당

교과서 | 197쪽

탐구 교실 민족 유일당 운동과 신간회

활동 목표 | 민족 유일당 운동 전개 배경을 바탕으로 신간회가 설립되었음을 이해합니다.

활동 풀이

1. 오른쪽 댓글들을 참고하여 이광수의 주장에 대한 자신의 생각을 적어 보자.

이광수

민족적 경륜(1924)

지금까지 해 온 정치적 운동은 전부 일본을 적대시하는 운동뿐이었습니다. 그래서 이런 종류의 정치 운동은 해외에서나 국내에서나 비밀 결사적일 수밖에 없었습니다. 우리는 조선 내에서 허락되는 범위 안에서 정치적 결사를 조직해야 합니다. 이러한 공식적인 결사 조직이 있어야 민족의 권리와 이익을 옹호할 수 있기 때문입니다. 또한 조선인을 정치적으로 훈련하고 단결하여 민족의 정치적 중심 세력을 만들어야 앞으로 이어질 정치 운동의 기초를 다질 수 있습니다. -『동아일보』 1924. 1. 3.

자치의 길: 옳습니다. 영국의 식민지인 아일랜드나 인도에서도 자치 운동이 일어났습니다. 일본인과 협력하여 우리의 목소리를 낼 수 있는 정치적 공간을 마련해야 합니다.

속지 말자: 과거 일제는 '동양 평화'와 '한국 독립 보전' 등을 약속하였지만, 결국에는 우리의 국권을 빼앗아 갔습니다. 그들이 약속하는 자치는 독립운동을 약화하려는 기만책에 불과합니다.

댓글을 입력하세요.

예시 답안 일제가 1920년대 이른바 '문화 통치'로 확대한 부·읍·면 협의회는 형식상 자문 기구로, 친일적인 인물에게만 허용한 것이었습니다. 이는 일제가 형식상으로는 한국인들에게 자치를 허용하는 척 한 것이며 독립운동 세력을 분열시키기 위해 친일파를 양성하고자 펼친 정책이라고 볼 수밖에 없습니다.

2. 아래 게시물을 읽고 (가) 와 (나)에 들어갈 적절한 내용을 써 보자.

조선 민흥회의 제안(1926)

우리 조선 민흥회는 조선 민족의 공동 권익을 쟁취하고, 조선인의 단일 전선을 결성할 목적으로 창설되었습니다. 민족적 통합의 목적은 바로 '조선의 해방'에 있습니다. 유럽의 프롤레타리아 계급은 봉건주의와 독재주의를 타파할 목적으로 자본가들과 뭉쳤습니다. 조선의 사회주의자들도 반제국주의 운동에 있어서 우리 민족주의자들과의 연합이 필요하다고 느낄 것입니다. -『시대일보』 1926. 7. 11.

정우회 선언(1926)

우리 정우회는 무의미한 분열을 멈추고 사상 단체들의 통일을 주장합니다. 민족주의 세력이 부르주아의 민주주의적 성질을 지니고 있음을 명백히 인식함과 동시에 그들이 과정적 동맹자의 성질도 가지고 있음을 인정해야 합니다. 그들이 타락하는 형태만 보이지 않는다면 적극적으로 제휴해야 합니다. -『조선일보』 1926. 11. 17.

연대의 길: 조선 민흥회와 정우회는 공통적으로 민족주의와 사회주의의 연대를 주장하네요.

설명꾼: 이러한 주장이 나온 국내외적 배경은 (가) ______ 입니다.

참견꾼: 그러한 배경 속에서 만들어진 신간회 강령에 (나) ______ 와 같은 내용이 있군요.

- 이러한 주장이 나온 국내외적 배경은 (가) **예시 답안** 국내적으로는 비타협적 민족주의 세력의 타협적 민족주의 세력 비판, 치안 유지법으로 활동에 어려움을 겪고 있던 사회주의 세력들은 비타협적 민족주의 세력과 협동을 강조하였습니다. 국외적으로는 중국의 제1차 국·공 합작, 만주에서 3부 통합 운동 전개, 코민테른의 민족 통일 전선 지지 등입니다.
- 그러한 배경 속에서 만들어진 신간회 강령에는 (나) **예시 답안** 민족의 단결을 강조하며, 일제와 타협하는 자치 운동을 비판하는 것과 같은 내용이 있군요.

활동 도우미

- 타협적 민족주의 세력들을 중심으로 자치 운동과 참정권 운동이 전개되었으며, 이들의 주장은 당시 아일랜드와 인도의 자치 운동을 배경으로 전개되었음을 파악합니다. 하지만 일제의 자치권 확대는 허울뿐인 정책이었음을 이해합니다.
- 1920년대 민족 유일당 운동의 흐름 속에서 만들어진 신간회를 국내외적인 맥락 속에서 이해합니다.

자료 해설

- **<자료 1>** | 이광수가 『동아일보』에 쓴 「민족적 경륜」이라는 글은 일제가 허락하는 범위 안에서 실시하는 한국인들의 자치 운동을 주장하였다. 이를 계기로 민족주의 세력은 타협적 민족주의 세력과 비타협적 민족주의 세력으로 분화되었다.
- **<자료 2>** | 비타협적 민족주의 세력이 중심이 된 조선 민흥회와 사회주의자들이 중심이 된 정우회 선언은 공통적으로 민족주의자 세력과 사회주의자 세력의 통합을 주장하고 있다. 이는 신간회 창립의 배경이 되었다.

간단 체크 정답 및 해설 28쪽

비타협적 민족주의 세력과 사회주의 세력은 대규모의 민족 협동 전선인 (　　)을/를 결성하였다.

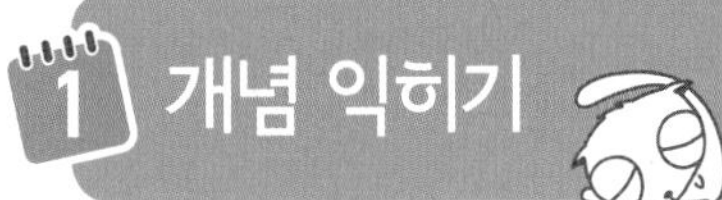

1 개념 익히기

2 내신 유형 익히기

01 아래 설명이 맞으면 O표, 틀리면 X표를 해 보자.

(1) 만주 지역에서 김원봉 등을 중심으로 한인 애국단을 조직하였다. ( )

(2) 실력 양성 운동으로 물산 장려 운동과 민립 대학 설립 운동 등이 있다. ( )

(3) 6·10 만세 운동은 순종의 장례식날에 학생들의 주도로 일어났다. ( )

(4) 문자 보급과 문맹 퇴치 운동 등을 내세우며 광주 학생 항일 운동이 전개되었다. ( )

02 빈칸에 알맞은 말을 채워 보자.

(1) 청산리 전투에서 ( )이/가 이끄는 북로 군정서군 등은 큰 승리를 거두었다.

(2) 1920년대 초 민족 산업을 육성하여 민족 경제의 자립을 이루자는 ( )을/를 전개하였다.

(3) 1920년대 초 한국인의 힘으로 고등 교육 기관을 설립하자는 ( )을/를 전개하였다.

(4) 민족 유일당 운동이 전개되어 국내에서는 1927년 좌우 세력이 합작하여 ( )이/가 결성되었다.

03 서로 관련 있는 내용끼리 연결해 보자.

a. 의열 투쟁 •	• ㄱ. 신간회
b. 실력 양성 운동 •	• ㄴ. 의열단
c. 민족 유일당 운동 •	• ㄷ. 물산 장려 운동

04 실력 양성 운동에 해당하는 것을 <보기>에서 모두 고르시오.

보기
ㄱ. 물산 장려 운동　　ㄴ. 문자 보급 운동
ㄷ. 한인 애국단 활동　　ㄹ. 민립 대학 설립 운동

01 다음 인물 카드에서 설명하는 사람으로 옳은 것은?

• 봉오동 전투와 청산리 전투에서 활약하였다.
• 자유시 참변 이후 소련에 머물렀으며, 이후 스탈린에 의해 중앙아시아로 강제 이주하였다.

① 김좌진　② 양세봉　③ 지청천
④ 안창호　⑤ 홍범도

02 (가)에 들어갈 사건으로 옳은 것은?

청산리 부근으로 이동하던 독립군은 일본군과 격전 끝에 크게 승리하였다.
⬇
(가)
⬇
자유시에서 수많은 독립군이 희생되었다.

① 3부 통합 운동이 전개되었다.
② 참의부, 정의부, 신민부가 조직되었다.
③ 북만주의 혁신 의회, 남만주의 국민부로 재편되었다.
④ 독립군 부대는 일제와 맞서 봉오동에서 승리하였다.
⑤ 일제는 간도 지역의 한인 마을을 파괴하고 한국인들을 학살하였다.

03 (가)에 들어갈 인물로 옳은 것은?

(가)
• 남만주에서 조선 혁명군 총사령이 되어 부대를 재정비하고 군사 양성에 힘썼다.
• 한·중 연합 작전으로 영릉가 전투와 흥경성 전투에서 승리를 거두었다.

① 김익상　② 나석주　③ 남자현
④ 양세봉　⑤ 조명하

중요

04 다음 선언서를 작성한 인물의 특징으로 옳은 것은?

> 폭력은 우리 혁명의 유일한 무기이다. 우리는 민중 속으로 들어가서 그들과 손을 맞잡아 끊임없는 폭력, 암살, 파괴, 폭동으로써 강도 일본의 통치를 타도하고 우리 생활에 불합리한 일제의 제도를 개조하여 인류로써 인류를 압박하지 못하며 사회로써 사회를 수탈하지 못하는 이상적 조선을 건설할지니라.

① 주로 실력 양성 운동에 중점을 두었다.
② 이승만의 위임 통치 청원을 비판하였다.
③ 동북 항일 연군을 결성하여 활동하였다.
④ 봉오동 전투와 청산리 전투에서 활약하였다.
⑤ 대한민국 임시 정부의 조직 개편을 주장하였다.

05 의열단에 대한 설명으로 옳은 것은?

① 6·10 만세 운동을 주도하였다.
② 김원봉을 중심으로 조직되었다.
③ 민립 대학 설립 운동을 추진하였다.
④ 광주 학생 항일 운동을 지원하였다.
⑤ 대한민국 임시 정부에 활기를 불어넣기 위해 김구가 조직하였다.

중요

06 밑줄 친 '이 단체'에 대한 설명으로 옳은 것은?

> 이 단체 단원이었던 이봉창은 일본 도쿄에서 일왕의 마차에 폭탄을 던졌다. 비록 의거는 실패하였지만 일왕을 직접 겨냥하였다는 점에서 일제에 큰 충격을 주었다.

① 조선 혁명 선언을 활동 지침으로 삼았다.
② 복벽주의를 내세우며 의병 전쟁을 준비하였다.
③ 대전자령 전투, 쌍성보 전투 등에서 승리하였다.
④ 신흥 무관 학교를 세워 독립운동 기지 건설 운동을 하였다.
⑤ 상하이 훙커우 공원에서 일어난 윤봉길 의거를 계획하였다.

07 물산 장려 운동에 대한 배경으로 옳은 것은?

① 제2차 조선 교육령이 발표되었다.
② 일본과 한국 사이의 관세가 폐지되었다.
③ 언론 기관을 중심으로 한글 보급이 이루어졌다.
④ 일제에 빌린 나라의 빚을 갚자는 운동이 전개되었다.
⑤ 3·1 운동 이후 국내외에 사회주의 사상이 유입되었다.

중요

08 다음 자료를 활용한 탐구 활동으로 가장 적절한 것은?

> 교육에도 계단과 종류가 있어 민중의 보편적인 지식은 이를 보통 교육으로 능히 수여할 수 있으나, 심오한 지식과 깊은 학문은 고등 교육이 아니면 불가능할 뿐만 아니라, 사회 최고의 비판을 구하며 유능한 인물을 양성하려면 최고 학부의 존재가 가장 필요하다.

① 아는 것이 힘, 문맹 퇴치 운동
② 일제를 놀라게 한 의열단의 활동
③ 내 살림 내 것으로, 물산 장려 운동
④ 우리 힘으로 대학을, 민립 대학 설립 운동
⑤ 일제에 저항하기 위해 연대한 한·중 연합군

09 다음 인물에 대한 설명으로 옳은 것은?

이념의 문제로 우리끼리 다투지 말고 이천만 동포가 함께 힘을 합쳐 일제와 싸워야 한다.

① 국제 연맹에 한국의 위임 통치를 청원하였다.
② 중국에서 일어난 신해혁명에 참여하기도 하였다.
③ 일제에 맞서 봉오동 전투와 청산리 전투를 승리로 이끌었다.
④ 국내외에서 민족 유일당 운동이 활발하게 전개되도록 하였다.
⑤ 일제가 허락하는 범위 안에서 자치 운동을 할 것을 주장하였다.

정답 및 해설 28쪽

10 다음 글에 대한 설명으로 옳은 것을 <보기>에서 고른 것은?

> 지금까지 해 온 정치적 운동은 전부 일본을 적대시하는 운동이었습니다. 그래서 이런 종류의 정치 운동은 해외에서나 국내에서나 비밀 결사적일 수밖에 없었습니다. 우리는 조선 내에서 허락되는 범위 안에서 정치적 결사를 조직해야 합니다.

보기
ㄱ. 자치 운동과 비슷한 맥락의 주장이다.
ㄴ. 비타협적 민족주의 세력이 주장하였다.
ㄷ. 이를 주장한 세력들은 신간회를 결성하였다.
ㄹ. 신간회 강령에서는 이를 기회주의로 배격하였다.

① ㄱ, ㄴ ② ㄱ, ㄹ ③ ㄴ, ㄷ ④ ㄴ, ㄹ ⑤ ㄷ, ㄹ

중요

11 다음 강령을 주장한 단체에 대한 설명으로 옳은 것은?

> • 우리는 정치적·경제적 각성을 촉진한다.
> • 우리는 단결을 공고히 한다.
> • 우리는 기회주의를 일체 부인한다.

① 조선 형평사를 조직하였다.
② 조선 공산당을 조직하였다.
③ 6·10 만세 운동을 주도하였다.
④ 조선 물산 장려회를 조직하였다.
⑤ 광주 학생 항일 운동 진상 조사단을 파견하였다.

12 다음 대화 중 (가)에 대한 설명으로 옳은 것은?

> 민수: 11월 3일 학생 독립운동 기념일의 기원이 된 (가) 사건을 알고 있니?
> 수빈: 그럼. 2018년 이후 정부가 주관하는 국가 행사로 격이 높아졌다는 기사를 읽었어.

① 고종의 인산일을 계기로 시작되었다.
② 국내 최대 규모의 민족 협동 전선이었다.
③ 신간회 지도부가 조사단을 파견하여 지원하였다.
④ 한국인의 고등 교육 기관 설립을 위한 운동이었다.
⑤ 문맹 퇴치를 위해 한글을 보급하고 농촌 계몽 운동을 하였다.

서술형 문제

13 다음 사건이 대한민국 임시 정부에 끼친 영향을 서술하시오.

> 상하이 사변에서 승리한 일제는 중국 상하이 훙커우 공원에서 상하이 점령 축하 기념식을 열었다. 이때 윤봉길이 기념식장에 폭탄을 던져 일본군 주요 장성과 고관들을 살상하였다.

서술형 문제

14 다음 글을 읽고 물음에 답하시오.

> (가) 우리 조선 민흥회는 조선 민족의 공동 권익을 쟁취하고 조선인의 단일 전선을 결성할 목적으로 창설되었습니다. 민족적 통합의 목적은 바로 '조선의 해방'에 있습니다.
> (나) 우리 정우회는 무의미한 분열을 멈추고 사상 단체들의 통일을 주장합니다. 민족주의 세력이 부르주아의 민주주의적 성질을 지니고 있음을 명백히 인식함과 동시에 그들이 과정적 동맹자의 성질도 가지고 있음을 인정해야 합니다.

(1) (가)와 (나) 선언 이후 형성된 단체로 국내 대표적인 민족 협동 전선의 이름을 쓰시오.

(2) 위와 같은 주장이 제기되었던 국내외적 배경을 서술하시오.

창의 융합 교실 독립운동가를 주제로 한 독서 토론 활동

교과서 198~199쪽

창의 융합 교실 독립운동가를 주제로 한 독서 토론 활동

최근 일제 강점기를 살았던 다양한 사람들의 모습이 등장하는 문학 작품들이 많이 출간되었다. 그중에서 독립운동에 참여한 인물을 소재로 하는 책을 선정하여 독서 토론을 진행해 보자.

연계 교과 | 독서

- ☐ 역사 사실 이해
- ☐ 역사 자료 분석과 해석
- ☑ 역사 정보 활용 및 의사소통
- ☑ 역사적 판단력과 문제 해결력
- ☑ 정체성과 상호 존중

1 선정하기 다음 자료를 보고 모둠별로 독립운동가를 주제로 한 책을 한 권 선정해 보자.

『아직도 내 귀엔 서간도 바람 소리가』

지은이: 허은

독립운동가 이상룡의 손자며느리인 허은이 쓴 회고록이다. 허은 여사는 1915년 아홉 살 어린 나이에 만주로 이주하였다. 1922년 만주로 이주한 이상룡 일가에 출가하였으며, 만주 독립운동의 현장에서 이들과 온갖 고난을 함께하였다. 광복 이후 가세가 기울고 6·25 전쟁 중 남편마저 사망하였음에도 불구하고 허은 여사는 좌절을 딛고 일어나서 7남매를 올곧게 키우는 데 힘썼다. 이를 바탕으로 역사책에서는 접할 수 없는 생생한 회고담을 구술로 남겼다.

『줄리아의 가족 순례기』

지은이: 줄리아 리

의열단 설립과 대한민국 임시 정부 활동을 한 할아버지 김대지와 조선 의용군 출신의 아버지 김명의 이야기를 담은 책이다. 저자인 줄리아 리는 19세기 말에 태어난 독립운동가 할아버지 김대지와 20세기 말까지 살다 간 아버지 김명의 회고를 들으면서 자라왔다. 독립운동가의 자녀인 저자는 폭넓은 역사 자료를 기반으로 자신의 생생한 경험까지 더하여 독립운동가의 가족 이야기를 기술하였다.

『돌베개』

지은이: 장준하

장준하가 대한민국 임시 정부의 한국 광복군에 참여하여 1945년 11월 한국으로 귀국하기까지의 여정을 담은 책이다. 장준하는 1944년 1월 일본군 학도병으로 징집되어 중국 쉬저우에 배치되었다가 그해 7월에 탈출하였다. 이후 1945년 1월 충칭 소재 대한민국 임시 정부에 도착하여 한국 광복군으로 편입되었고, 국내 진공 작전을 위한 특수 훈련을 받았다.

사서 선생님의 추천

『아리랑』
『이회영 평전』
『후세 다츠지』
『안중근 의사 자서전』
『조선의 딸, 총을 들다』
『임시 정부의 품 안에서』
『10대와 통하는 독립운동가 이야기』

198 Ⅲ 일제 식민지 지배와 민족 운동의 전개

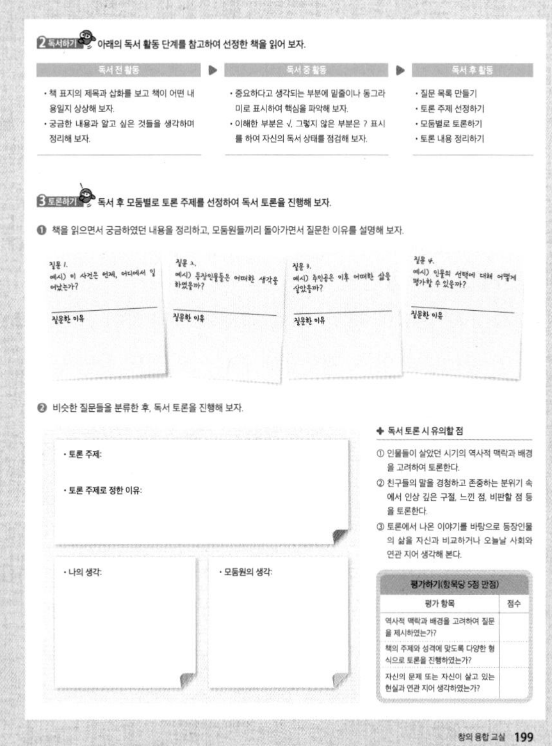

2 독서하기 아래의 독서 활동 단계를 참고하여 선정한 책을 읽어 보자.

독서 전 활동	독서 중 활동	독서 후 활동
• 책 표지의 제목과 삽화를 보고 책이 어떤 내용일지 상상해 보자. • 궁금한 내용과 알고 싶은 것들을 생각하며 정리해 보자.	• 중요하다고 생각되는 부분에 밑줄이나 동그라미로 표시하여 핵심을 파악해 보자. • 이해한 부분은 √, 그렇지 않은 부분은 ? 표시를 하여 자신의 독서 상태를 점검해 보자.	• 질문 목록 만들기 • 토론 주제 선정하기 • 모둠별로 토론하기 • 토론 내용 정리하기

3 토론하기 독서 후 모둠별로 토론 주제를 선정하여 독서 토론을 진행해 보자.

❶ 책을 읽으면서 궁금하였던 내용을 정리하고, 모둠원들끼리 돌아가면서 질문한 이유를 설명해 보자.

질문 1. 예시) 이 사건은 언제, 어디에서 일어났는가?
질문한 이유

질문 2. 예시) 등장인물들은 어떠한 생각을 하였을까?
질문한 이유

질문 3. 예시) 주인공은 이후 어떠한 삶을 살았을까?
질문한 이유

질문 4. 예시) 인물의 선택에 대해 어떻게 평가할 수 있을까?
질문한 이유

❷ 비슷한 질문들을 분류한 후, 독서 토론을 진행해 보자.

• 토론 주제:

• 토론 주제로 정한 이유:

• 나의 생각:

• 모둠원의 생각:

✚ 독서 토론 시 유의할 점

① 인물들이 살았던 시기의 역사적 맥락과 배경을 고려하여 토론한다.
② 친구들의 말을 경청하고 존중하는 분위기 속에서 인상 깊은 구절, 느낀 점, 비판할 점 등을 토론한다.
③ 토론에서 나온 이야기를 바탕으로 등장인물의 삶을 자신과 비교하거나 오늘날 사회와 연관 지어 생각해 본다.

평가하기(항목당 5점 만점)

평가 항목	점수
역사적 맥락과 배경을 고려하여 질문을 제시하였는가?	
책의 주제와 성격에 맞도록 다양한 형식으로 토론을 진행하였는가?	
자신의 문제 또는 자신이 살고 있는 현실과 연관 지어 생각하였는가?	

창의 융합 교실 199

활동 목표

- 독립운동가를 주제로 한 책을 읽고 독립운동가들의 삶과 행적을 생동감 있게 느끼고 이해할 수 있다.
- 책을 주제로 하여 질문을 만들고 토론을 하는 과정 속에서 분석 및 평가 등 종합적인 사고력을 함양할 수 있다.
- 책 속의 등장 인물들이 살았던 시기의 역사적 맥락을 고려하여 살펴보며, 그들의 삶을 비춰 자신을 이해하고 현재 사회의 문제점과 과제를 연결하여 사고할 수 있다.

활동 흐름

- <자료 1>과 날개단의 추천책을 참고하여 독립운동가를 주제로 한 책을 선정하여 읽는다.
- 책을 읽고 단순 내용 확인 질문뿐만 아니라, 등장인물들의 생각과 느낌을 추론하는 질문, 이후 이야기를 추측해 보는 질문, 텍스트 내용 혹은 인물의 선택을 비판적으로 평가하는 질문을 만든다.
- 모둠원들끼리 돌아가면서 발표하고 비슷한 질문을 묶어 분류한다.
- 모둠원들의 발표가 끝나면 가장 좋은 질문 2~3개를 선정하여 토론 주제로 하여 이야기를 나눈 후 전체 발표한다.

예시 답안

- **선정한 책** | 돌베개
- **질문 1** | 장준하가 한국 광복군으로 활동했을 때는 언제일까?
- **질문 2** | 이 책에서 묘사된 이야기는 어떠한 역사적 사건을 배경으로 하고 있을까?
- **질문 3** | 책 ○○쪽 '우리는 또다시 못난 조상이 되지 않으련다. 나는 또다시 못난 조상이 되지 않기 위하여 이 가슴의 피눈물을 삼키며 투쟁하련다. 이 길을 위해 나는 가련다.' 이 부분을 쓸 때 주인공은 어떠한 감정이었을까?
- **질문 4** | 독립운동에 힘썼던 주인공은 광복 이후 어떠한 활동을 하였을까?
- **질문 5** | 주인공 장준하가 일본군 학도병에서 탈출하여 임시 정부로 와서 한국 광복군이 되었을 때 우리는 그의 선택에 대해 어떻게 평가할 수 있을까?
- **질문 6** | 만약 장준하가 독립운동이 아닌 다른 선택을 했다면 어떤 삶을 살았을까?
- **질문 7** | 장준하의 독립운동 활동이 오늘날 나에게 어떤 영향을 미치고 있을까?

교과서 200~203쪽

4 사회·문화의 변화와 사회 운동의 전개

주제 48 도시와 농촌의 변화

이번 주제에서는 | 식민지 도시의 형성 과정과 특징, 농촌의 피폐화 등에 대해 살펴볼 수 있습니다.

교실 열기 같은 '경성'이라는 공간에 왜 다른 생활 환경이 만들어졌을까?

예시 답안 | 농촌에서 경성으로 몰려드는 이주자들에 대한 대책이 세워지지 않았으며, 일제 강점기 상황 속에서 차별적인 정책으로 인해 한국인과 일본인이 주로 거주하는 공간의 불균형이 나타났다.

1 식민지 도시의 양면성

(1) 식민지 도시의 형성: 주로 일제의 효율적인 식민 통치를 위해 이루어짐.

① 1910년대 이후: 개항장을 중심으로 철도·항만 등 교통이 발달한 지역으로 확대

② 1930년대 이후: 식민지 공업화[1] 추진으로 공업 중심지에 신흥 도시 성장

(2) 식민지 경성의 세 공간: 민족 문제와 빈부 격차라는 문제를 동시에 지님.

① 남촌: 청계천을 기준으로 일본인이 주로 거주 → 번화가로 발전

② 북촌: 청계천을 기준으로 한국인이 주로 거주 → 남촌과 경제 격차 심화

③ 도시 변두리: 일자리를 찾아 도시로 몰려든 농민들의 대부분이 도시 외곽에 빈민촌 형성, 토막민[2]이라고 부르는 도시 빈민들이 거주

일본인은 오늘날 충무로 일대인 '본정'과 을지로 일대인 '황금정'이라 불리는 곳에 모여 살았다.

2 생활 양식의 변화와 대중문화의 확산

(1) 생활 양식의 변화: 근대 문물 도입의 영향

의생활	양복과 양장 유행, 개량 한복 등장, 단발머리 유행
주생활	도시를 중심으로 개량 한옥과 문화 주택 등장
식생활	중국·일본 음식 등장, 상류층을 중심으로 서양 음식 유행

(2) 대중문화의 확산

당시 사람들은 모던 걸과 모던 보이를 '못된 걸', '못된 보이'라고도 불렀다.

① 대중 매체의 등장: 모던 걸, 모던 보이와 같이 서양식 생활을 즐기는 사람들 등장

② 대중문화의 탄생: 신문·잡지와 같은 매체에 새로운 대중문화가 소개되어 유행함.

3 피폐화된 농촌

(1) 배경: 일제가 시행한 토지 조사 사업, 산미 증식 계획 등의 정책 → 식민지 지주제 강화, 자작농 감소와 소작농 증가

(2) 한국인 농민의 삶: 농민들은 경제적 궁핍에 시달리며 도시 빈민으로 전락, 산으로 들어가 화전민[3]으로 전락

토목 공사장이나 광산의 임금 노동자가 되기도 하였다.

4 열악한 노동 조건

(1) 일제 강점기 산업 구조의 변화

① 1920년대: 회사령 폐지 이후 일본 자본의 대규모 유입 → 소비재 공업 발달

② 1930년대: 일제의 식민지 공업화 정책 → 중화학 공업 발달 → 수많은 공장 건설, 노동자 증가

석탄 액화, 제철, 기계 등 군수 공업과 관련된 중화학 공업이 발달하였다.

(2) 한국인 노동자의 삶: 노동자들은 일본인 노동자보다 저임금을 받고 장시간 노동에 시달리며 생존권을 위협받음.

개념 쏙쏙

① 식민지 공업화
일제의 산업 발전과 침략 전쟁을 위해 식민지 조선을 공업화시키는 정책을 일컫는 말이다.

② 토막민
일제 강점기 도시 주변부에서 땅을 파고 짚이나 흙으로 움집을 만들어 살았던 빈민들을 일컫는 말이다. 식민지 도시의 형성과 함께 발생하여 일제의 침략 전쟁이 확대됨에 따라 점차 늘어났다.

③ 화전민
산에 불을 지펴 나무를 태운 뒤 농사를 짓는 농민들을 말한다. 일제 강점기에는 땅을 잃은 농민들이 산으로 들어가 화전민이 되기도 하였다.

교과서 202쪽

Q 당시 사람들은 모던 걸과 모던 보이를 왜 '못된 걸', '못된 보이'라고 불렀을까?

예시 답안 모던 걸과 모던 보이는 전통적인 생활 양식에서 벗어났다는 점에서 일부 사람들에게는 그들의 행동이 사치와 향락만을 추구하는 것처럼 비추어졌기 때문이다.

정리 교실 교과서 202쪽

㉠ 도시화 ㉡ 토막민 ㉢ 소작농 ㉣ 식민지 공업화 ㉤ 저임금

교과서 | 203쪽

탐구 교실 일제 강점기 당시 대중 매체가 지닌 성격

활동 목표 | 일제 강점기 대중 매체가 가진 양면성을 파악해 볼 수 있습니다.

자료 1 라디오 체조

라디오 체조는 라디오에서 나오는 음악 반주 및 구령에 맞추어 일정 시간에 행하는 체조로 1920년대 후반부터 시작되었다. 이후 1930년대로 접어들어 일제의 대륙 침략이 본격화되면서 '국민 건강 향상'이라는 명목으로 조선과 일본에 전면적으로 보급되었다. 일제는 조선과 일본 각지에서 라디오 체조 강습회를 개최하고 라디오 체조 반주를 녹음한 축음기판을 학교, 관공서 등에 보급하였다. 이를 통해 일제는 전쟁을 수행할 체력을 지닌 황국 신민을 길러 내고, 모든 국민에게 체조라는 똑같은 행위를 동시에 하게 함으로써 집단성을 형성하고자 하였다.

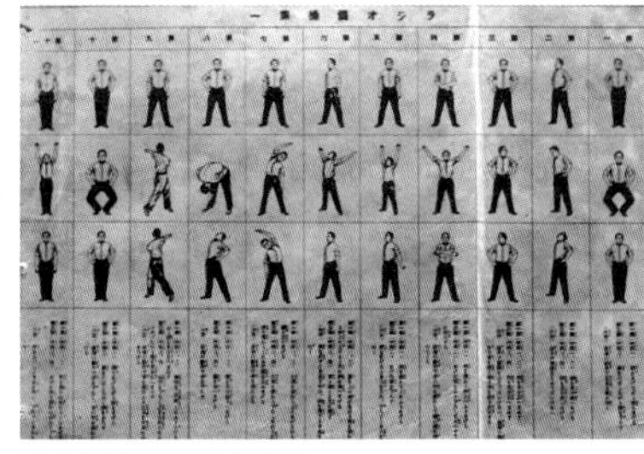

1930년대에 보급된 라디오 체조

자료 2 영화 「아리랑」(1926)

「아리랑」은 1926년 서울 단성사에서 처음 개봉된 영화로, 나라를 잃은 민중의 울분과 설움을 생생하게 그려 냈다. 이 영화는 1930년까지 평양, 대구, 부산 등 대도시에서 16회나 상영되는 등 큰 인기를 끌었다. 감독인 나운규는 "이 영화에는 자랑할 만한 우리의 조선 정서를 가득 담아 놓은 동시에 '동무들아 결코 실망하지 말자.'라는 것을 암시하려 애썼고 …… '아리랑 고개'는 우리에게 희망의 고개라 '그 고개를 어서 넘자.'라는 일관한 정신을 거기 담으려 노력하였는데, 얼마나 표현되었을지 부끄러울 뿐이외다."라고 제작 의도를 밝혔다.

영화 「아리랑」에 출연한 배우들과 제작진

활동 도우미

- 일제 강점기 대중 매체가 가진 양면성을 라디오 체조의 보급 목적과 영화 「아리랑」이 인기를 끈 이유를 분석함으로써 파악해 봅니다.
- 일제 강점기 대중 매체가 가진 양면성을 우리 주변에서 볼 수 있는 어떤 대상이나 사물에 빗대어 문장의 형태로 표현해 봅니다.

자료 해설

- <자료 1> | 일제가 라디오라는 대중 매체를 통해 체조를 보급하고자 한 목적이 전쟁을 수행할 체력을 지닌 황국 신민을 길러내는 데 있었음을 설명하고 있다.
- <자료 2> | 나운규는 영화라는 매체를 통해 식민지 한국인들의 울분과 정서를 표현하고자 노력하였고, 이에 많은 식민지 한국인들이 공감하여 영화가 성공하였음을 설명하고 있다.

활동 풀이

1. <자료 1>을 참고하여 일제가 라디오 체조를 전국 각지에 보급하고자 한 목적을 찾아 써 보자.

예시 답안 일제의 침략이 확대되면서 라디오 체조를 통해 집단성을 형성하고 전쟁을 수행할 체력을 지닌 황국 신민을 길러내고자 하였다.

2. <자료 2>를 읽고 영화 「아리랑」이 당시에 큰 인기를 끈 이유와 영화를 본 사람들이 어떤 생각을 가졌을지 추론해 보자.

예시 답안 일제 식민지하에서 민족의 울분과 서러움을 공감할 수 있었으며, 영화를 통해 민족의식을 고취할 수 있었을 것이다.

3. 일제 강점기 당시 사람들에게 대중 매체란 무엇이었을지 한 문장으로 표현하고, 그렇게 표현한 이유를 써 보자.

예시 답안 일제 강점기 사람들에게 대중 매체란 '양날의 검'이다. 한편으로는 일제의 식민 지배 정책을 홍보하는 수단으로 사용되어 사람들을 수동적으로 만들었고, 다른 한편으로는 민족의식을 일깨우는 수단으로 이용되어 많은 사람이 위로를 받기도 했기 때문이다.

간단 체크 정답 및 해설 30쪽

일제 시대 경성의 경우 청계천을 기준으로 일본인이 주로 거주하는 (　　)과 한국인이 주로 거주하는 (　　)으로 생활공간이 나뉘었다.

교과서 204~207쪽

사회·문화의 변화와 사회 운동의 전개

주제 49 다양한 사상의 수용과 발전

이번 주제에서는 | 제1차 세계 대전 전후 국내에 수용된 다양한 사상에 대해 살펴볼 수 있습니다.

교실 열기 당시 사람들이 민주주의를 쟁취하기 위해서 해결해야 할 일들은 무엇이었을까?

예시 답안 | 『동아일보』 기사에 제시된 것처럼 자유와 평등을 확보해야 하며, 노동의 가치를 실현하는 사회를 향해 나아가야 하였다. 이를 위해서는 독립을 쟁취하고 여러 나라와 연대할 필요가 있었다.

1 '개조 사상'의 수용

(1) 배경: 제1차 세계 대전을 전후로 사회 진화론[1]에 대한 대안 모색 → 다양한 근대 사상이 주목 받음. → 국내에도 개조 사상[2]이라는 이름으로 다양한 근대 사상 수용

(2) 영향

① 독립운동가들의 민주주의 국가 추구: 독립운동가들은 독립 이후의 우리나라가 민주주의 국가여야 한다고 여기게 됨.

② 아나키즘(무정부주의) 등장: 모든 강제적인 권력 부정, 개인의 자유 강조 → 식민지 권력 타도를 목표로 한 의열 활동에 영향 → 민족주의 독립운동가 중에서도 신채호, 이회영 등이 아나키즘을 수용한 경우가 있었다.

2 민족의 자유를 위하여, 민족주의

(1) 민족주의: 역사와 언어를 공유하는 구성원들을 운명 공동체인 민족으로 여기는 사상

(2) 민족주의의 목표: 민족의 독립 회복

(3) 민족주의 운동의 방향

① 독립운동의 밑바탕 역할 → 다른 노선의 사회 운동에도 많은 영향을 끼침.

② 실력 양성 운동, 역사 문화 연구, 무장 독립 투쟁, 외교 활동 등 다양한 방향으로 전개

3 민족과 계급 사이에서, 사회주의

→ 3·1 운동을 전후로 하여 국내에 유입되었다. 지식인들은 신문과 잡지에 사회주의를 소개하는 글을 싣고, 토론회·강연회 등을 개최하여 사회주의를 알렸다.

(1) 사회주의: 계급 투쟁과 혁명을 통해 차별 없는 평등 사회 건설

(2) 사회주의 단체 결성: 농민·노동자·청년 등 다양한 계층을 대변하는 조직 확대 → 조선 공산당 결성(1925)

(3) 사회주의 세력의 활동

① 다양한 분야의 사회 운동 지원: 지주, 자본가 계급을 지원하는 일본 제국주의 타도를 위해 대중 운동 지원 → 일제의 치안 유지법 제정으로 탄압받음.

② 민족주의 계열과 갈등·연대 반복: 일본 제국주의 타도와 독립이라는 공동의 목표로 연대를 형성하기도 함. → 신간회나 근우회 등의 단체는 민족주의 계열과 사회주의 계열의 독립운동가들이 독립을 위해 연대한 사례이다.

4 신여성[3]의 등장

(1) 배경: 3·1 운동을 전후하여 여성의 지위 향상 → 사회 진출 활발, 일부 여성은 스스로를 독립운동의 주체로 인식하고 민족 운동 참여

(2) 목표: 여성의 사회적 지위 향상, 여성 해방 → 1920년대 신여성들을 중심으로 진행(조혼·축첩·강제 결혼 반대, 자유 연애, 자유 결혼 주장) → 1924년 이후 사회주의 계열을 중심으로 단체 조직

개념 쏙쏙

① 사회 진화론
보다 발전하여 우월한 사회가 열등한 사회를 지배하는 것이 자연 법칙이라는 적자생존의 논리이다. 이 주장은 서구 및 일본 제국주의 국가들의 식민 지배를 정당화하는 데 이용되었다.

② 개조 사상
3·1 운동을 전후로 국내에 수용되어 자유와 평등을 강조하는 내용을 다루었던 새로운 사상들을 일컫는다.

③ 신여성
1920년대 전후 근대식 교육을 받고 서구식 생활 양식을 수용한 여성들을 일컫는다. 이들은 여성에게 가해지는 억압과 차별에 반대하고 여성 인권 신장과 양성평등을 적극 주장하였다.

교과서 205쪽

Q 민주주의와 민본주의의 차이점은 무엇일까?

예시 답안 사전에서 정의한 바와 같이 주권이 누구에게 있느냐에 따라 차이가 있다. 민주주의는 국민 주권을 강조하며, 민본주의는 군주가 주권을 가지고 백성을 보살펴야 한다는 점을 강조한다.

정리 교실 교과서 206쪽

㉠ 민족주의 ㉡ 사회주의
㉢ 신여성

교과서 | 207쪽

탐구 교실 여성의 단발머리 논쟁

활동 목표 | 일제 강점기에 있었던 여성의 단발머리 논쟁을 오늘날 사회의 여러 논쟁들과 연결하여 생각할 수 있습니다.

자료 1 여성의 단발머리에 대한 시선

강향란이라는 기생이 돌연히 머리를 깎고 남자 옷을 입고 정치 강습원에 통학 중이라 한다. 암탉이 새벽에 우는 것도 그 집안이 기우는 장본이라 하였다. 하물며 여자가 남자로 환형한 그것이야 변괴가 아니고 무엇이리오. 이렇게 천한 물건은 우리 사회에서 하루라도 빨리 매장해 버려야 할 것을 …….

- 「시사평론」 1922. 7.

모던 걸들 사이에서는 아직도 성히 단발을 하고 있는데 어찌 알았으리요. 단발을 하는 것이야말로 머리가 벗겨지는 큰 원인입니다. 단발을 하고 또 값싼 퍼머넨트 웨이브를 늘 하고 있는 여자는 이삼 년 안에는 꼭 대머리가 될 것입니다.

- 「동아일보」 1935. 5. 10.

장난치던 아동배들도 '야 단발 미인 간다! 이거 봐라!' 하고 떠들어 대고 가게 머리에서 물건 팔던 사람들도 무슨 구경거리나 생긴 듯 멍하니 서서 그들의 가는 양을 유심히 본다.

- 「별건곤」 1926. 12.

자료 2 신여성들 간의 단발머리 논쟁

여성도 당연히 단발을 해야 한다

단발은 위생상으로 좋습니다. 또 머리를 빗는 시간이 줄어들어 경제적이고, 미적으로도 좋습니다. 그래서 세계 각국의 여성들은 이미 단발을 하고 있습니다. 남성들도 머리를 깎는데, 왜 여성들은 단발을 하지 않습니까? 여성권의 신장을 위해서라도 우리 여성들도 단발을 해야 합니다.

여성의 단발은 불가하다

단발이 위생상 좋다고 할 수는 없습니다. 짧은 머리카락이 음식에 들어가도 얼른 눈에 보이지 않습니다. 또 머리를 자주 잘라야 하니 경제적이라 하기도 힘듭니다. 그리고 단발을 하는 여성들에 대한 현 시선을 고려했을 때, 단발이 남녀평등을 가져오기보다는 따가운 눈총과 거부감을 가져올 것입니다.

활동 풀이

1. <자료 1>을 통해 당시 사람들이 단발머리를 한 신여성을 어떻게 바라보았는지 말해 보자.

예시 답안 '암탉이 새벽에 우는 것도 그 집안이 기우는 장본', '변괴' '천한 물건' 등의 표현과 퍼머넨트를 하면 대머리가 된다는 근거 없는 이야기, 어린아이들의 구경거리가 되고 있는 상황 등을 비추어보았을 때 단발한 여성을 매우 부정적이고 이질적인 존재로 바라보고 있다.

2. <자료 2>를 읽고 여성의 단발머리가 사회 문제로 부각된 까닭을 적어 보자.

예시 답안 새로운 여성 단발이라는 문화가 수용되는 과정에서 여성의 단발은 여성이 남성과 같은 자주적인 존재라는 사실을 표현하는 수단으로 인식되어 일부 신여성들 사이에서 퍼져 나갔다. 이에 기존의 남성 중심 문화에 젖어 있던 당시 사람들이 이를 못마땅하게 여기며 단발을 한 여성들을 문제시하여 여성 단발이 사회적 문제로 대두한 것으로 보인다.

활동 도우미

- 남녀 평등을 외치는 신여성들의 여성 해방 운동이 여성 단발로 표출되었으나, 여성 단발은 관습과 인습에 의해 많은 사람에게 부정적으로 인식되었음을 파악할 수 있습니다.
- 신여성들 간의 단발 논쟁은 여성 단발의 미적 측면, 경제적 측면, 위생적 측면을 근거로 들고 있지만, 결국 기존 사회의 여성 억압에 대해 어떤 방식으로 투쟁을 해야 하는지를 모색하는 노력이었음을 이해합니다.

자료 해설

- **<자료 1>** | 1920~1930년대 언론에서는 단발한 여성들을 매우 부정적으로 묘사하고 있음을 알려 준다.
- **<자료 2>** | 이 자료는 자유주의자였던 김활란과 사회주의자였던 정종명의 논쟁이다. 1920년대 후반에 접어들며 최대 규모의 여성 단체였던 근우회 내에서 자유주의 노선과 사회주의 노선 간에 여성 운동이 어떤 방향으로 전개되어야 할지를 놓고 갈등이 있었다. 이는 여성의 단발을 어떻게 바라볼 것인가의 시각 차이로 표출되기도 하였다.

간단 체크 정답 및 해설 30쪽

민족주의 계열과 사회주의 계열은 서로 갈등을 빚기도 하였지만 독립이라는 공동 목표 아래 연대하기도 하였다. (O, X)

4 사회·문화의 변화와 사회 운동의 전개

주제 50 대중 운동의 확산

이번 주제에서는 | 다양한 계층이 주도한 대중 운동의 공통점과 차이점을 파악할 수 있습니다.

교실 열기 강주룡은 을밀대 지붕 위에서 무엇을 요구하였을까?

예시 답안 | 노동자의 권리를 외치며 부당한 임금 삭감 조치를 철회할 것을 요구하였을 것이다.

1 생존권 투쟁에서 항일 투쟁으로, 농민·노동 운동

(1) 농민 운동: 소작료 인하와 소작권 이동 반대 등 생존권을 요구하는 집단적 소작 쟁의 전개 → 1923년 암태도 소작 쟁의[1]

(2) 노동 운동: 열악한 노동 조건 개선, 임금 인상, 민족 차별 철폐를 요구하는 투쟁 선개 → 1929년 원산 총파업[2]으로 확대

(3) 농민 운동과 노동 운동 분리: 1924년 조선 노농 총동맹 결성 → 1927년 조선 농민 총동맹과 조선 노동 총동맹으로 분리

(4) 1930년대 농민·노동 운동의 성격

① 생존권 투쟁에서 반제국적 항일 투쟁으로 변화

② 사회주의 세력과 연대 강화: 혁명적 농민·노동조합 조직 → 비합법적 폭력 투쟁 전개

2 대중 운동의 원천, 청년 운동

(1) 배경: 3·1 운동 이후 청년들이 스스로를 지식인이자 항일 운동의 주체로 자각

(2) 활동: 여러 청년 단체 조직, 1924년 전국 단위 조선 청년 총동맹 조직, 청년 단체들의 각종 대중 운동 지원

노동 운동과 농민 운동을 지지하고 일제의 식민지 교육에 맞서는 활발한 활동을 전개하였다.

3 차별과 소외를 넘어, 소년 운동과 여성 운동

(1) 소년 운동

① 배경: 일제 강점기의 어린이들은 힘든 노동에 시달리며, 제대로 된 교육을 받지 못함.

② 소년 운동 전개: 방정환의 주도로 창립된 천도교 소년회 중심 → 어린이날[3] 제정, 어린이의 인권 신장 주장, 『어린이』 잡지 간행

일제는 소년 운동을 사회주의 운동 혹은 민족 운동으로 간주하여 이를 탄압하였다.

(2) 여성 운동

① 배경: 여성에 대한 차별과 억압

② 활동: 여러 여성 단체 조직 → 1927년 통합 여성 단체인 근우회 조직, '조선 여자의 공고한 단결과 지위 향상'을 도모하며 각종 사회 운동 주도

4 저울처럼 평등한 사회를 꿈꾼 형평 운동

'형(衡)'은 백정들이 사용하는 저울이다. 백정들은 저울처럼 평등한 사회를 꿈꾼다는 의미에서 형평 운동이라 하였다.

(1) 배경: 신분제 폐지 이후에도 남아 있는 백정에 대한 사회적 편견과 차별

(2) 형평 운동 전개: 1923년 백정들은 조선 형평사를 조직하고 형평 운동 전개 → 1930년대 이후 일제의 탄압이 심해지며 경제적 이익 추구 단체로 변모

수평사 등 일본의 인권 단체와 연대하기도 하였다.

5 일제에 맞선 종교계의 대중 운동

(1) 일제의 탄압과 회유: 종교계에 친일 세력을 양성하여 식민 지배에 이용하려 함.

(2) 종교계의 활동: 대종교, 불교, 개신교, 천도교, 원불교, 천주교 등 일제에 맞서 다양한 민족 운동과 사회 운동 전개

『개벽』, 『신여성』 등의 잡지를 만들어 민족의식을 고취하였다.

개념 쏙쏙

① 암태도 소작 쟁의
1923년 전라남도 신안군 암태도의 농민들이 수확량의 70~80%를 소작료로 거두던 지주에게 맞서 소작 쟁의를 일으켰다. 1년여에 걸친 투쟁 끝에 소작료를 40%까지 낮추는 성과를 거두었다.

② 원산 총파업
1929년 영국인이 경영하는 문평 라이징 선이라는 회사에서 일본인 감독이 조선인 노동자를 구타한 것에서 비롯한 파업이다. 일제의 탄압으로 실패하였으나, 전국 각지의 후원과 외국 노동자들의 격려 전문을 받는 등 일제 강점기 최대 규모의 노동 쟁의였다.

③ 어린이날
처음 어린이날은 노동절(메이데이)과 같은 5월 1일로 제정되었다. 그러나 '메이데이'와 날짜가 겹쳐 일제의 탄압을 받게 되자, 1928년부터 5월 첫째주 일요일로 변경되었다. 1946년 이후 5월 5일을 기념일로 하였다.

교과서 209쪽

Q 근우회의 행동 강령은 어떤 사회 문제를 다루고 있을까?

예시 답안 근우회는 행동 강령 내용을 통해 여성에 대한 사회적 차별, 여성 노동 문제, 성 매매 문제 등에 관심을 가지고 이를 해결하고자 하였다.

정리 교실 교과서 210쪽

㉠ 암태도 소작 쟁의 ㉡ 어린이날
㉢ 근우회 ㉣ 형평 운동

탐구 교실 차별을 넘어 인권을 향한 발걸음

교과서 | 211쪽

활동 목표 | 일제 강점기 백정들이 어떤 사회적 차별에 시달렸고, 이에 어떻게 저항하였는지 파악할 수 있습니다.

자료 1 백정에 대한 차별

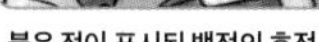
붉은 점이 표시된 백정의 호적

백정이라는 이유로 학교 입학 거부

백정들과의 예배를 거부하는 사람들

'피촌'이라 부른 백정 마을

자료 2 조선 형평사 설립 취지문(1923)

공평은 사회의 근본이요 애정은 인류의 본성이다. 그러므로 우리는 계급을 타파하며, 모욕적 칭호를 폐지하며, 교육을 장려하여 참사람이 되기를 기약함이 본사의 주지이다. 지금까지 우리 백정은 여하한 지위와 어떠한 압박을 받아왔던가? 과거를 회상하면 하루종일 눈물을 금할 수 없다. 이에 지위와 조건 문제 등을 제기할 여가도 없이 목전의 압박에 절규함이 우리의 실정이다. 따라서 이 문제를 먼저 해결하는 것이 우리의 임무라고 인정함은 당연한 것이다. 천하고, 가난하고, 열등하고, 약하며 굴종하는 자는 누구인가? 슬프다! 그것은 우리 백정이 아닌가! …… 우리 조선 민족 이천만 중 한 사람이라도 애정으로써 단결하여 부조하고 생활의 안정을 꾀하며 공동의 존립책을 꾀하고자 이에 사십여 만이 단결하여 본사를 세우고 그 주지를 천명하여 표방하고자 한다.

- 『조선일보』, 1923. 4. 30.

자료 3 반형평 운동의 사례

형평사 창립 축하식 다음 날 진주에서 2,500여 명의 사람들이 형평사를 습격하려 하였다. 그리고 형평사를 지원하거나 이와 관계있는 사람은 백정이 아닐지라도 '신백정'으로 여기겠다는 선언을 발표하였다. 일부 농민들은 백정들에게 경제적인 피해를 주기 위해 소고기 불매 운동을 벌이기도 하였다. 특히 예천에서는 예천 형평 분사 창립 2주년 기념식을 축하하기 위해 단상에 오른 예천 청년 회장이 축사는 커녕 "백정은 국법을 어겨 백정이 된 것이므로 백정을 압박하는 것은 죄악이 아니다. 그리고 지금은 법적으로 차별이 철폐되었으니 형평사를 조직할 필요가 없다. 돈을 많이 모으고 공부를 열심히 하면 누구나 군수도 될 수 있다."라는 발언을 하였다. 이후 축하식에 참여한 군중들은 행사를 난장판으로 만들고 형평사 회원들의 집까지 쫓아가 폭력을 휘둘렀다.

- 김중섭, 『평등 사회를 향하여』

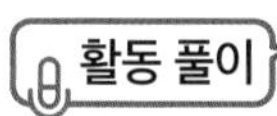
활동 풀이

1. <자료 1, 2>를 읽고 형평 운동의 목표가 무엇인지 써 보자.

예시 답안 백정은 자신들에 대한 차별을 폐지하여 모두가 '저울처럼 평등(형평)'한 세상을 만들고자 하였다.

2. <자료 3>의 반형평 운동에 대해 당시 백정들은 어떻게 느꼈을지 생각해 보자.

예시 답안 자신들에 대한 사회적 인식이 아직도 나아진 것이 없음을 강하게 느꼈을 것 같다. 이에 일부 백정들은 형평 운동으로 인해 자신이 공격을 받자 위축되고 형평 운동을 그만두고 싶어 하였을 것이다. 그러나 어떤 백정들은 반형평 운동을 형평 운동이 필요한 강력한 계기로 여겨 더욱 적극적으로 형평 운동에 참여하고자 하였을 것이다.

- 갑오개혁 때 법적으로 신분 차별은 폐지되었지만, 백정에 대한 사회적 차별과 천대는 쉽게 사라지지 않았음을 이해합니다.
- 백정 출신이 아님에도 형평 운동에 공감하고 지지하는 사람들도 있었으나, 구습에 젖어 있던 사람들이 반형평 운동을 전개하는 등 형평 운동이 사회적 저항을 맞았음을 오늘날 여러 사회 논쟁들과 연결하여 생각해 봅니다.

- **<자료 1>** | 백정들은 백정이라는 이유만으로 호적에 붉은 점이 표시되었고, 학교·교회·마을에서 소외·배제당하는 등 여러 사회적인 차별을 겪었음을 보여 주는 자료이다.
- **<자료 2>** | 조선 형평사는 기본적으로는 백정들에 대한 사회적 차별을 철폐하는 것을 목표로 하였고, 더 나아가 모두가 차별없이 살아갈 수 있는 평등한 사회를 만들고자 하였다.
- **<자료 3>** | 백정에 대한 차별을 옹호하며 형평 운동을 공격하는 반형평 운동을 하는 사람들의 모습을 담고 있다. 반형평 운동에는 백정들과 경제적으로 비슷한 처지에 있었던 농민들이 많이 참여하였다.

간단 체크 정답 및 해설 30쪽

농민들은 1923년 (   )와/과 같은 대규모 소작료 인하 시위를 벌이기도 하였다.

교과서 212~215쪽

사회·문화의 변화와 사회 운동의 전개

주제 51 다양한 문예 활동과 민족 문화 수호를 위한 노력

이번 주제에서는 | 3·1 운동 이후 다양한 문예 활동과 식민 사관에 맞서 민족 문화를 지키기 위한 노력 등을 설명할 수 있습니다.

교실 열기 **윤동주는 어떤 마음으로 「서시」를 창작하였을까?**

예시 답안 | 일제 강점기의 상황 속에서 '부끄럼'없이 살고자 하는 마음으로 살고자 다짐하며 <서시>를 썼을 것 같다.

1 3·1 운동 이후 문학과 예술의 경향

(1) 다양한 문학 활동: 다양한 문예 사조 등장, 신경향파 문학(카프, 1920년대 사회주의 영향), 저항 문학(이육사, 윤동주, 심훈 등)

(2) 예술의 경향: 예술성을 강조하는 흐름과 식민지 현실을 비판적으로 예술 작품에 반영하는 흐름이 함께 존재

(3) 1930년대 후반의 문화·예술 활동: 일제의 대륙 침략 본격화 → 일제의 예술에 대한 통제 강화로 친일적 경향의 예술 활동 증가

2 일제의 역사 왜곡을 넘어

(1) 일제의 한국사 왜곡: 일제의 한국 침략과 식민 지배 합리화

① 정체성론: 한국사가 고대 사회에 머물러 있다는 주장

② 타율성론: 한국이 주변 국가의 영향을 강하게 받아왔다는 주장

③ 당파성론: 조선의 붕당 정치를 당파 싸움으로 규정 → 우리 민족성으로 일반화

(2) 일제의 한국사 왜곡 비판

민족주의 사학	식민 사관에 대항하여 민족 정신과 민족의 역사 발전 강조(신채호, 박은식) → 조선학 운동[2]으로 발전(안재홍, 정인보, 문일평)
사회 경제 사학	유물 사관에 기초, 한국사가 세계사의 보편적 발전 법칙에[1] 따라 발전하였다고 주장(백남운 『조선사회경제사』 저술) → 식민 사관의 정체성론 반박
실증 사학	문헌 고증으로 객관적인 역사 서술 강조 → 진단 학회 조직

3 우리말을 지키기 위한 노력

(1) 일제의 국어 교육 정책

① 국권 침탈 이후: 각급 학교에서 꾸준히 일본어 교육 비중 확대

② 중·일 전쟁 이후: 일제의 민족 말살 정책 추진으로 우리말 사용 금지

③ 제3차 조선 교육령 발표(1938): 조선어를 선택 과목으로 변경 → 조선어 과목 폐지

(3차 조선 교육령으로 일본과 식민지 조선의 학제가 동일해졌으나 이는 황국 신민화를 목표로 한 것이었다.)

(2) 우리말 수호 운동

① 대한 제국 시기: 주시경과 지석영이 국문 연구소 설립 → 우리말을 체계화함.

② 조선어 연구회(1921): 가갸날 제정, 『한글』 잡지 발간 등 한글을 지키기 위해 노력

③ 조선어 학회: 조선 연구회 개편, 「한글 맞춤법 통일안」 및 표준어 제정, 『조선말 큰사전(우리말 큰사전)』 편찬 착수 → 조선어 학회 사건[3]으로 강제 해산

개념 쏙쏙

① 세계사의 보편적 발전 법칙
20세기경 서구 역사학자들은 역사가 고대 노예제 사회에서 중세 봉건제 사회를 거쳐 근대 자본주의 사회로 이행한다고 주장하였으며, 이러한 발전은 세계 어느 곳에나 적용할 수 있는 보편적인 법칙이라고 이해하였다. 일제는 이를 이용해 조선은 고대 노예제에 머물러 있는 열등한 사회라고 하며 자신들의 식민 지배를 정당화하고자 하였다.

② 조선학 운동
언어·역사·문화 등 조선 고유의 문화 전통을 연구 대상으로 하여 문화를 수호하고자 한 운동이다. 조선 후기 성리학에 대한 비판적 움직임을 '실학'으로 해석하여 조선 사회에서도 사상적인 변화와 발전이 있었음을 밝혔다.

③ 조선어 학회 사건
1942년 일제 경찰이 기차 안에서 한국말로 친구들과 대화를 나누던 여학생들을 취조하여 그들에게 영향을 준 사람이 조선어 학회 회원이었던 정태진이라는 사실을 알아내고, 이를 빌미로 조선어 학회 회원들을 모두 검거하였던 사건이다. 일제는 조선어 학회 회원들을 치안 유지법을 근거로 내란죄로 몰았다.

정리 교실

교과서 214쪽

㉠ 저항 문학 ㉡ 식민 사관
㉢ 사회 경제 사학
㉣ 중·일 전쟁 ㉤ 조선어 학회

탐구 교실 놀이에 담긴 식민 사관

활동 목표 | 일제 식민 사관의 특징을 살펴보고, 학생들이 하는 놀이에 이러한 관점이 어떻게 반영되었는지 파악할 수 있습니다.

자료 1 일제의 식민 사관

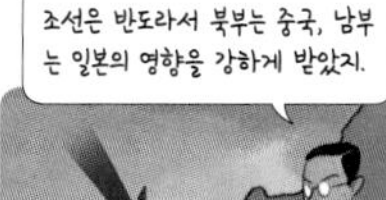

자료 2 새해 놀이판이 된 조선, '일출신문조선쌍육'

놀이판 장면 중 일부

① 신라가 왜에 조공선 80척을 보냈다는 『일본서기』의 내용을 그림으로 표현하였다.

② 임진왜란 당시 일본군이 조선 사람들의 코와 귀를 베어 묻은 무덤을 표현하였다.

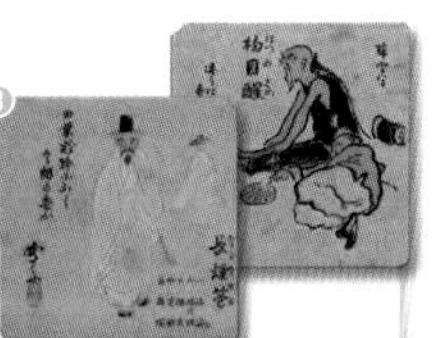

③ 긴 담뱃대를 든 양반과 술에서 막 깨어난 인물을 통해 한국인을 게으르고 나태한 사람으로 표현하였다.

④ 데라우치 총독이 욱일승천기를 배경으로 「병합 조칙」을 들고 있는 모습이다.

일본의 한 신문사가 1911년 신년 특별 부록으로 발간한 주사위 놀이판이다. 고대부터 국권 침탈까지의 조선 침략과 관련된 주요 인물, 사건들을 놀이의 소재로 삼았다. 조선 총독부 초대 총독인 데라우치 그림에 도착하면 이기는 놀이였다.

활동 풀이

1. <자료 1>의 식민 사관이 지니고 있는 문제점을 지적해 보자.

예시 답안 일제는 식민 사관을 날조하여 식민 통치를 합리화하려 하였다. 이에 우리 역사를 왜곡함으로써 한국사의 자율적·주체적 발전을 부정하고, 어둡고 부정적인 면만 강조하였다.

2. 일제가 <자료 2>와 같은 놀이판을 만들고 보급한 까닭이 무엇인지 적어 보자.

예시 답안 일제는 놀이를 통해 한국사의 부정적인 면을 한국인들에게 주입하여 한국인들에게 열등감과 패배감을 심어주어 일제의 지배에 순응하도록 만들기 위한 것이다.

활동 도우미

- 정체성론과 타율성론, 당파성론 등을 바탕으로 한 식민 사관이 역사라는 학문을 이용해 일제의 식민 지배를 정당화하기 위해 날조한 것임을 이해합니다.
- 식민 사관을 자연스럽게 한국인들에게 심어주기 위해 일상 속에서 이루어지는 주사위 놀이와 같은 방법을 고안하여 보급하였음을 파악합니다.

자료 해설

- **<자료 1>** | 일제의 식민 사관 내용을 알 수 있는 자료이다. 일제는 조선이 고대 노예제 사회에 머물고 있었다는 정체성론, 반도라는 지리적 특성으로 주변의 영향을 크게 받았다는 타율성론·반도성론, 지배층이 항상 분열해서 권력을 놓고 싸웠다는 당파성론 등을 내세워 자신들의 식민 지배를 정당화하였다.
- **<자료 2>** | 일제의 침략 의도가 담긴 놀이판이다. 한국인 아이들이 놀이를 하면서 자연스럽게 일제의 지배를 받아들이도록 고안한 것으로 일제의 식민 사관이 반영되어 있다.

간단 체크 정답 및 해설 30쪽

조선어 학회는 조선어 연구회로 이름을 바꾸고 『조선말 큰사전』 편찬에 착수하였다. (O, X)

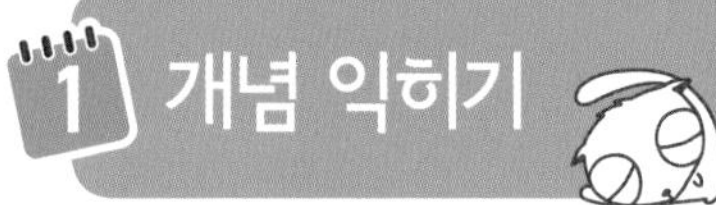

1 개념 익히기

01 아래 설명이 맞으면 O표, 틀리면 X표를 해 보자.

(1) 개항장을 중심으로 진행된 도시화는 철도·항만이 발달한 공업 중심지로 확대되었다. ( )

(2) 아나키즘은 강제적인 모든 권력을 부정하며 개인의 자유를 강조하였다. ( )

(3) 백정들이 조직한 조선 형평사는 수평사라는 일본 단체와 대립하였다. ( )

(4) 실증 사학은 한국의 역사가 세계의 여러 나라와 마찬가지로 보편적인 법칙에 따라 발전한다는 내용으로 구성되었다. ( )

02 빈칸에 알맞은 말을 채워 보자.

(1) 도시 변두리에 땅을 파고 짚이나 거적을 두른 움집인 토막에서 생활하던 이들을 ( )이라 불렀다.

(2) 식민지 도시화가 진행되며 ( ), ( )와 같이 서양식 생활을 즐기는 사람들이 등장하였다.

(3) 일제는 1925년 ( ) 등을 제정하여 사회주의를 극심하게 탄압하였다.

(4) 1930년대 이후 문학에서는 식민 통치에 대한 저항을 극렬히 드러내는 ( )이 등장하였다.

03 서로 관련 있는 내용끼리 연결해 보자.

a. 근우회 •	• ㄱ. 형평 운동
b. 타율성론 •	• ㄴ. 여성 운동
c. 조선 형평사 •	• ㄷ. 식민 사관

04 <보기>에서 농민·노동 운동에 대한 설명으로 옳은 것을 모두 고르시오.

보기
ㄱ. 원산 총파업
ㄴ. 반형평 운동
ㄷ. 암태도 소작 쟁의
ㄹ. 조선 여자의 공고한 단결과 지위 향상

2 내신 유형 익히기

01 일제 강점기 식민지 도시에 대한 설명으로 옳지 않은 것은?

① 개항장을 중심으로 도시가 형성되었다.
② 남촌과 북촌의 경제 격차가 계속 심해졌다.
③ 산미 증식 계획의 영향으로 신흥 도시들이 성장하였다.
④ 청계천을 기준으로 남촌에는 일본인이 주로 거주하였다.
⑤ 도시 변두리에는 토막민이라 불린 도시 빈민들이 거주하였다.

02 일제 강점기에 발전한 사상들에 대한 설명으로 옳지 않은 것은?

① 아나키즘은 의열 활동에 영향을 주었다.
② 독립운동가들은 자유, 평등을 지향하며 일제에 저항하였다.
③ 사회주의는 혁명을 통해 차별 없는 평등 사회를 지향하였다.
④ 민족주의 운동은 실력 양성 운동, 무장 독립 투쟁 등 다양한 방향으로 전개되었다.
⑤ 제2차 세계 대전을 전후로 다양한 근대 사상이 '개조 사상'이라는 이름으로 수용되었다.

중요
03 다음 자료를 이용한 탐구 활동으로 가장 적절한 것은?

> 1931년 강주룡은 자신이 일하던 평양 공장 측이 일방적으로 노동자들의 임금을 깎겠다고 통보하자, 을밀대라는 건축물의 지붕 위로 올라가 고공 시위를 하였다.

① 어린이날이 제정된 연원을 파악한다.
② 조선 청년 총동맹의 활동을 찾아본다.
③ 조선 형평사가 설립된 이유를 알아본다.
④ 일제에 맞선 종교계의 대중 운동을 살펴본다.
⑤ 조선인 노동자들의 열악한 노동 조건을 조사한다.

총 문항수	16	처음 푼 날	월	일
정답 및 해설	30쪽	오답 푼 날	월	일

중요
04 (가) 사건에 대한 설명으로 옳은 것은?

(가)

1. 발생 장소: 함경남도 덕원군
2. 원인: 문평 라이징 선 회사의 일본인 감독이 조선인 노동자 구타
3. 전개: 원산 노동 연합회 주도로 4개월 간의 총파업 투쟁 전개
4. 결과: 회사 측의 약속 불이행과 일제가 경찰과 군대, 폭력배까지 동원하여 탄압하면서 실패

① 암태도 소작 쟁의에 영향을 주었다.
② 일제의 통치 방식에 변화를 이끌어 내었다.
③ 친일 지주에게 소작료 인하를 주장하였다.
④ 수평사라는 일본 단체와 연계하고자 하였다.
⑤ 여러 나라의 노동 단체로부터 응원을 받았다.

05 밑줄 친 '이 단체'에 대한 설명으로 옳은 것을 <보기>에서 고른 것은?

이 단체는 1927년에 창립되어 '조선 여자의 단결과 지위 향상'을 목표로 하였다. 주로 문맹 퇴치를 위해 부인 야학 활동을 하였고, 여성 기술 교육을 위한 강습회를 벌였다. 이외에도 여성 의식 고취를 위해 여러 차례 강연회와 토론회를 전개하였다.

보기
ㄱ. 신간회와 연계하여 활동하였다.
ㄴ. 민립 대학 설립 운동을 전개하였다.
ㄷ. 기관지로 『근우』를 발간하기도 하였다.
ㄹ. 백정의 사회적 차별 철폐를 주장하였다.
ㅁ. 농촌 진흥 운동에 주도적으로 참여하였다.

① ㄱ, ㄴ ② ㄱ, ㄷ ③ ㄴ, ㄹ
④ ㄱ, ㄷ, ㄹ ⑤ ㄴ, ㄹ, ㅁ

중요
06 다음과 같은 상황에서 전개된 사회 운동에 대한 설명으로 적절한 것은?

• 이들이 따로 모여 사는 마을을 '피촌'이라 불렀다.
• 호적에 붉은 점 등을 표시하여 다른 사람과 구별하였다.
• 입학 원서나 관공서에 제출하는 서류에 신분을 반드시 표시하도록 하였다.

① 의민단 등을 조직하였다.
② 조선의 자치를 주장하였다.
③ 내 살림 내 것으로 구호를 내세웠다.
④ 조선 혁명 선언을 행동 지침으로 삼았다.
⑤ 차별없이 누구나 평등한 사회를 건설하고자 하였다.

중요
07 밑줄친 '이 종교'의 활동으로 옳은 것은?

동학의 3대 교주였던 손병희가 이용구 등 일부 동학교도가 일진회를 조직하며 친일적인 행각을 보이자 1905년 동학에서 이 종교로 명칭을 변경하였다.

① 단군을 신으로 숭배하였다.
② 항일 무장 단체인 의민단을 결성하였다.
③ 박중빈 등을 중심으로 새생활 운동을 전개하였다.
④ 잡지 『개벽』을 창간하여 문화운동에 주력하였다.
⑤ 만주에서 중광단을 조직하여 항일 무장 투쟁을 전개하였다.

08 다음에 나타난 종교에 대한 설명으로 옳은 것은?

1909년 나철은 오기호 등과 함께 단군을 신으로 모시는 종교를 창시하여 민족의식을 고취하였다. 포교한 지 1년 만에 신자 수가 2만여 명으로 늘었다.

① 『만세보』를 발행하였다.
② 신사 참배 거부 운동을 벌이기도 하였다.
③ 의민단을 조직하여 항일 무장 투쟁을 전개하였다.
④ 저축 운동, 금주·금연 등 새생활 운동을 전개하였다.
⑤ 중광단을 조직하여 항일 무장 독립 투쟁을 전개하였다.

중요

09 (가)~(다)와 관련 있는 운동에 대한 설명으로 옳지 않은 것은?

① (가) - 국민의 돈을 모아 국채를 갚고자 하였다
② (가) - 일부 사회주의자들로부터 기업가의 이익만을 추구한다는 비판을 받았다.
③ (나) - 조선 형평사 등의 단체가 중심이 되었다.
④ (나) - 백정에 대한 사회적 차별 철폐를 목적으로 하였다.
⑤ (다) - 방정환을 중심으로 천도교 소년회가 만들어지면서 본격적으로 전개되었다.

중요

10 일제 강점기의 문학·예술 활동을 잘못 연결한 것은?

① 미술 - 심훈 등은 작품을 통해 식민 통치에 대한 저항 의식을 드러냈다.
② 연극 - 토월회는 민중 계몽을 주장하며 신극 운동을 전개하였다.
③ 음악 - 홍난파는 '봉선화', '고향의 봄' 등 식민지의 비운을 상징하는 노래를 작곡하였다.
④ 영화 - 나운규가 식민지 현실의 아픔을 표현한 「아리랑」을 발표하여 인기를 얻었다.
⑤ 문학 - 이육사, 윤동주 등이 민족의 의지를 문학 작품을 통해 표현하였다.

11 밑줄 친 ㉠에 해당하는 사례로 옳지 않은 것은?

> ㉠ 3·1 운동 이후 예술은 분야별로 여러 경향을 보이며 발전하였다. 이 가운데 각 분야의 예술성을 강조하는 흐름과 식민지 현실을 비판적으로 예술 작품에 반영하는 흐름이 함께 존재하였다.

① 토월회라는 신극 운동 단체가 등장하였다.
② 김기창이 총후병사와 같은 친일 작품을 그렸다.
③ 사회주의 사상의 영향을 받아 카프가 조직되었다.
④ 심훈 등은 식민 통치에 대한 저항을 문학에 담았다.
⑤ 최남선이 「해에게서 소년에게」라는 신체시를 발표하였다.

중요

12 다음 글을 작성한 인물에 대한 설명으로 옳은 것은?

> 우리 조선의 역사적 발전의 전 과정은 가령 지리적 조건, 인종학적 골상, 문화 형태의 외형적 특징 등 다소의 차이는 인정되더라도, 외관적인 소위 특수성은 다른 문화 민족의 역사적 발전 법칙과 구별되어야 하는 독자적인 것이 아니면, 세계사적 일원론적 역사 법칙에 의하여 다른 여러 민족과 거의 동일한 발전 과정을 거쳐온 것이다.

① 『한국통사』를 저술하여 일제의 침략을 비판하였다.
② 진단 학회를 조직하여 한국사를 실증적으로 연구하고자 하였다.
③ 정약용의 저서를 모아 『여유당전서』를 간행하는 데 참여하였다.
④ 『조선사회경제사』를 저술하여 식민 사관의 정체성을 비판하였다.
⑤ 『조선상고사』, 「조선사연구초」 등을 저술하여 민족주의 사학의 기반을 마련하였다.

13 다음을 주장한 인물에 대한 설명으로 옳은 것을 <보기>에서 고른 것은?

> 역사란 무엇인가? 인류 사회의 아(我)와 비아(非我)의 투쟁이 시간부터 발전하며 공간부터 확대하는 전신적 활동의 기록이니, 세계사라 하면 세계 인류의 그리되어 온 상태의 기록이며, 조선 역사라 하면 조선 민족의 그리되어 온 상태의 기록인 것이다. 무엇을 '아'라 하고, 무엇을 '비아'라 하는가?

보기

ㄱ. 조선사 편수회에 참여하였다.
ㄴ. 민족 운동의 일환으로 우리 역사를 연구하였다.
ㄷ. 한국사를 세계사의 보편적 발전 법칙에 따라 기술하였다.
ㄹ. 고대사 연구에 주력하여 『조선사연구초』, 『조선상고사』 등을 저술하였다.

① ㄱ, ㄴ ② ㄱ, ㄷ ③ ㄴ, ㄷ
④ ㄴ, ㄹ ⑤ ㄷ, ㄹ

14 밑줄 친 '이 단체'에 대한 설명으로 옳은 것은?

> 조선어 연구회가 발전하여 이름을 바꾼 이 단체는 『조선말 큰사전』을 편찬하는 데 주력하였으나, 일제의 탄압으로 성공하지 못하였다. 일제는 1942년 이 단체를 독립운동 단체로 간주하여 회원들을 대거 검거하고 투옥하였다. 이때 일제의 가혹한 고문으로 이윤재, 한징이 옥사하였다.

① 어린이날을 제정하였다.
② 태극 서관을 운영하였다.
③ 「한글 맞춤법 통일안」을 제정하였다.
④ 한글날인 가갸날을 제정하고 기관지인 『한글』을 발간하였다.
⑤ 광주 학생 항일 운동이 일어나자 민중 대회를 개최하고자 하였다.

서술형 문제

15 밑줄 친 '신여성'들이 주장하였던 바를 두 가지 이상 서술하시오.

> 한국의 여성들은 가부장적인 문화와 식민 지배에서 비롯된 계급적, 민족적 억압을 동시에 받았다. 이런 상황에서 1920년대로 접어들며 등장한 신여성들은 여성에게 가해지는 억압을 타파하고자 하였다.

서술형 문제

16 밑줄 친 일제의 주장에 대해 반박한 역사 연구 방법론의 명칭과 반박 내용을 서술하시오.

> 일제는 한국의 역사가 외세의 영향을 받아 타율적으로 전개되었고, 발전 없이 고대 사회 단계에 머물러 있으며, 한국인은 잘못된 민족성을 가졌기 때문에 당파를 만들어 싸움을 한다고 주장하였다.

교과서 216~218쪽

5 전시 동원 체제와 민중의 삶

주제 52 일제의 침략 전쟁과 식민지 공업화 정책

이번 주제에서는 | 일제의 침략이 확대되는 과정에 따라 조선이 병참 기지화가 되어가는 모습을 살펴봅니다.

교실 열기 일제가 학생들에 '대동아 전쟁'을 가르친 이유는 무엇일까?

예시 답안 | 학생들에게 '대동아 전쟁'이 미·영의 아시아 침략에 맞서는 전쟁이라는 인식을 심어 학생들을 전쟁에 내몰기 위함이었다.

1 세계 대전 속 일제의 야욕, 대동아 공영권

(1) 대공황[1] 발생(1929)

① 각국의 극복 방안

- 미국, 영국, 프랑스: 뉴딜 정책(미국), 영국·프랑스(블록 경제)
  - 많은 식민지를 보유한 국가들은 식민지와의 경제 결속을 강화하여 위기를 극복하려 하였다.
- 이탈리아, 독일, 일본: 대외 침략을 통해 대공황 위기를 극복하려 함.

② 전체주의 대두: 이탈리아 무솔리니의 파시스트당, 독일 히틀러의 나치당, 일본의 군국주의 → 제2차 세계 대전 발발

(2) 일제의 침략 전쟁

① 만주 사변[2](1931)으로 만주 장악

② 중·일 전쟁[3](1937)을 일으켜 대륙 침략 본격화 → 동남아시아로 전선 확대

③ 미국과 영국의 경제 봉쇄: 진주만을 공습하여 태평양 전쟁 발발(1941).

(3) 대동아 공영권

① 내용: 서양 제국주의에 대항하여 일제를 중심으로 아시아 민족의 공존공영 실현

② 의도: 침략 전쟁 정당화 → 태평양 전쟁을 '대동아 전쟁'이라고 지칭

- 일제는 과거 러·일 전쟁 역시 서양 제국주의로부터 한국과 중국을 지키려 했던 것이라고 주장하였다.

2 일제의 병참 기지화 정책

(1) 식민지 공업화 정책: 한국을 침략 전쟁에 필요한 자원을 보급하는 병참 기지로 이용

- 병참 기지란 군대에서 작전에 필요한 인원과 군수 물자 등 군대의 전투력 유지를 위한 제반 사항을 보급하는 기구를 의미한다.

① 한반도 북부 지역을 중심으로 공업화 진행

② 중·일 전쟁 이후 군수 산업과 관련된 중화학 공업의 비중 증가

③ 영향: 지역 간, 산업 분야 간의 불균형 심화

- 특히 남북간의 산업 불균형은 광복 이후에도 영향을 주었다.

(2) 일제의 농촌 정책

① 남면북양 정책: 남부에 면화 재배, 북부에 양 사육 → 일본에 필요한 공업 원료 생산

② 농촌 진흥 운동[4]: 농민 안정을 명분으로 추진 → 실질적 해결은 하지 못함.

참고 자료 전체주의

전쟁만이 모든 인간의 힘을 최고조로 올려 주고 용기를 가진 사람에게 고귀함을 인정한다. 따라서 파시즘은 평화에 기초를 둔 신조에 대해 적대적이다. - 무솔리니, 「파시즘 독트린」 -

전체주의는 개인의 모든 활동은 민족, 국가와 같은 전체를 위해서 이루어져야 한다는 사상이다. 이탈리아의 파시즘과 독일의 나치즘, 일본의 군국주의 등이 대표적인 사례이다.

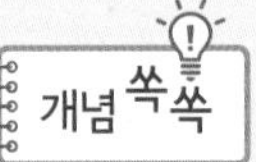

개념 쏙쏙

① 대공황

1929년에 시작된 사상 최대의 경제 위기이다. 뉴욕 주식 시장의 주가가 대폭락한 데서 시작한 공황은 전 유럽으로 파급되며 1930년대 내내 이어졌다.

② 만주 사변(1931)

1931년 일본이 일으킨 만주 침략을 말한다. 일본은 류타오후라는 지역에서 자신들의 소유인 철도를 스스로 파괴하고 이를 만주를 지키던 중국 동북군의 소행이라고 발표하여 전쟁을 일으켰다. 일제의 만주 사변은 1932년 만주국이라는 일제의 위성 국가 수립으로 이어졌다.

③ 중·일 전쟁(1937)

1937년부터 1945년까지 있었던 일본과 중국 간의 전면적인 전쟁을 말한다. 일본은 중국을 침략할 명분을 마련하기 위해 베이징 근처 루거우차오에서 중국군의 발포로 일본군에 행방불명자가 생겼다고 발표하고, 군대를 출동시켜 루거우차오를 점령하며 전쟁을 일으켰다.

④ 농촌 진흥 운동

1932년부터 일제에 의해 실시된 농촌 운동으로 농촌 경제가 나아지기 위해서는 농민들이 근검 절약해야 함을 강조하며 경제적 궁핍의 책임을 개인에게 돌리고 농민들에게 침략 전쟁을 위한 희생을 강요하였다.

정리 교실 교과서 217쪽

㉠ 만주 사변 ㉡ 중·일 전쟁
㉢ 태평양 전쟁

교과서 | 218쪽

탐구 교실 광고에 스며든 일제의 제국주의 침략 전쟁

활동 목표 | 일제의 대외 침략 전쟁이 어떻게 광고에 반영되었는지 분석할 수 있습니다.

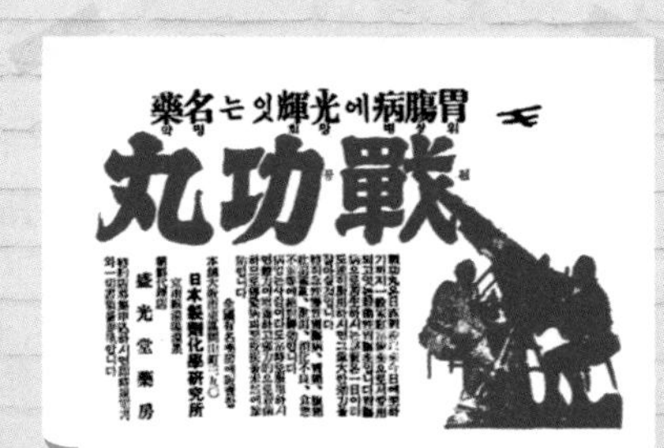

위장약 광고(『조선일보』, 1938. 5. 10.) 위장약의 제품 이름을 '전공환(戰功丸)'이라 붙여 놓고 광고에 대공포를 조준하는 일본군 병사를 그려 넣었다.

과자 광고(『조선일보』, 1938. 11. 14.) '마라손 왕'이라는 과자 광고이다. 광고 주인공이 군모를 쓴 채 달리고 있다.

캐러멜 광고(『매일신보』, 1939. 12. 3.) 캐러멜 광고임에도 관련 없는 탱크와 전투용 비행기 그림을 함께 제시하며 '캐러멜도 싸우고 있다!'라는 문구를 담았다.

- 일제의 침략 전쟁 확대에 따른 전쟁 미화 및 국민 동원 정책이 일상생활에도 큰 영향을 주었음을 이해하고 당시 신문 광고를 살펴봅니다.
- 당시 사람들의 입장에서 제시된 광고들의 전쟁 미화 의도를 비판해 봅니다.

- **<광고 자료>** | 중·일 전쟁 발발 이후인 1930년대 후반 신문에 등장한 위장약, 과자, 캐러멜 광고이다. 1937년 중·일 전쟁을 일으킨 일제는 이후 국가 총동원 체제를 내리고 한국인을 침략 전쟁에 동원하였다. 이에 한국인의 군대 지원을 위해 신문, 잡지, 영화 등 대중 매체를 통한 홍보 수단을 활용하였다.

활동 풀이

1. 광고에서 나타나는 공통점을 말해 보자.

예시 답안 전쟁과 크게 관련이 없는 위장약, 과자, 캐러멜 등에 대한 광고이다. 그럼에도 불구하고 전쟁 무기와 군모, 탱크, 전쟁용 비행기 등의 이미지가 등장하며 광고를 보는 사람들에게 일제의 전쟁 상황을 상기시킨다.

2. 당시 사람들의 입장에서 위 광고들을 비판해 보자.

예시 답안 위 광고들은 일제의 침략 전쟁을 옹호, 미화하려는 의도가 담겨 있다. 이러한 광고들은 광고를 보는 사람들에게 일상 속에서도 끊임없이 전쟁 상황임을 떠올리게 하여 결전 의지를 다지도록 유도한다. 이는 전쟁이라는 폭력 상황에 사람들을 유인하는 반평화적이며 반인권적인 광고이다.

간단 체크 정답 및 해설 32쪽

일제는 침략 전쟁을 정당화하고자 자신들이 벌인 전쟁을 서양 제국주의에 대항하는 (   )을/를 만들기 위한 것이라고 홍보하였다.

5 전시 동원 체제와 민중의 삶

주제 53 '애국'의 이름으로 강요된 전쟁과 수탈

이번 주제에서는 | 일제의 전시 동원 체제로 인해 민중들이 일상적 궁핍에 시달리게 되었음을 사례를 통해 설명할 수 있습니다.

교실 열기 애국반이 호적 등록을 강조한 까닭은 무엇일까?

예시 답안 | 호적 등록을 통해 침략 전쟁에 동원할 인적, 물적 자원을 수탈하기 위해서이다.

1 강요 받은 황국 신민의 길

(1) 배경: 일제의 침략 전쟁 확대 → 전시 동원 체제 확립

(2) 민족 말살 정책(황국 신민화 정책)

1936년 부임한 미나미 조선 총독이 내세웠다.

① 내선일체: '일본인과 한국인은 하나다'라는 의미 → 한국인의 민족성 말살 의도

② 황국 신민 서사 제정: 학교를 비롯한 각종 행사에서 암기 강요

③ 아침마다 일왕이 있는 도쿄에 궁성 요배[1] 강요, 신사 참배[2] 강요

④ 소학교 명칭을 국민학교[3]로 변경 → 황국 신민 학교라는 의미

⑤ 창씨개명 강요: 한국인의 성과 이름을 일본식으로 바꿀 것을 강요

2 강화된 일상 통제

(1) 국민정신 총동원 운동 조선 연맹 조직(1938): 한국인의 통제와 협력 강요

① 애국반: 연맹 가장 하부에 조직

애국반은 마을 사람들에게 호적 등록, 애국 저금 등의 일제 정책을 홍보하는 역할을 하였다.

② 반상회: 일본어 사용, 애국 저금 등 전쟁 협력 정책 홍보

(2) 언론 및 독립운동 통제, 감시 강화

① 한글 신문 폐간: 조선일보, 동아일보 등 신문 폐간

② 조선 사상범 예방 구금령 공포: 독립운동가를 재판 없이 구금 가능

3 일상적 궁핍에 빠진 한국인들

이를 근거로 징용·징병제 등이 만들어졌다.

(1) 국가 총동원법 제정(1938): 전쟁에 필요한 인적, 물적 자원 수탈

(2) 산미 증식 계획 재시행(1938): 전쟁 확대에 따른 군량미 조달

(3) 곡식 유통 통제: 농가마다 목표량을 정해 미곡 공출제와 식량 배급제 실시 → 식량 배급 감소, 죽 한 그릇 먹기 운동과 절미 운동 전개 → 농민들의 일상적 궁핍 심화

(4) 금속 공출[4]: 가정의 놋그릇, 수저, 농기구 등 무기 제조에 필요한 각종 금속 공출 → 생필품 수요 급증 → 암거래 증가, 물가 상승

잔반으로도 요리를 해먹을 수 있어야 한다는 운동까지 전개되었다.

참고 자료 국가 총동원법

제1조 본 법에서 국가 총동원이란 전시(전쟁에 준하는 사변의 경우를 포함. 이하 동일)에 국방 목적 달성을 위해 국가의 전력을 가장 유효하게 발휘하도록 인적·물적 자원을 통제 운용하는 것을 가리킨다.

제4조 정부는 전시에 국가 총동원상 필요한 경우에는 칙령이 정하는 바에 따라 제국 신민을 징용하여 총동원 업무에 종사시킬 수 있다.

- 조선 총독부, 『조선 총독부 관보』 -

1937년 중·일 전쟁을 도발한 일제는 1938년 국가 총동원법을 제정하여 직접적이고 강제적인 방식으로 인력과 물자를 수탈하기 시작하였다.

개념 쏙쏙

① 궁성 요배
일본 국왕이 살고 있는 도쿄 궁을 향해 허리를 숙여 절을 하는 것을 의미한다.

② 신사 참배
전국 곳곳에 일본 왕실의 조상이나 침략 전쟁의 전사자를 신으로 모시는 신사를 세우고 참배할 것을 강요하였다.

③ 국민학교
황국 신민을 기르는 학교라는 의미이다. 광복 이후에도 국민학교라는 명칭이 지속되다가, 1995년 초등학교로 변경하였다.

④ 공출
일제가 전쟁 수행에 필요한 곡물이나 금속 등을 강제로 걷었던 정책을 의미한다. 넓은 의미에서는 인적 수탈 역시 공출이라 부르기도 하였다.

교과서 220쪽

Q 전단 속 강아지는 왜 당황하고 있을까?

예시 답안 평소에 자신이 먹던 잔반들도 사람들이 요리를 해서 먹어 잔반통이 비어 있었기 때문이다.

정리 교실 교과서 220쪽

㉠ 내선일체 ㉡ 창씨개명
㉢ 애국반 ㉣ 국가 총동원법
㉤ 식량 배급

교과서 | 221쪽

탐구 교실 전시 동원 체제 시기 학생들의 삶

활동 목표 | 전시 동원 체제 시기의 학교 모습과 학생들의 삶을 파악해 볼 수 있습니다.

자료 1 학생 근로 보국대의 운영 방침(『매일신보』, 1938. 6. 14.)

전주 공립 농업 학교 근로 보국대

향상 여자 실업 학교 근로 보국대

1. 방법
여름 방학을 이용해 일정 기간 학생들이 가능한 한 될 수 있는 대로 소속한 학교와 가까운 농촌·산촌·어촌에서 규율적인 단체 생활을 하게 할 것.

2. 사업의 종류
사업의 종류는 연령과 건강 그리고 지방 사정을 고려해 정하되 …… 공익에 관한 적당한 공사를 하게 해 근육노동의 신성함을 체험하게 할 것.

3. 노동의 기간과 생활
가) 노동 기간은 대체로 10일로 하고 때에 따라 변경할 수 있음.
다) 자취 제도로 아침과 저녁을 해 먹게 하되, 당번으로 할 것.
라) 침구와 작업복은 각자 준비할 것.

4. 지도 기관과 보국대 편성
가) 학교 근로 보국대 지도 총본부는 조선 총독부 학무국에 두고 …… 지휘 통제할 것.
다) 각 학교에는 근로 보국대를 조직해 교장이 대장이 되고 20명씩 1대로 하고 3대에 교직원을 1명 배치할 것.

활동 도우미

- 일제의 침략 전쟁이 확대되면서 전시 동원 체제가 확립되어 가던 시기에 학생들은 어떻게 전쟁에 직·간접적으로 동원되었는지 근로 보국대의 활동을 통해 살펴봅니다.
- 전시 동원 체제 시기 학생들의 모습을 통해 당시 학교는 어떤 기능을 하고 있었을지 추론해보고 현재의 학교와 비교해 봅니다.

자료 해설

- <자료 1> | 학생 근로 보국대의 운영 방침이다. 일제는 방학 중에도 학생들이 전쟁에 필요한 노동을 제공하도록 학교에서 근로 보국대를 운영하도록 하였다.

활동 풀이

1. <자료 1>을 참고하여 학생 근로 보국대가 어떤 성격의 조직이었는지 말해 보자.

예시 답안 학생들의 노동력을 이용해 후방에서 전쟁을 지원하기 위한 진지 공사나 물자 생산 등을 하기 위한 학생 동원 조직이다.

2. 학생 근로 보국대에 동원된 학생들은 구체적으로 어떤 노동을 강요받았을지 써 보자.

예시 답안 주로 남학생들은 진지 공사 등과 같이 육체를 사용하는 노동을 강요받았으며, 여학생들의 경우는 군복과 같이 전쟁에 필요한 물자를 공장에서 생산하는 노동을 강요받았다.

3. 아래 사진은 1940년대 학생들의 등교 모습이다. 당시 학교는 학생들을 어떤 존재로 여겼으며, 오늘날 우리의 모습과 무엇이 다른지 생각해 보자.

예시 답안 학생들이 마치 군인과 같이 경례를 하고 총을 들고 있는 것으로 보아 학생들을 전쟁에 나갈 예비 군인으로 취급하고 있으며, 학교는 하나의 병영처럼 운영된 것으로 보인다. 이는 민주 시민의 양성을 목표로 하는 현재의 학교와는 상반된 모습을 보인다.

간단 체크 정답 및 해설 32쪽
일제는 중·일 전쟁 이후 재판을 통해 독립운동가들을 구금하는 조선 사상범 예방 구금령을 공포하였다. (O, X)

5 전시 동원 체제와 민중의 삶

해결되지 않은 일제 강점기의 상처

이번 주제에서는 | 일제의 식민 지배로 인해 삶의 터전과 삶 자체를 빼앗긴 사람들의 이야기를 살펴봅니다.

교실 열기 그림 속의 여성은 누구에 의해, 어디로 끌려가고 있는 것일까?

예시 답안 | 강제로 일본군에게 일본군 '위안부'로 끌려가게 된 할머니들의 경험을 그림으로 나타낸 것이다.

1 고국을 떠나야만 했던 사람들

(1) 배경: 일제 강점기에 다양한 지역으로 국외 이주 증가

(2) 만주: 독립운동 기지 건설, 오늘날 **'조선족'**으로 살고 있음.

(3) 연해주와 중앙아시아

① 연해주: 한인 사회가 자치 단체 조직 → 민족 운동 전개

② 중앙아시아: 1937년 스탈린의 강제 이주 정책[1]에 따라 연해주의 한인들을 중앙아시아로 강제 이주 시킴. → 중앙아시아에 강제로 내몰린 한인들을 카레이스키 또는 고려인이라고 부름.

(4) 일본: 제1차 세계 대전 이후 저임금 노동력 확보 차원에서 한인 이주 허용

① 관동 대지진[2] 때 많은 한인을 사회 불안 원인으로 규정하여 학살

② 사할린 지역[3]으로 강제 징용을 당한 경우도 발생함.

(5) 미주: 하와이, 미국 본토 및 멕시코, 쿠바 등으로 이주 → 재정적으로 독립운동 지원

미국 로스앤젤레스에서 1942년 조직된 한인 국방 경비대 등과 같이 독립을 위한 군사적인 움직임도 있었다.

2 삶을 송두리째 빼앗긴 사람들

(1) 배경: 일제의 전쟁 동원 체제 구축

(2) 한국인을 일제의 침략 전쟁에 강제 동원

① 지원병제(1938): 한국인을 군인으로서 침략 전쟁에 직접 동원하기 시작

② 국민 징용령(1939): 전쟁에 필요한 노동력 강제 동원 → 탄광, 군수 공장 등에 투입

③ 학도 지원병제(1943): 태평양 전쟁으로 전선이 확대되자 학생들까지 전쟁에 동원

④ 징병제(1944): 태평양 전쟁 막바지에 수많은 청년을 전쟁터로 끌고 감.

⑤ 여자 정신 근로령(1944): 여성들도 군수 물자 생산에 동원, 여성들을 일본군 '위안부'로 끌고 가서 성노예 생활 강요

참고 자료 여성으로서 전쟁에 협력할 것을 요청한 김활란

이제야 기다리고 기다리던 징병제라는 커다란 감격이 왔다. …… 그러나 우리는 아름다운 웃음으로 내 아들이나 남편을 전장으로 보낼 각오를 가져야 한다. …… 이제 진정한 황국 신민으로서의 영광을 누리게 된 것이다.

- 김활란, 「징병제와 반도 여성의 각오」, 『신시대』 -

김활란은 징병제의 실시로 한국인도 황국 신민의 영광을 누리게 되었다며 감격하고 있다. 이외에 이광수, 초린, 최남선, 노천명 등 친일 지식인과 예술인들은 침략 전쟁에 대한 협력을 권유하는 작품이나 공연 등을 통해 한국인의 전쟁 참가를 선동하였다.

개념 쏙쏙

① 스탈린의 강제 이주 정책
1937년 중·일 전쟁이 일어나자 스탈린은 한국인들이 일제에 협력하는 것을 예방한다는 명분을 내세워 연해주에 거주하고 있던 수많은 한국인을 중앙아시아로 강제 이주시켰다.

② 관동 대지진
1923년 일본 간토 지역에서 있었던 대지진이다. 당시 일제는 대지진에 대한 사태 수습 책임을 회피하고자 간토 지역 등에서 살고 있던 한국인들이 일본인들에게 해를 가하고 있다는 유언비어를 퍼뜨려 불만을 다른 곳으로 돌리고자 하였다.

③ 사할린 지역
홋카이도 북쪽의 섬 지역을 의미한다. 이 지역의 남쪽은 러·일 전쟁 이후 일본 영토가 되었으나, 제2차 세계 대전 이후 다시 소련(러시아)의 영토가 되었다.

정리 교실 교과서 224쪽

㉠ 1937년 연해주에서 중앙아시아로 강제 이주당한 한인들을 일컫는 말이다.

㉡ 한국인 청년과 학생들을 '지원'의 형태로 전쟁에 동원하기 위해 만든 법이다

㉢ 1923년 관동(간토) 지역에서 발생한 대지진으로 당시 많은 한인이 사회 불안의 원인으로 지목되어 학살당하였다.

㉣ 일본의 침략 전쟁에 성노예로 강제 동원된 피해 여성들을 부르는 말로, 현재까지도 육체적, 정신적 고통을 받고 있다.

교과서 | 225쪽

탐구 교실 오랜 시간이 지나서야 알려진 일본군 '위안부'

활동 목표 | 일본군 '위안부' 문제가 우리에게 알려지게 된 과정을 살펴봅니다.

자료 1 최초로 일본군 '위안부' 문제를 폭로한 김학순 할머니

일본군 '위안부' 피해 보상 시위에서 눈물을 흘리는 김학순 할머니

일본군 '위안부' 피해자가 광복 46년 만에 처음으로 일제의 잔학성을 고발하고 나섰다. 김학순 할머니는 …… 1940년경 최전방이었던 중국 중부의 철벽진에서 일본군 '위안부'로 끌려가 2~3개월을 치욕 속에 보냈다. …… 그는 "당한 것만 해도 치가 떨리는데 일본 사람들이 일본군 '위안부'란 사실 자체가 없었다고 발뺌하는 것이 너무 기가 막혀 증언하게 되었다."라고 밝혔다. …… 17~22세에 이르는 한국인 여성 5명은 천으로 칸막이를 친 방에서 하루 3~4명의 일본군을 상대했으며 부대에서 갖다주는 식량으로 연명하고 옷은 군복이든 중국인 옷이든 가리지 않고 입었다고 김학순 할머니는 증언하였다. …… "일본군을 피해 도망가면 기어코 쫓아와 울면서 당하곤 했어요. 그때 내 나이 열일곱이었지요."

-『경향신문』 1991. 8. 15.

자료 2 네덜란드계 호주인 일본군 '위안부' 피해자의 고백

일제의 만행을 고백하는 얀 루프 오헤른 할머니

저는 현재 인도네시아로 불리는 옛 네덜란드령 동인도에서 나고 자랐습니다. …… 태평양에서 전쟁이 시작되고 1942년에 일본군이 자와섬으로 쳐들어오면서 그 아름답던 시절은 끝났습니다. …… 1944년 3월, 일본군은 17세 이상의 젊은 여자들에게 수용소 건물 앞에 서 있으라고 명령했습니다. …… 우리는 덮개가 없는 트럭에 강제로 태워져 소 떼처럼 처박혔죠. …… 트럭이 커다란 네덜란드 식민지 건물 앞에 멈추자 일본군이 내리라고 명령했습니다. …… 우리는 일본식 꽃 이름이 들어간 각자의 이름을 부여받았는데, 위안소 문마다 그 이름들이 핀으로 박혀 있었습니다. 나는 키가 작고 뚱뚱한 대머리 장교가 사무라이 칼로 위협하는 가운데 아주 힘든 시간을 보냈습니다.

-『신동아』 2007. 5. 25.

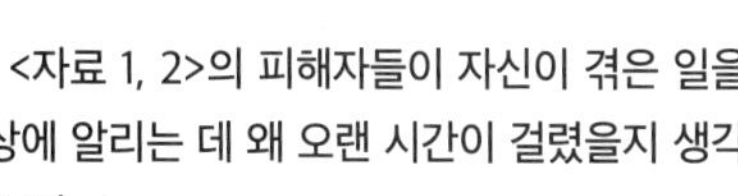

1. <자료 1, 2>의 피해자들이 자신이 겪은 일을 세상에 알리는 데 왜 오랜 시간이 걸렸을지 생각해 보자.

예시 답안 남성 중심 사회에서 여성에게 강요되었던 정조 관념 등으로 인해 피해 사실을 밝혔다가 오히려 자신이 더욱 고통스러운 삶을 살게 될 것이라고 생각하여 침묵하고 있었다.

2. '평화', '인권'이라는 단어를 포함하여 일본 정부에 사과를 요구하는 항의 서한을 써 보자.

예시 답안 일본군 '위안부' 문제는 일본의 식민 지배로 인해 발생한 한국과 일본 간의 민족 문제이자, 일본의 침략 전쟁 중에 발생한 국가에 의한 집단적이고 조직적인 성 범죄였으며, 인권을 유린하여 평화를 파괴한 전쟁 범죄였습니다. 평화와 인권의 가치를 바로 세우는 일은 일본군 '위안부' 문제에 대해 일본 정부가 공식적으로 책임을 인정하고 사과하는 일에서 시작할 것입니다.

- 일본군 '위안부' 문제가 광복 이후에도 왜 사람들에게 알려지는 데 오랜 시간이 걸렸는지 생각해 봅니다.
- 얀 루프 오헤른 할머니의 이야기를 통해 일본군 '위안부' 문제가 민족 문제의 성격뿐만 아니라 세계 여성 인권 문제와도 맞닿아 있는 문제임을 생각해 봅니다

- **<자료 1>** | 한국에서 최초로 자신의 입으로 자신이 일본군 '위안부' 피해자였음을 고백한 김학순 할머니의 이야기를 보도한 신문 기사이다. 김학순 할머니는 일본 정부가 일본군 '위안부'를 부정하는 모습에 분노하여 고백하게 되었다고 증언하였다.
- **<자료 2>** | 김학순 할머니의 고백을 보고 용기를 얻어 서양인 최초로 자신이 일본군 '위안부' 피해자였음을 고백한 얀 루프 오헤른 할머니의 이야기이다. 김학순 할머니의 용기 있는 고백은 세계로 퍼져나가 일본군 '위안부' 문제를 세계적인 인권 문제로 만들었다.

간단 체크 정답 및 해설 32쪽

스탈린은 연해주 등지에 살고 있던 한인들을 중앙아시아로 강제 이주시켰다. (O, X)

1 개념 익히기

01 아래 설명이 맞으면 O표, 틀리면 X표를 해 보자.

(1) 일제는 1931년 중·일 전쟁으로 만주를 점령하였고, 1937년 만주 사변으로 대륙 침략을 본격화하였다. (　　)

(2) 일제는 황국 신민 서사를 제정하여 학교를 비롯한 각종 행사에서 암송하도록 하였다. (　　)

(3) 만주 지역에 잔류한 한인들은 오늘날 '조선족'으로 살고 있다. (　　)

(4) 일제는 1944년 징병제를 시행하여 패망할 때까지 수많은 청년을 전쟁터로 끌고 갔다. (　　)

02 빈칸에 알맞은 말을 채워 보자.

(1) 일본은 태평양 전쟁을 (　　　　)(이)라고 부르며 침략 전쟁을 정당화하고자 하였다.

(2) 조선 총독 미나미는 (　　　　)을/를 내세우며 한국인의 민족성을 말살하고자 하였다.

(3) (　　　　)은/는 전쟁터에 성노예로 강제 동원되어 갖은 수모와 고통을 겪었다.

(4) 일제는 (　　　　)을/를 제정하여 전쟁에 필요한 물자와 인력을 수탈하고자 하였다.

03 서로 관련 있는 내용끼리 연결해 보자.

a. 인적 수탈 •	• ㄱ. 창씨개명
b. 태평양 전쟁 •	• ㄴ. 국민 징용령
c. 민족 말살 정책 •	• ㄷ. 진주만 공습

04 <보기>에서 일제의 병참 기지화 정책과 관련된 설명으로 옳은 것을 모두 고르시오.

보기

ㄱ. 토지 조사 사업　　ㄴ. 회사령
ㄷ. 남면북양 정책　　ㄹ. 산미 증식 계획 재개

2 내신 유형 익히기

중요
01 다음 시기에 나타난 일제의 정책에 대한 설명으로 옳은 것은?

왼쪽은 애국반에서 가정에 배부했던 선전물 중 일부이다. '먹을 수 있는 건 모두 요리할 줄 아는 것이 요리의 최고수'라고 적혀 있는 이 선전물은 잔반조차도 요리해서 먹을 것을 암묵적으로 강요하고 있다.

① 조선 태형령이 실시되었다.
② 토지 조사 사업이 시행되었다.
③ 치안 유지법을 처음 발표하였다.
④ 황국 신민 서사 암기를 강요하였다.
⑤ 교원에게 칼과 제복을 착용하게 하였다.

02 밑줄 친 '이 지역'에 대한 설명으로 옳은 것은?

일제 강점기에는 여러 가지 이유로 고국을 떠나 타지에서 살아가야 했던 사람들이 많이 발생하였다. 특히 이 지역의 동포들은 일찍부터 전혀 다른 문화권에서 자리를 잡아 사탕수수 농장에서 노동을 하는 등 많은 고통을 겪었다.

① 일본 - 1923년 관동 대지진 때 많은 한국인이 학살당하였다.
② 연해주 - 1937년 스탈린에 의해 중앙아시아로 강제 이주당하였다.
③ 만주 - 안수길의 『북간도』, 박경리의 『토지』 등의 배경이 된 곳이다.
④ 하와이 - 제2차 세계 대전 말 재미 한족 연합 위원회가 결성되었다.
⑤ 중앙아시아 - 강제로 이주하여 정착한 한인들의 후손을 카레이스키(고려인)라고 부른다.

중요

03 다음 자료들을 기반으로 한 탐구 활동 주제로 가장 적절한 것은?

> • 시베리아 횡단 철도의 경로
> • 중앙아시아 정착 초기 동포들의 고난 수기
> • 1937년 이후 홍범도의 이동 경로 및 관련 자료

① 하와이 이주 동포들의 노동 상황
② 멕시코 숭무 학교의 설립과 운영 실태
③ 강제 이주로 인한 연해주 동포들의 고통
④ 관동 대학살로 인한 조선인의 피해 상황
⑤ 독도 영유권 문제를 둘러싼 일본의 역사 왜곡

04 다음 법령이 시행되던 시기의 모습을 <보기>에서 고른 것은?

> 제1조 본 법에서 국가 총동원이란 전시(전쟁에 준하는 사변의 경우를 포함. 이하 동일)에 국방 목적 달성을 위해 국가의 전력을 가장 유효하게 발휘하도록 인적·물적 자원을 통제 운용하는 것을 가리킨다.
> 제4조 정부는 전시에 국가 총동원상 필요한 경우에는 칙령이 정하는 바에 따라 제국 신민을 징용하여 총동원 업무에 종사시킬 수 있다.
> 제8조 물자의 생산·수리·배급·양도 기타의 처분, 사용·소비·소지 및 이동에 관하여 필요한 명령을 내릴 수 있다.
> -『조선 총독부 관보』-

보기
> ㄱ. 학교에 놋그릇을 내는 학생
> ㄴ. 원산 총파업에 참여한 노동자
> ㄷ. 토지 조사 사업 중인 총독부 관리
> ㄹ. 창씨개명을 강요하는 일본인 교사

① ㄱ, ㄴ　② ㄱ, ㄹ　③ ㄴ, ㄷ
④ ㄴ, ㄹ　⑤ ㄷ, ㄹ

중요

05 다음에 나타난 모습을 볼 수 있는 시기를 연표에서 고른 것은?

> 왼쪽 사진은 일제가 공출 정책을 실시하면서 빼앗아간 놋그릇 대신에 나누어 준 사기 그릇이다. 사기 그릇에는 일본군이 일장기를 들고 승리를 기원하고 있는 그림이 그려져 있다.

1910	1919	1927	1931	1937	1941
(가)	(나)	(다)	(라)	(마)	
국권 피탈	3·1 운동	신간회 결성	만주 사변	중·일 전쟁	태평양 전쟁

① (가)　② (나)　③ (다)　④ (라)　⑤ (마)

06 판서의 내용 중에서 (가)에 들어갈 내용으로 옳지 않은 것은?

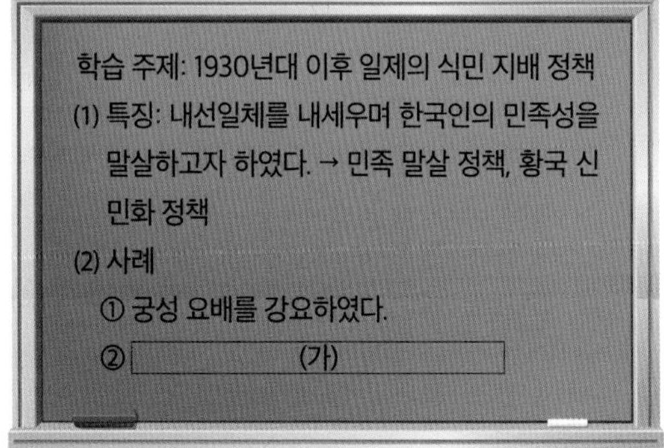

① 우리말을 사용하는 것을 금지한다.
② 소학교의 명칭을 국민학교로 변경한다.
③ 신사 참배를 거부하는 사람들을 탄압한다.
④ 회사령을 개정하여 허가제에서 신고제로 전환한다.
⑤ 창씨 개명을 하지 않는 사람들에게 각종 불이익을 준다.

중요

07 밑줄 친 '이 법령'으로 옳은 것은?

> 하시마섬은 지하에 해저 탄광이 있던 곳으로, 그 모습이 일본 군함과 닮아서 '군함도'로 불린다. 2015년 하시마섬은 일본 근대화의 상징으로 인정받으며 유네스코 세계 문화유산에 등재되었는데, 이에 대한 많은 비판이 있었다. 1939년 일제가 전쟁에 필요한 노동력을 강제로 동원하기 위해 이 법령을 제정한 이후 이곳에서 많은 조선인 광부가 고통을 겪어야 했지만 이를 전혀 드러내지 않는 방향으로 하시마 섬이 기념되었기 때문이다. 일본은 이에 대해 안내문 등에 반영을 하기로 하였지만 이를 지키지 않았다.

① 징병제
② 지원병제
③ 학도 지원병제
④ 국민 징용령
⑤ 조선 사상범 보호 관찰령

08 다음 가상 일기에 나타난 시기의 사실로 적절한 것은?

> 나는 당시 국민학생이었다. 이 시기 일제는 중·일 전쟁을 일으키고 동남아시아와 인도 방면까지 침략하였다. 일제는 침략 전쟁을 정당화하기 위해 아시아 국가들이 힘을 합쳐 미국과 영국에 대항해야 한다는 '대동아 공영권'을 주장하였고, 자신들의 침략 전쟁을 '대동아 전쟁'이라고 가르쳤다. 수업 때마다 '대동아 전쟁'에서 우리가 해야 하는 역할은 무엇인지에 대해 배우는 것으로 진행되었다. 어느 교과서든지 대동아 공영권을 상징하는 지도가 그려져 있었다.

① 6·10 만세 운동이 전개되었다.
② 광주 학생 항일 운동이 일어났다.
③ 민립 대학 설립 운동이 시작되었다.
④ 범죄 즉결례에 의해 헌병이 한국인을 처벌하였다.
⑤ 징병제에 의해 수많은 청년이 전쟁터로 끌려갔다.

서술형 문제

09 밑줄 친 ㉠의 사례를 두 가지 이상 서술하시오.

> 중·일 전쟁을 도발한 일제는 국가 총동원법을 제정해 직접적이고 강제적인 방식으로 인력과 물자를 수탈하기 시작하였다. 일제의 침략 전쟁이 진행될수록 물자가 부족해졌다. 이에 일제는 한국인의 일상생활에 깊숙이 간섭하며 소비를 통제하며 ㉠ 한국인의 희생을 강요하였다.

서술형 문제

10 밑줄 친 문장의 근거를 서술하시오.

> 만주 사변을 전후로 일제는 한국인의 농공업을 함께 발전시킨다는 명목으로 식민지 공업화 정책을 추진하였다. 식민지 공업화로 일본 자본은 새로운 투자처를 얻었다. 특히 중·일 전쟁 이후 일제는 한반도를 군수 물자를 생산하는 병참 기지로 만들었다. 이러한 식민지 공업화는 광복 이후 한반도의 균형 있는 경제 발전에 걸림돌이 되었다.

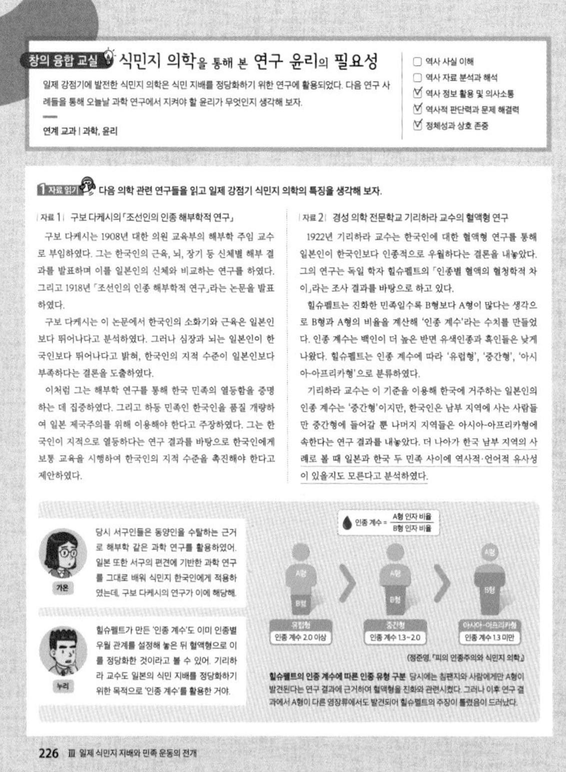

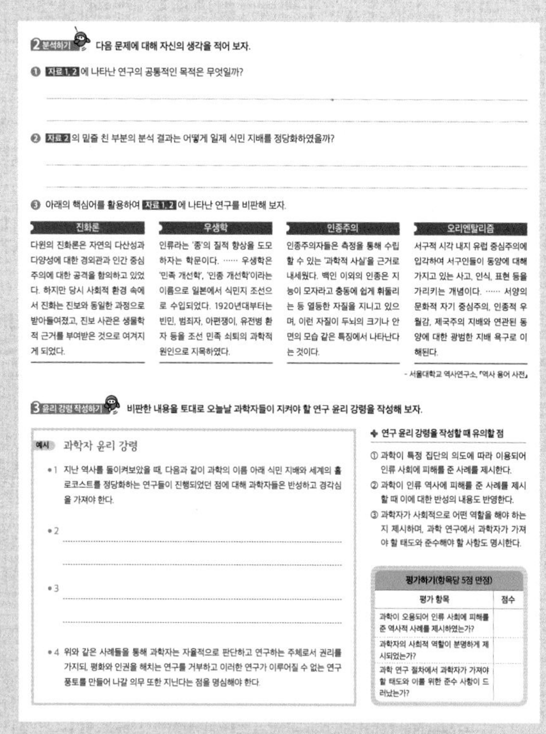

활동 목표

- 식민지 의학이 일제의 식민 지배를 정당화하는 데 일조하였음을 파악한다.
- 과학 연구가 의도성을 가지고 악용될 수 있음을 유의하며, 과학자들이 연구에서 지켜야 할 윤리 강령을 작성해 본다.

활동 흐름

- 식민 지배 정당화를 위한 식민지 의학 연구 사례를 통해 과학이 오용된 과학의 객관성, 중립성 등의 이미지를 비판적으로 접근한다.
- 학문을 통해 특정 집단의 우월성을 증명하고자 하는 연구 사례들을 경계한다.
- 과학자 또한 사회 속에서 살아가는 존재로서 바람직한 사회를 위해 노력해야 할 의무가 있음을 인식한다.

예시 답안

- **<자료 1, 2>에 나타난 연구의 공통적인 목적은 무엇일까?** | <자료 1, 2>에서 나타난 연구의 공통적인 목적은 조선인은 일본인보다 신체적으로 열등하다는 사실을 밝혀 일제의 식민 지배를 정당화하고자 한다는 점이다.
- **<자료 2>의 밑줄 친 부분의 분석 결과는 어떻게 일제 식민 지배를 정당화하였을까?** | 임나 일본부설 등의 역사 왜곡 사례와 결합하여 일본의 남한 경영설 등을 정당화하고, 이를 통해 일선동조론 등 일제 지배 이데올로기가 마치 역사적 사실인 것처럼 둔갑시킨다.
- **아래의 핵심어를 활용하여 <자료 1, 2>에 나타난 연구를 비판해 보자.** | 일제의 식민지 의학 연구는 진화론적 관점에서 한국인이 일본인보다 덜 진화하였다는 것을 밝히고자 한 우생학의 한 갈래로서 진행되었다. 이는 서구 제국주의 국가들이 식민 지배를 하며 그들의 지배를 정당화하기 위해 내세웠던 인종주의, 오리엔탈리즘을 변용한 것에 불과하다.

도움 자료

- **체질 인류학** | 인류학의 한 분야로 체질을 연구하여 인류의 기원이나 역사, 문화 등을 연구하는 학문이다. 특정 국가의 사람들과 다른 나라 사람들의 신체적 특징 등을 비교하는 방법을 사용하기도 하는데, 과거에는 이러한 연구 방법에 특정 국가의 사람들의 우월성을 증명하는 의도가 반영되기도 하였다.

교과서 228~231쪽

6 광복을 위한 노력

주제 55 항일 연합 전선의 형성

이번 주제에서는 | 일본이 중국을 침략하자 일본 제국주의에 맞서 한·중 연합이 활발히 일어났음을 파악합니다.

교실 열기 태극기와 중화민국 국기가 함께 걸린 까닭은 무엇일까?

예시 답안 | 대한민국 임시 정부와 국민당이 이끄는 중화민국이 공공의 적인 일본과 맞서 싸우고자 연대하였음을 보여 준다.

1 민족 연합 전선을 위한 노력

(1) 배경: 만주 사변 이후 일제의 감시와 탄압 심화 → 만주의 독립운동 단체들이 중국 관내로 이동

- 중국 관내: 만리장성 서쪽 끝 자위관에서 동쪽 끝 산하이관 이남 지역의 중국 본토를 말한다.

(2) 전개: 민족주의 계열과 사회주의 계열 정당·단체들이 뭉쳐 민족 연합 전선 형성 → 민족 혁명당 창당(1935)

(3) 한계: 의열단 계열의 주도로 민족주의 계열 운동가들의 이탈

- 김구 등 대한민국 임시 정부를 고수하려는 독립운동가는 처음부터 불참하였다. 이후 의열단 계열이 당권을 잡자 조소앙, 지청천 등 민족주의계 일부 인사가 탈당하였다.

2 조선 의용대의 조직과 활동

(1) 조선 민족 전선 연맹[1]

① 결성: 중·일 전쟁 발발 이후 조선 민족 혁명당 중심으로 통합

② 조선 의용대(1938) 조직: 김원봉이 주도하여 중국 관내 최초의 한인 무장 부대 조직 → 중국 국민당 정부의 지원을 받음.

- 조선 의용대: 일본군에 대한 심리전이나 후방 공작 활동에서 큰 성과를 올렸다.

(2) 조선 의용대 화북 지대

① 결성: 조선 의용대 일부 대원들이 화베이 지역으로 이동 후 결성

② 중국 공산당의 팔로군과 연대: 호가장 전투와 반소탕전에서 활약

③ 조선 의용군 편성: 조선 독립 동맹 산하 조선 의용군으로 재편

- 조선 독립 동맹: 김두봉을 의장으로 하는 사회주의 계열 독립운동 단체이다.

(3) 한국 광복군에 편입: 조선 의용대 일부 병력이 한국 광복군에 합류

3 좌우 연합 전선을 형성한 대한민국 임시 정부

(1) 대한민국 임시 정부: 일제의 침략 전쟁 확대로 충칭에 정착하여 조직 정비

① 한국 독립당[2] 창당: 김구, 조소앙, 지청천 등이 이끌던 민족주의 계열 정당이 통합 → 대한민국 임시 정부를 이끌어 감.

② 한국 광복군 창설: 중국 국민당의 지원으로 지청천을 사령관으로 함.

(2) 좌우 연합 전선 형성: 김원봉의 조선 의용대 병력을 한국 광복군에 편입하는 등 다양한 노선의 독립운동 세력 통합 → 무장 독립 투쟁, 외교 활동 전개

- 외교 활동: 국제 사회에 대한민국 임시 정부 승인 및 한국 독립을 요구하는 외교 활동을 펼쳤다.

4 한국 광복군의 활동

(1) 초기: 중국 국민당의 일정한 제약을 받았으나 이후 독자적 지휘권 획득

(2) 주요 활동

① 「대일 선전 성명서」 발표(1941): 연합국의 일원으로서 항일전 수행

② 연합군과 합동 작전: 인도·미얀마 전선 참가 → 포로 심문, 정보 수집, 선전 활동 등

③ 국내 진공 작전 계획: 미국 전략 정보국(OSS)[3]의 지원 → 일제의 항복으로 실행에 옮겨지지 못함.

개념 쏙쏙

① 조선 민족 전선 연맹
1937년 중국 수도였던 난징에서 조직된 항일 민족 연합 전선 단체이다. 조선 국내외의 민족 통일 전선 형성과 동시에 항일을 위한 중국과의 연합 전선을 추구하였다.

② 한국 독립당
김구가 이끌던 한국 국민당, 조소앙이 이끌던 한국 독립당, 지청천의 조선 혁명당이 해체를 선언하고 통합하여 만든 민족주의 계열의 정당으로 대한민국 임시 정부의 집권당이었다.

③ 미국 전략 정보국(OSS)
태평양 전쟁 발발을 계기로 기존의 정보 조정국(COI)을 확대·개편하여 적국에 대한 정보 수집, 적 후방 지역에서의 파괴·교란·게릴라전을 포함하는 특별 활동을 계획하고 실행하는 권한을 부여한 정보 기관이었다. 한국 광복군은 특히 미국 전략 정보국 중국 지부의 지원을 받았다.

교과서 229쪽

Q 위의 두 선언문에 나타난 공통점은 무엇인가?

예시 답안 한국의 독립을 위해 중국과 힘을 합쳐 일본과 맞서 싸울 필요가 있음을 이야기하고 있다.

정리 교실 교과서 230쪽

㉠ 민족 혁명당 ㉡ 조선 의용대
㉢ 한국 광복군 ㉣ 조선 의용군

교과서 | 231쪽

탐구 교실 독립운동가의 가족들이 겪은 삶

활동 목표 | 독립운동가의 노력뿐만 아니라 독립운동가의 가족들이 겪었을 힘든 삶에 대해 생각해 봅니다.

자료 1 김구의 둘째 아들, 김신의 회상

홍커우는 일본인 지역이어서 아버지는 병원을 방문하기가 어려웠다. 당시 나는 어머니 말대로 중국의 고아원에 보내졌고, 이후로도 두 차례 더 보내졌다. 할머니는 그때마다 기회를 봐서 나를 집으로 데려오셨다. 내가 고아 신세를 면한 것은 전적으로 할머니 덕이다. 어머니는 힘들어하시는 할머니께 나의 양육을 단념하라고 자주 말씀하셨다. 형은 제 발로 걸어 다닐 정도는 되었으니 괜찮지만, 나는 젖먹이라 키우기 힘들다는 것이었다. 할머니가 나를 키우려면 너무 힘드실 것을 걱정한 것이다. 어미가 자식 아끼는 마음이 세상 그 어떤 마음보다 크고 강한 법이라고 한다면, 그렇게 나를 고아원에 보내라 말씀하신 어머니의 심정은 그 얼마나 처절했을까. 어미 없는 젖먹이 막내를 지켜보는 아버지의 심정이 어땠을까.

- 김신, 『조국의 하늘을 날다』

아내 최준례 여사의 무덤을 찾은 김구와 그의 가족들 왼쪽 상단의 김구부터 시계 방향으로 그의 어머니 곽낙원 여사, 첫째 아들 김인, 둘째 아들 김신이다.

자료 2 양우조와 최선화 부부가 첫딸을 낳고 쓴 일기

우리의 생활은 아기를 중심으로 이뤄지고 있다. 낯선 땅, 낯선 시간 속에서 침울한 바깥 정세에 의해 오락가락해야 하는 풍전등화 같은 처지이지만, 아기는 바깥 세계와 무관한 듯 자신만의 삶의 리듬을 즐기고 있는 듯 하다. …… 이 시간, 이 땅에서 아버지가 아가에게 줄 수 있는 것은 무엇일까! 한 치 앞을 알 수 없는 가정이란 보금자리에서 따뜻한 관심과 가슴으로 그저 아이를 지켜 주는 것인가? 아니면, 아버지의 선택을 물려주며 어쩔 수 없으니 감수하라고 할 것인가? 아이가 훗날 이국을 떠돌면서 생활했던 이유를 묻는다면, '너의 미래를 위해서였다.'라는 짧은 한마디로 이해시킬 수 있을까? 그것으로 독립 성취라는 간절한 우리의 소원을 담아낼 수 있을까? 그것으로 우리 가족의 이 시간을 담아내고도 남을까?

- 양우조·최선화, 『제시의 일기』

최선화(좌), 양우조(우) 부부와 큰딸 제시(중) 최선화와 양우조는 김구의 주례로 결혼식을 올리고 대한민국 임시 정부에서 활동하였다.

활동 도우미

- 독립운동가의 위대한 활동 뒤에는 가족들의 희생과 헌신이 있었음을 살펴보는 시간을 가져 봅니다.
- 독립운동가도 누군가의 가족이며, 독립운동과 가족들의 행복과 안전 사이에서 번민하였음을 생각해 봅니다.

자료 해설

- **<자료 1>** | 김구의 둘째 아들인 김신이 과거 일제 강점기 시절 자신과 가족의 삶을 회상한 내용이다. 가족이 있음에도 고아원에 보내질 만큼 힘든 삶을 살았다.
- **<자료 2>** | 대한민국 임시 정부에서 활동한 양우조와 최선화 부부가 맏딸인 제시를 낳은 1938년부터 1946년 고국으로 돌아올 때까지의 과정을 담은 육아일기이다. 독립운동가였던 양우조와 최선화 부부가 아버지와 어머니로서 가지는 고민을 잘 보여 준다.

활동 풀이

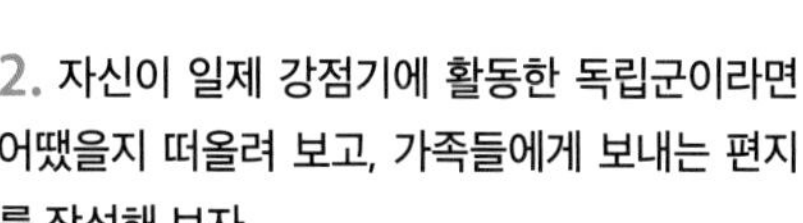

1. <자료 1, 2>를 참고하여 독립운동가의 가족들이 어떤 삶을 살았을지 생각해 보자.

예시 답안 독립운동가 가족은 일정한 거처가 없이 항상 떠돌아다녀야 하였고, 생명의 안전을 위협받으며 힘들게 살았다.

2. 자신이 일제 강점기에 활동한 독립군이라면 어땠을지 떠올려 보고, 가족들에게 보내는 편지를 작성해 보자.

예시 답안 <윤봉길이 두 아들에게 남긴 편지>
두 아들 모순(模淳)과 담(淡)에게 - 너희도 만일 피가 있고 뼈가 있다면 반드시 조선을 위해 용감한 투사가 되어라. 태극에 깃발을 드날리고 나의 빈 무덤 앞에 찾아와 한 잔 술을 부어 놓으라. 그리고 너희들은 아비 없음을 슬퍼하지 말아라. 사랑하는 어머니가 있으니 어머니의 교양으로 성공자는 동서양 역사상 보건대 동양으로 문학가 맹가(孟軻)가 있고, 서양으로 불란서(프랑스) 혁명가 나폴레옹과 미국 발명가 에디슨이 있다. 바라건대 너희 어머니는 그의 어머니가 되고, 너희들은 그 사람이 되어라.

간단 체크 정답 및 해설 33쪽

조선 의용대 화북 지대는 후에 조선 독립 동맹 산하의 조선 의용군으로 재편되었다. (O, X)

광복을 위한 노력

주제 56 독립운동가들이 꿈꾸었던 나라

이번 주제에서는 | 신국가 건설을 위해 각 단체들이 내세운 건국 강령을 통해 독립운동가들이 꿈꾸었던 나라의 모습을 파악합니다.

교실 열기 독립운동가들은 어떤 나라를 만들려고 하였을까?

예시 답안 | 누구나 자유롭고 평등하며 자주적인 독립 국가를 건설하고자 하였을 것이다.

1 국외에서 나타난 신국가 건설의 움직임

(1) 충칭의 대한민국 임시 정부

① 건국 강령 발표: 조소앙의 삼균주의[1]를 기초로 함.

② 건국 강령 내용: 보통 선거를 통한 민주 공화정 수립, 토지 개혁, 대기업 국유화, 의무 교육 시행, 노동권 보장 등

(2) 재미 한족 연합 위원회[2]: 미주 지역의 한인 단체가 연합하여 결성 → 대한민국 임시 정부 지원

재정 지원과 함께 한국은 연합국의 일원으로 정식 인정하고 임시 정부를 승인해 달라고 요청하였다. 미국 정부의 외면으로 성공하지는 못하였다.

재정 지원, 한인 국방 경비대 조직

(3) 옌안의 조선 독립 동맹[3]

① 결성: 화북 지역에서 항일 투쟁을 펼치던 사회주의자들을 중심으로 조직

② 건국 강령 발표: 민주 공화국 수립, 남녀 평등권 확립, 토지 분배, 대기업 국유화, 의무 교육 시행 등 대한민국 임시 정부의 건국 강령과 유사한 건국 강령 발표

2 국내에서 건국을 준비한 건국 동맹

(1) 조선 건국 동맹 조직(1944)

① 결성: 여운형을 중심으로 민족주의, 사회주의 계열 독립운동가들이 참여

② 건국 강령 발표: 민주주의 원칙에 바탕을 둔 국가 건설 표방

(2) 주요 활동

① 전국에 지방 조직 형성: 전국 10여 지역에 지부 설치, 일제의 전시 수탈에 저항

② 군사 위원회 조직: 무장 투쟁을 위해 국외 항일 세력과 연계 시도

③ 광복 이후: 조선 건국 준비 위원회로 개편

대한민국 임시 정부와도 연락을 했으며, 특히 조선 독립 동맹과 연계하여 국내에서도 무장 봉기를 계획했던 것으로 보인다.

3 국제 사회에서 논의된 한국의 독립 문제

(1) 전후 처리 문제를 위한 회담

카이로 회담(1943. 11.)	미·영·중 참여, 소련 동의 → 최초로 연합국이 한국의 독립 보장
얄타 회담(1945. 2.)	미·영·소 참여, 독일 항복 후 3개월 이내에 소련의 대일전 참전 합의
포츠담 회담(1945. 7.)	카이로 선언의 모든 조항 이행 약속, 우리나라 독립 재확인

(2) 결과: 우리나라의 독립을 국제 사회로부터 인정받음.

(3) 과제: 강대국들의 이해관계 속에서 정해진 방침들에 대한 조정

(4) 일본의 항복: 원자 폭탄 투하, 소련의 대일전 참전 → 일본의 항복 → 제2차 세계 대전 종전 및 광복

카이로 회담 이후 등장한 카이로 선언에서 한국 독립은 '적당한 시기에(in due course)'라는 추상적인 문구로 약속되었기 때문에 각국의 이해관계에 따라 다르게 해석될 여지가 많았다.

개념 쏙쏙

① 삼균주의

조소앙이 제창한 사상으로 개인과 개인, 민족과 민족, 국가와 국가의 균등을 추구하자고 주장하였다. 이를 위해서 구체적으로 정치·경제·교육의 균등을 실현해야 한다고 여겨 보통 선거, 생산 기관의 국유화, 의무 무상 교육 등을 주장하였다.

② 재미 한족 연합 위원회

1941년 9개의 재미 한인 단체가 연합하여 하와이 호놀룰루에서 성립한 재미 한인 사회 최대의 독립운동 연합 단체이다. 태평양 전쟁 개시 이후 재미 한인 보호를 위해 신분증을 발급하였고, 한인 국방 경비대를 조직하여 독립 의지를 보여 주기도 하였다.

③ 조선 독립 동맹

중국 옌안 지역에서 김두봉을 위원장으로 하여 조직된 사회주의 독립운동 단체이다. 광복 이후 대부분 북한 지역으로 들어가 북한 정부 수립에 큰 영향을 끼쳤다.

교과서 233쪽

Q 독립된 나라가 갖추어야 할 모습으로 아래 강령들이 공통적으로 언급하는 것들은 무엇일까?

예시 답안 민주주의에 기반한 정부 수립을 언급하고 있다.

정리 교실 교과서 234쪽

㉠ 삼균주의 ㉡ 조선 독립 동맹
㉢ 조선 건국 동맹 ㉣ 카이로 선언
㉤ 임시 정부

교과서 | 235쪽

탐구 교실 대한민국 임시 정부와 연합국의 전후 처리 구상

활동 목표 | 한국의 독립 문제는 연합국의 이해관계와 맞물려 영향을 받을 수 밖에 없음을 파악합니다.

- 한국의 즉각 독립을 위한 대한민국 임시 정부의 외교 활동을 알 수 있습니다.
- 강대국들의 서로 다른 이해관계가 맞물려 탄생한 카이로 선언의 의의와 한계를 파악할 수 있습니다.

- **<만화 자료>** | 미국, 영국, 중국 등의 강대국들은 서로 자국의 이익에 따라 각기 다른 전후 구상을 가지고 있었다. 이에 따라 한국의 독립 시기와 방법에 대해서도 서로 다른 의견을 가지고 있었음을 만화로 표현한 자료이다.
  이를 통해 한국인에게는 광복 이후 주변 강대국의 이해관계를 능동적으로 조정하여 독립운동가와 민족 구성원 다수의 의지가 반영된 새 국가를 건설해야 하는 과제가 남게 되었다.

활동 풀이

1. 미국과 영국이 한국의 즉각 독립에 대해 확답을 하지 않은 까닭이 무엇인지 생각해 보자.

예시 답안 미국과 영국은 전쟁이 끝난 이후 소련을 경계하며 세계 정세를 자신들이 유리한 방향으로 이끌고자 하였다. 이에 한국을 즉각 독립시키기보다는 한반도를 자신들의 영향 아래 두는 일이 중요하다고 생각하였다.

2. 만화를 참고하여 아래의 밑줄 친 부분으로 인해 전개될 역사적 상황을 예상해 보자.

예시 답안 한국의 독립을 처음으로 보장하였지만, 강대국들 사이에서 '적당한 시기'가 언제인지에 대해 논쟁이 일어나며, 독립운동가들이 구상했던 한국의 독립은 강대국들의 세력 다툼에 의해 왜곡되어 갔다. 결국 연합국은 일제의 항복 이후 한국 문제를 자신들에게 유리한 쪽으로 처리하려는 속내를 드러냈다.

간단 체크 정답 및 해설 33쪽

제2차 세계 대전 중 미국, 영국, 중국 등의 강대국은 얄타 회담에서 최초로 한국의 독립을 약속하였다. (O, X)

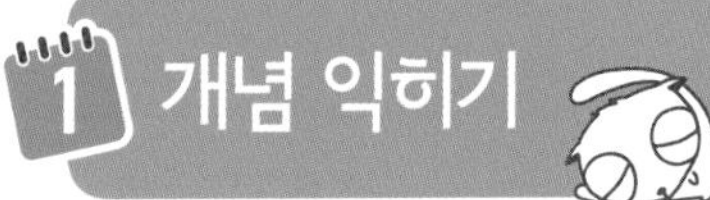

01 아래 설명이 맞으면 O표, 틀리면 X표를 해 보자.

(1) 조선 민족 혁명당은 중국 관내 최대 규모의 통일 전선 정당이었다. ( )

(2) 충칭에 정착한 대한민국 임시 정부는 민족주의 계열을 중심으로 조선 건국 동맹을 창당하였다. ( )

(3) 미주 지역 한인들은 재미 한족 연합 위원회를 결성하여 대한민국 임시 정부를 지원하였다. ( )

(4) 1945년 7월 포츠담 선언에서는 우리나라의 독립이 처음 약속되었다. ( )

02 빈칸에 알맞은 말을 채워 보자.

(1) ( )은/는 미국 전략 정보국(OSS)의 지원을 받아 국내 진공 작전을 계획하였다.

(2) 조선 의용대 화북 지대는 조선 독립 동맹 산하 ( )(으)로 재편되었다.

(3) 대한민국 임시 정부는 조소앙의 ( )을/를 기초로 하여 대한민국 건국 강령을 발표하였다.

(4) 국내의 ( )은/는 일제의 후방을 교란할 목적으로 군사 위원회를 조직하기도 하였다.

03 서로 관련 있는 내용끼리 연결해 보자.

a. 한국 광복군 •	• ㄱ. 호가장 전투
b. 조선 의용군 •	• ㄴ. 국내 진공 작전
c. 조선 의용대 화북 지대 •	• ㄷ. 조선 독립 동맹

04 <보기>에서 신국가 건설을 준비하던 여러 단체의 건국 강령 내용과 관련된 설명을 모두 고르시오.

보기

ㄱ. 민주 정부 수립　　ㄴ. 제국주의 타도

ㄷ. 유상 교육 실시　　ㄹ. 제한 선거 실시

2 내신 유형 익히기

01 다음 선언문을 발표한 독립군의 명칭으로 옳은 것은?

> 이번 전쟁에서 조선 민족 내지 동방의 모든 약소민족은 마땅히 중국의 입장에 서서 모든 힘을 다하여 중국의 항전을 지원해야 한다. …… 우리의 진정한 적인 일본 파시스트 군벌을 타도함으로써 …… 용감한 중국의 형제들과 손을 잡고 …… 항일 전선을 향해 용감히 전진하자!

① 조선 의용군　② 조선 의용대

③ 한국 광복군　④ 조선 혁명군

⑤ 대한 독립군

중요

02 다음을 발표한 단체에 대한 설명으로 옳은 것은?

> 우리는 삼천만 한인과 정부를 대표하여 …… 모든 나라의 대일 선전이 일본을 물리치고 동아시아를 재건하는 가장 유효한 수단이 됨을 축하하며, 이에 특히 다음과 같이 성명한다.
> 1. 한국의 전체 인민은 현재 이미 반침략 전선에 참가하였으니, 추축국(독일, 이탈리아, 일본)에 전쟁을 선언한다.
> 2. 1910년 병합 조약과 모든 불평등 조약이 무효임을 선포하며, 아울러 반침략 국가가 한국에서 합리적으로 이미 얻은 권익을 존중한다.

① 브나로드 운동을 전개하였다.

② 산하에 조선 의용군을 두었다.

③ 김원봉을 중심으로 조직되었다.

④ 충칭에 자리 잡은 후 한국 독립당이 주도하였다.

⑤ 옌안 지역에서 중국 공산당과 연대 활동을 펼쳤다.

03 다음 퀴즈의 정답으로 옳은 것은?

> 삼균주의는 대한민국 임시 정부 건국 강령의 바탕이 된 것으로 개인과 개인, 민족과 민족, 국가와 국가 간의 균등함을 추구하자는 주장이었습니다. 그렇다면 이 삼균주의를 처음 제창한 사람은 누구일까요?

① 김구　② 김두봉　③ 조소앙

④ 이승만　⑤ 여운형

04 교사의 질문에 대한 적절한 답변은?

① 지청천이 총사령관이었어요.
② 만주 지역에서 조직되었어요.
③ 대종교 신자들을 중심으로 구성되었어요.
④ 중국군과 함께 항일 작전을 실행하였어요.
⑤ 미국 전략 정보국의 지원을 받아 국내 진공 작전을 계획하였어요.

중요
05 (가) 단체의 명칭으로 옳은 것은?

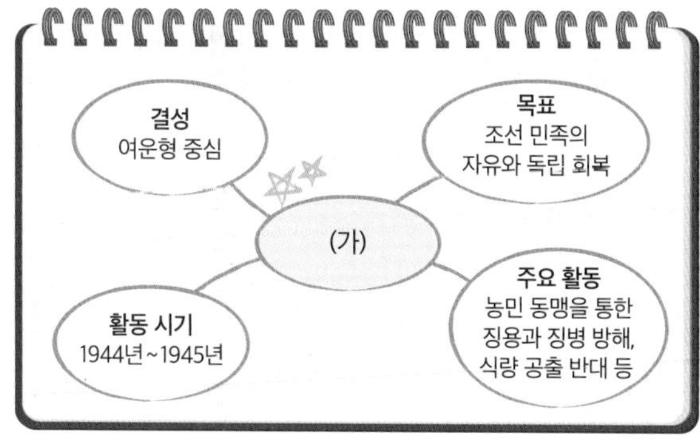

① 신간회 ② 의열단
③ 조선 건국 동맹 ④ 조선 독립 동맹
⑤ 대한민국 임시 정부

06 다음 설명에 나타난 독립군에 대한 설명으로 옳은 것은?

> 이 독립군 부대는 중국 국민당의 지원을 받아 조직된 중국 관내 최초의 한인 무장 부대이다. 이 부대는 중국과의 합작을 통해 공동의 적인 일본 제국주의자를 타도하고자 하였다. 주로 후방 공작 활동과 일본군에 대한 심리전에서 활약하였다.

① 간도 참변으로 큰 타격을 입었다.
② 영릉가와 흥경성 전투를 승리로 이끌었다.
③ 청산리 전투에서 일본군을 크게 격파하였다.
④ 조선 민족 전선 연맹 산하 부대로 조직되었다.
⑤ 영국군의 요청으로 인도·미얀마 전선에 파견되었다.

07 (가) 단체로 옳은 것은?

> 사회주의 계열 단체인 (가) 은/는 김두봉을 중심으로 조직되었다. 이 단체는 다른 신국가 건설을 준비하였던 여러 독립운동 단체와 마찬가지로 일제 타도와 민주 공화국 수립을 목표로 하였다.

① 의열단 ② 독립 의군부
③ 조선 건국 동맹 ④ 조선 독립 동맹
⑤ 대한민국 임시 정부

08 다음 선언을 발표한 회담에 대한 설명으로 옳은 것은?

> 3대국은 한국민의 노예적 상태에 유의하여 적당한 시기에 한국이 자유롭고 독립적인 상태가 되어야 한다고 결의한다.

① 소련의 대일전 참전을 결의하였다.
② 독립군의 무장 해제를 요구하였다.
③ 미국, 영국, 소련의 지도자가 모였다.
④ 국제적으로 한국의 독립을 처음 보장하였다.
⑤ 독일과 이탈리아 항복 이후 회담이 개최되었다.

09 밑줄 친 '이 부대'에 대한 설명으로 옳은 것은?

> 중국 타이항산에는 윤세주, 진광화의 옛 무덤이 남아 있다. 두 사람은 이 부대 소속으로 중국군과 연합하여 항일 운동을 전개하였으며, 일본의 대대적인 공격에 맞선 반소탕전에서 큰 공을 세웠다. 현재 두 사람 모두 중국 열사릉원에 안장되어 있다.

① 박상진이 총사령관이었다.
② 우금치 전투에서 패배하였다.
③ 서울 진공 작전을 전개하였다.
④ 연통제를 통해 군자금을 모금하였다.
⑤ 호가장 전투, 반소탕전 등에서 활약하였다.

10 (가)에 들어갈 내용으로 적절한 것은?

① 국내 진공 작전 계획
② 고종 복위를 목표로 함.
③ 훙커우 공원에서 폭탄 의거
④ 조선 혁명 선언을 활동 지침으로 함.
⑤ 광주 학생 항일 운동에 진상 조사단 파견

서술형 문제

11 다음 글을 읽고 물음에 답하시오.

> 이 단체는 대한민국 임시 정부 산하의 군대로, 지청천을 총사령관, 이범석을 참모장으로 하여 조직되었다. 초기에는 국민당 정부의 간섭을 받기도 하였지만 꾸준한 노력으로 독자적인 지휘권을 획득하고 다양한 활동을 보였다.

(1) 밑줄 친 '이 단체'의 명칭을 쓰시오.

(2) 이 단체의 활동을 두 가지 서술하시오.

서술형 문제

12 다음 글을 읽고 물음에 답하시오.

> …… 정치·경제·교육의 민주적 시설로 실제상 균형을 도모하며, 전국의 토지와 대생산 기관의 국유화가 완성되고, 전국의 학령 아동 전체에 대한 고등 교육의 무상 교육이 완성되고, 보통 선거 제도가 구속 없이 완전히 시행되어 ……. 극빈 계급의 물질과 정신상 생활 정도와 문화 수준이 보장되는 과정을 건국의 제2기라 함.

(1) 위의 건국 강령을 발표한 단체의 명칭과 이 단체의 1940년대 활동을 두 가지 서술하시오.

(2) 위의 건국 강령의 바탕이 된 사상의 명칭과 그 사상의 내용을 서술하시오.

Ⅲ 일제 식민지 지배와 민족 운동의 전개

스스로 확인하는 대주제 마무리

기념 화폐 그리기 | 역사 신문 구성하기 | 사진첩 만들기 | 여행기 작성하기

한눈에 흐름 잡기 빈칸을 채워 내용 정리를 완성해 보자.

1910 국권 피탈, 토지 조사 사업 시행
1911 105인 사건
1917 「대동단결 선언」 발표
1919 (㉠)운동 – 임시 정부 수립 계기 – 대한민국 임시 정부 수립
1920 봉오동 전투, 청산리 전투
1923 국민대표 회의 개최
1925 「치안 유지법」 시행
1926 (㉡)운동 – 민족 협동 전선 토대 마련
1927 신간회 결성
1929 광주 학생 항일 운동
1932 이봉창 의거, 윤봉길 의거
1935 민족 혁명당 창립
1938 「국가 총동원법」 제정, (㉢)조직 – 중국 관내 최초 한인 부대
1940 한국 광복군 창설
1941 「대한민국 건국 강령」 발표
1943 카이로 회담
1944 여자 정신 근로령 시행
1945 8·15 광복

일제의 식민지 지배 정책

무단 통치	민족 분열 통치	민족 말살 통치
• 헌병 경찰 제도 • 조선 태형령 시행 • 언론·출판·집회·결사의 자유 박탈 • 토지 조사 사업	• 이른바 '문화 통치' 표방 • 보통 경찰제 • 「치안 유지법」 시행 • 친일파 육성 • ① ____ 계획	• 병참 기지화 정책 • ② ____ 신민화 정책 • 우리말 사용 금지 • 「국가 총동원법」 제정 • 징병제, 징용제, 공출 심화

다양한 민족 운동의 전개

무장 투쟁
1910년대 독립운동 기지 건설
1920년대 봉오동 전투, 청산리 전투 / ③ ____ 통합 운동
1930년대 한·중 연합 작전
1940년대 한국 광복군

의열 투쟁
의열단: 일제의 고관 및 친일파 암살, 「조선 혁명 선언」 ⇨ 민중의 직접 혁명
한인 애국단: 이봉창·윤봉길 의거(1932)

실력 양성
물산 장려 운동: 민족 경제의 자립 목적
민립 대학 설립 운동: 한국인의 힘으로 고등 교육 기관 설립 시도
문맹 퇴치 운동: 문자 보급 운동(1929), 브나로드 운동(1931)

민족 유일당
배경: 사회주의 운동 탄압, 타협적 민족주의의 대두
전개: 6·10 만세 운동(1926) ⇨ 비타협적 민족주의 세력이 사회주의 세력과 연대 도모 ⇨ 정우회 선언 ⇨ ④ ____ 결성

광복을 위한 노력

항일 연합 전선의 형성
• 조선 의용대: 중국 관내 최초 한인 무장 부대 ⇨ 적극적인 항일 투쟁을 위해 화베이로 이동 ⇨ 조선 독립 동맹 산하 조선의용군으로 재편
• ⑤ ____ : 대한민국 임시 정부가 창설 ⇨ 영국군 등 연합군과의 합동 작전에 주력 ⇨ 미국의 지원을 받아 국내 진공 작전 계획

신국가 건설에 대한 구상
• 대한민국 임시 정부의 건국 강령(1941) ⇨ 조소앙의 ⑥ ____ , 민주 공화정 수립
• 조선 독립 동맹의 강령(1942) ⇨ 보통 선거를 통한 민주 정권 수립
• 조선 건국 동맹의 강령(1944) ⇨ 민주주의 원칙에 바탕을 둔 국가 건설

236 Ⅲ 일제 식민지 지배와 민족 운동의 전개

수행 과제 해결하기 누리 소통망(SNS)을 활용하여 '일제 강점기'를 주제로 한 사진첩을 만들어 보자.

1 다음 단계를 참고하여 일제 강점기의 특징과 모습을 알 수 있는 주제를 선정하여 검색한 후, 적절한 사진을 찾아 정리해 보자.

1단계 주제 정하기
예시
• 일제의 식민지 지배 정책
• 다양한 민족 운동의 전개
• 일제 강점기에 나타난 사회 변화
• 일제의 침략 전쟁과 전시 동원

일제 강점기의 특징이나 모습을 나타낼 수 있는 주제들을 메모장에 자유롭게 적어 본다. 이 중에서 사진첩으로 꾸미고 싶은 주제를 정한다.

2단계 내용 조사하기
예시
• 무단 통치
• 토지 조사 사업
• 이른바 '문화 통치'
• 산미 증식 계획

수업 시간에 배운 내용을 바탕으로 선정한 주제와 관련된 핵심어를 조사한다. 핵심어를 정리하면서 사진첩을 어떻게 구상할지도 생각해 본다.

3단계 사진 검색하기
예시
• 총독부 청사(검색어: 조선 총독부)
• 토지를 측량하는 일본인 (검색어: 토지 조사 사업)
• 군산항에 쌓인 쌀 (검색어: 산미 증식 계획)

조사한 내용을 인터넷에 검색한 후, 적절한 사진들을 찾아 분류한다. 이때 사진들을 설명할 수 있는 검색어도 함께 생각하며 메모로 남긴다.

2 아래의 누리 소통망(SNS) 화면에 검색어와 사진을 배치하여 사진첩을 완성하고 친구들과 공유해 보자.

주제: 일제의 식민지 지배 정책
관련 검색어: #조선_총독부 # ____ # ____ # ____
사진첩
예시

✚ 도움글
① 사진에 나타난 정보는 역사적 사실에 어긋나지 않는지, 사진의 출처가 공신력 있는 누리집인지 반드시 점검한다.
② 검색어를 적고 사진을 배치할 때, 자료들이 무분별하게 나열되지 않도록 유의한다.
③ 친구들과 공유할 때, 검색어와 사진을 선정한 이유와 배치 구성 등에 대해 질문을 주고받으면서 이야기를 나눈다.

평가하기(항목당 5점 만점)	
선정한 주제를 통해 일제 강점기의 특징이나 모습을 잘 설명하였는가?	
검색어와 사진들이 사진첩의 주제를 잘 나타내고 있는가?	
선정한 사진과 검색어가 역사적 사실에 부합하는가?	

대주제 마무리 237

한눈에 흐름 잡기

㉠ 3·1 ㉡ 6·10 만세 ㉢ 조선 의용대
① 산미 증식 ② 황국 ③ 3부 ④ 신간회 ⑤ 한국 광복군
⑥ 삼균주의

수행 과제 해결하기

과제 목표

• 누리 소통망을 활용한 일제 강점기 사진첩 만들기를 통해 일제 강점기의 주요 장면들을 선정할 수 있다.
• 누리 소통망에 사진첩을 공유하면서 자신의 역사적 해석과 평가의 적절성에 대해 성찰해 본다.

활동 도우미

• 교과서에서는 찾기 힘들지만, 일제 강점기의 일상을 잘 보여 주는 사진 자료를 발굴하려고 노력한다.
• 일제 강점기의 일상적인 모습을 담은 사진 속에서 당시 시대적 상황을 읽어낼 수 있는 능력을 기르도록 한다.

예시 답안

• **주제 정하기** | 일제의 식민 지배 정책이라는 주제 아래 일제의 식민 지배 정책이 변화하는 과정을 살펴볼 수 있는 사진첩을 제작한다.

주제	일제의 식민지 지배 정책
선정한 까닭	일제가 식민지에 행한 정책들을 살펴봄으로써 식민지의 모순적인 상황들을 사진을 통해 보여 주고 싶다.

• **내용 조사하기** | 일제의 식민지 지배 정책을 무단 통치, 문화 통치, 민족 말살 통치 시기로 나누고 각 시기를 대표할 수 있는 키워드를 정한다.
• **사진 검색하기** | 내용 조사하기와 마찬가지로 일제의 식민지 지배 정책의 각 시기별 내용을 검색어로 검색한 후 적절한 사진을 찾는다(㉄ 조선 총독부, 조선 태형령). 또한 일제 강점기 식민 지배 기구 관련 사진 등을 다룰 때에는 현재까지 해당 건물이 남아 있는지를 확인한 후, 이 건물이 어떻게 활용되고 있는지 함께 조사하도록 한다.

내신 만점 도전하기

난이도 상 / 중 / 하

01 밑줄 친 ㉠과 같은 일제의 정책이 시행된 시기의 사실을 <보기>에서 고른 것은?

> ㉠ 선생님이 사벨(칼)을 차고 교단에 오르는 나라가 있는 것을 보셨습니까? 나는 그런 나라의 백성이외다. ……발길과 채찍 밑에 부대끼면서도 숨이 죽어 엎디어 있는 거세된 존재에게도 존경과 동정을 느끼시나요?
>
> - 염상섭, 「만세전」 -

보기

ㄱ. 조선 총독부가 설치되었다.
ㄴ. 헌병 경찰제가 시행되었다.
ㄷ. 국가 총동원법이 제정되었다.
ㄹ. 토지 조사 사업을 시행하였다.
ㅁ. 조선어 학회 사건이 발생하였다.

① ㄱ, ㄴ ② ㄴ, ㄷ ③ ㄷ, ㄹ
④ ㄱ, ㄴ, ㄹ ⑤ ㄴ, ㄷ, ㅁ

02 (가) 정책의 시행 결과로 옳지 않은 것은?

> (가) 은/는 지세의 부담을 공평히 하고 지적을 명확히 하여 그 소유권을 보호하고, 그 매매·양도를 간편·확실하게 함으로써 토지의 개량 및 이용을 자유롭게 하고 또 그 생산력을 증진시키려는 것으로서 조선의 긴요한 시책이라는 것은 말할 필요도 없다.
>
> -「조선 총독부 시정 연보」-

① 조선 총독부의 재정 수입이 늘었다.
② 지계아문이 설치되어 지계가 발급되었다.
③ 일본에서 한국으로의 농업 이민이 증가하였다.
④ 만주와 연해주로 이주하는 농민들이 늘어났다.
⑤ 동양 척식 주식회사의 보유 토지가 증가하였다.

03 다음과 같은 법령이 실시된 시기 일제의 경제 정책으로 옳은 것은?

> - 제정 연도: 1925년
> - 내용: 일제의 국가 체제(천황제)를 변혁하거나 사유 재산 제도를 부정하는 사상이나 조직을 탄압할 목적으로 제정됨.
> - 성격: 조선 총독부가 사회주의 및 민족 운동을 탄압하는 데 이용함.

① 산미 증식 계획을 시행하였다.
② 식민지 공업화가 진행되었다.
③ 식량 공출 및 배급을 실시하였다.
④ 어업령, 삼림령 조선 광업령 등을 제정하였다.
⑤ 회사를 설립할 때 조선 총독의 허가를 받게 하였다.

04 (가)에 들어갈 용어로 옳은 것은?

> (가) 은/는 일제가 자국의 쌀 부족 문제를 해결하기 위해 조선을 식량 공급 기지로 삼고자 추진한 것이다. 1920년부터 시작되어 1934년까지 추진되었다가, 1937년 일제가 중·일 전쟁으로 대륙 침략을 확대하면서 군량미 확보 등을 위해 1940년부터 다시 추진되었다.

① 미곡 공출제
② 농촌 진흥 운동
③ 산미 증식 계획
④ 토지 조사 사업
⑤ 조선 사상범 예방 구금령

05 (가) 단체에 대한 설명으로 옳은 것은?

> (가) 은/는 경상도 일대에서 박상진 등을 중심으로 조직된 비밀 결사이다. 이들은 군대식 조직을 갖추고 독립군 양성, 무기 구입, 군자금 모집, 친일 부호 처단 등의 활동을 전개하였으나 박상진 등이 체포되어 큰 타격을 받았다.

① 공화정 수립을 목표로 하였다.
② 고종의 밀명을 받고 조직되었다.
③ 조선 혁명 선언을 행동 지침으로 하였다.
④ 봉오동 전투에서 일본군을 크게 격파하였다.
⑤ 조선 총독부에 국권 반환 요구 운동을 계획하였다.

06 밑줄 친 (가) 운동에 대한 설명으로 옳은 것을 <보기>에서 고른 것은?

> <헌법 전문>
> 유구한 역사와 전통에 빛나는 우리 대한 국민은 (가)으로 건립된 대한민국 임시 정부의 법통과 불의에 항거한 4·19 민주 이념을 계승하고……1948년 7월 12일에 제정되고 8차에 걸쳐 개정된 헌법을 이제 국회의 의결을 거쳐 국민투표에 의하여 개정한다.

보기
ㄱ. 서간도 지역에 경학사가 조직되는 배경이 되었다.
ㄴ. 일제가 이른바 문화 통치를 실시하는 계기가 되었다.
ㄷ. 만주와 연해주, 미주 등 국외에서도 만세 시위가 이루어졌다.
ㄹ. 나주 기차역에서 한국인 학생과 일본인 학생 간의 충돌에서 비롯되었다.

① ㄱ, ㄴ ② ㄱ, ㄷ ③ ㄴ, ㄷ
④ ㄴ, ㄹ ⑤ ㄷ, ㄹ

07 밑줄 친 '이 정부'의 활동을 <보기>에서 고른 것은?

> 여러 논의 끝에 상하이에서 통합 정부로 출범하게 된 이 정부는 민족 운동에 필요한 자금을 조달할 목적으로 임시 의정원의 결의에 따라 독립 공채를 발행하였다. 이후 대한민국 정부는 '독립 공채 상환에 관한 특별 조치법'을 시행하여 이를 상환하고자 노력하였다.

보기
ㄱ. 『독립신문』을 발간하였다.
ㄴ. 연통제와 교통국을 운영하였다.
ㄷ. 대한 국민 의회의 법통을 계승하였다.
ㄹ. 파리 위원부, 구미 위원부 등을 두었다.
ㅁ. 대통령에 이승만을, 국무총리에 이동녕을 선출하였다.

① ㄱ, ㄴ ② ㄴ, ㄷ ③ ㄷ, ㄹ
④ ㄱ, ㄴ, ㄹ ⑤ ㄷ, ㄹ, ㅁ

08 (가)에 들어갈 단체로 옳은 것은?

> 김좌진은 1899년 충청남도 홍성에서 출생하였다. 그는 일제에 국권을 빼앗기자 독립운동에 뛰어들었다. 1917년 대한 광복회 부사령으로 임명되었고, 1918년에는 무오 독립 선언서 발표에 참여하였다. 그리고 1920년 (가) 을/를 이끌고 여러 독립군 부대와 함께 청산리 전투에서 일본군을 크게 격파하였다. 이후 만주를 떠났다가 다시 1925년 북만주 지역에서 신민부를 조직하였다. 그러나 그는 1930년 암살당하며 삶을 마감하였다.

① 한국 독립군 ② 한국 광복군
③ 조선 혁명군 ④ 조선 의용군
⑤ 북로 군정서군

09 (가), (나)의 공통점으로 옳은 것은?

> • (가) 은/는 지청천이 북만주 지역에서 이끌던 부대로 쌍성보, 대전자령 전투 등에서 활약하였다. 그중 일부는 중국 관내로 이동하여 대한민국 임시 정부에 합류하였다.
> • (나) 은/는 남만주 지역에서 양세봉이 이끌던 부대로 영릉가 전투, 흥경성 전투 등에서 활약하였다. 이들은 1930년대 중후반까지 만주 지역에서 항일 투쟁을 지속하였다.

① 한·중 연합 작전을 전개하였다.
② 조선 혁명당의 군사 조직이었다.
③ 러시아에 의해 무장 해제를 당하였다.
④ 간도 참변 이후 자유시로 이동하였다.
⑤ 연합군의 일원으로 태평양 전쟁에 참여하였다.

10 다음에 나타난 민족 운동에 설명으로 옳지 않은 것은?

> 우리 생활에 제1의 조건은 곧 이 의식주의 문제, 즉 산업적 기초라. 이 산업적 기초가 파멸하여 우리에게 나은 것이 없으면 그 아무것도 없는 우리가 사람으로 사람다운 생활을 하지 못하고 사람다운 발전을 하지 못할 것은 당연하지 아니한가. …… 우리는 이와 같은 견지에서 …… 조선 사람은 조선 사람이 지은 것을 사 쓰고, 조선 사람은 단결하여 그 쓰는 물건을 스스로 제작하여 공급하기를 목적으로 한다.
> - 『산업계』, 1923.11. -

① 국채 보상 기성회가 중심이 되었다.
② 일제의 회사령 폐지에 영향을 받았다.
③ 무명으로 된 두루마기가 크게 유행하였다.
④ 산업 육성을 통한 민족의 실력 양성을 추구하였다.
⑤ 사회주의자들로부터 자본가만의 이익을 추구하는 운동이라고 비판받았다.

11 밑줄 친 '이 운동'에 대한 설명으로 옳은 것을 <보기>에서 고른 것은?

> 1953년 대한민국 정부는 이 운동이 일어났던 11월 3일을 '학생의 날'로 지정하여 이 운동의 정신을 기념하고자 하였다. 그러나 1973년 각종 기념일을 통폐합한다는 명분으로 폐지되었다가 1984년에 부활하였다. 2006년에는 '학생 독립운동 기념일'로 명칭이 변경되었다.

보기
ㄱ. 정우회 선언에 영향을 주었다.
ㄴ. 2·8 독립 선언서를 발표하였다.
ㄷ. 신간회에서 조사단을 파견하여 지원하였다.
ㄹ. 고종의 인산일에 학생과 시민 등이 참여하였다.
ㅁ. 한국인 학생과 일본인 학생 간의 충돌로 시작되었다.

① ㄱ, ㄴ ② ㄱ, ㄷ ③ ㄴ, ㄹ
④ ㄷ, ㄹ ⑤ ㄷ, ㅁ

12 밑줄 친 '이 시기'의 농민 운동에 대한 설명으로 옳은 것은?

> 종래 조선의 농민 운동이 치열하였다고는 하나 무리한 소작권 이동과 높은 소작료 반대 등이 주요 원인이었다. 그러나 1930년경부터 쟁의 형태가 점차 전투적으로 변해 갔다. 이 시기에는 단순히 경작권 확보를 위해서가 아니라 '토지를 농민에게'와 같은 구호를 내걸고 농민 야학, 강습소 등을 개설하여 계급적 교육을 하였다.
> - 조선 총독부 경무국 비밀 보고서 -

① 근우회 결성의 배경이 되었다.
② 암태도 소작 쟁의가 발생하였다.
③ 혁명적 농민 조합을 중심으로 전개되었다.
④ 금주 단연과 같은 새생활 운동을 전개하였다.
⑤ 일제의 황무지 개간권 요구 철회를 주장하였다.

정답 및 해설 34쪽

13 다음 자료에 나타난 단체에 대한 설명으로 옳은 것은?

> 사칙(社則)
> 제2조 본사의 위치는 진주에 둔다. 단, 각 도에는 지사, 군에는 분사를 둔다.
> 제3조 본사는 계급 타파, 모욕적 칭호 폐지, 교육 권장, 상호의 친목을 목적으로 한다.
> 제4조 본 사원의 자격은 조선인은 어떤 사람을 불문하고 입사할 수 있다.

① 어린이날을 제정하였다.
② 브나로드 운동 등을 전개하였다.
③ 삼원보 지역에 독립운동 기지를 건설하였다.
④ 참정권 운동과 조선 의회 설립을 주장하였다.
⑤ 백정에 대한 사회적 차별 철폐를 목표로 하였다.

14 밑줄 친 '이 법'이 시행된 시기에 볼 수 있는 장면으로 옳은 것은?

> 일제는 이 법을 제정하고, 이를 근거로 국민 징용령을 공포하고 수많은 조선인을 강제 동원하였다. 강제 동원된 조선인들은 중노동과 구타에 시달렸고, 제대로 된 임금을 받지도 못하였으며, 사고와 질병 등으로 목숨을 잃어야 하였다.

① 태형을 집행하고 있는 일본 순사
② 을사늑약의 부당함을 알리고 있는 외교관
③ 회사 설립을 허가 받지 못한 조선인 사업가
④ 고종 강제 퇴위 반대를 외치고 있는 계몽 지식인
⑤ 공출한 놋그릇 수량을 파악하고 있는 면사무소 관리

주관식·서술형 평가

15 다음 성명서를 발표한 단체의 명칭과 1940년대 해당 단체의 활동 내용을 두 가지 이상 서술하시오.

> 1. 한국의 인민은 현재 이미 반침략 전선에 참가하였으니, 하나의 전투 단위가 되어 추축국(독일, 이탈리아, 일본)에 전쟁을 선언한다.
> 3. 한국, 중국과 서태평양에서 왜구를 완전히 몰아내기 위해 최후의 승리를 거둘 때까지 혈전한다.

16 다음을 읽고 물음에 답하시오.

> (가) ……정치·경제·교육의 민주적 시설로 실제상 균형을 도모하며, 전국의 토지와 생산 기관의 국유화가 완성되고, 전국의 학령 아동 전체가 고등 교육의 무상 교육이 완성되고, 보통 선거 제도가 구속 없이 완전히 시행되어…….
> (나) 1. 전 국민의 보통 선거에 의한 민주 정권을 수립한다.
> 2. 국민 인권을 존중하는 사회 제도를 실현한다.
> 4. 법률적·사회 생활적 남녀평등을 실현한다.
> 6. 조선 내 일본 제국주의자의 모든 재산과 토지를 몰수하고, 대규모 기업을 국영화하며, 농민에게 토지를 나누어 준다.

(1) (가) 건국 강령의 바탕이 된 조소앙의 사상을 쓰시오.

(2) (가), (나) 건국 강령에 나타난 공통적 내용을 두 가지 이상 서술하시오.

IV

대한민국의 발전

학습 계획표

- 자신의 일정에 맞게 계획을 세워보고, 실제 학습일을 적어 봅시다.
- 학습을 마무리한 후 스스로 학습 목표를 얼마나 달성하였는지 점검해 봅시다.

1. 8·15 광복과 통일 정부 수립을 위한 노력	쪽수	계획일	학습일	목표 달성도
주제 57 8·15 광복과 국가 건설 운동의 전개	202~203쪽	월 일	월 일	☆☆☆☆☆
주제 58 통일 정부 수립을 둘러싼 갈등	204~205쪽	월 일	월 일	☆☆☆☆☆
개념 익히기 / 내신 유형 익히기	206~207쪽	월 일	월 일	☆☆☆☆☆

2. 대한민국 정부의 수립	쪽수	계획일	학습일	목표 달성도
주제 59 대한민국 정부의 수립 과정	208~209쪽	월 일	월 일	☆☆☆☆☆
주제 60 식민지 잔재 청산을 위한 노력	210~211쪽	월 일	월 일	☆☆☆☆☆
개념 익히기 / 내신 유형 익히기	212~213쪽	월 일	월 일	☆☆☆☆☆

3. 6·25 전쟁과 남북 분단의 고착화	쪽수	계획일	학습일	목표 달성도
주제 61 동족상잔의 비극, 6·25 전쟁	214~215쪽	월 일	월 일	☆☆☆☆☆
주제 62 전쟁의 상처와 남북 분단의 고착화	216~217쪽	월 일	월 일	☆☆☆☆☆
개념 익히기 / 내신 유형 익히기	218~219쪽	월 일	월 일	☆☆☆☆☆

4. 4·19 혁명과 민주화를 위한 노력	쪽수	계획일	학습일	목표 달성도
주제 63 민주화를 열망한 4·19 혁명	220~221쪽	월 일	월 일	☆☆☆☆☆
주제 64 박정희 정부의 성립과 유신 체제	222~223쪽	월 일	월 일	☆☆☆☆☆
주제 65 5·18 민주화 운동의 전개	224~225쪽	월 일	월 일	☆☆☆☆☆
개념 익히기 / 내신 유형 익히기	226~228쪽	월 일	월 일	☆☆☆☆☆

이 대주제를 배우면

- 미·소 냉전 체제가 한반도에 끼친 영향을 살펴보고, 8·15 광복 이후 정치적 상황의 변화와 통일 국가 수립을 위한 노력을 파악할 수 있다.
- 4·19 혁명의 과정과 의의를 이해하고, 5·16 군사 정변 이후 독재 체제를 유지하려는 정권에 맞서 국민의 힘으로 민주주의를 이룩하는 과정을 설명할 수 있다.
- 경제 성장의 과정, 성과와 문제점 등을 파악하고, 경제 성장이 가져온 사회와 문화의 변화를 탐구할 수 있다.

8·15 광복과 통일 정부 수립을 위한 노력

주제 57 8·15 광복과 국가 건설 운동의 전개

이번 주제에서는 | 조선 건국 준비 위원회 등 다양한 정치 세력의 국가 건설을 위한 활동을 알 수 있습니다.

교실 열기 광복 이후 새로운 국가를 건설하기 위해 해결해야 할 과제는 무엇이었을까?

예시 답안 | 새로운 국가를 건설하기 위해 친일파 청산, 토지 개혁 등을 실시해야 한다.

1 냉전 체제의 형성과 동아시아의 정세 변화

(1) 제2차 세계 대전 이후 국제 질서

① 국제 연합(UN) 창설: 승전국 중심 → 세계 평화 유지를 위한 노력

② 냉전(Cold War)[1] 체제 형성: 미국과 소련의 양대 강국 등장 → 미국 중심의 자본주의 진영과 소련 중심의 공산주의 진영 대립

(2) 냉전의 확산: 유럽에서 비롯 → 동아시아에서 격화

① 중국: 중국 공산당의 국·공 내전 승리 → 중화 인민 공화국 수립

② 일본: 미군정의 일본 통치 → 미국은 일본을 동아시아 반공 거점으로 삼음.

③ 한국: 미국과 소련의 한반도 분할 점령 → 6·25 전쟁 발발

중국이 공산화되자, 미국은 일본을 반공 거점으로 삼아 공산주의 세력 확대에 맞서고자 하였다.

2 군사 분계선으로 설정된 38도선

(1) 소련의 한반도 진주 : 동아시아에 대한 영향력 확대 → 대일 선전 포고[2] 발표, 8월 하순에 38도선 이북 지역 점령

(2) 북위 38도선 설정: 소련 견제를 위해 미국이 제안 → 군사 분계선으로 설정

3 미국과 소련의 한반도 분할 점령

(1) 38도선 이남 : 미국의 점령, 직접 통치 선포, 미군정청 설치 → 조선 총독부의 행정 체제 그대로 유지, 대한민국 임시 정부와 각 지역 인민 위원회[3] 등이 인정받지 못함.

미국의 통치 방침을 현상 유지 정책이라고 하는데, 친일파들에게 재기의 여지를 주었다.

(2) 38도선 이북 : 소련의 점령 → 간접 통치 방식으로 영향력 행사, 자국에 우호적인 정부 수립 의도

4 조선 건국 준비 위원회(건준)의 활동

(1) 결성(1945) : 여운형 등 조선 건국 동맹 중심 → 광복 직후 좌우 세력 연합

국내에 기반을 두고 있어서 국가 건설 운동에서 유리한 측면이 많았다.

(2) 국가 건설 준비 : 전국 각지에 지부 결성 → 자치적으로 행정, 치안 담당

(3) 조선 인민 공화국[4] 수립 : 미군 진주에 앞서 국가 건설 운동의 주도권 확보 목적 → 우익 세력의 비판, 미군정의 반대로 해체

5 다양한 정치 세력의 형성

(1) 주요 정치 세력: 한국 민주당(김성수), 조선 공산당(박헌영), 독립 촉성 중앙 협의회(이승만), 한국 독립당(김구) 등 → 국가 건설 운동 전개

지주, 자본가 출신 인사들이 결성하였다.

(2) 한계: 미·소의 한반도 분할 점령 상태 → 정부 수립 방법, 친일파 청산, 토지 개혁 등에 대한 정치 세력 간의 갈등

개념 쏙쏙

① 냉전(Cold War)
직접적으로 무력을 사용하는 열전(Hot War)과 달리 군사 충돌로 이어지지는 않지만 갈등 관계에 놓여 있는 상태를 말한다.

② 선전 포고
국제법상 혹은 국내법상 다른 나라에 전쟁을 공식적으로 선언하는 정치 행위로서, 개전 날짜와 시간이 포함되어 있다.

③ 인민 위원회
광복 직후 전국 곳곳에서 조선 건국 준비 위원회(건준) 지부를 비롯하여 다양한 조직들이 생겨났다. 이들은 건준이 조선 인민 공화국 수립을 선포하자, '인민 위원회'로 전환되었고, 해당 지역의 행정과 치안을 담당하는 등 사회 안정에 기여하였다.

④ 조선 인민 공화국
여운형 중심의 조선 건국 준비 위원회가 선포한 정부로서, 좌익 세력이 주도적으로 참여하였다. 그러나 주석으로 추대된 이승만은 취임을 거부하고 별도로 독립 촉성 중앙 협의회를 발족시켰다. 다른 정치 세력도 적극적으로 호응하지 않아 조선 인민 공화국의 정치적 비중은 크지 않았다.

정리 교실 교과서 242쪽

㉠ 자본주의 ㉡ 38도선 ㉢ 미군정청 ㉣ 조선 건국 준비 위원회 ㉤ 한국 독립당

교과서 | 243쪽

탐구 교실 광복을 맞이한 사람들

활동 목표 | 가상 일기를 작성함으로써 광복 직후 상황과 당시 사람들의 생각을 추체험합니다.

김○○ (하급 관리)

- 1912년 경성(서울)의 변두리 지역에서 태어났다.
- 어렸을 때 3·1 운동이 일어났는데, 아버지가 만세 시위를 벌이다 일본 헌병에게 붙잡혀 한동안 고초를 겪었다.
- 24살 때 힘들게 조선 총독부의 하급 관리로 취직하였으나, 일본 관리들의 노골적인 민족 차별로 속앓이를 하였다.
- 8·15 광복 이후 머지않아 미군이 진주한다는 소식이 들리자, 혹시 친일파로 몰려 처벌받지 않을까 걱정하였다.

박○○ (노동자)

- 1925년 경상북도의 외딴 산골 마을에서 태어났다.
- 가정 형편이 어려워 학교는 엄두도 내지 못했고, 부모님을 도와 농사일을 했다.
- 16살 때 친척의 도움으로 경성(서울)에 있는 일본인 회사에 직공으로 취직했지만, 월급이 너무 적어 어려움을 겪었다.
- 8·15 광복이 되자 일본인 사장이 전전긍긍하는 모습을 보고 기뻤지만, 한편으로 자신의 일자리가 어떻게 될지 몰라 불안하였다.

이○○ (학생)

- 1931년 전라남도의 한 중소 도시에서 태어났다.
- 초등학교를 다니던 중 부모님이 일본 관리들의 강요에 못 이겨 이름을 일본식으로 바꾸었다.
- 광주에 있는 중학교에 진학하였지만, 억압적인 학교 문화가 못마땅하여 학업보다는 독서 모임에 큰 관심을 두었다.
- 8·15 광복 이후 독서 모임의 친구들과 함께 앞으로 우리나라가 어떻게 될지에 대해 자주 토론하였다.

활동 도우미

- 가상 일기 작성에서 가장 중요한 사항은 역사적 사실과의 일치 여부입니다.
- 4가지 단어가 반드시 포함되어야 하므로 글을 어떻게 구성할 것인지 미리 초안을 작성해 보는 것이 좋습니다.

자료 해설

- <김○○> | 조선 총독부 하급 관리 출신이지만 친일파로 처벌될까 우려하고 있다.
- <박○○> | 여성 노동자로서 새로운 국가가 들어서면 임금 차별, 열악한 노동 조건이 개선되기를 기대하고 있다.
- <이○○> | 국가 건설 운동에 매우 관심이 높고 적극적으로 참여하려는 학생이다.

활동 풀이

자료의 가상 인물 가운데 한 명을 골라, 다음의 단어가 포함된 가상 일기를 작성해 보자.

8·15 광복 — 38도선 — 미군정 — 대한민국 임시 정부

예시 박○○

8·15 광복도 벌써 한 달이 넘었다. 미군이 들어왔지만, 일상생활에서 이전과 크게 달라진 것은 없다. 미군정이 통치하는 지역은 38도선 이남이라고 하던데, 그렇다면 38도선 이북 지역은 어찌 된다는 말인가? 다른 사람들도 어찌 된 영문인지 모르겠다고 한다. 그동안 공장 노동자로 생활하면서 정말 힘든 점이 많았다. 한국인 여자라서 일본인보다, 남자보다 훨씬 낮은 임금을 받았다. 노동 시간도 길고 고통스러웠으며, 걸핏하면 노동자라고 무시당하였다. 이제 광복을 맞이하였으니 김구 선생 등 대한민국 임시 정부 요인들도 곧 귀국할 것이고, 새로운 국가도 머지않아 들어설 것이다. 새로운 국가는 무엇보다도 노동자를 존중해 주었으면 한다. 8시간 노동제를 지키고, 임금에서 남녀 차별이 없어야 할 것이다. 적당한 휴가도 보장되었으면 참 좋겠다. 노동자들도 뜻을 모아 우리의 요구가 국가 건설 과정에 반영되도록 노력해야 할 것이다.

• 인물: 김○○(하급 관리)

예시 답안 8·15 광복은 큰 기쁨이었지만 조선 총독부에서 일했던 나에게는 위기이기도 하였다. 다행히 미군정에서 본래 하던 일을 계속 하라고 해서 큰 고비는 넘은 듯하다. 38도선 이북에서는 친일파들이 대대적으로 처벌을 받았다고 한다. 독립 국가를 세우는 것이 큰 일인데 요새는 모두 모이면 그 이야기뿐이다. 대한민국 임시 정부 요인들도 귀국하였으니, 이제 구체적으로 움직임이 있을 듯하다. 새로 나라가 들어서면 무엇보다도 친일파 처벌을 해야 할 것이다. 나도 일제를 위해서 일을 했으니, 당당하게 죗값을 치를 생각이다.

간단 체크 정답 및 해설 36쪽

8·15 광복 후 대한민국 임시 정부 요인들은 개인 자격으로 귀국하였다. (O, X)

8·15 광복과 통일 정부 수립을 위한 노력

주제 58 통일 정부 수립을 둘러싼 갈등

이번 주제에서는 | 모스크바 3국 외상 회의를 중심으로 정부 수립을 둘러싼 갈등을 알 수 있습니다.

교실 열기 좌익과 우익이 치열하게 대립하였던 사건은 무엇일까?

예시 답안 | 모스크바 3국 외상 회의 결정 사항 가운데 신탁 통치 문제는 좌우 대립을 초래하였다.

1 모스크바 3국 외상 회의와 신탁 통치[1] 문제

(1) 모스크바 3국 외상 회의 결정 사항(1945): 임시 민주주의 정부 수립, 미·소 공동 위원회 설치, 신탁 통치 실시 → 일부 언론의 왜곡 보도로 신탁 통치 문제 부각

동아일보의 왜곡 보도는 좌우 대립을 초래하여, 결과적으로 통일 정부 수립에도 부정적인 영향을 미쳤다.

(2) 좌익과 우익[2] 세력 간의 갈등

① 좌익 세력: 처음에는 신탁 통치 반대 → 회의 결정 사항 총체적 지지로 입장 변경

② 우익 세력: 식민 지배의 연장으로 간주 → 강력한 반탁 운동 전개, 반소 운동으로 확대

반탁 운동과 반소 운동은 우익 세력의 확장, 친일파들의 정치 활동 재개에 큰 도움이 되었다.

③ 중도 세력: 신탁 통치는 반대, 미·소 공동 위원회에 협조 주장

2 미·소 공동 위원회의 결렬과 좌우 합작 운동

(1) 제1차 미·소 공동 위원회: 임시 민주 정부 수립 참여 범위[3] 문제로 갈등 → 휴회

(2) 이승만의 '정읍 발언': 남한 단독 정부 수립 주장 → 분단 위기감 확산

(3) 좌우 합작 운동: 여운형·김규식 등 중도 세력 중심, '좌우 합작 7원칙' 발표 → 주요 정치 세력의 외면, 미·소 대립 심화, 여운형 피살로 실패

3 국제 연합의 남한 단독 선거 결정

(1) 제2차 미·소 공동 위원회: 미·소 간의 견해 차이로 결렬 → 미국은 한반도 문제를 국제 연합에 이관

미국, 소련 모두 한반도에서 자국에 우호적인 정부를 수립하고자 하였다.

(2) 국제 연합의 한반도 문제 논의

① 유엔 총회: 인구 비례[4]에 따라 총선거 실시 및 정부 수립 결의 → 소련과 북한 정치 지도자들의 반대

미·소 양국 군대 철수, 한국인 스스로 정부를 수립해야 한다고 주장하였다.

② 유엔 소총회[5]: 선거가 가능한 지역에서 우선 총선거 실시 결의 → 사실상 남한만의 단독 정부 수립 의미

4 남북 협상의 추진

(1) 내용: 김구, 김규식 중심 → 북한의 정치 지도자들과 남북 협상 추진, 공동 선언문 발표(외국 군대 철수, 임시 정부 수립, 남한 단독 선거 반대 등)

(2) 결과: 국제 연합의 남한 단독 선거 결정, 북한의 독자적인 정부 수립 준비, 김구 암살 등 → 실패

북한은 이미 남북 협상에 앞서 조선 인민군 창설, 헌법 준비 등 정권 수립을 준비하고 있었다.

5 정부 수립을 둘러싼 갈등

(1) 제주 4·3 사건(1948): 제주도 좌익 세력과 일부 주민의 무장 봉기, 남한 단독 선거 반대·미군 철수 등 주장 → 군경, 우익 단체의 대규모 진압 작전으로 2만 명이 넘는 주민 희생

(2) 여수·순천 10·19 사건(1948): 제주도 출동 반대, 통일 정부 수립 주장 → 군경의 진압 작전 실시, 일부 군인들은 지리산 등에서 활동 지속

개념 쏙쏙

① 신탁 통치
국제 연합 감독하에 시정국(신탁 통치를 행하는 국가)이 일정 지역에 대하여 관할권을 행사하는 특수 통치 제도이다.

② 좌익과 우익
광복 직후 사회주의(공산주의)를 추구한 세력을 좌익, 반공과 자본주의 체제를 강조한 이들을 우익이라고 부른다.

③ 임시 민주 정부 수립 참여 범위
미국은 참여를 주장하는 모든 정당과 사회 단체를 포함하자고 주장하였다. 반면, 소련은 모스크바 3국 외상 회의 결정에 반대하는 단체는 참여할 수 없다고 하여 합의점을 찾기 어려웠다.

④ 인구 비례
인구 수에 따라 국회 의원을 선출한다면 북한은 인구가 남한보다 훨씬 적었기 때문에 불리한 조건이었다. 5·10 총선거 때도 남한에는 200석, 북한에는 100석을 할당하였다.

⑤ 유엔 소총회
국제 연합 총회의 기능을 부분적으로 대리하는 보조 기관으로서, 1947년에 유엔 총회 업무를 보조하기 위해 설치되었다.

정리 교실 교과서 246쪽

㉠ 신탁 통치 ㉡ 좌우 합작 운동
㉢ 제주 4·3 사건

교과서 | 247쪽

탐구 교실 모스크바 3국 외상 회의 결정에 대한 반응

활동 목표 | 좌익과 우익의 입장을 비교하고, 이를 바탕으로 통일 정부 수립을 둘러싼 갈등을 이해합니다.

자료 1 신탁 통치 절대 반대

카이로, 포츠담 선언과 국제 헌장으로 세계에 공약한 한국의 독립 부여는 금번 모스크바에서 개최한 3상 회의의 신탁 관리 결의로써 수포로 돌아갔으니 다시 우리 3천만은 영예로운 피로써 자주독립을 획득지 아니하면 아니될 단계에 들어섰다. 동포여! 8·15 이전과 이후 피차의 과오와 마찰을 청산하고서 우리 정부 밑에 뭉치자. 그리하여 그 지도하에 3천만의 총역량을 발휘하여서 신탁 관리제를 배격하는 국민 운동을 전개하여 자주독립을 완전히 얻기까지 3천만 전 민족의 최후의 피 한방울까지라도 흘려서 싸우는 항쟁 개시를 선언한다.

-『중앙신문』 1946. 1. 1.

자료 2 3상 결정 절대 지지

모스크바 3국 외상 회의의 결정을 신중히 검토한 결과 이번 회담은 세계 민주주의 발전에 있어서 또 한걸음 진보이다. 카이로 선언이 조선 독립을 적당한 시기에 준다는 것인데, 이 적당한 시기라는 것이 이번 회담에서 5년 이내로 규정된 것이다. 이것은 우리가 5년 이내에 통일되고 우리의 발전이 상당한 때에는 단축될 수 있다는 것이니 이것은 오직 우리의 역량 발전에 달린 것이다. …… 그러므로 우리의 할 일은 무엇보다 먼저 통일의 실현에 있다. …… 하루 속히 민주주의 원칙을 내세우고 이를 중심으로 조선 민족 통일 전선을 완성함에 여력을 집중해야 한다.

-『조선일보』 1946. 1. 4.

활동 도우미

- 좌익, 우익, 중도 세력의 개념과 각각 지향하는 바를 명확하게 이해합니다.
- 교과서, 참고 자료, 인터넷 등을 활용하여 신탁 통치 제도에 대해 사전 지식을 갖추면 당시 정치 상황을 객관적으로 파악할 수 있습니다.

자료 해설

- <자료 1> | 우익 세력은 신탁 통치를 식민 지배의 연장으로 간주하고, 즉각 독립을 위해 범국민적 항쟁을 전개하자는 내용이다.
- <자료 2> | 좌익 세력은 회의 결정 사항이 전체적으로 불리할 것이 없고, 신탁 통치 기간도 충분히 단축할 수 있다는 주장이다.

활동 풀이

1. <자료 1, 2>를 통해 각 정치 세력이 '신탁 통치 절대 반대' 혹은'3상 결정 절대 지지'를 주장한 이유를 분석해 보자.

예시 답안 우익 세력은 신탁 통치가 식민 지배의 연장이고, 따라서 반탁 운동은 또다른 독립운동이라고 간주하였다. 반면, 좌익 세력은 모스크바 결정 사항은 전체적으로 보았을 때 임시 민주 정부를 수립하는 일이 중요하다고 보았다. 신탁 통치는 피할 수 있으면 좋지만, 그렇지 않더라도 국가 수립의 한 과정으로 보고 우리의 역량에 따라 얼마든지 단축할 수 있다고 주장하였다.

2. 신탁 통치 문제를 둘러싼 갈등이 새로운 국가 건설 운동에 미친 영향이 무엇인지 생각해 보자.

예시 답안 한반도는 미국과 소련이 분할 점령한 가운데 내부적으로는 여러 정치 세력이 국가 건설 운동의 주도권을 확보하기 위해 갈등을 빚고 있어서 정치적으로 매우 어려운 상황이었다. 신탁 통치 문제를 둘러싼 좌우익 간의 극심한 대립은 국가 건설 운동을 더욱 어려운 상황으로 이끌었으며, 결과적으로 미국과 소련의 합의에 의한 국가 건설이 실패하게 된 주된 요인이 되었다.

간단 체크 정답 및 해설 36쪽

(　　) 세력은 신탁 통치는 반대하지만, 미·소 공동 위원회의 조속한 개최를 요구하였다.

01 아래 설명이 맞으면 O표, 틀리면 X표를 해 보자.

(1) 38도선 이북을 관할하게 된 소련은 직접 통치를 선언하였다. (　　)

(2) 대한민국 임시 정부 요인들은 귀국 후 한국 독립당을 중심으로 활동하였다. (　　)

(3) 신탁 통치 문제는 좌익과 우익 세력 간의 극심한 정치적 대립을 초래하였다. (　　)

(4) 유엔 소총회는 한반도에서 인구 비례에 따른 총선거 실시를 결의하였다. (　　)

02 빈칸에 알맞은 말을 채워 보자.

(1) 제2차 세계 대전 이후 자본주의 진영과 공산주의 진영이 대립하는 (　　　) 체제가 형성되었다.

(2) 1945년 12월에 열린 (　　　)에서 한반도에 임시 민주 정부 수립, 신탁 통치 실시 등을 결정하였다.

(3) (　　　) 세력은 처음에는 신탁 통치에 반대하였다가, 나중에 모스크바 회의 결정 사항에 대해 총체적 지지로 입장을 바꾸었다.

03 서로 관련 있는 내용끼리 연결해 보자.

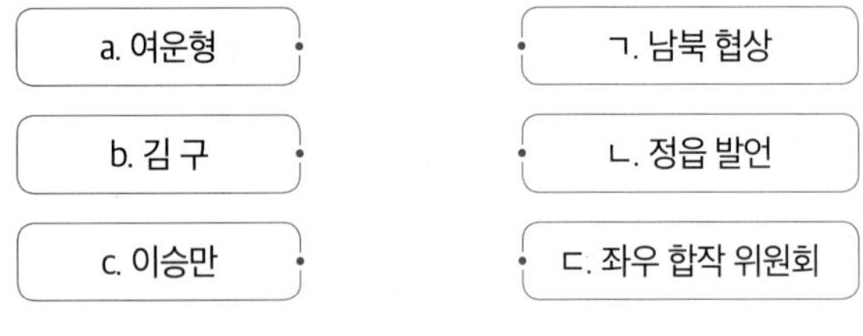

04 모스크바 3국 외상 회의와 관련된 내용을 <보기>에서 모두 고르시오.

보기
- ㄱ. 외국 군대 철수
- ㄴ. 신탁 통치 실시
- ㄷ. 한반도 동시 총선거
- ㄹ. 임시 민주 정부 수립

2 내신 유형 익히기

중요
01 38도선에 대한 설명으로 옳지 않은 것은?

① 대한민국 정부 수립 당시 남북한의 경계선이었다.
② 광복 직후에 주민들이 자유롭게 왕래할 수 있었다.
③ 미·소 양군의 한반도 분할 점령을 위해 설정되었다.
④ 일제 패망 무렵 소련이 미국에 제안하여 설정되었다.
⑤ 처음에는 군사적 편의를 위한 일시적 경계선에 불과하였다.

중요
02 자료와 관련이 깊은 국가의 한반도 정책에 대한 설명으로 옳은 것을 <보기>에서 고른 것은?

> 제2조 정부 등 모든 공공 기관에 종사하는 유급 혹은 무급 직원과 고용인, 그리고 기타 제반 중요한 사업에 종사하는 자는 별도의 명령이 있을 때까지 종래의 정상 기능과 업무를 수행할 것이며, 모든 기록 및 재산을 보호·보존하여야 한다.

보기
- ㄱ. 간접 통치의 방식으로 점령 지역을 통제하였다.
- ㄴ. 통치의 편의를 위해 조선 총독부 체제를 유지하였다.
- ㄷ. 김일성이 정치의 실권을 장악하는 데 큰 도움을 주었다.
- ㄹ. 각지에 설치된 인민 위원회의 영향력을 인정하지 않았다.

① ㄱ, ㄴ　② ㄱ, ㄷ　③ ㄴ, ㄷ
④ ㄴ, ㄹ　⑤ ㄷ, ㄹ

중요
03 빈칸 (가)에 대한 설명으로 옳지 않은 것은?

> 여운형은 일본이 패망하기 직전 조선 총독부의 요청으로 일본인의 안전한 귀국과 치안 유지 등을 협의하였다. 광복이 되자 안재홍 등과 함께 조선 건국 동맹을 기반으로 (가) 를 결성하였다.

① 전국적으로 지부를 결성하였다.
② 자치적으로 행정, 치안을 담당하였다.
③ 조선 인민 공화국 수립을 선포하였다.
④ 좌익과 우익 세력이 연합하여 결성하였다.
⑤ 미군정청의 후원을 받아 결성된 단체였다.

중요

04 자료와 관련된 국제 회의 결정 사항에 대한 설명으로 옳지 않은 것은?

> 1. …… 일본이 남긴 잔재들을 청산하기 위해 조선에 임시 민주주의 정부를 수립한다.
> 2. 조선에 임시 정부를 수립하기 위해 …… 남조선 미군 사령부 대표들과 북조선 소련군 사령부 대표들로 (미·소) 공동 위원회를 조직한다.
> 3. 공동 위원회는 …… 최고 5년 기한으로 4개국 신탁 통치의 협약을 작성하는 것이다. …… 미·소·영·중 정부의 공동 심의를 받아야 한다.

① 우익 세력은 신탁 통치를 식민 지배의 연장으로 간주하였다.
② 좌익 세력은 임시 민주주의 정부 수립이 중요하다고 보았다.
③ 좌익과 우익 세력 간의 이념 대립이 격화되는 계기가 되었다.
④ 임시 정부 수립 방안을 구체적으로 제시한 점에 의의가 있었다.
⑤ 중도 세력은 이념 대립을 막기 위해 신탁 통치 수용을 주장하였다.

05 통일 정부 수립과 관련하여 옳게 설명한 것은?

① 좌우 합작 위원회 – 미·소 대립이 심화되면서 실패하였다.
② 유엔 소총회 – 한반도 전역에서 총선거 실시를 결의하였다.
③ 남북 협상 – 미국과 소련의 합의에 따라 평양에서 개최되었다.
④ 제주 4·3 사건 – 남한만의 5·10 총선거가 실시되는 계기가 되었다.
⑤ 정읍 발언 – 제1차 미·소 공동 위원회가 결렬되는 데 큰 영향을 미쳤다.

서술형 문제

06 자료에서 밑줄 친 부분이 친일파 청산에 미친 영향을 서술하시오.

> 제1조 북위 38도선 이남의 조선 영토와 조선 인민에 대한 통치의 모든 권한은 당분간 본관의 권한 아래에서 시행한다.
> 제2조 <u>정부 등 모든 공공 기관에 종사하는 유급 혹은 무급 직원과 고용인, 그리고 기타 제반 중요한 사업에 종사하는 자는 별도의 명령이 있을 때까지 종래의 정상 기능과 업무를 수행할 것이며, 모든 기록 및 재산을 보호·보존하여야 한다.</u>
> – 「태평양 미 육군 맥아더 사령관 포고령 제1호」 –

서술형 문제

07 자료는 모스크바 3국 외상 회의 결정 사항에 대한 우익 세력의 입장이다. 이를 읽고 물음에 답하시오.

> 카이로, 포츠담 선언과 국제 헌장으로 세계에 공약한 한국의 독립 여부는 …… 신탁 관리 결의로써 수포로 돌아갔으니 …… 동포여, 8·15 이전과 이후, 서로의 과오와 마찰을 청산하고 <u>우리 정부</u> 밑에 뭉치자. …… 신탁 관리제를 배격하는 국민 운동을 전개하여 자주 독립을 완전히 획득하기까지 3천만 전 민족의 최후의 피 한 방울까지라도 흘려서 싸우는 항쟁 개시를 선언한다. – 「중앙신문」 1946. 1. 1. –

(1) 밑줄 친 '우리 정부'를 구체적으로 쓰시오.

(2) 우익 세력이 모스크바 3국 외상 회의 결정 사항을 반대한 이유를 서술하시오.

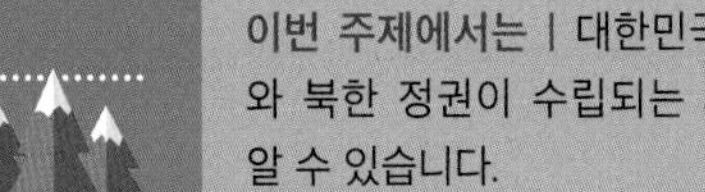

2 대한민국 정부의 수립

주제 59 대한민국 정부의 수립 과정

이번 주제에서는 | 대한민국 정부와 북한 정권이 수립되는 과정을 알 수 있습니다.

교실 열기 정부는 왜 관보 1호에 '대한민국 30년'이라고 표기하였을까?

예시 답안 | 대한민국 정부는 대한민국 임시 정부를 계승한다는 의미를 담고 있다.

1 「제헌 헌법」 제정과 대한민국 정부의 수립

(1) 5·10 총선거(1948)

① 배경: 유엔 소총회 결의 → 남한 단독 선거를 통한 정부 수립

② 총선거 실시: 1948년 5월 10일 남한에서 선거 실시 → 김구·김규식 등 남북 협상파 일부 선거 불참, 일부 좌익 세력은 선거 반대 운동 전개

③ 의의: 21세 이상 모든 국민에게 투표권 부여 → 우리나라 최초의 보통 선거[1]

④ 결과: 재적 의원 200명 가운데 198명의 국회 의원 선출 → 제주도 2곳은 선거를 제대로 치르지 못함.

(인구 비례에 따라 북한에 할당된 100명은 선거를 유보하고 남한에서만 200명을 선출하였다.)

(제주도에서는 1년 후 선거를 통해 2명의 국회 의원을 선출하였다.)

(2) 제헌 국회[2] 구성

① 국호 제정: '대한민국'

② 「제헌 헌법」 공포: 삼권 분립에 입각한 헌법 → 「제헌 헌법」에 기반하여 정부 수립에 필요한 각종 법률 제정

(3) 「제헌 헌법」의 주요 내용

(정부 수립 직후 발행한 관보 1호에 '대한민국 30년'이라고 표기하였다.)

① 특징: 대한민국 임시 정부의 법통[3] 계승 → 국민 주권에 바탕을 둔 민주 공화국 명시

② 정치 구조: 대통령 중심제 채택 → 대통령과 부통령은 국회에서 간선제[4] 방식으로 선출

(4) 대한민국 정부 수립(1948. 8. 15.)

① 정부 구성: 국회에서 대통령-이승만, 부통령-이시영 선출, 내각 구성

② 파리 유엔 총회: 유엔이 선거가 가능하였던 한반도 내의 유일한 합법 정부로 승인

2 북한 정권의 수립

(1) 광복 이후 북한 지역의 정치 활동

① 민족주의 계열: 조만식 등 → 평안남도 건국 준비 위원회 중심으로 국가 건설 운동 참여

② 사회주의 계열: 국내외 사회주의 인사 집결 → 인민 위원회를 기반으로 정치적 주도권 장악

③ 소련의 역할: 인민 위원회에 실질적인 권한 이양 → 김일성 후원, 북한 지역의 정치 활동에 큰 영향력 행사

(2) 북조선 임시 인민 위원회(1946. 2.)

(사회주의 계열의 정치 기반 확대에 도움이 되었으며, 많은 지주들이 토지 개혁에 반발하여 월남하였다.)

① 주요 활동: 친일파 청산, 토지 개혁(무상 몰수·무상 분배[5]), 주요 산업 국유화 등 추진

② 의의: 각종 개혁 정책 추진 → 북한 통치의 기반 마련

(북조선 임시 인민 위원회는 사실상의 정부 역할을 하였다.)

(3) 북조선 인민 위원회(1947. 2.): 북조선 임시 인민 위원회 계승, 조선 인민군 창설, 헌법 초안 확정 등 → 단독 정부 수립 준비

(4) 북한 정권 수립: 조선 민주주의 인민 공화국 수립 선포(1948. 9. 9.)

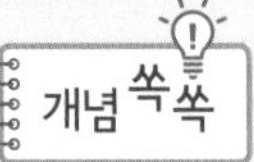

개념 쏙쏙

① 보통 선거
재산, 납세, 교육 정도 또는 신앙 등에 의하여 선거권에 차등을 두지 않는 선거를 가리키는 말로, 제한 선거에 대응하는 개념이다.

② 제헌 국회
초대 국회는 정부 수립을 위한 헌법 제정이라는 중대한 임무를 지니고 있었기 때문에 특별히 제헌 국회라고 부른다. 초대 국회 의원 즉, 제헌 의원은 임기가 2년이었다.

③ 법통
정통성을 이어받는다는 의미로서, 국가의 정통성, 즉 통치법이나 정부의 권위를 정당하다고 받아들이는 것을 가리킨다.

④ 간선제
간접 선거 제도의 줄임말이다. 본래 제헌 헌법은 내각 책임제를 지향하였으나, 초대 국회 의장이었던 이승만이 미국식 대통령 중심제를 강하게 주장하여 결국 국회가 정·부통령을 뽑는 모호한 제도가 갖추어졌다.

⑤ 무상 몰수·무상 분배
토지를 몰수할 때 대가를 지급하지 않고, 농민에게 분배할 때도 대가를 받지 않는다는 북한의 토지 개혁 원칙이다. 그러나 농민에게 토지 이용권만 부여하였기 때문에 분배받은 토지를 사고팔 수 없었다.

정리 교실 교과서 249쪽

㉠ 5·10 총선거 ㉡ 대한민국 임시 정부 ㉢ 이승만 ㉣ 북조선 임시 인민 위원회 ㉤ 토지 개혁

탐구 교실 「대한민국 헌법」이 지향하는 민주 공화국

활동 목표 | 대한민국 임시 정부와 대한민국의 연속성을 민주 공화국이라는 관점에서 이해합니다.

자료 1 「대한민국 임시 헌장」(1919)

제1조 대한민국은 민주 공화제로 한다.
제2조 대한민국은 임시 정부가 임시의정원의 결의에 의하여 통치한다.
제3조 대한민국의 인민은 남녀, 귀천 및 빈부의 계급이 없고 일체 평등하다.
제4조 대한민국의 인민은 종교·언론·저작·출판·결사·집회·주소 이전·신체 및 소유의 자유를 가진다.
제5조 대한민국의 인민으로 공민 자격이 있는 자는 선거와 피선거권을 가진다.
제6조 대한민국의 인민은 교육·납세 및 병역의 의무가 있다.

- 「대한민국 임시 정부 자료집 1」, 2005.

대한민국 임시 정부 요인들(1919. 10.)

자료 2 「제헌 헌법」(1948)

[전문] 유구한 역사와 전통에 빛나는 우리 대한 국민은 기미 3·1 운동으로 대한민국을 건립하여 세계에 선포한 위대한 독립 정신을 계승하여 이제 민주 독립 국가를 재건함에 있어서 …… 모든 사회적 폐습을 타파하고 민주주의 제(모든) 제도를 수립하여 정치, 경제, 사회, 문화의 모든 영역에 있어서 각인의 기회를 균등히 하고 능력을 최고도로 발휘케 하며 각인의 책임과 의무를 완수케 하여 안으로는 국민 생활의 균등한 향상을 기하고 밖으로는 항구적인 국제 평화의 유지에 노력하여 …… 우리들의 정당 또 자유로이 선거된 대표로서 구성된 국회에서 …… 이 헌법을 제정한다.

제1조 대한민국은 민주 공화국이다.
제2조 대한민국의 주권은 국민에게 있고 모든 권력은 국민으로부터 나온다.
제16조 모든 국민은 균등하게 교육을 받을 권리가 있다. 적어도 초등 교육은 의무적이며 무상으로 한다.
제25조 모든 국민은 법률의 정하는 바에 의하여 공무원을 선거할 권리가 있다.
제29조 모든 국민은 법률의 정하는 바에 의하여 납세의 의무를 진다.
제30조 모든 국민은 법률의 정하는 바에 의하여 국토방위의 의무를 진다.

- 「대한민국 관보」, 1948.

- 「대한민국 임시 헌장」(1919)과 「제헌 헌법」(1948)을 조목조목 비교하여 공통점과 차이점을 찾아봅시다.
- 민주 공화국에 대한 자신의 생각쓰기는 문장이 아닌 그림이나 이모티콘으로 표현할 수도 있습니다.

- **<자료 1>** | 「대한민국 임시 헌장」(1919)은 대한민국 임시 정부의 헌법적 성격을 지닌 문서로서, 제1조에서 민주 공화국이라는 점을 명확하게 밝히고 있다.
- **<자료 2>** | 「제헌 헌법」(1948) 역시 민주 공화국을 제1조에 내세우고, 「대한민국 임시 헌장」(1919)이 추구한 바를 대부분 계승하였다.

활동 풀이

1. <자료 1, 2>의 공통점을 찾아 아래의 질문에 답해 보자.

- 주권은 누구에게 있을까?
  예시 답안 인민(국민)
- 국민으로서 누릴 수 있는 권리는 무엇일까?
  예시 답안 선거권(참정권)
- 국민이 지켜야 할 의무는 무엇일까?
  예시 답안 교육, 납세, 병역

2. <자료 2>의 전문에서 대한민국 임시 정부를 계승하였다고 여겨지는 부분에 밑줄을 그어 보자.

예시 답안 기미 3·1 운동으로 ~ 위대한 독립 정신을 계승하여

3. 위 내용을 바탕으로 자신이 생각하는 민주 공화국이란 무엇인지 한 문장으로 표현해 보자.

민주 공화국은 예시 답안 주권자인 국민 모두 차별받지 않고 평등한 나라이다.

간단 체크 정답 및 해설 37쪽

제헌 헌법에서 대통령은 ( )에서 간선제 방식으로 선출하도록 명시하였다.

교과서 251~253쪽

2 대한민국 정부의 수립

주제 60 식민지 잔재 청산을 위한 노력

이번 주제에서는 | 친일파 청산과 농지 개혁이 갖는 의의와 한계를 알 수 있습니다.

교실 열기 반민족 행위 특별 조사 위원회에 보내는 편지에는 어떤 내용이 담겨 있을까?

예시 답안 | 투서함에 보낸 편지에는 친일파를 직접 고발하는 내용이 담겨 있었을 것이다.

1 반민족 행위자 처벌을 위한 노력

(1) 광복 직후: 어수선한 사회 분위기, 미군정청의 통치 정책 등의 영향 → 친일파[1] 청산이 즉각 시행되지 못함.

친일파들은 반탁 운동, 미군정청의 현상 유지 정책을 발판으로 재기를 도모하였다.

(2) 정부 수립 이후: 친일파 청산 본격화 → 제헌 국회에서 「반민족 행위 처벌법」(반민법) 제정, 반민족 행위 특별 조사 위원회(반민 특위) 구성

반민법에 따라 반민 특위, 특별 검찰부, 특별 재판부가 설치되었다.

(3) 반민족 행위 특별 조사 위원회(반민 특위) 활동: 1949년 1월부터 각종 자료와 증언 등을 통해 친일파 색출, 전국에 투서함 설치 → 본격적인 친일파 청산을 위한 노력

(4) 좌절된 친일파 청산

① 이승만 정부의 비협조: 친일파 청산보다는 '반공'이 우선이라고 주장 → 반민 특위 활동을 지속적으로 방해

이승만 정부 내의 관료, 경찰, 군인 가운데 상당수가 친일 경력자였다.

② 정치적 반대 세력의 저항: 반민 특위 활동을 주도하던 국회 의원 구속(국회 프락치 사건[2]), 일부 경찰들의 반민 특위 사무실 습격 등 → 반민 특위 활동 방해

③ 반민 특위 해체: 국회에서 반민법 단축 개정법 통과 → 반민법 시효를 1950년 6월에서 1949년 8월로 단축 → 반민 특위 활동은 유명무실해짐.

(5) 반민 특위 활동 결과

① 내용: 682건 친일 행위 조사, 실형을 선고받은 자도 대부분 감형·형 집행 정지

② 한계: 친일파 청산 좌절, 친일파에 면죄부 부여

기소된 사람 중 실형을 선고받은 자는 이광수, 최남선, 최린 등 12명에 불과하였고, 이들도 형 집행 정지로 모두 석방되었다.

2 농지 개혁의 시행

(1) 광복 직후

① 토지 개혁의 필요성: 식민지 시기를 거치면서 사회·경제적 모순 심화 → 한국인 대다수가 요구하는 개혁 과제

1946년에 실시된 북한의 토지 개혁은 남한의 토지 개혁 요구에 큰 영향을 미쳤다.

② 미군정청의 정책: 토지 개혁에 소극적 → 일본인이 소유하였던 귀속 농지[3]를 민간에 매각하는 수준

(2) 정부 수립 이후: 본격적 개혁 → 제헌 국회에서 「농지 개혁법」 제정(1949. 6.)

(3) 농지 개혁

경작하는 농민이 토지를 소유해야 한다는 '경자유전'의 원칙에 따랐다.

① 농지 소유 상한선 설정: 가구당 3정보(약 29,750㎡)로 제한

② 개혁 방식: 초과 토지는 정부가 매입하여 농민에게 분배 → 유상 매입·유상 분배[4] 방식, 지주에게는 지가 증권 발급

③ 결과: 지주 계급 소멸, 대다수 농민이 자신의 토지 소유

생활이 어려운 일부 농민은 토지를 팔고 다시 소작농이 되기도 하였다.

④ 의의: 토지 소유 불균등으로 인한 사회적 갈등이 상당 부분 해소 → 사회 안정에 도움

⑤ 한계: 일부 지주들의 편법 동원, 농지가 아닌 토지는 개혁 대상에서 제외

개념 쏙쏙

① 친일파
일제의 침략 과정에서 국권 상실에 기여한 자, 일제에 협조하여 지위 상승이나 재산 축적을 목적으로 직책을 수행한 자, 독립운동을 방해한 자 등을 아울러 가리키는 말이다.

② 국회 프락치 사건
현역 국회 의원 10여 명을 남조선 노동당의 프락치(밀정, 간첩) 활동을 했다는 혐의로 체포한 사건이다. 이들은 반민 특위 활동에 적극적인 '소장파'라고 불리는 국회 의원들이었는데, 이 사건으로 반민 특위 활동이 크게 위축되고 더 나아가 국회의 정부 견제 기능도 약화되었다.

③ 귀속 농지
8 · 15 광복 전에 일본인이나 기관이 소유하였던 토지로, 1948년에 대한민국 정부와 미국 정부 사이에 체결한 협정에 따라 대한민국 정부로 소유가 이전된 토지를 가리킨다.

④ 유상 매입·유상 분배
정부가 토지 가치에 상응하는 대가를 지불한 뒤에 토지를 매입하고, 역시 농민에게 대가를 받고 토지를 분배한다는 농지 개혁의 원칙이다.

정리 교실 교과서 252쪽

㉠ 반민족 행위 처벌법 ㉡ 반공
㉢ 유상 ㉣ 유상 ㉤ 6·25 전쟁
㉥ 지주

교과서 | 253쪽

탐구 교실 과거사 청산을 바라보는 두 가지 시선

활동 목표 | 우리나라의 친일파 청산과 다른 나라의 과거사 청산을 비교하여 공통점과 차이점을 이해합니다.

자료 1 프랑스의 과거사 청산

87세의 나이에 나치 부역자로 법정에 선 모리스 파퐁

제2차 세계 대전 이후 프랑스 드골 정권은 1950~1953년 나치 협력 혐의로 모두 35만여 명을 조사하였고, 12만 명 이상을 법정에 세웠다. …… 1964년 프랑스는 전쟁 중 민간인에 저지른 반인도적 범죄에 대해 공소시효를 없앴고, …… 1994년 유대인 처형에 관여한 폴 투비에게 종신형을, 지난 1998년에는 모리스 파퐁에게 10년 금고형을 선고하였다. …… 니콜라스 우즐로(프랑스 국립 기록 보존소) 부소장은 "지난 2014년 프랑스 정부는 해방 70주년을 맞아 기록 보존소에 보관 중인 나치 부역자들의 자료를 공개하며 많은 사회적 갈등을 낳지 않을까 하는 우려가 있었다."라면서도 "하지만 누구에게 책임이 있고 누가 결정을 했는지 등 역사적 진실을 후대에 남기기 위해 공개를 결정하였고, 실제 전시가 열렸을 때는 반발이 없었다."라고 밝혔다.

- 「광주일보」 2018. 10. 12.

자료 2 당시 조사관이 회고하는 반민 특위 활동과 해체

반민 특위 조사관으로 활약한 정○○ 수사관

정○○은 …… 헌병부 사령관을 찾아가 친일 장교 명단을 제출해 줄 것을 요구하기도 했다. 그는 "어린 내 생각에도 학도병은 강제로 끌려갔지만 적어도 장교는 자진해서 친일 행위를 한 자들이라고 생각했기 때문"이라고 말했다. 그러나 □□□은 "나라가 있어야 친일 단죄를 하든지 말든지 할 거 아니냐. 일단 공산당과 싸워 이겨야 나라를 지킨다."라며 오히려 일장 훈시를 하는 것이었다. 이에 격분한 정○○은 "나라 팔아 먹은 자들이 무슨 나라 걱정이냐. 당신들은 나라 걱정할 자격조차 없다."라고 반박하였다고 한다. …… 사무실에 들어서는 순간 경찰들이 갑자기 총을 들이대면서 신분증을 빼앗고 뒷마당으로 끌고 갔다. …… 졸지에 할 일을 잃은 정○○은 집에도 들어가지 못한 채 도피 생활까지 해야 했다.

- 「경향신문」 2004. 8. 29.

[활동 도우미]
- 철저하게 과거사를 청산하려는 프랑스와 독일, 과거사를 부정하는 일본의 경우를 비교해보는 것도 큰 도움이 될 것입니다.
- '기억의 해법' 쓰기는 왜 과거사를 잊지 말아야 하는 지에 대한 근거가 담겨야 합니다. 모둠별로 자유롭게 토론한 뒤 정리한 내용을 글로 작성하는 것도 좋은 방법입니다.

- <자료 1> | 불행한 과거사에서 누가 잘못했는지를 분명히 하고, 진실을 후대에 남겨야 한다는 구절에서 프랑스가 과거사 청산을 강조하는 이유를 엿볼 수 있다.
- <자료 2> | 반민 특위 활동에 어떤 이들이 반발하였는지, 왜 친일 반민족 행위 청산이 좌절되었는지를 짐작할 수 있다.

1. <자료 1>을 참고하여 <자료 2> 에서 파악할 수 있는 우리나라 과거사 청산의 문제점을 말해 보자.

예시 답안 친일파와 그들을 옹호하는 집단의 반발, 정치적 압력 등에 의해 과거사 청산이 철저하게 이루어지지 못하였다.

2. 과거사 청산에는 '망각의 해법'과 '기억의 해법' 두 가지가 있다고 한다. 빈칸에 자신의 생각을 써 보자.

망각의 해법	기억의 해법
개인, 집단 모두 부끄럽거나 드러내고 싶지 않은 기억을 가지고 있다. 가해자이건 피해자이건 지나치게 과거사에 매몰되어 오늘의 중요한 과제를 놓치는 것은 바람직하지 않다. 미래 지향적인 관계를 위해 과거사는 적절하게 묻어 두고 가는 것이 현명한 선택일 것이다.	예시 답안 과거사를 다만 가해자의 입장에서 부정하거나 축소하는 것은 정당하지 않다. 화해란 가해자의 진심어린 사과에서 비롯되어 피해자의 관용으로 완성되는 것이며, 과거사를 기억하는 것은 진정한 화해를 통해 미래 지향적인 관계를 맺는 데 목적이 있는 것이다.

간단 체크 정답 및 해설 37쪽

이승만 정부 시기에 제헌 국회가 친일파 청산을 위해 설치한 특별 위원회의 명칭은? (   )

1 개념 익히기

01 아래 설명이 맞으면 O표, 틀리면 X표를 해 보자.

(1) 1948년 5월 10일 남한 지역에서 실시된 총선거로 제헌 국회가 구성되었다. (　　)

(2) 북조선 인민 위원회는 토지 개혁을 실시하여 북한 통치의 기반을 닦았다. (　　)

(3) 이승만 정부는 반민 특위 활동에 대해 공개적으로 반대의 입장을 표명하였다. (　　)

(4) 남한의 농지 개혁은 무상 몰수·무상 분배의 방식으로 실시되었다. (　　)

02 빈칸에 알맞은 말을 채워 보자.

(1) (　　　　)에서 선출된 국회 의원들은 제헌 국회를 구성하였다.

(2) 38도선 이북에서 (　　　　)은 간접 통치의 방식으로 정치 활동에 큰 영향을 미쳤다.

(3) 제헌 국회는 (　　　　)을 제정하여 친일파 청산의 법적 근거를 마련하였다.

(4) 이승만 정부는 농지 개혁을 위해 가구당 토지 소유 상한선을 (　　　　) 정보로 제한하였다.

03 서로 관련 있는 내용끼리 연결해 보자.

a. 이승만 •	• ㄱ. 북조선 임시 인민 위원회 위원장
b. 조만식 •	• ㄴ. 평안 남도 건국 준비 위원회 위원장
c. 김일성 •	• ㄷ. 독립 촉성 중앙 협의회 회장

04 「제헌 헌법」과 관련된 내용을 <보기>에서 모두 고르시오.

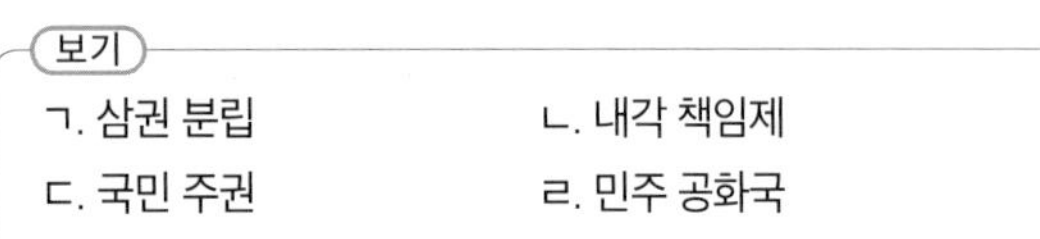
보기
ㄱ. 삼권 분립　　ㄴ. 내각 책임제
ㄷ. 국민 주권　　ㄹ. 민주 공화국

2 내신 유형 익히기

01 중요 자료와 관련된 선거에 대한 탐구 활동으로 가장 적절한 것은?

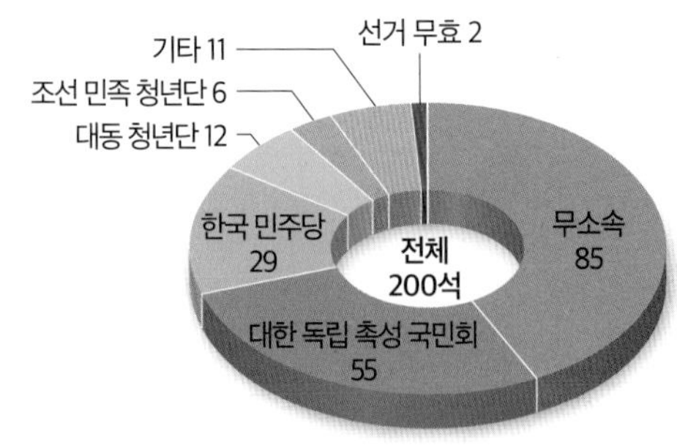

① 제헌 헌법의 전문을 분석한다.
② 정읍 발언의 내용을 조사한다.
③ 좌우 합작 7원칙의 내용을 분석한다.
④ 유엔 소총회의 결의 사항을 조사한다.
⑤ 모스크바 3국 외상 회의 결정 사항을 분석한다.

02 제헌 헌법에 대한 설명으로 옳지 않은 것은?

① 삼권 분립에 입각하여 구성되었다.
② 대한민국의 주권이 국민에게 있음을 밝혔다.
③ 대한민국은 민주 공화국이라는 점을 명시하였다.
④ 대한민국은 대한민국 임시 정부의 법통을 계승하였다고 천명하였다.
⑤ 정부 형태는 국민 직선제에 바탕을 둔 대통령 중심제를 채택하였다.

03 다음 내용과 관련이 깊은 정치 기구는?

> 1947년에 수립된 북한의 최고 집행 기관으로서 조선 인민군 창설, 헌법 초안 확정 등의 정책을 실시하였다.

① 조선 인민 공화국
② 북조선 인민 위원회
③ 조선 건국 준비 위원회
④ 북조선 임시 인민 위원회
⑤ 조선 민주주의 인민 공화국

04 다음 자료와 관련된 활동에 대한 설명으로 옳은 것을 <보기>에서 고른 것은?

> 제2조 일본 정부로부터 작위를 받은 자 또는 일본 제국 의회의 의원이 되었던 자는 무기 또는 5년 이상의 징역에 처하고, 그 재산과 유산의 전부 혹은 2분의 1 이상을 몰수한다.

보기

ㄱ. 북한의 친일파 청산에 큰 영향을 미쳤다.
ㄴ. 실제로 처벌 받은 사람은 극소수에 불과하였다.
ㄷ. 미군정청의 통치 정책이 일정한 영향을 미쳤다.
ㄹ. 대다수의 국민은 사회 혼란을 우려하여 반대하였다.
ㅁ. 이승만 정부는 반공 우선 정책을 내세우며 비협조적 태도를 나타냈다.

① ㄱ, ㄴ ② ㄴ, ㄷ ③ ㄷ, ㄹ
④ ㄱ, ㄷ, ㄹ ⑤ ㄴ, ㄷ, ㅁ

중요

05 다음은 남한의 경작 형태 변화를 나타낸 것이다. 이와 같은 변화의 원인이 된 정책에 대한 설명으로 옳지 않은 것은?

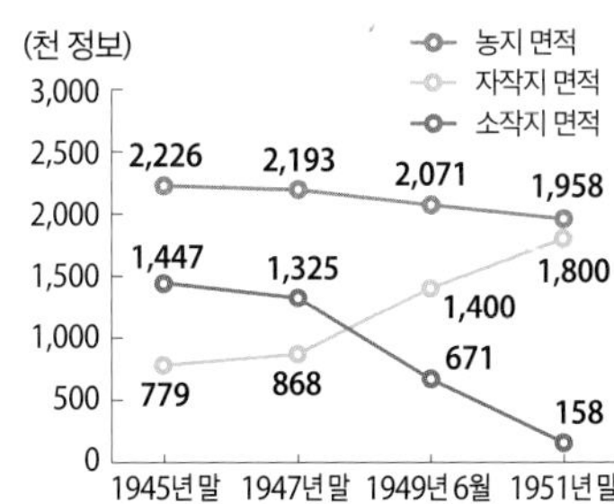

① 지주 계급이 소멸하는 계기가 되었다.
② 토지 소유 상한선을 3정보로 제한하였다.
③ 유상 매입, 유상 분배의 방식으로 추진되었다.
④ 지주는 토지 대금 명목으로 지가 증권을 발급받았다.
⑤ 광복 이후 정부 수립에 필요한 재정을 확보하는 데 목적이 있었다.

서술형 문제

06 다음 자료를 읽고 물음에 답하시오.

> 제1조 일본 정부와 공모하여 국권 피탈에 적극 협력한 자, 한국의 주권을 침해하는 조약 또는 문서에 조인한 자와 모의한 자는 사형 또는 무기 징역에 처하고, 그 재산과 유산의 전부 혹은 2분의 1 이상을 몰수한다.
> 제3조 일제하 독립운동자나 그 가족을 악의로 살상, 박해한 자 또는 이를 지휘한 자는 사형, 무기 또는 5년 이상의 징역에 처하고, 그 재산의 전부 혹은 일부를 몰수한다.

(1) 자료의 법령 명칭을 쓰시오.

(2) 자료와 관련된 정책이 큰 성과를 거두지 못한 이유를 이승만 정부의 태도와 관련지어 서술하시오.

서술형 문제

07 다음 자료를 읽고 물음에 답하시오.

> 2. 다음 농지는 적당한 보상으로 정부가 매수한다.
> 가) 농가가 아닌 자의 농지
> 나) 스스로 경작하지 않는 자의 농지
> 다) 본 법 규정의 한도를 초과하는 부분의 농지

(1) 자료와 관련된 정책의 명칭을 쓰시오.

(2) 자료와 관련된 정책이 당시 사회 안정에 미친 영향을 서술하시오.

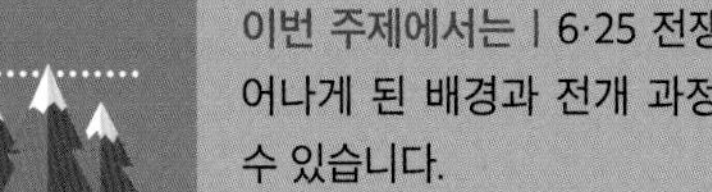

3 6·25 전쟁과 남북 분단의 고착화

주제 61 동족상잔의 비극, 6·25 전쟁

이번 주제에서는 | 6·25 전쟁이 일어나게 된 배경과 전개 과정을 알 수 있습니다.

교실 열기 정전 협정문에 6·25 전쟁의 당사자인 한국 대표의 서명이 없었던 까닭은 무엇일까?

예시 답안 | 이승만 대통령은 북진 통일을 주장하며 정전 회담에 참여하지 않았다.

1 6·25 전쟁 무렵의 국내외 정세

(1) 남북한 간의 갈등: 38도선 일대에서 잦은 무력 충돌 → 위기감 고조

(2) 미국의 동아시아 정책: 일본의 반공 기지화, 적극적으로 공산주의 세력에 대응 → 한국과 타이완을 배제한 미국의 극동 방위선(애치슨 라인[1]) 발표
- 북한은 한반도에서 전쟁이 일어나도 미국이 개입하지 않을 것이라고 판단하였다.

2 북한 정권의 전쟁 준비

(1) 북한의 군사력 강화: 소련의 무기·군사 고문단 지원, 중국과 비밀 군사 협정 체결, 조선 의용군[2] 등 북한 인민군에 편입

(2) 남한의 전력: 북한에 비해 매우 부족, 대부분의 주한 미군 철수

3 6·25 전쟁의 발발

(1) 북한 인민군의 기습 남침(1950. 6. 25.): 전쟁 시작 3일 만에 서울 함락 → 7월 말에는 낙동강 일대까지 진출
- 이승만 정부는 북한 인민군의 남하를 저지하기 위해 한강 철교를 폭파하였고, 이로 인해 많은 민간인이 희생되었다.

(2) 이승만 정부의 위기: 부산으로 수도 이전, 미국에 도움 요청, 국군 지휘권을 유엔군 사령관에 이관

4 유엔군의 참전과 중국군[3]의 개입

(1) 유엔 안전 보장 이사회: 북한을 침략자로 규정 → 유엔군 참전 결의
- 유엔군은 6·25 전쟁 때 처음으로 구성되어 한국에 파병되었으며, 총사령관은 맥아더였다.

(2) 유엔군 참전: 인천 상륙 작전 → 서울 수복 → 38도선 돌파 → 10월 말에는 압록강 일대까지 진출
- 유엔군 진격에 대해 중국은 큰 위기감을 느끼고, 북한 지원을 결정하였다.

(3) 중국군 개입: 국군과 유엔군은 서울을 다시 빼앗기고 한강 이남으로 후퇴(1·4 후퇴)

(4) 전쟁의 교착화: 국군과 유엔군의 재반격 → 서울 재수복 → 38도선 일대에서 치열한 공방전 지속
- 2년 가까이 교착 상태가 지속되면서 양측 모두 대규모로 사상자가 발생하였다.

5 정전 협정 체결

(1) 정전 회담: 소련이 먼저 국제 연합에 정전 제안 → 1951년 7월 정전 회담 개최(이승만 정부는 불참)
- 북진 통일을 주장하며 정전 교섭에 동의하지 않았다.

(2) 군사 분계선 문제: 미국은 정전 회담 당시의 접촉선, 북한·중국은 38도선 주장하며 대립 → 미국의 요구대로 현재의 휴전선 확정

(3) 포로 송환 문제: 이념, 체제의 우월성과 관련 → 합의점 찾기 어려움

① 양측의 주장: 미국은 자유로운 선택, 중국·북한은 본국 송환 요구
- 북한은 노동력이 부족하여 포로들의 송환을 강력하게 요구하였다.

② 이승만 정부의 정전 반대: 반공 포로 석방 → 정전 회담 결렬 위기 초래

③ 결과: 미국의 포로 송환 방침에 공산군 측이 대체로 동의 → 합의 타결

(4) 정전 협정 체결(1953. 7. 27.): 중립국 감독 위원회와 군사 정전 위원회, 비무장 지대(DMZ)[4] 설치 합의
- 이승만 정부도 미국의 한·미 상호 방위 조약 체결, 경제 원조 등을 약속받고 정전 협정을 준수하겠다는 입장을 밝혔다.

개념 쏙쏙

① 애치슨 라인
알류샨 열도 - 일본 - 오키나와 - 필리핀을 연결하는 방어선을 말한다. 한국과 타이완을 배제하여 큰 혼란을 불러일으켰으며, 6·25 전쟁의 발발을 묵인하는 결과를 가져왔다는 비판을 받기도 하였다.

② 조선 의용군
일제 말기 중국에서 활동하였던 조선 독립 동맹의 군사 조직으로서 항일전, 국공 내전에 참여하였다. 3만여 명에 달하는 조선 의용군은 북한에 들어가 인민군의 핵심 전력이 되었다.

③ 중국군
6·25 전쟁 당시 중국(중화 인민 공화국)은 '항미원조(抗美援朝)'를 내걸고 중국 인민 지원군을 파병하였다. 중국군은 무기는 유엔군에 비해 크게 열세였지만, 추위에 강하고 산악전에 능한 장점이 있었다.

④ 비무장 지대(DMZ)
조약, 협정 등에 의해 무장이 금지된 완충 지대이다. 비무장 지대에서는 군대 주둔, 무기 배치, 군사 시설 설치 등을 비롯한 군사 행위를 해서는 안 된다.

정리 교실 교과서 256쪽

㉠ 북한 인민군 ㉡ 인천 ㉢ 중국군 ㉣ 포로

교과서 | 257쪽

탐구 교실 6·25 전쟁을 겪은 사람들

활동 목표 | 6·25 전쟁에 참여한 사람들의 기억과 경험을 통해 전쟁의 참상과 고통을 이해합니다.

자료 1 청소년들의 꿈을 앗아간 6·25 전쟁

전쟁은 미래를 키워 가는 청소년들의 꿈도 집어삼켰다. 6·25 전쟁 당시 수많은 청소년이 학도병, 소년병, 학도 의용군 등의 이름으로 참전하여 목숨을 잃거나 큰 상처를 입었다. 1950년 8월 포항여중 전투에 참여한 학도 의용군 이우근이 쓴 편지에는 전장의 한복판에 서 있는 청소년들의 절절한 심경이 잘 드러나 있다.

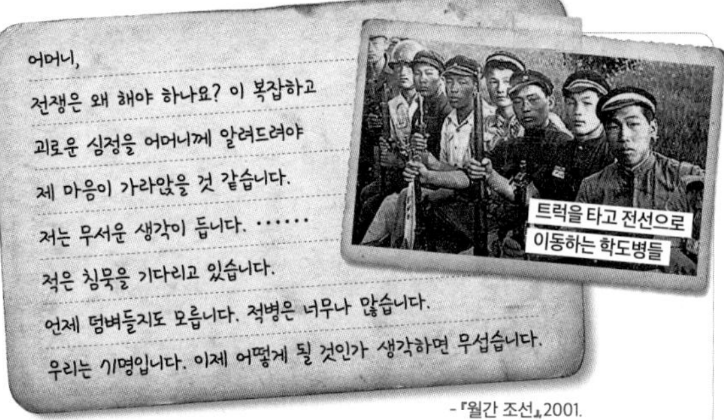
어머니,
전쟁은 왜 해야 하나요? 이 복잡하고
괴로운 심정을 어머니께 알려드려야
제 마음이 가라앉을 것 같습니다.
저는 무서운 생각이 듭니다. ……
적은 침묵을 기다리고 있습니다.
언제 덤벼들지도 모릅니다. 적병은 너무나 많습니다.
우리는 71명입니다. 이제 어떻게 될 것인가 생각하면 무섭습니다.

트럭을 타고 전선으로 이동하는 학도병들

- 「월간 조선」, 2001.

자료 2 6·25 전쟁에 참전한 캐나다 형제의 '백골난망' 우애

캐나다인 조지프와 아치볼드는 한 살 터울로 어렸을 때부터 우애가 두터웠다. 6·25 전쟁이 일어나자 동생 아치볼드는 6·25 전쟁 참전을 위해 곧바로 자원입대하였다. 동생이 걱정되었던 조지프도 이듬해에 입대하였지만, 형제는 같은 부대에 있다는 사실도 몰랐다. 1951년 4월 가평 지구 전투에서 조지프는 적의 총탄에 맞아 크게 다쳤다. 아치볼드는 그리운 형을 만나기 위해 찾아 나섰지만, 조지프는 이미 목숨을 거둔 상태였다. 결국 아치볼드는 형을 부산의 유엔군 묘지에 안장한 뒤 유품을 안고 귀국해야 했다. 2011년 아치볼드는 자신을 형 곁에 묻어 달라는 유언을 남기며 숨을 거두었고, 2012년 그의 유언에 따라 부산 유엔군 묘지에 있는 형의 묘소 옆에 안장되었다.

형 조지프(좌)와 동생 아치볼드(우)

 활동 풀이

1. <자료 1, 2>에 등장하는 인물들이 6·25 전쟁을 어떻게 생각하였을지 말해 보자.

예시 답안 나(아치볼드)는 한국에 대해 별로 아는 바가 없다. 하지만 남의 나라이지만 침략자에 의해 무고한 시민이 희생되고 사회가 파괴되는 것은 막아야 한다는 마음으로 참전하였다. 전쟁 중에 나 역시 형을 잃는 아픔을 겪었지만, 수많은 사람이 목숨을 잃거나 다쳤다. 그리고 살아남은 사람도 큰 고통을 안고 살아가야 한다. 전쟁이 끝나더라도 개인과 집단이 감당해야 할 후유증은 상상을 초월할 것이다. 결국 전쟁은 모든 것을 파괴하는 중대한 범죄 행위이며, 어떠한 이유로도 합리화할 수 없는 것이다.

2. <자료 1, 2>를 활용하여 6·25 전쟁의 참상을 보도하는 60초 분량의 뉴스 대본을 작성해 보자.

예시 답안 저는 지금 서부 전선 ○○ 기지에 나와 있습니다. 긴장된 모습으로 출동을 준비하는 병사를 만나 이야기를 들어보도록 하겠습니다.

기사: 전투를 앞두고 두렵지 않습니까?

병사: 당연히 두렵지요. 이틀 전에도 우리 중대원 여러 명이 목숨을 잃었습니다. 저도 언제 죽을지 모른다는 생각을 늘 해요. 어머니 얼굴이 그립습니다. 제 걱정을 많이 하실텐데 정말로 꼭 한번 보고 싶어요. (이하 생략)

활동 도우미

- 자신이 학도병 혹은 외국인이라고 감정이입하고 전쟁터에서 어떤 생각을 했을 지를 진지하게 고민해 보아야 합니다.
- 뉴스 보도를 어떤 형식으로 작성할 것인지 먼저 결정해야 합니다. 더 중요한 것은 뉴스 보도 형식과 조금 어긋나더라도 전쟁의 참상을 진정성있게 생각하고 글로 표현하는 것입니다.

자료 해설

- **<자료 1>** | 학도병 이우근이 전투 참가를 앞두고 절절한 심정으로 어머니에게 보내는 편지글이다.
- **<자료 2>** | 남의 나라 전쟁에 참전한 캐나다의 두 형제 이야기이다. 친형제를 잃은 아픔을 통해 6·25 전쟁이 우리나라만의 전쟁이 아니었다는 사실을 알 수 있다.

간단 체크 정답 및 해설 38쪽

6·25 전쟁 중 이승만 대통령은 효과적인 군사 작전을 위해 국군 지휘권을 (　　) 사령관에게 이관하였다.

3 6·25 전쟁과 남북 분단의 고착화

주제 62 전쟁의 상처와 남북 분단의 고착화

이번 주제에서는 | 6·25 전쟁이 남긴 상처와 국제 정세의 변화, 남북한 전후 복구 사업의 내용을 알 수 있습니다.

교실 열기 **미국이 우리나라에 원조 물자를 보낸 까닭은 무엇일까?**

예시 답안 | 한국 사회의 안정을 위해 지원이 필요하고, 미국 내 잉여 농산물 처리에 도움이 되었다.

1 6·25 전쟁이 남긴 상처

(1) 전쟁 피해: 수많은 이산가족과 전쟁고아 발생, 공장 등 산업 시설과 주택·도로 등 사회 기반 시설 등 파괴 → 식량, 주택, 생필품 부족

(2) 대규모 민간인 희생 — 사망자는 최대 100만 명으로 추정하며, 대부분 공권력에 의해 희생되었다.

① 배경: 한반도 전역에 걸쳐 전선 형성, 이념적 대립

② 내용: 국민 보도 연맹 사건, 경남 거창·충북 영동의 노근리 등에서 민간인 희생, 북한 인민군의 점령지 인민 재판[1] 등

- 미군이 300여 명의 민간인을 적대 세력으로 간주하여 집단 사살한 사건이다.
- 6·25 전쟁이 일어나자 군경은 연맹원들을 위협 세력으로 간주하여 곳곳에서 재판도 없이 처형하였다.

③ 영향: 남북 상호 간 적대감이 깊어져 분단의 고착화

2 전쟁 이후 국내외 정세 변화

1948년에 제정된 국가 보안법은 반공주의 이념을 법률적으로 뒷받침하였다.

남한	이승만 정부의 '반공주의' 이념 강화 → 헌법 개정 등을 통해 장기 집권 체제 구축
북한	김일성을 정점으로 한 사회주의 독재 체제 확립 → 남한에 대한 군사적 도발 감행
미국	한·미 상호 방위 조약 체결, 주한 미군 파견 → 동아시아에 영향력 강화
중국	유엔군과 대등한 군사력 확인 → 국제 사회에서 위상이 크게 높아짐.
일본	전쟁 특수로 경제 번영 → 치안 유지를 명분으로 자위대 조직

중국은 1971년 유엔 안전 보장 이사회 상임 이사국이 되었다.

3 6·25 전쟁과 사회·문화의 변화

(1) 사회 변화: 인구 감소, 사회적 이동 활발 → 가족 제도 변화, 공동체 의식 약화, 여성의 사회 활동 확대

(2) 문화 변화: 서구의 대중문화 보급, 일상생활 변화, 나일론 보급 등

4 전후 복구 사업과 원조 경제

(1) 남한의 전후 복구 사업

① 이승만 정부: 귀속 재산, 미국 원조 물자 매각 등을 통해 재정 마련 → 전후 복구에 활용, 일부 기업에 특혜 제공

- 일제 강점기 일본인이 소유하였던 공장, 농지 등의 재산이다.
- 제분, 제당, 면방직 산업의 원료인 밀, 사탕수수, 면화가 모두 흰색이어서 붙여진 이름이다.

② 미국의 경제 원조: 대규모 잉여 농산물[2] 제공 → 식량 문제 다소 해결 기여, 삼백 산업 등 소비재 산업 발달, 미국에 대한 경제 의존도 심화, 제조업 발달에는 큰 도움이 되지 못함, 일부 농민들에게 큰 피해

- 국내 농산물 가격이 하락하면서 농가 소득이 낮아지고, 면화와 밀 생산이 큰 타격을 받았다.

(2) 북한의 전후 복구 사업

① 사회주의 국가들의 지원: 소련 등의 도움을 받아 전후 복구 사업 전개

② 사회주의 경제 체제 확립: 생산과 소비를 국가가 통제, 개인 상공업과 부분적인 사유제 폐지, 농업 협동화[3], 천리마운동[4] 전개

③ 한계: 중공업, 군수 공업에 치중 → 생활 수준 낙후, 산업 간 불균형 심화

개념 쏙쏙

① 인민 재판
북한에서 법관 대신 민중이 공개된 장소에서 실시하는 재판으로 사법 절차를 따르지 않으므로 정당하지 못한 판결이 나올 우려가 많다. 인민 재판은 6·25 전쟁 당시 북한 인민군 점령 지역에서 광범위하게 실시되었다.

② 잉여 농산물
미국 정부가 해외 경제 원조 등 일정한 목적을 달성하기 위해 미리 구입해 둔 과잉 생산 농산물이다. 잉여 농산물을 제공받은 한국은 식량 문제 해결에 큰 도움을 받았고, 미국은 과잉 생산으로 인한 농업 공황을 방지하는 효과가 있었다.

③ 농업 협동화
6·25 전쟁 후 북한은 사적으로 소유하고 있던 농지를 지역별로 협동 조합에 귀속시켜 사회주의적 집단 경영으로 전환하였다. 여기에는 노동력이 부족하여 가족 단위로 농사를 지을 수 없었던 사정도 큰 영향을 미쳤다.

④ 천리마운동
북한에서 하루에 천리를 달리는 천리마와 같은 속도로 사회주의 경제를 건설하자는 뜻의 노동 강화 운동이다. 1957년부터 본격적으로 추진되었으며, 북한의 전후 복구 사업에 일정한 성과를 올리기도 하였다.

정리 교실 교과서 260쪽

㉠ 반공주의 ㉡ 한·미 상호 방위 조약 ㉢ 삼백 산업 ㉣ 사회주의 독재 체제

교과서 | 261쪽

탐구 교실 키워드로 보는 1950년대 한국 사회

활동 목표 | 6·25 전쟁을 치르면서 1950년대 한국 사회가 어떻게 변화하였는지를 키워드를 통해 파악합니다.

반공 반공 이념은 6·25 전쟁을 거치며 남한 사회에 확고히 뿌리 내렸다. 반공은 국가 정책의 기본 방침을 의미하는 국시(國是)로 자리 잡았으며, 정치 활동은 물론 문화·예술 등에 이르기까지 사회 전반을 지배하는 이념이 되었다. 학교에서는 『반공 독본』이라는 교과서로 수업을 하였고, 반공 글짓기 대회와 표어·포스터 그리기 대회 등이 수시로 개최되었다. 또한 학생들은 각종 반공 집회, 궐기 대회에 동원되었다.

1950년대 반공 포스터와 교과서 『반공 독본』

2부제·3부제 수업 6·25 전쟁이 끝나고 사회가 안정되자, 출생률이 높아졌다. 그러나 학교 시설은 충분하지 못하여 교육이 제대로 이루어지기 어려웠다. 초등학교는 문제가 더욱 심각하여 한 학급 학생이 100명이 넘는 경우도 흔하게 볼 수 있었다. 교육 당국은 열악한 교육 환경을 조금이나마 해소하기 위해 오전반과 오후반, 심지어 저녁반으로 학급을 나누는 2부제·3부제 수업을 하였다. 이러한 상황은 1960년대에도 계속되었다.

수업을 위해 운동장에서 기다리는 학생들

영화와 대중가요 6·25 전쟁 이후 유입된 미국 문화는 영화, 대중가요 등에 많은 영향을 끼쳤다. 서부 영화와 같은 미국 영화들이 영화관에서 큰 인기를 끌었고, 미군 부대 주위의 댄스홀을 통해 미국 대중음악이 소개되었다. 주한 미군에 위문 공연을 온 미국 연예인들의 공연이 라디오를 통해 중계되기도 하였다. 한편 1950년대 중반부터 「춘향전」, 「시집가는 날」 등 국산 영화도 다수 제작되어 전국 곳곳에서 상영되었다. 「이별의 부산 정거장」 등과 같은 대중가요도 분단과 전쟁의 고통을 감내하였던 당시 사람들에게 큰 인기를 끌었다.

미군 기지를 방문한 메릴린 먼로(1954)

활동 도우미

- 1번 과제는 주제가 광범위하므로 반공 이념, 경제적 어려움, 교육열, 대중문화 등 어느 하나를 선정하여 글을 작성하는 것이 좋습니다.
- 2번 과제는 대부분 생소한 내용이므로 참고 자료, 인터넷 등을 활용해서 해결하는 것이 좋습니다.

자료 해설

- 반공 이념 확산, 2부제·3부제 수업, 영화와 대중가요의 발전 등은 1950년대 한국 사회의 민낯과 변화하는 모습을 짐작할 수 있는 대표적인 키워드이다. 이와 관련된 동영상, 사진 자료, 음악 등을 아울러 조사하면 당시 사회에 대한 이해가 더욱 깊어질 수 있다.

활동 풀이

1. 위 사례들을 통해 6·25 전쟁이 1950년대 한국 사회에 끼친 영향이 무엇인지 생각해 보자.

예시 답안 <주제 : 반공 이념> 6·25 전쟁의 주된 원인 가운데 하나는 남북한 간의 이념적 대립이었다. 남한에서는 대한민국 정부 수립 과정에서 반공 이념이 전면적으로 부각되었는데, 3년 가까운 전쟁을 치르면서 반공 이념은 더욱 강화되어 정치, 경제, 사회, 문화 등 모든 분야의 기준으로 작용하였다. 반공 이념은 이승만 대통령이 정치적 반대 세력을 억압하는 데 활용하는 등 정치적으로 악용되기도 하였다. 제3대 대통령 선거 후 진보당 사건은 대표적인 사례에 해당한다.

2. 1950년대 한국 사회의 특징을 보여 주는 다른 사례들을 조사해 보자.

예시 답안 <꿀꿀이죽> 미군들이 먹다 버린 음식 찌꺼기를 모아 다시 끓여낸 것으로, 'UN탕'이라고도 불렀다. 오늘날 흔히 볼 수 있는 '부대찌개'도 꿀꿀이죽에서 유래한 음식이다.
<피란살이> 6·25 전쟁이 일어나자 북한 인민군을 피해 200만 명 이상의 주민이 남쪽으로 피란을 떠났다. 특히, 부산 일대에는 피란민이 집중적으로 모여들어 큰 어려움을 겪어야만 했다. 피란민들은 전쟁이 끝나자 서울 등지로 옮겨갔는데, 대중 가요 '이별의 부산 정거장'은 부산을 떠나는 피란민의 애절한 심정을 잘 표현하고 있다.

간단 체크 정답 및 해설 38쪽
이승만 정부는 반공 이념을 권력 강화에 악용하는 경우가 많았다. (O, X)

1 개념 익히기

01 아래 설명이 맞으면 O표, 틀리면 X표를 해 보자.

(1) 애치슨 라인에서 한국, 타이완은 미국의 극동 방어선에서 제외되었다. ( )

(2) 인천 상륙 작전은 유엔군이 불리한 전세를 역전시키는 발판이 되었다. ( )

(3) 미국의 경제 원조는 남한에서 특히 제조업이 발달하는 데 큰 도움이 되었다. ( )

02 빈칸에 알맞은 말을 채워 보자.

(1) 김일성은 전쟁 준비를 위해 ( )과 비밀 군사 협정을 맺었다.

(2) 정전 회담의 결과 남북한은 오늘날의 ( )을 사이에 두고 대치하게 되었다.

(3) 6·25 전쟁 중에 발생한 대규모 ( ) 희생은 분단이 굳어지는 데 큰 영향을 미쳤다.

(4) ( )은 전후 복구 사업을 추진하면서 개인 상공업과 부분적인 사유제를 폐지하였다.

03 서로 관련 있는 내용끼리 연결해 보자.

a. 이승만 정부의 권력 강화 •	• ㄱ. 반공주의 이념 확산
b. 미국의 잉여 농산물 제공 •	• ㄴ. 천리마운동 전개
c. 북한의 전후 복구 사업 추진 •	• ㄷ. 삼백 산업 발달

04 6·25 전쟁 이후 국제 정세의 변화에 대해 옳게 설명한 것을 <보기>에서 모두 고르시오.

보기
ㄱ. 미·소 대립 완화
ㄴ. 일본의 경제 부흥
ㄷ. 중국의 국제적 지위 향상
ㄹ. 동아시아에서 미국의 영향력 축소

2 내신 유형 익히기

중요

01 6·25 전쟁 무렵의 국내외 정세에 대한 설명으로 옳지 <u>않은</u> 것은?

① 남북한 간의 정치적, 군사적 갈등이 심화되었다.
② 북한 김일성은 소련, 중국을 방문하여 지원을 약속받았다.
③ 주한 미군은 일부 군사 고문단을 제외하고는 대부분 철수하였다.
④ 중국 내전에 참여하였던 조선 의용군은 북한 인민군에 편입되었다.
⑤ 미국은 애치슨 선언에서 한국, 일본, 타이완을 극동 방위선에서 제외하였다.

[02~03] 다음은 6·25 전쟁의 전개 과정을 정리한 것이다. 이를 보고 물음에 답하시오.

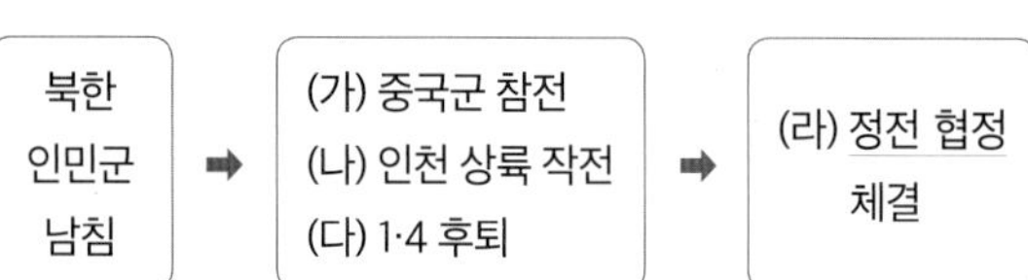

02 (가)~(다)를 순서대로 나열한 것은?

① (가) - (나) - (다)　② (가) - (다) - (나)
③ (나) - (가) - (다)　④ (나) - (다) - (가)
⑤ (다) - (나) - (가)

중요

03 밑줄 친 '(라) 정전 협정'에서 쟁점이 되었던 사항을 <보기>에서 고른 것은?

보기
ㄱ. 포로 송환 방식
ㄴ. 군사 분계선 설정 문제
ㄷ. 민간인 희생자 피해 보상
ㄹ. 전후 복구 지원의 규모와 방법

① ㄱ, ㄴ　② ㄱ, ㄷ　③ ㄴ, ㄷ
④ ㄴ, ㄹ　⑤ ㄷ, ㄹ

총 문항수	8	처음 푼 날	월 일
정답 및 해설	38쪽	오답 푼 날	월 일

중요

04 다음 자료는 6·25 전쟁의 영향을 정리한 것이다. (가), (나)에 해당하는 국가를 바르게 연결한 것은?

> (가) 전쟁 특수로 막대한 이익을 취하여 오늘날 경제 대국의 토대를 마련하였다.
> (나) 유엔군과 대등한 군사력을 확인함으로써 국제 사회에서 위상이 크게 높아졌다.

(가) (나)

① 일본 - 소련
② 일본 - 중국
③ 미국 - 소련
④ 소련 - 중국
⑤ 중국 - 소련

05 자료와 관련된 설명으로 옳지 않은 것은?

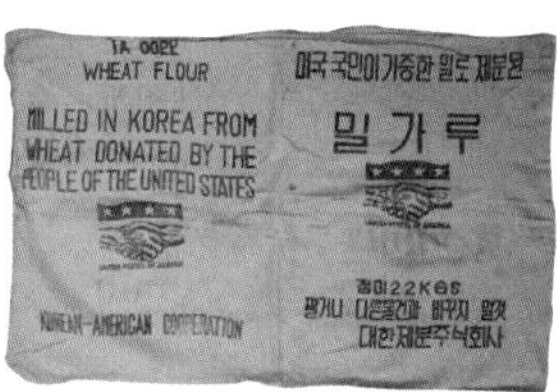

① 식량 부족 문제를 해결하는 데 큰 도움이 되었다.
② 국내 농산물 가격이 하락하는 문제가 발생하였다.
③ 삼백 산업과 같은 소비재 산업 발달을 촉진하였다.
④ 국내 제조업 붕괴를 초래하여 실업자가 급증하였다.
⑤ 미국에 대한 경제 의존도가 심화되는 결과를 낳았다.

06 다음 설명의 근거로 옳은 것을 <보기>에서 고른 것은?

> 6·25 전쟁 이후 북한은 복구 과정에서 생산과 소비를 국가가 통제하는 사회주의 경제 체제를 확립하였다.

보기
ㄱ. 토지 개혁 실시
ㄴ. 개인 상공업 폐지
ㄷ. 부분적 사유제 폐지
ㄹ. 농업 협동화 정책 추진

① ㄱ, ㄷ
② ㄴ, ㄹ
③ ㄱ, ㄴ, ㄷ
④ ㄴ, ㄷ, ㄹ
⑤ ㄱ, ㄴ, ㄷ, ㄹ

서술형 문제

07 다음 글을 읽고 물음에 답하시오.

> 이 방위선은 알류샨 열도에서 일본을 거쳐 오키나와, 필리핀 군도에 이어진다. …… 기타 태평양 지역의 군사적 안전 보장에 관해서 말하자면, 누구라도 이 지역을 군사적 공격으로부터 안전을 보장할 수 없다는 점을 명백히 밝힌다.

(1) 밑줄 친 '이 방위선'의 명칭을 쓰시오.

(2) 자료의 내용이 6·25 전쟁의 발발에 미친 영향을 서술하시오.

서술형 문제

08 다음 글을 읽고 물음에 답하시오.

> 한 개의 군사 분계선을 확정하고 쌍방이 이 선으로부터 2km씩 후퇴함으로써 적대 군대 간에 한 개의 (　　) 지대를 설정한다. 한 개의 (　　) 지대를 설정하여 이를 완충 지대로 함으로써 적대 행의의 재발을 초래할 수 있는 사건의 발생을 방지한다.

(1) 빈칸에 공통적으로 들어갈 내용을 쓰시오.

(2) 자료와 관련된 협정에서 양측이 공방을 벌였던 두 가지 핵심 쟁점과 합의 사항을 서술하시오.

교과서 262~265쪽

4·19 혁명과 민주화를 위한 노력

주제 63 민주화를 열망한 4·19 혁명

이번 주제에서는 | 4·19 혁명의 내용과 이후 한국 사회에 미친 영향을 알 수 있습니다.

교실 열기 어린 학생들이 거리로 뛰쳐나온 까닭은 무엇일까?

예시 답안 | 이승만 정권의 무차별적인 폭력에 가족과 이웃들이 희생되는 것을 막고자 하였다.

1 장기 집권을 위한 헌법 개정

(1) 제2대 국회 의원 선거(1950): 이승만 정부에 비판적인 의원 다수 당선 → 이승만 대통령의 재선 가능성 낮아짐.
- 6·25 전쟁 발발 직전에 실시되었다.

(2) 발췌 개헌(1952): 비상계엄령 선포, 야당 국회 의원 체포(부산 정치 파동[1]) 등 공포 분위기 조성 → 대통령 직선제 개헌안 통과, 제2대 대통령 당선(1952)

(3) 사사오입 개헌(1954)[2]: 이승만 대통령의 중임 제한 폐지 개헌안 발의 → 국회에서 부결 → 사사오입 논리로 국회 통과 선포, 제3대 대통령 당선(1956)

(4) 정치적 반대 세력 탄압: 1956년 선거에서 부통령에 야당 후보 당선, 무소속 조봉암의 돌풍(평화 통일 주장) → 조봉암 제거(진보당 사건), 『경향 신문』 폐간 등
- 이승만은 500만표, 조봉암은 예상보다 훨씬 많은 210만표를 획득하였다.
- 2011년 대법원은 진보당 사건 재심에서 조봉암에게 무죄를 선고하였다.

2 4·19 혁명의 전개

(1) 3·15 부정 선거(1960): 제4·5대 정·부통령 선거 → 특히 부통령 당선을 목적으로 대대적인 부정 선거 시행 → 마산 등지에서 부정 선거 규탄 전개 → 경찰의 강경 진압, 고등학생 김주열 시신 발견 → 시위 격화
- 야당 출신 부통령이 당선되면 이승만 대통령 유고시 정권이 교체될 수 있었다.

(2) 4·19 혁명(1960)

① 4월 18일: 시위를 마치고 돌아가던 고려대 학생들이 정치 폭력배의 습격으로 부상을 입음.

② 4월 19일: 서울의 중·고등학생과 대학생, 시민 등 수십만 명이 시위 가담 → 경찰 발포로 많은 사상자 발생 → 전국으로 대규모 시위 확산

③ 이승만 정부 붕괴: 이승만 정부의 비상계엄 선포, 군대 투입 → 계엄군의 중립 유지, 미국의 민주화 촉구, 대학교수들의 시위 → 이승만 대통령 하야(하와이로 망명)
- 계엄 사령관은 발포를 금지하고, 시위 진압 명령을 이행하지 않았다.

④ 의의: 시민의 힘으로 독재 정권 타도 → 이후 민주화 운동의 밑거름

3 내각제 개헌과 장면 내각

(1) 과도 정부 수립
- 이승만 대통령이 물러난 후 허정을 중심으로 하는 과도 정부가 수립되었다.

① 헌법 개정: 3·15 부정 선거 무효화, 대통령 중심제 폐지 → 내각 책임제[3], 양원제 국회를 특징으로 하는 개헌 단행
- 상원에 해당하는 참의원, 하원에 해당하는 민의원으로 구성되었다.

② 새 정부 출범: 국회 의원 선거에서 민주당 압승 → 대통령-윤보선, 국무총리-장면

(2) 장면 내각

① 경제 건설: 경제 개발 5개년 계획 수립, 도로와 교량 건설 등 국토 건설 사업 전개

② 국민 기본권 신장 노력: 지방 자치제 시행, 공무원 공개 채용 제도, 경찰 중립화 등

③ 한계: 부정 선거와 부정 축재자 처벌, 각종 민주화 요구와 민간 차원 통일 운동 등에 소극적으로 대처 → 민주화가 크게 진전되지 못함.
- 4·19 혁명을 '미완의 혁명'이라고 평가하기도 한다.

개념 쏙쏙

① 부산 정치 파동
1952년 이승만 대통령은 재선과 권력 강화를 위해 대통령 직선제 도입을 핵심으로 한 개헌안을 제출하였다. 그러나 개헌이 순조롭게 이루어지지 않자 야당 국회 의원들을 강제로 연행하고 공포 분위기를 조성하였다.

② 사사오입 개헌(1954)
당시 재적 국회 의원 203명 중 개헌 정족수는 3분의 2인 136명이었는데, 실제 투표 결과 135명이 찬성하여 개헌안은 1표 차이로 부결되었다. 이에 자유당 정권은 변칙적으로 수학의 반올림 개념을 이용하여 개헌 정족수가 135명이라고 주장하며 개헌안이 통과되었음을 선포하였다.

③ 내각 책임제
내각이 의회 다수당의 신임에 따라 존속하는 의회 중심주의의 정부 형태로서, 의원 내각제 혹은 의회 정부제라고 부르기도 한다. 영국과 일본이 대표적으로 내각 책임제 정부 형태를 취하고 있으며, 우리나라는 4·19 혁명 후 장면 내각에서 잠시 시행된 바 있다.

정리 교실 교과서 264쪽

㉠ 직선제 ㉡ 조봉암 ㉢ 4·19 혁명 ㉣ 내각 책임제 ㉤ 장면 내각

교과서 | 265쪽

탐구 교실 4·19 혁명 이후 나타난 민주화 논의들

활동 목표 | 4·19 혁명 당시 다양한 계층의 요구를 통해 4·19 혁명이 추구한 목표를 이해합니다.

㉮ 교사들의 요구

우리는 학생들을 건전하고 양심적인 민주 시민으로 기르기를 원합니다. 이를 위해서는 교육의 자주성과 학원의 민주화가 보장되어야 합니다. 또한 사학 재단의 부정과 비리를 해결할 수 있는 방법도 모색해야 합니다.

㉯ 학생들의 요구

학교를 군대 병영처럼 만들었던 학도 호국단을 없애고 민주적인 학생회를 조직해야 합니다. 또한 4·19 혁명을 실현하기 위해서는 자주적이고 평화적인 통일이 이루어지도록 노력해야 합니다.

㉰ 노동자들의 요구

물가는 계속 오르지만 우리의 임금은 그대로입니다. 회사의 수입은 증가하고 있지만, 우리 임금에는 반영되지 않고 있습니다. 노동자의 권익을 향상하기 위해서는 민주적인 노동조합 결성이 필요하다고 생각합니다.

㉱ 민간인 학살 희생자 유족들의 요구

6·25 전쟁 중 우리 가족은 억울하게 목숨을 잃었습니다. 이승만 정부 때에는 말도 꺼내지 못했지만, 4·19 혁명을 계기로 이제 철저히 조사해야 합니다. 관련자들을 처벌하고, 희생자들의 명예를 회복해 주어야 합니다.

활동 풀이

1. (가)~(라)의 인물들이 무엇을 주장하고 있는지 정리해 보자.

- **(가) 교사들의 요구**: 예시 답안 교육의 자주성 확보와 민주적인 학교 운영
- **(나) 학생들의 요구**: 예시 답안 민주적인 학교 문화와 평화 통일 운동 보장
- **(다) 노동자들의 요구**: 예시 답안 노동자 권익 향상과 노동 조합 결성의 자유
- **(라) 민간인 학살 희생자 유족들의 요구**: 예시 답안 민간인 희생자 명예 회복과 정당한 보상

2. 4·19 혁명으로 출범한 장면 내각이 위와 같은 다양한 요구를 적절히 수용하지 못한 이유가 무엇인지 생각해 보자.

예시 답안 장면 내각은 정치적 지향점이 4·19 혁명으로 붕괴된 자유당 정권과 본질적으로 큰 차이가 없어서 사회 각계각층에서 분출되는 다양한 요구를 수용하는 데 한계가 있었다. 여기에 정치적 주도권을 차지하기 위한 민주당 내부의 정치적 갈등, 국가 재정 빈곤, 경제적 어려움 등도 장면 내각이 4·19 혁명 이후 과감하게 개혁 정책을 추진하고, 사회 변화를 주도적으로 이끌어가지 못한 이유가 되었다.

- ㉮~㉱를 읽은 다음 핵심어를 찾고, 핵심어를 중심으로 각각의 주장을 한 문장으로 정리해 봅시다.
- 2번 과제는 배경 지식이 필요합니다. 4·19 혁명을 계기로 정권 교체는 이루어졌지만, 장면 내각(민주당)은 앞선 이승만 정부(자유당)와 정치적 지향점에서 큰 차이가 없었다는 점에 주목할 필요가 있습니다. 아울러 장면 내각이 어려운 조건 속에서도 경제 개발, 국민 기본권 신장 등 여러 가지 노력을 전개하였다는 점도 놓치지 말아야 합니다.

- 4·19 혁명을 계기로 사회 각계각층에서 민주화를 요구하는 주장이 커졌다. ㉮ 교육의 자주성과 학원 민주화를 요구하는 교사, ㉯ 민주적인 학교 문화와 자유로운 통일 운동을 주장하는 학생, ㉰ 노동 조건 개선과 노조 운동을 강조한 노동자, ㉱ 억울한 민간인 희생자의 명예 회복을 기대하는 유족은 대표적인 사례에 해당한다.

간단 체크 정답 및 해설 39쪽

4·19 혁명 직후 과도 정부는 내각 책임제를 중심으로 한 개헌을 단행하였다. (O, X)

교과서 266~269쪽

4·19 혁명과 민주화를 위한 노력

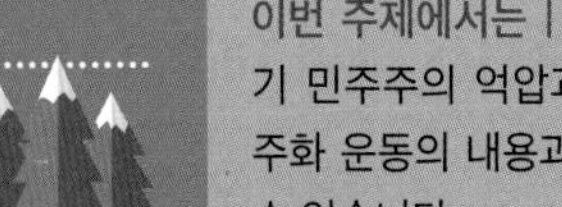

주제 64 박정희 정부의 성립과 유신 체제

이번 주제에서는 | 박정희 집권 시기 민주주의 억압과 이에 맞선 민주화 운동의 내용과 의의를 이해할 수 있습니다.

교실 열기 「유신 헌법」은 우리 사회에 어떤 영향을 미쳤을까?

예시 답안 | 1인 장기 집권 체제가 형성되면서 인권 등 국민의 보편적 권리가 크게 억압받았다.

1 5·16 군사 정변과 박정희 정부의 성립

(1) 5·16 군사 정변(1961): 박정희 등 일부 군인이 정변을 일으킴. → 헌정 중단, 국가 재건 최고 회의[1] 구성

→ 군사 정부는 국민들의 지지를 얻기 위해 부정 축재자와 폭력배 처벌, 농어민 부채 탕감 등의 조치를 실시하였다.

(2) 박정희 정부 성립: 대통령 중심제·국회 단원제 헌법 개정, 중앙정보부 신설, 민주 공화당 창당 → 제5대 대통령 당선(1963)

2 한·일 국교 정상화

(1) 배경: 박정희 정부의 경제 개발 자금 필요 → 미국은 동아시아 지역 군사비 축소를 위해 한·미·일 집단 안보 체제 추진, 일본은 새로운 시장 확보 필요

(2) 한·일 국교 회담: 일본은 경제 협력 자금 명목의 지원금과 유·무상 차관 제공 → 박정희 정부는 식민 지배에 대한 사죄, 정당한 배상 등 요구 외면

→ 일본은 식민 지배에 대한 책임을 회피하기 위해 '배상금' 대신 '독립 축하금'이라는 표현을 사용하기도 하였다.

(3) 한·일 국교 수립: 국민들은 대일 굴욕 외교로 간주, 범국민적인 정권 퇴진 운동 전개(6·3 시위) → 비상계엄령 선포, 한·일 협정 체결(1965)

→ 박정희 정부는 강제 징용 배상, 독도, 문화재 반환 등 주요 현안을 외면하여 오늘날에도 갈등을 빚고 있다.

3 베트남 파병

(1) 내용: 미국의 파병 요청 → 브라운 각서를 통해 국군 현대화, 경제 지원 약속

(2) 결과: 박정희 정부의 경제 개발 추진에 도움 → 국군 장병 희생, 고엽제 피해자, 베트남 민간인 희생, 한국인 2세 문제('라이따이한') 등 발생

4 3선 개헌과 유신 체제의 성립

(1) 3선 개헌: 장기 집권을 위해 대통령의 3선 연임을 허용하는 개헌안을 국회에서 통과 → 제7대 대통령 당선(1971)

→ 박정희는 야당의 김대중 후보를 약 100만 표 차이로 누르고 가까스로 당선되었다.

(2) 유신 체제의 성립

① 배경: 국제 여론 악화, 미·중 관계 개선(닉슨 독트린[2]), 민주화 요구 고조

② 과정: 안보와 통일, 7·4 남북 공동 성명 등을 명분으로 제시 → 유신 헌법 제정(1972), 국민 투표를 통해 확정 → 제8대 대통령 당선(1972)

③ 유신 헌법의 특징: 대통령 권한 대폭 강화 → 대통령 임기 6년(간선제, 연임 제한 폐지), 통일 주체 국민 회의[3] 설치, 국회 의원의 3분의 1을 사실상 임명, 국회 해산권, 긴급 조치권 발동 등

5 유신 체제에 맞선 민주화 운동

→ 유신 체제를 '겨울 공화국'이라고 부르기도 한다.

(1) 내용: 국민의 기본권 억압 → 개헌 청원 100만 명 서명 운동, 3·1 민주 구국 선언 등

(2) 유신 체제 붕괴: 국제 사회의 유신 체제 비판, 경제적 어려움(제2차 석유 파동[4]), YH 무역 사건, 부·마 민주화 운동 발생 등으로 위기 → 박정희 대통령 피살(10·26 사태, 1979)

개념 쏙쏙

① 국가 재건 최고 회의
5·16 군사 정변 직후 정변 주도 세력이 설치한 국가 최고 통치 의결 기관으로서, 입법·사법·행정의 3권을 행사하였다.

② 닉슨 독트린
1969년 미국 대통령 닉슨이 발표한 아시아 외교 정책이다. 미국의 국제 분쟁 개입 자제, 아시아 각국은 스스로 안보를 책임져야 한다는 내용이 담겨 있다. 닉슨 독트린은 미국과 중국 수교의 디딤돌이 되었고, 한국에서는 주한 미군 철수가 추진되었다.

③ 통일 주체 국민 회의
유신 헌법에서 새로 설치된 헌법 기관으로, 대의원은 국민의 직접 선거를 통해 선출하였다. 대의원은 토론 없이 무기명 투표로 대통령을 선출하였으며, 대통령이 추천한 국회 의원 정수의 3분의 1을 최종 확정하는 권한을 지녔다. 여기에서 선출된 국회 의원은 유신 정우회(유정회)라는 이름의 원내 교섭 단체를 구성하였다.

④ 제2차 석유 파동
1978년 석유 수출국 회의 기구(OPEC)는 원유 가격을 14.5%나 인상하였고, 주요 산유국들이 석유 생산을 대폭 줄였다. 그 결과 세계 원유 가격이 급등하였고, 우리나라와 같은 비산유국은 심각한 경제 위기를 겪게 되었다

정리 교실 교과서 268쪽

㉠ 한·일 협정 ㉡ 베트남 파병
㉢ 7·4 남북 공동 성명 ㉣ 긴급 조치
㉤ YH 무역 사건

교과서 | 269쪽

탐구 교실 긴급 조치를 통해 본 「유신 헌법」의 반민주성

활동 목표 | 유신 헌법의 긴급 조치를 통해 민주주의 억압과 인권 탄압의 구체적인 실상을 이해합니다.

자료 1 주요 긴급 조치

긴급 조치 1호(1974. 1. 8.)

- 대한민국 헌법을 부정, 반대, 왜곡 또는 비방하는 일체의 행위를 금한다.
- 대한민국 헌법의 개정 또는 폐지를 주장, 발의, 제안, 또는 청원하는 일체의 행위를 금한다.
- 유언비어를 날조, 유포하는 일체의 행위를 금한다.
- 위에서 금지한 행위를 권유, 선동, 선전하거나, 방송·보도·출판·기타 방법으로 이를 타인에게 알리는 모든 언동을 금한다.
- 이 조치에 위반한 자와 이 조치를 비방한 자는 법관의 영장 없이 체포, 구속, 압수, 수색하며 15년 이하의 징역에 처한다.

긴급 조치 4호(1974. 4. 3.)

- 전국 민주 청년 학생 총연맹(민청학련) 및 관련 단체를 조직하거나 …… 이에 가입하거나 …… 활동을 찬양·고무·동조하거나 …… 활동에 직간접으로 관여하는 것을 금지한다.
- 학생의 정당한 이유 없는 출석 거부, 수업 또는 시험의 거부, 학교 내외의 집회, 시위, 성토, 농성, 그 외의 모든 개별적 행위를 금지하고 …… 이 조치를 위반한 학생은 퇴학, 정학 처분을 받을 수 있고, 해당 학교는 폐교 처분을 받을 수 있다.
- 이 조치를 비방한 자는 사형, 무기 징역 또는 5년 이상의 징역에 처한다.

자료 2 제2차 인혁당 사건(민청학련 사건)

1974년 4월 3일 박정희 정부는 긴급 조치 4호를 발동하며 '전국 민주 청년 학생 연맹(민청학련)'이라는 단체가 내란을 꾸몄다고 밝혔다. 박정희 정부는 민청학련의 배후에 '인민 혁명당 재건 위원회'라는 단체가 있다고 주장하며 관련자 23명을 「국가 보안법」 위반 혐의로 구속하였다(제2차 인혁당 사건). 이들이 받은 형량은 사형 8명, 무기 징역 7명, 징역 20년 4명, 징역 15년 4명이었다. 그중 사형 선고를 받은 8명은 대법원 판결 18시간 만에 사형을 당하였다. 2005년에 '국가 정보원 과거사건 진실규명을 통한 발전위원회'는 제2차 인혁당 사건이 정부에 의해 조작되었다고 발표하였고, 2007~2008년 재심에서 서울 중앙 지법은 관련자 모두에게 무죄를 선고하였다.

민청학련 사건 추모제에 참석한 희생자 유가족들

- 긴급 조치는 법원의 판단 없이 대통령의 단순한 행정 명령만으로도 국민의 기본권을 억압할 수 있는 무시무시한 독소 조항이라는 점을 기억합시다.
- 민청 학련 사건은 유신 체제의 억압적인 성격을 잘 보여 주는 대표적인 사례입니다. 당시 사람들은 말 한 마디도 자유롭게 할 수 없었던 암울한 시대라는 점을 고려해서 글을 작성해 봅시다.

- **<자료 1>** | 유신 체제의 파수꾼 역할을 했던 긴급 조치 1호, 4호 모두 수년 전에 대법원 재심에서 헌법에 위반되어 무효라는 판결이 내려졌다.
- **<자료 2>** | 민청 학련 사건 관련자 8명 역시 재심에서 무죄를 인정받았으며, 당시 사법 살인은 우리 사회가 앞으로도 경계해야 할 부분이다.

활동 풀이

1. <자료 1>을 참고하여 「유신 헌법」에 긴급 조치 조항을 만든 목적을 말해 보자.

예시 답안 유신 헌법에 따르면 긴급 조치는 천재지변, 국가 안전 보장 위협 등 중대한 사안이 발생했을 경우 효과적으로 대응하는 데 목적이 있었다. 그러나 실제로 발효된 긴급 조치를 보면, 유신 헌법 개정 요구나 유신 체제에 대한 비판을 잠재우고, 민주화 운동을 엄격하게 탄압하기 위한 수단이었음을 알 수 있다. 긴급 조치를 위반하였다는 이유로 당시 수많은 사람이 감옥에 끌려가 고통을 겪었으며, 심지어 목숨을 잃는 경우도 있었다.

2. <자료 1, 2>를 참고하여 「유신 헌법」과 긴급 조치가 당시 사회에 어떠한 영향을 미쳤을지 설명해 보자.

예시 답안 유신 헌법은 박정희가 1인 장기 집권 체제를 구축하려는 목적에서 마련하였고, 긴급 조치는 정권을 유지하는 중요한 수단이었다. 당시 시민들은 민주 사회의 기본적인 권리를 누릴 수 없었으며, 평범한 일상생활마저 권력의 통제를 받아야만 하였다. 유신 헌법과 박정희 정부의 비민주성을 비판하는 경우 엄한 처벌을 받았으며, 심지어 목숨을 잃는 경우도 있어서 유신 체제를 '겨울 공화국'이라고 부르기도 하였다.

간단 체크 정답 및 해설 39쪽

유신 헌법에서 대통령은 연임 제한이 없어서 사실상 영구 집권도 가능하였다. (O, X)

4·19 혁명과 민주화를 위한 노력

주제 65 5·18 민주화 운동의 전개

이번 주제에서는 | 5·18 민주화 운동의 전개 과정과 역사적 의의, 전두환 정부의 실상에 대해 알 수 있습니다.

교실 열기 정부가 1980년 5월 광주에서 일어난 일을 숨기려고 한 까닭은 무엇일까?

예시 답안 | 민주화 운동이 널리 확산되는 것을 막고, 계엄군의 폭력성이 드러나는 것을 우려하였다.

1 신군부 세력의 권력 장악

(1) 과도 시기: 제10대 최규하 대통령 선출(1979) → 실권은 군부가 장악

(최규하: 10·26 사태 당시 국무총리였으며, 통일 주체 국민 회의를 통해 대통령으로 선출되었다.)

(2) 군 내부의 움직임: 민주화를 지지하는 측과 유신 체제의 골격을 유지하려는 신군부 세력의 대립

(3) 12·12 사태(1979): 전두환을 중심으로 한 신군부 세력의 쿠데타[1] → 주요 정부 기관 점령, 불법적으로 계엄 사령관 체포

(불법적으로 계엄 사령관 체포: 전두환, 노태우 등은 후에 대통령의 재가도 받지 않고 상급자를 체포한 반란죄로 처벌받았다.)

2 서울의 봄

(1) 민주화 운동 전개(서울의 봄[2]): 「유신 헌법」 철폐, 비상계엄령 해제, 신군부 퇴진 등 요구 → 신군부 세력의 정치 개입을 막기 위해 대규모 시위 이후 스스로 해산

(2) 신군부 세력의 정치 개입 본격화: 사회 혼란 명분 → 비상계엄 전국 확대, 정치 활동 금지 등의 조치 시행

3 5·18 민주화 운동의 전개

(1) 전개 과정

① 5월 18일: 광주 전남대에서 계엄군의 무차별 진압 → 분노한 시민들 시위 합류

② 5월 19일: 계엄군의 폭행으로 최초 사망자 발생

③ 5월 21일: 계엄군의 집단 발포로 수십 명의 사상자 발생 → 자발적으로 시민군 조직 → 계엄군 일시 철수, 광주 외곽 봉쇄

④ 시민 공동체 활동: 치안 유지, 시민 수습 대책 위원회 구성 → 평화로운 해결 방안 모색

(평화로운 해결 방안 모색: 계엄군은 협상을 거부하고 일방적으로 시민군 투항과 무기 반납을 요구하였다.)

⑤ 5월 27일: 계엄군의 대규모 병력 동원 → 전남 도청에서 시민군 무력 진압

(2) 의의: 신군부 세력의 반민주성, 폭력성 확인 → 이후 민주화 운동에 큰 영향

(3) 계엄군 투입 문제: 미국이 국군 작전 통제권[3] 보유 → 미국 책임론 부각

4 전두환 정부의 출범과 강압 정치

1) 신군부의 실권 장악: 국가 보위 비상 대책 위원회 구성, 정치 활동 규제, 언론사 통폐합, 삼청 교육대 운영 등

(국가 보위 비상 대책 위원회: 일종의 최고 군사 회의 성격을 지닌다.)

(삼청 교육대: 삼청 교육대는 군부대 내에 설치되었으며, 전국적으로 여러 곳에서 운영되었다.)

(2) 전두환 정부의 강압 정치

① 전두환 정부: 최규하 대통령 하야 → 제11대 전두환 대통령 당선(1980) → 헌법 개정(대통령 임기 7년 단임제, 간선제) → 제12대 전두환 대통령 당선(1981)

(간선제: 대통령 선거인단이 잠실 체육관에 모여 대통령을 선출하였기 때문에 '체육관 대통령'이라는 말이 생겨났다.)

② 강압 정치: 언론 통제(보도 지침[4]), 각종 사회 운동 탄압

③ 유화 정책: 학도 호국단 폐지, 학원 자율화, 야간 통행 금지 해제, 해외여행 자유화, 프로 스포츠 도입 등

④ 한계: 각종 권력형 부정과 비리 사건 발생 → 국민들의 불신과 불만 고조

개념 쏙쏙

① 쿠데타
무력을 동원하여 정권을 빼앗는 행위를 가리킨다. 권력 집단 내부의 단순한 권력 이동에 불과하며, 기존의 정치·사회 체제를 근본적으로 변혁하려는 혁명과는 구별된다.

② 서울의 봄
체코의 민주화 운동을 가리키는 '프라하의 봄'에 비유한 말이다. 10·26 사태 이후 1980년 5월 17일 신군부 세력의 비상계엄 전국 확대 조치 전까지의 과도기를 의미하며, 민주화 운동이 활발하게 일어났기 때문에 '민주화의 봄'이라고 부르기도 한다.

③ 국군 작전 통제권
국군 작전 통제권은 전시와 평시로 구분하는데, 평시 작전권은 1990년대 중반에 환수하였다. 그러나 전시 작전권은 여전히 유엔군 사령부, 실질적으로는 미군이 관장하고 있다.

④ 보도 지침
전두환 정부 시기 문화공보부에서 각 언론사에 시달한 일종의 보도 통제 가이드 라인이다. 뉴스 보도의 비중, 순서 등 세세한 부분까지 지시를 내렸다. 당시 9시 뉴스가 시작하면 늘 전두환 대통령 동정이 첫 소식으로 배치되었기 때문에 '땡전 뉴스'라는 말이 생겨날 정도였다.

정리 교실

교과서 272쪽

㉠ 신군부 ㉡ 5·18 민주화 운동
㉢ 삼청 교육대 ㉣ 간선제
㉤ 보도 지침

탐구 교실 5월의 광주를 겪은 사람들

교과서 | 273쪽

활동 목표 | 5·18 민주화 운동의 피해자와 가해자의 경험을 통해 민주주의의 소중함을 이해합니다.

자료 1 5·18 묘역 관리인이 된 '5월의 아이'

자신의 어렸을 적 사진과 마주하는 조○○(2000)

1980년 5월 29일, 당시 5살이었던 조○○는 전남 도청 근처에 안치된 아버지(당시 34살)의 영정을 안고 있었다. 한 외신 기자가 이 모습을 촬영하였고, 슬픈 표정의 꼬마 모습은 이후 5·18 민주화 운동의 상징이 되었다. 그러나 매년 5월마다 찾아오는 방송사 인터뷰와 같은 주위의 과도한 시선 속에 그는 힘든 청소년기를 보내기도 하였다. 오늘날 조○○는 5·18 묘역 관리인으로서 5·18 민주화 운동의 진실을 알리는 데 헌신하고 있다. 그는 특종 사진 속의 자신보다 이름도 남기지 못한 채 세상을 떠난 5·18 민주화 운동 희생자들의 정신을 사람들이 오랫동안 기억하기를 소망하였다.

자료 2 계엄군의 양심선언

5·18 민주화 운동에 대해 양심선언 중인 최○○(1989)

최○○는 1980년 5월의 광주에 투입되었던 공수 부대 중사 출신으로, 5·18 민주화 운동 당시 군의 만행을 고백한 최초의 군인이다. 그는 자신이 5·18 민주화 운동 진압 작전에 참여하였다는 사실을 철저히 숨기다가, 1988년에 열린 제5공화국 청문회에서 강경 진압 책임을 회피하던 군인들을 보고 양심선언을 하기로 마음먹었다. 이후 그는 군 생활을 같이 한 일부 동료로부터 배신자로 여겨지는 등 많은 어려움을 겪었다. 그는 잘못된 부분을 확실히 밝혀야 과거를 극복하고 앞으로 나갈 수 있으며, 당시 투입된 군인들이 마음 놓고 증언할 수 있는 보호 장치가 마련되어야 한다고 주장하였다.

활동 풀이

1. <자료 1, 2>의 인물들이 5·18 민주화 운동에 대해 어떤 감회를 느꼈을지 생각해 보자.

예시 답안 오랫동안 조○○는 아버지가 폭도였다는 누명을 안고 숨죽이며 지내야만 하였다. 반면, 최○○는 계엄구으로서 본인이 의도하지는 않았지만 가해자의 일원이었다는 죄책감이 컸을 것이다. 두 사람은 민주화가 진전되어 이제는 '광주 사태'가 아니라 5·18 민주화 운동이라는 정당한 평가를 받게 되어 마음의 부담을 덜었을 것이고, 5·18 민주화 운동의 진실이 명백하게 밝혀지기를 기대하였을 것이다.

2. <자료 1, 2>를 참고하여 우리는 5·18 민주화 운동을 어떻게 기억해야 할지 짝과 토의해 보자.

예시 답안 계엄군의 폭력에 맞서 시민들이 스스로의 힘으로 민주주의를 지키려 했던 5·18 민주화 운동은 장차 우리 사회가 나아가야 할 방향을 알려주는 이정표라고 할 수 있다. 민주주의의 소중한 가치를 지키기 위해서는 5·18 민주화 운동의 내용과 진실을 정확하게 알아 두는 것이 중요하다. 또한 당시 계엄군의 폭력에 희생된 이들의 숭고한 정신을 가슴깊이 새겨두어야 할 것이다.

활동 도우미

- 1번 과제는 무엇보다도 마음을 열고 자신과 당사자를 동일시하고, 당사자의 눈과 마음으로 5·18 민주화 운동을 바라보는 것이 중요합니다.
- 2번 과제는 혼자만의 생각으로 글을 작성하는 것보다는 짝, 혹은 모둠원들과 교감하는 것이 중요합니다. 짝이나 모둠원들과 자유롭게 토론하고 공감대를 갖도록 합니다.

자료 해설

- **<자료 1>** | 피해자로서 조○○이 치러야 했던 고통은 말이나 글로 표현할 수 없을 정도라고 여겨진다. 피해자들에 대해 우리가 어떤 마음을 가져야 할 지에 대해 생각해 볼 필요가 있다.
- **<자료 2>** | 5·18 민주화 운동에 관해서는 발포 명령자를 비롯해서 아직도 밝혀지지 않은 진실이 많고, 왜곡된 주장도 많다. 계엄군 출신의 최○○의 증언은 우리가 사건의 진실에 한걸음 더 다가서는 데 도움이 될 것이다.

간단 체크 정답 및 해설 39쪽

5·18 민주화 운동 당시 국군 작전 통제권은 전시, 평시 모두 (　　　)이 보유하고 있었다.

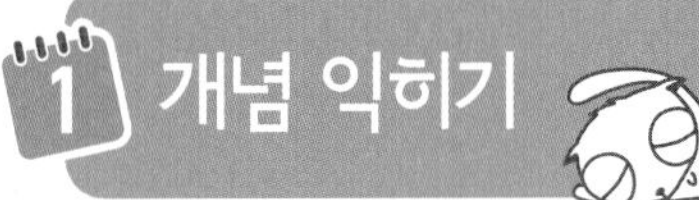

1 개념 익히기

01 아래 설명이 맞으면 O표, 틀리면 X표를 해 보자.

(1) 사사오입 개헌은 대통령 선출 방식을 국회 간선제에서 국민 직선제로 바꾸는 것이 핵심이었다. (　　)

(2) 4·19 혁명 후 추진된 헌법 개정의 주요 내용은 양원제 의회 구성과 내각 책임제였다. (　　)

(3) 유신 헌법에서 대통령의 임기를 7년 단임으로 하고, 통일 주체 국민 회의에서 선출하도록 하였다. (　　)

(4) 전두환 정부는 이른바 '보도 지침'을 내려 언론의 보도 방향을 통제하였다. (　　)

02 빈칸에 알맞은 말을 채워 보자.

(1) 이승만 정부는 조봉암에게 (　　　) 위반과 간첩죄를 씌워 사형을 집행하였다.

(2) (　　　) 내각이 수립한 경제 개발 5개년 계획은 후에 박정희 정부로 계승되었다.

(3) (　　　) 사건을 계기로 부산과 마산, 창원 일대에서 부·마 민주화 운동이 일어났다.

(4) 신군부 세력은 (　　　)를 운영하여 민간인에게 군사 훈련과 노동을 강요하였다.

03 서로 관련 있는 내용끼리 연결해 보자.

a. 4·19 혁명 •	• ㄱ. 유신 체제
b. 6·3 시위 •	• ㄴ. 한·일 국교 재개
c. 3·1 민주 구국 선언 •	• ㄷ. 3·15 부정 선거

04 유신 헌법과 관련 깊은 내용을 <보기>에서 모두 고르시오.

보기
ㄱ. 대통령 임기 6년　　ㄴ. 양원제 국회 구성
ㄷ. 긴급 조치권 신설　　ㄹ. 통일 주체 국민 회의 설치

2 내신 유형 익히기

[01~02] 다음 자료를 보고 물음에 답하시오.

> 토요일 국회에서 개헌안에 대하여 135표의 찬성표가 던져졌다. 그런데 민의원 재적수 203석 중 찬성표 135, 반대표 60, 기권표 7, 결석 1이었다. 60표의 반대표 수는 총수의 3분의 1이 훨씬 못하다는 사실을 주의해서 보아야 한다. 민의원의 3분의 2는 정확하게 계산할 때 135.3석인 것이다. 한국은 표결에 있어 단수(端數)를 계산하는 데에 전례가 없으나 단수는 계산에 넣지 않아야 할 것이며, 따라서 개헌안은 통과되었다는 것이 정부의 견해이다.

01 밑줄 친 '정부'와 관련이 깊은 내용은?

① 부산 정치 파동　② 한·일 협정 체결
③ 삼청 교육대 운영　④ 7·4 남북 공동 성명 발표
⑤ 경제 개발 5개년 계획 수립

중요
02 자료와 관련된 헌법 개정에 대하여 옳게 설명한 것은?

① 대통령의 임기를 단임제로 바꾸었다.
② 대통령 간선제를 직선제로 바꾸었다.
③ 대통령 직선제를 간선제로 바꾸었다.
④ 대통령의 중임 횟수 제한을 폐지하였다.
⑤ 대통령 중심제를 내각 책임제로 바꾸었다.

03 사진 자료와 관련이 깊은 선거에 대한 탐구 활동으로 가장 적절한 것은?

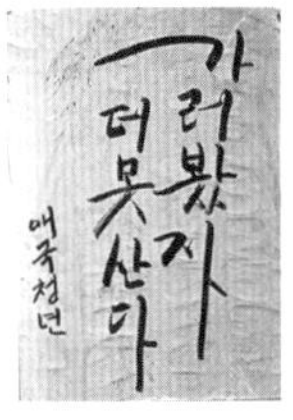

① 조봉암의 선거 구호를 조사한다.
② 3·15 부정 선거의 실상을 조사한다.
③ 국회 프락치 사건의 내용을 조사한다.
④ 닉슨 독트린이 국내 정치에 미친 영향을 조사한다.
⑤ 한·일 협정 체결에 대한 국민들의 반응을 조사한다.

중요
04 밑줄 친 '본인'과 관련된 내용을 <보기>에서 고른 것은?

> 본인은 군사 혁명을 일으킨 책임자로서 이 중대한 시기에 처하여 일으킨 혁명의 결말을 맺어야 할 역사적 책임을 통감하면서 …… 조국 재건을 위하여 항구적 국민 혁명의 대오 제3공화국의 민정에 참여할 것을 결심하였습니다. …… 다시는 이 나라에 본인과 같은 불운한 군인이 없도록 합시다.

보기
ㄱ. 12·12 사태 ㄴ. 한·일 협정 체결
ㄷ. 베트남 파병 ㄹ. 5·18 민주화 운동

① ㄱ, ㄴ ② ㄱ, ㄷ ③ ㄴ, ㄷ
④ ㄴ, ㄹ ⑤ ㄷ, ㄹ

05 한·일 국교 정상화에 대한 설명으로 옳지 않은 것은?

① 국민들은 굴욕적인 대일 외교로 평가하였다.
② 냉전 체제의 완화는 한·일 국교 정상화에 큰 영향을 미쳤다.
③ 한·일 국교 정상화에서 식민 지배 사죄 등은 소홀하게 취급되었다.
④ 미국은 군사비 부담을 축소하기 위해 한·일 국교 정상화를 요구하였다.
⑤ 박정희 정부는 한·일 국교 정상화를 통해 경제 개발에 필요한 자금을 확보하고자 하였다.

06 자료와 관련이 깊은 정부가 추진한 정책을 고르면?

① 한·일 국교 재개 ② '보도 지침' 시행
③ 지방 자치제 시행 ④ 국가 보안법 제정
⑤ 야간 통행 금지 해제

[07~08] 다음 자료를 보고 물음에 답하시오.

> • 대한민국 헌법을 부정, 반대, 왜곡 또는 비방하는 일체의 행위를 금한다.
> • 이 조치에 위반한 자와 이 조치를 비방한 자는 법관의 영장없이 체포, 구속, 압수, 수색하여 15년 이하의 징역에 처한다.
>
> - 1975. 5. 13. -

07 밑줄 친 '헌법' 시기에 일어난 사건이 아닌 것은?

① 6·3 시위 ② YH 무역 사건
③ 부·마 민주 항쟁 ④ 3·1 민주 구국 선언
⑤ 개헌 청원 100만 명 서명 운동

중요
08 밑줄 친 '헌법'의 내용이 아닌 것은?

① 대통령 간선제
② 대통령 임기 7년
③ 통일 주체 국민 회의 설치
④ 대통령의 국회 해산권 행사
⑤ 대통령의 국회 의원 추천권

09 다음 자료와 관련된 사건이 일어날 무렵의 상황으로 가장 적절한 것은?

> 각계각층에서 수고하시는 사회 인사 여러분께 저희들의 애타는 마음을 눈물로 호소합니다. …… 수출 실적이 높으면 나라도 더욱 발전할 수 있고 선진국 대열에 서게 된다는 국민학교 시절에 배운 것을 더듬으며 우리는 더욱 더 잘 사는 나라를 기대하며 열심히 일해 왔습니다만 뜻하지 않은 폐업 공고에 놀라지 않을 수 없습니다. …… 저희 근로자들이 신민당에 올 수밖에 없었던 것은 회사, 노동청, 은행이 모두 문제를 해결할 수 없다기에 오갈 데가 없었기 때문입니다.

① 해외 여행 자유화 조치가 실시되었다.
② 베트남 전쟁에 다수의 국군이 파병되었다.
③ 권력의 탄압으로 「경향신문」이 폐간되었다.
④ 제2차 석유 파동으로 경제적 어려움이 컸다.
⑤ '서울의 봄'이라고 불리는 민주화 시위가 일어났다.

[10~11] 다음 자료를 읽고 물음에 답하시오.

> (가) '상아의 진리탑을 박차고 거리에 나선 우리는 질풍과 같은 역사의 조류에 자신을 참여시킴으로써 지성과 진리, 그리고 자유의 대학 정신을 참담한 박토에 뿌리려 하는 바이다.'
> (나) '우리는 왜 총을 들 수밖에 없었는가? 그 대답은 너무나 간단합니다. 너무나 무자비한 만행을 더 이상 보고 있을 수만은 없어서 총을 들고 나섰던 것입니다.'
> (다) '국제 협력이라는 미명 아래 우리 민족의 치떨리는 원수 일본 제국주의를 수입하여 …… 조국의 근대화로 가는 첩경이라고 기만하는 반민족적 음모를 획책하고 있다.'

10 (가)~(다)를 시대순으로 옳게 나열한 것은?

① (가) - (나) - (다)　② (가) - (다) - (나)
③ (나) - (가) - (다)　④ (나) - (다) - (가)
⑤ (다) - (나) - (가)

11 (가)~(다)에 대한 설명으로 옳은 것을 <보기>에서 고른 것은?

> 보기
> ㄱ. (가)에 대해 집권 세력은 긴급 조치를 발동하였다.
> ㄴ. (나)는 군부 세력의 권력 장악 음모에 반발한 사건이다.
> ㄷ. (가)는 이승만 정부, (다)는 박정희 정부 시기에 일어났다.
> ㄹ. (나), (다) 모두 집권 세력의 발포로 다수의 민간인이 목숨을 잃었다.

① ㄱ, ㄴ　② ㄱ, ㄷ　③ ㄴ, ㄷ
④ ㄴ, ㄹ　⑤ ㄷ, ㄹ

12 다음과 관련된 정부에 대한 탐구 활동으로 적절한 것은?

> • 야간 통행 금지 해제　• '보도 지침' 사건

① 브라운 각서의 내용을 조사한다.
② 진보당 사건의 내용을 조사한다.
③ 10·26 사태 일어난 배경을 조사한다.
④ 7·4 남북 공동 성명의 내용을 조사한다.
⑤ 프로 스포츠를 도입한 배경을 조사한다.

서술형 문제

13 다음 자료를 읽고 물음에 답하시오.

> • 군사 원조
> 제1조 한국에 있는 대한 민국 국군의 현대화 계획을 위하여 수년 동안 상당량의 장비를 제공한다.
> • 경제 원조
> 제5조 1965년 5월에 대한 민국에 대하여 이미 약속한 바 있는 1억 5천만 달러 AID 차관에 추가하여 …… 대한민국 경제 발전을 지원하기 위하여 추가 AID 차관을 제공한다.

(1) 자료의 문서 명칭을 쓰시오.

(2) 자료와 관련이 깊은 정책을 박정희 정부가 추진한 이유를 서술하시오.

서술형 문제

14 다음을 읽고 물음에 답하시오.

> • 1차 개헌(1952): 이승만 대통령이 재선될 가망이 없자, 대통령 직선제로 개정하였다.
> • <u>2차 개헌</u>(1954): 초대 대통령에 한하여 횟수의 제한 없이 대통령에 출마할 수 있도록 하였다.
> • 5차 개헌(1962): 군부 세력이 국민 투표를 통해 정부 형태를 대통령 중심제로 환원하였다.
> • 7차 개헌(1972): 통일 주체 국민 회의에서 대통령을 선출하며, 임기는 6년이고 중임 제한이 없이 종신 집권이 가능하였다.

(1) 밑줄 친 '2차 개헌'을 가리키는 용어를 쓰시오.

(2) 자료에서 공통적으로 확인할 수 있는 헌법 개정의 목적을 서술하시오.

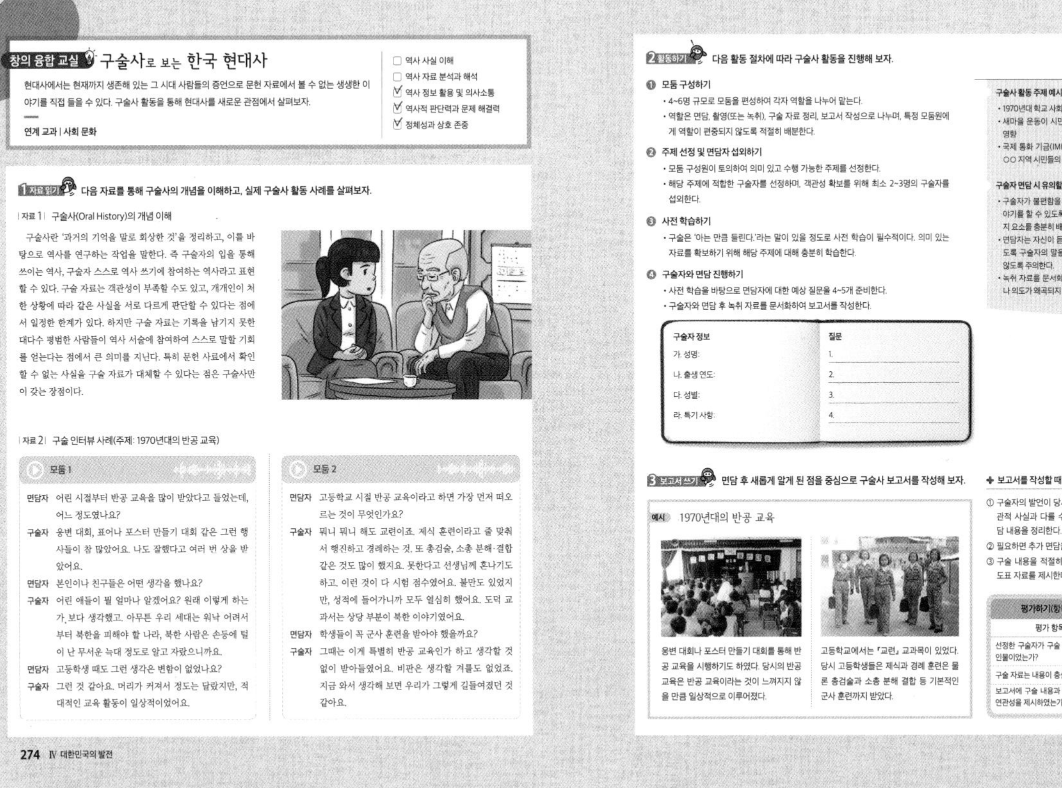

활동 목표

- 구술 자료와 문헌 자료를 비교하여 한국 현대사를 새로운 관점에서 살펴볼 수 있다.
- 구술 자료와 문헌 자료를 비교하여, 분석할 수 있다.

활동 흐름

- 모둠 구성권 간의 활발한 토의를 통해 주제를 선정한다.
- 주제와 적합한 구술자를 최소한 3~4명 정도 확보한다.
- 구술자와 인터뷰를 진행하고, 녹취 자료를 확보한다.
- 구술 자료와 학습 내용을 바탕으로 보고서를 작성한다.

예시 답안

- 서론(생략)
- 본론
  (1) 1970년대 야간 통행 금지 제도의 특징(생략)
  (2) 1970년대 야간 통행 금지 제도와 시민들의 일상생활 모습
  가. 야간 통행 금지 시간에 거리를 다니다 붙잡히면 파출소 유치장에 수감되었다가 다음날 아침에 훈방되거나, 즉결 심판에 회부되었다.
  나. 긴급한 업무, 야간에 불가피하게 통행해야 하는 경우에는 해당 기관의 확인서를 소지하면 야간 통행 금지를 피할 수 있었다.
  다. 석가탄신일과 성탄절, 12월 31일은 예외적으로 야간 통행 금지를 해제하였다. 이런 날은 '심야의 자유'를 만끽하기 위해 많은 사람이 거리로 쏟아져 나왔다.
  라. 직장 회식, 친구 모임 등도 귀가 시간을 고려해서 약속 시간을 정하고, 불가피한 경우 여관이나 친구집에서 자야 하였다.
  마. 대부분의 시민들은 야간 통행 금지 제도에 익숙해서 당연한 것으로 여겼으며, 다른 나라에는 이런 제도가 없다는 사실조차도 잘 몰랐다.
  바. 많은 시민이 통행 금지 제도가 불편하다고 생각했지만, 이를 비판할 경우 정부 시책을 거부하는 것처럼 보여서 밖으로 잘 드러내지는 않았다.
- 결론(생략)

교과서 276~279쪽

5 경제 성장과 사회·문화의 변화

주제 66 경제 성장의 성과와 문제점

이번 주제에서는 | 경제 성장의 성과와 문제점에 대해 다양한 자료를 활용하여 탐구할 수 있습니다.

교실 열기 '한강의 기적'을 가능하게 한 국내외적 요인들은 무엇일까?

예시 답안 | 국내적 요인으로 정부 주도의 경제 개발 정책, 노동자들의 성실함과 헌신, 기업인들의 해외 시장 개척 등이 있다. 국외적 요인은 미국 등 자본주의 국가들의 경제적 지원이 대표적이다.

1 한국 경제를 둘러싼 대외적 상황

(1) 세계 경제의 성장: 1960년대 이후 미국 등 선진 자본주의 국가들의 산업 구조 변화 → 경공업 제품 수출 기회 확대

부피에 비해 무게가 가벼운 물건을 만드는 일을 말한다. 섬유 공업, 식료품 공업, 인쇄·출판업 등 주로 일상생활에서 인간이 직접 소비하는 물건을 만드는 공업이 해당한다.

(2) 미국의 대외 정책:

① 적극적인 반공 정책: 자본주의 진영의 경제 개발 원조 추진

② 한국군의 베트남 파병: 브라운 각서[1] 체결, 미국의 군사·경제 원조 → 자본·기술 확충, 상품 시장 확보

2 박정희 정부의 경제 개발 정책

(1) 정부 주도의 경제 개발 정책 추진

경제 활동을 원활히 하는 데 필수적인 중요한 산업으로, 석유·전력 등의 에너지 산업, 제철 등의 금속 산업, 도로·철도 등의 수송 산업, 비료·시멘트 등의 화학 공업 등이 속한다.

구분	내용
제1차 경제 개발 계획 (1962~1966)	섬유·가발·식료품 등의 수출에 중점 → 노동 집약적인 경공업 발전, 경제 성장에 필요한 토대 마련
제2차 경제 개발 계획 (1967~1971)	기간 산업, 사회 간접 자본 확충에 중점 → 정유·시멘트 산업 등 육성, 경부 고속 도로 건설
제3, 4차 경제 개발 계획 (1972~1981)	제철·전자·기계·화학 등 중화학 공업 적극 육성 → 고도 성장 이룩 → 두 차례의 석유 파동[2]으로 경제 위기 초래

생산 활동과 소비 활동을 간접적으로 지원해 주는 자본의 하나로, 도로·항만·공항·철도 등이 해당한다.

(2) 수출 증대 중심의 경제 개발 추진 방향

① 자금 확보: 외국 자본 도입, 베트남 파병과 한·일 협정 체결을 통한 경제 개발 자금 확보

② 저임금 저곡가 정책: 수출 경쟁력 확보를 앞세워 낮은 임금과 낮은 곡물 가격 유지

③ 산업 구조 재편: 제조업 등의 2차 산업 중심

낮은 임금은 수출 상품의 가격을 낮추기 위함이고, 낮은 곡물 가격은 노동자들의 생계비를 최소화하기 위함이다.

3 1980년대 이후 나타난 경제 변화

(1) 제2차 석유 파동(1978~1979)으로 큰 타격: 중화학 공업에 대한 중복 투자로 경제 위기 → 부실 기업 정리, 중화학 공업 투자 제한

(2) 1980년대 중후반 3저 호황[3]으로 경제 활성화: 중화학 부문을 중심으로 경제 급성장 → 한국 시장에 대한 외국 자본의 개방 압력 증대

4 경제 개발의 성과와 문제점

(1) 성과: 수출액 증대, 국민 소득 증가

(2) 문제점: 정부 주도의 경제 개발로 다양한 문제 발생

① 정부의 대기업 육성 정책: 정경 유착(정치인과 재벌 간의 유착), 부정부패 발생

'유착'이란 서로 깊은 관계를 가지고 결합한 상태를 말한다. 재벌은 정치인에게 정치 자금을 제공하고 정치인은 재벌에게 각종 특혜를 주어 부당 이익을 얻게 한다.

② 저임금·저곡가 정책 : 빈부 격차, 도시·농촌 간의 소득 격차 증대

③ 외국 자본 도입 및 수출 주도형 정책: 국가 경제의 대외 의존도 증가

개념 쏙쏙

① 브라운 각서
한국 정부가 1965년부터 1973년까지 베트남 전쟁에 국군을 파병하면서 미국 정부 측과 파병에 대한 보상 조치로 맺은 각서이다.
주요 사항은 한국군 장비의 현대화, 한국에 대한 기술 원조 및 차관 제공, 한국 기업이 베트남에서 많은 이익을 얻을 수 있도록 지원한다는 내용이다.

② 석유 파동
1973~1974년, 1978~1979년 두 차례에 걸친 석유 공급 부족으로 석유 가격이 폭등하여 세계 경제가 큰 혼란과 어려움을 겪은 사건을 일컫는다.

③ 3저 호황
저달러·저유가·저금리 현상으로 1986~1988년경 한국 경제가 유례없는 호황을 누렸던 것을 일컫는 말이다. 3저 현상은 해외 석유 수입·외국 자본의 도입·수출에 크게 의존해온 한국 경제에 큰 기회였다. 이를 통해 이 기간에 연 10% 이상의 고도 성장이 지속되었고 사상 최초로 무역 수지 흑자를 달성하였다.

정리 교실

교과서 278쪽

㉠ 사회주의
㉡ 경제 개발 5개년 계획
㉢ 중화학 공업화
㉣ 3저 호황
㉤ 정경 유착

교과서 | 279쪽

탐구 교실 '한강의 기적'과 그 원동력

활동 목표 | 1960~1980년대 경제 성장의 원동력이 무엇인지 말할 수 있습니다.

가 한국의 경제 성장은 미국을 비롯한 선진 자본주의 국가들의 지원 속에서 이루어졌습니다. 1960년대 이후 미국은 한국, 필리핀 등 후진 자본주의 국가들을 경제적으로 지원하여 사회주의 진영에 맞서는 정책을 폈습니다. 그 결과 한국은 1960~1970년대 경제 성장 과정에 필요하였던 자본과 기술, 판매 시장을 확보할 수 있었습니다.

나 '한강의 기적'은 정부 주도의 경제 개발로 가능하였습니다. 여러 논란 속에 베트남 파병과 한·일 협정을 결정하였지만, 이 결정으로 경제 개발에 필요한 자금을 확보할 수 있었습니다. 1960년대 경공업 중심, 1970년대 중화학 공업 중심의 경제 개발을 추진한 것도 정부이며, 경부 고속 도로를 건설하고 포항 종합 제철소를 설립한 것도 정부입니다.

다 수출 주도의 경제 성장을 도모했던 한국에서 해외 시장을 개척하려고 노력한 기업인들의 노력이 없었다면 '한강의 기적'은 불가능하였을 것입니다. 1960~70년대 한국 기업에 대한 국제적인 인지도가 거의 없다시피 한 상황에서 물건 하나라도 더 수출하기 위해 기업인들은 이곳저곳을 가리지 않고 뛰어다녔습니다. 생산 증가와 고용 증대 또한 우리 기업인들 덕분입니다.

라 노동자들의 성실함과 헌신이 없었다면 '한강의 기적'이 가능했을까요? 1970년대까지 한국의 주요 수출품은 가발, 의류와 같이 저임금 노동자들이 생산한 노동 집약적 생산물이었습니다. 베트남, 서독 등에 파견되어 외화를 벌어들인 것도 노동자였습니다. 우리는 주말에도 일만 하였고, '건설'과 '생산 증대'를 외치는 정부와 기업의 요구에 부응하였습니다.

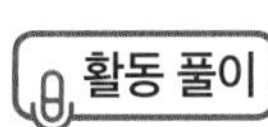

1. (가)~(라)의 주장을 각각 한 문장으로 정리해 보자.

- (가): 예시 답안 한국의 경제 성장은 미국을 비롯한 선진 자본주의 국가들의 지원 속에서 이루어졌다.
- (나): 예시 답안 '한강의 기적'은 정부가 주도하여 자금을 확보하고 체계적인 계획 아래 경제 개발을 추진했기 때문에 가능하였다.
- (다): 예시 답안 경제 성장의 동력인 해외 시장 개척, 생산 증가, 고용 증대는 기업인들 덕분에 가능하였다.
- (라): 예시 답안 국내외에서 경제 개발을 위한 노력을 아끼지 않았던 노동자들의 헌신이 '한강의 기적'을 만들어냈다.

2. (가)~(라)를 참고하여 '한강의 기적, 그 원동력은 무엇이었을까?'라는 주제로 친구들과 토론해 보자.

예시 답안 나는 이렇게 생각해. '한강의 기적'은 민주 공화국인 대한민국에서 일어났어. 따라서 주권자인 국민들이 '잘 살아보자'는 신념으로 근면, 성실하게 일하고 높은 교육열로 지식과 실력을 쌓지 않았다면 한강의 기적은 불가능했을 것이라고 생각해. 또한 4·19 혁명을 비롯한 각종 민주화 운동과 시민적 역량은 정부로 하여금 국민들의 국정 지지를 끌어내기 위한 다양한 노력을 할 수밖에 없도록 만들었어. 결국 민주 공화국의 주권자인 국민들의 성실함과 헌신, 시민적 역량이 '한강의 기적'을 일으킨 원동력이라고 생각해.

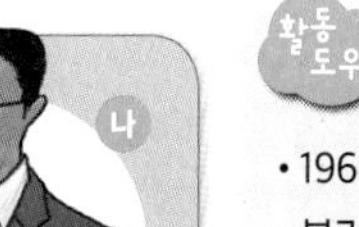

- 1960~1980년대 '한강의 기적'이라 불린 한국의 경제 성장 내용에 대해 생각해 봅시다.
- '한강의 기적'을 이룬 원동력에 대한 (가)~(라) 각 주장의 핵심이 무엇인지 살펴보고, 이에 대해 평가해 봅시다.
- (가)~(라) 각 주장을 종합적으로 고려하여 '한강의 기적'을 가능하게 한 원동력이 무엇인지 자신의 생각을 적어 봅시다.

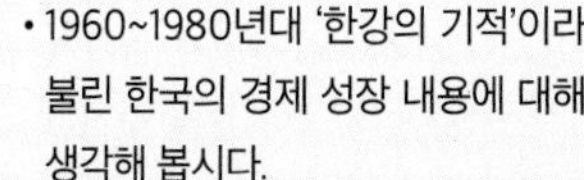

- <자료 (가)> | 미국을 비롯한 선진 자본주의 국가들이 한국의 경제 성장에 결정적인 영향을 주었다는 입장이다.
- <자료 (나)> | 정부가 경제 개발을 주도하였다는 점을 강조하는 입장이다.
- <자료 (다)> | 한국의 경제 성장은 활발한 수출 증대에 힘입은 것이므로 기업인들의 역할이 가장 컸다는 입장이다.
- <자료 (라)> | 국민의 절대 다수인 근면 성실한 노동자들이 '한강의 기적'을 일으켰다는 입장이다.

간단 체크 정답 및 해설 40쪽

1980년대 중반 저유가, 저달러, 저금리 상황에서 우리 경제는 (　　) 을 누렸다.

5 경제 성장과 사회·문화의 변화

주제 67 산업화로 나타난 사회·문화의 변화

이번 주제에서는 | 산업화로 인해 나타난 사회· 문화의 변화를 파악하고 상호 작용을 통해 자신의 생각을 정립할 수 있습니다.

교실 열기 도시화 과정에서 서민들의 삶은 어떻게 변화하였을까?

예시 답안 | 가족 형태가 대가족에서 핵가족으로 변화하였고, 다양한 직업이 나타났으며, 전반적으로 소비 수준이 높아졌다. 그러나 도시와 농촌 간의 소득 격차는 인구의 도시 집중을 심화시켰고, 사람들은 일자리와 주택 부족, 주차 및 교통 문제, 노동 문제 등에 직면하게 되었다.

1 산업 구조의 변화와 급격한 도시화

(1) 산업 구조의 변화: 공업·서비스업 중심으로 변화 → 도시로 인구 집중

공장과 기업이 위치한 도시로 인구가 몰리면서 의료 시설과 도로, 아파트, 각종 편의 시설도 도시에 집중하였다.

(2) 급격한 도시화: 대가족에서 핵가족으로 변화, 직업의 다양화, 주거 문화가 아파트 중심으로 변화, 소비 수준의 향상, 교통·의학 기술의 발달

핵가족: 부부와 미혼의 자녀만으로 구성된 가족으로, 소(小)가족이라고도 한다.

2 도시화의 문제점

(1) 각종 사회 문제 발생: 일자리·도시 주택 부족, 주차·교통 문제, 공해, 빈곤과 실업 문제 등

(2) 도시 빈민 문제 대두: 광주 대단지 사건(1971)[1] 등 도시 빈민들의 생존권 투쟁 발생

3 노동 문제와 노동 운동

(1) 배경: 박정희 정부의 저임금 정책 → 장시간 저임금 노동, 열악한 근무 환경

저임금 정책: 국내 상품을 외국 상품보다 저렴한 가격에 수출하고자 노동자들의 임금을 낮게 유지하였다.

(2) 노동 운동의 전개

1970년대	서울 평화 시장 노동자 전태일 분신[2](1970) → 노동 운동 확산
1980년대	6월 민주 항쟁 직후 크게 활성화, 노동자 대투쟁[3] 전개(1987) → 임금 인상, 노동 조건 개선, 노동조합 결성과 활동 보장 등 요구
1990년대	전국 민주 노동 조합 총연맹 결성 → 한국 노동 조합 총연맹과 양대 노총 체제 형성

4 농촌의 변화와 새마을 운동

(1) 농촌의 경제 사정 악화: 박정희 정부의 저곡가 정책 → 농촌 인구 격감, 도시와 농촌의 소득 격차 심화

저곡가 정책: 곡물 가격을 낮게 유지하여 노동자들의 임금 인상을 억제하기 위함이었다.

(2) 새마을 운동[4]: 농촌의 생활 환경 개선, 농가 소득 향상 추진 → 점차 도시로 확산

(3) 지속되는 농촌의 어려움: 이농 현상, 농촌 인구 고령화 심화, 1990년대 이후 농산물 수입 개방 등으로 농촌의 어려움 지속

농촌 인구 고령화: 노인이 농촌 인구의 다수를 차지하는 현상이다.

5 대중문화의 성장

(1) 텔레비전 보급: 영화, 대중음악 등 확산 → 청소년층이 대중문화의 주요 소비층으로 성장

텔레비전 보급: 1960년대 전반에는 3만여 대에 불과했으나, 1975년에는 180만대에 이를 정도로 증가하였다.

(2) 군사 정부의 대중문화 통제: 금지곡, 금지 서적 지정 → 대중문화 위축

(3) 현실 비판적인 대중문화의 발전: 청년 문화, 민중 문화 운동, 전통 문화 운동 등

(4) 한류 등장: 한국 대중문화의 세계적 확산 → 국가적 위상 제고, 수출 증가에 도움

개념 쏙쏙

① 광주 대단지 사건(1971)
1960년대 말부터 서울시가 판자촌을 정리하면서 경기도 광주에 철거민들을 입주만 시켜 놓고 방치하자, 1971년 광주 대단지 주민 5만여 명이 대규모 시위를 벌인 사건이다.

② 전태일 분신(1970)
전태일은 서울 동대문 평화 시장에서 재봉틀로 옷을 만드는 일에 종사하면서 열악한 노동 조건 개선을 위해 노력하였다. 1970년 11월 '우리는 기계가 아니다.', '근로 기준법을 준수하라' 등을 외치며 분신하였다.

③ 노동자 대투쟁
1987년 7월에서 9월까지 벌어진 전국적 파업 투쟁이다. 이 기간에 수천 건의 노동 쟁의가 발생했으며, 이 파업 투쟁을 계기로 노동조합 조직화가 급속히 증대하였다.

④ 새마을 운동
1970년부터 시작된 정부 주도의 범국민적 지역 사회 개발 운동이다. 정부가 장기 집권을 꾀하는 데 이용되었다는 평가를 받기도 한다.

교과서 281쪽

Q 1970년대부터 도시 인구가 농촌 인구보다 많아진 까닭은 무엇일까?

예시 답안 한국의 산업 구조가 공업·서비스업 중심으로 변화하였기 때문이다.

교과서 282쪽

정리 교실

㉠ 도시 빈민 ㉡「근로 기준법」
㉢ 노동자 대투쟁 ㉣ 새마을 운동
㉤ 한류

교과서 | 283쪽

탐구 교실 산업화의 빛과 그림자

활동 목표 | 산업화로 인한 사회·문화의 변화를 다양한 측면에서 말할 수 있습니다.

긍정적 입장

지속적인 경제 개발을 통한 산업화로 국민의 소득이 증가하면서 생활 수준이 높아졌다. 각종 가전제품과 자동차 등 생활의 편의를 돕는 제품들의 생산과 소비가 비약적으로 증가하였고, 교통 시설이 크게 확충되었다. 또한 의학 기술의 발달로 평균 수명이 늘어났고, 통신 기술의 발달로 휴대 전화와 인터넷 사용이 일반화되면서 여론 형성 방식에도 커다란 변화가 생겼다.

부정적 입장

산업화로 도시에 인구가 집중되면서 도시에서는 주택 부족, 실업 문제, 빈부 격차 등 다양한 문제가 발생하였다. 도시와 농촌 간의 소득 격차가 갈수록 벌어지면서 농촌은 노동력 부족, 고령화 등으로 큰 어려움을 겪게 되었다. 또한 지속적인 산업화로 인한 환경 오염은 생존을 위협할 정도로 심각해져서 현재 우리뿐만 아니라 후손들에게도 큰 위험 요소가 될 수 있다.

- 1960년대 이후 산업화로 인한 사회·문화의 변화를 고려하면서 산업화 하면 떠오르는 것이 무엇인지 생각나는대로 적어 봅시다.
- 산업화를 가장 잘 보여 주는 사진이 무엇인지 생각해 봅시다.
- 사진들을 참고하여 산업화로 인한 변화들을 다양한 측면에서 생각해 봅시다.

- **<긍정적 입장>** | 제시된 사진 가운데 경부 고속 도로는 교통의 발달을 통한 교류의 활성화를, 스마트폰은 정보 통신 기술의 발전을 통한 정보 유통과 여론 형성 방식의 변화를, 첨단 의료 장비는 평균 수명의 연장과 건강한 삶을 상징한다. 이들 자료는 산업화의 긍정적 측면을 보여 준다고 할 수 있다.
- **<부정적 입장>** | 아래쪽에 제시된 사진들은 산업의 부정적 측면들을 보여 주고 있다. 산업화는 도시로의 인구 집중을 초래하면서 주택 부족, 일자리 부족 등의 현상이 나타났다. 이는 빈부 격차와 농촌 소외로 연결되었다. 뿐만 아니라 도시화는 심각한 환경 파괴를 유발함으로써 인류의 건강을 크게 위협하고 있다.

활동 풀이

1. 산업화를 가장 잘 보여 준다고 생각되는 사진을 고르고, 그 이유를 말해 보자.

예시 답안 농촌 지역의 폐교 사진 - 공업·서비스업 중심의 산업화는 도시로의 인구 집중을 가져와 농촌이 소외되는 현상을 가속화 하였다. 빌딩과 아파트로 가득한 도시로 인구가 몰리면서 교육, 상업, 공업, 서비스업, 의료 시설 등 사회적 인프라가 도시에 집중되는 현상을 가져왔다. 결국 농촌, 산촌, 어촌 지역은 살기 불편한 지역이 되어 갔고, 이들 지역이 소외되는 현상은 더욱 심해졌다. 따라서 갈수록 줄어드는 농촌, 어촌, 산촌 지역의 인구를 상징하는 폐교 사진을 선택하였다.

2. 위의 두 견해를 참고하여 '산업화의 빛과 그림자'라는 주제로 짝과 토론해 보자.

예시 답안 오늘날 일상에서 빼놓을 수 없는 각종 가전 제품, 고속 도로, 스마트폰, 첨단 의료 기술 등은 일상생활의 편리함, 교통과 통신의 발달, 평균 수명의 연장을 가져와 우리의 삶을 더욱 윤택하고 편리하게 만들어주었다.
[예시 답안 2] 스마트폰, 인터넷 등 통신 기술의 발달은 더욱 편리한 생활을 가능케 하였지만, 사생활 침해, 스마트폰 중독, 쌍방향대면 소통의 약화, 첨단 범죄 증가 등 공동체의 건강함을 해치는 현상이 늘어났다.

간단 체크 정답 및 해설 40쪽

정부가 도시 개발 등을 명분으로 도시 빈민층을 다른 지역으로 강제 이주시키는 과정에서 (   ) 사건과 같은 도시 빈민들의 생존권 투쟁이 일어났다.

1 개념 익히기

01 아래 설명이 맞으면 O표, 틀리면 X표를 해 보자.

(1) 3저 호황 시기에 한국 경제는 중화학 부문을 중심으로 크게 성장하였다. (　　)

(2) 정부의 수출 주도형 정책으로 인해 다수의 노동자들은 장시간 저임금 노동에 시달렸다. (　　)

(3) 새마을 운동 이후에는 농촌의 젊은이들이 도시로 떠나는 이농 현상이 줄어들었다. (　　)

02 빈칸에 알맞은 말을 채워 보자.

(1) 박정희 정부는 1962년부터 5년 단위로 (　　　) 을/를 추진하였다.

(2) 재벌 중심의 경제 구조가 형성되면서 (　　　)와/과 같은 부정부패가 심해졌다.

(3) (　　　) 준수를 외친 전태일 분신 사건을 계기로 노동 현실에 대한 사회적 관심이 높아졌다.

03 서로 관련 있는 내용끼리 연결해 보자.

a. 석유 파동 •	• ㄱ. 석유 가격 급등으로 세계 경제가 흔들린 사건
c. 새마을 운동 •	• ㄴ. 1971년, 서울시의 무계획적인 행정에 경기도 광주 주민들이 대규모로 시위를 벌인 사건
b. 광주 대단지 사건 •	• ㄷ. 1970년부터 시작된 범국민적 지역 사회 개발 운동

04 박정희 정부 시기의 경제 상황을 <보기>에서 모두 고르시오.

보기
ㄱ. 3저 호황을 누렸다.
ㄴ. 경부 고속 도로가 준공되었다.
ㄷ. 경제 개발 5개년 계획을 추진하였다.
ㄹ. 브라운 각서에 기초한 미국의 경제 원조가 추진되었다.

2 내신 유형 익히기

01 박정희 정부 시기의 경제 상황으로 옳은 것은?

① 회사령이 실시되었다.
② 새마을 운동이 추진되었다.
③ 금융 실명제가 실시되었다.
④ 물산 장려 운동이 전개되었다.
⑤ 미국과 자유 무역 협정을 체결하였다.

중요

02 (가)~(라) 시기에 있었던 사실로 옳은 것은?

1965	1977	1988	1997	2005	2011
(가)	(나)	(다)	(라)	(마)	
한·일 협정 국회 비준	수출 100억 달러 달성	서울 올림픽 개최	IMF 구제 금융 요청	수출 3천억 달러 달성	한·미 FTA 국회 비준

① (가) - 3저 호황을 맞아 경제 위기를 극복하였다.
② (나) - 제2차 석유 파동으로 경제적 타격을 입었다.
③ (다) - 원활한 물자 유통을 위해 경부 고속 도로를 개통하였다.
④ (라) - 원조 물자를 가공하는 삼백 산업이 발달하였다.
⑤ (마) - 세계화를 표방하며 경제 협력 개발 기구(OECD)에 가입하였다.

03 광주 대단지 사건에 대한 설명으로 옳은 것은?

① 노동자 대투쟁 과정에서 발생하였다.
② 도시 빈민들이 벌인 대규모 시위였다.
③ 평화 시장 노동자 전태일이 주도하였다.
④ 전두환 정부의 경제 정책에 반발하여 일어났다.
⑤ 농촌 생활 환경 개선에 중점을 두어 전개하였다.

중요

04 1980년대 경제 상황으로 옳은 것은?

① 포항 제철소가 준공되었다.
② 제1차 석유 파동이 일어났다.
③ 3저 호황으로 수출이 증가하였다.
④ 한·칠레 자유 무역 협정이 체결되었다.
⑤ 경공업 중심으로 경제 규모가 성장하였다.

05 다음 상황이 나타난 당시의 경제 모습으로 옳은 것은?

> 연간 조강 생산량 1백 3만 톤 규모의 제철 일관 공정을 갖춘 포항 종합 제철 공장 제1기 준공식이 대통령이 참석한 가운데 거행되었다. 총 공사비 1,200여억 원(외국 자본 700여억 원 포함)을 들여 3년 3개월 만에 완공된 이 공장에서 생산된 철강은 조선, 기계, 자동차 등 중화학 공업 분야의 원재료로 쓰이게 된다.

① 개성 공업 단지가 조성되었다.
② 경공업 중심의 경제 정책이 추진되었다.
③ 베트남 전쟁 참전에 따른 특수를 누렸다.
④ 농축산물 시장 개방 반대 운동이 전개되었다.
⑤ 세계 무역 기구(WTO)의 출범으로 시장 개방이 가속화하였다.

06 전태일 분신 사건 이후의 상황으로 옳은 것은?

① 농지 개혁법이 제정되었다.
② 한·일 국교 정상화가 이루어졌다.
③ 한·미 상호 방위 조약이 체결되었다.
④ 연간 수출액 100억 달러가 달성되었다.
⑤ 제1차 경제 개발 5개년 계획이 추진되었다.

서술형 문제

07 다음과 같은 상황이 한국 경제에 끼친 영향을 서술하시오.

> 제2차 세계 대전 이후 미국은 냉전이라는 국제 정세 속에서 소련, 중국 등의 사회주의 진영에 맞서는 방향으로 대외 정책을 추진하였다. 이에 따라 후진 자본주의 국가들을 경제적으로 지원하여 사회주의 이념이 퍼지는 것을 막고, 선진 자본주의 국가들에는 경제 개발 원조에 동참할 것을 호소하였다.

서술형 문제

08 다음 글을 읽고 물음에 답하시오.

> 역사용어 해설
>
> (가)
>
> 중화학 공업 지구인 울산에서 시작되어 전국으로 확산되었다. 이 과정에서 노동자들은 임금 인상, 열악한 노동 조건 개선, 노동조합 결성과 활동 보장 등을 요구하였다. 대기업 생산직 노동자들을 중심으로 2개월 만에 100만 명이 넘는 노동자가 참여하였다. 거의 모든 산업 분야의 노동자가 참여하였다는 점, 총파업의 형태가 아닌 개별 사업장에서 각각 일어났다는 점이 특징이다.

(1) (가)에 들어갈 용어를 쓰시오.

(2) (가) 사건이 발생하게 된 직접적인 계기를 서술하시오.

교과서 284~286쪽

6 6월 민주 항쟁과 민주주의의 발전

주제 68 민주주의의 승리, 6월 민주 항쟁

이번 주제에서는 | 6월 민주 항쟁의 배경, 전개 과정, 결과를 파악하고 그 성격과 의미를 판단할 수 있습니다.

교실 열기 1987년 6월에 수백만 명의 국민이 광장에 모인 까닭은 무엇일까?

예시 답안 | 당시 집권 세력이었던 전두환 군사 정권이 국민들의 대통령 직선제 요구를 무시한 4·13 호헌 조치를 발표하고 이에 반대하는 민주화 운동을 강경하게 진압하였기 때문이다.

1 6월 민주 항쟁의 전개

(1) 배경: 전두환 정부의 군사 독재 및 민주화를 요구하는 국민의 열망 → 대통령 직선제의 필요성에 대한 인식 확산

- 일정 연령 이상의 모든 국민이 대통령을 선출하는 데 직접적으로 참여하는 제도이다.

① 헌법 개정 요구 확대: 대통령 직선제 시행을 요구하는 1천만 명 서명 운동 전개

② 전두환 정부의 민주화 운동 탄압: 대학생 박종철이 고문으로 사망(박종철 고문 치사 사건[1]) → 정부의 언론 통제 및 사건 은폐

③ 4·13 호헌 조치[2] 발표: 대통령 직선제 개헌 요구 거부

(2) 주장 내용: 직선제 쟁취, 호헌 철폐, 독재 타도

(3) 전개

① 민주 헌법 쟁취 국민운동 본부 출범

② 시위 과정에서 대학생 이한열이 최루탄에 피격

③ 전국으로 시위 확산: 6·10 국민 대회(박종철군 고문살인 조작·은폐 규탄 및 호헌 철폐 시민 대회), 6·26 국민 대회(민주 헌법 쟁취를 위한 국민 평화 대행진)

- 이날 잠실 체육관에서는 전두환의 육군 사관 학교 동기인 노태우가 대통령 후보로 선출되었다.

(4) 결과: 전두환 정부가 시민들의 저항에 굴복하여 6·29 민주화 선언 발표 → 대통령 직선제 개헌 수용

- 여당의 대통령 후보였던 노태우가 대통령 직선제 요구를 수용하며 수습 방안을 발표하였다.

2 대통령 직선제로의 개헌

(1) 6·29 민주화 선언의 주요 내용

① 대통령 직선제 개헌과 평화적 정권 이양

② 인권 침해 사례의 즉각적 시정

③ 언론의 자율성 최대한 보장

④ 지방 자치 및 교육 자치 시행

- 폭력적인 군사 독재에 대한 국민들의 불만이 6월 민주 항쟁으로 크게 표출되자, 전두환 정부는 이에 굴복하여 그동안 민주화 운동 진영에서 요구해왔던 사항들을 수용하였다.

(2) 헌법 개정의 주요 내용

① 대통령 직선제 실시

② 대통령 임기를 5년 단임으로 축소

③ 헌법 재판소[3] 설치

- 6월 민주 항쟁은 시민의 평화적 힘으로 군부 독재를 종식하기 위해 대통령을 직접 뽑는 절차적 민주주의를 이루어 냈다.

(3) 6월 민주 항쟁의 특징

① 장기간에 걸쳐 전국적으로 대규모 시위 전개

② 중산층의 적극적인 시위 참여

③ 시민 의식 제고 및 민주화 진전에 기여

개념 쏙쏙

① 박종철 고문 치사 사건
전두환 정부 말기인 1987년 경찰이 서울대학교 학생 박종철을 불법 체포하여 고문하다가 사망에 이르게 하였다. 이 사건은 정부의 조직적인 은폐 시도에도 불구하고 그 진상이 폭로되어, 그해 6월 민주 항쟁이 일어나는 중요 계기가 되었다.

② 4·13 호헌 조치
1987년 4월 13일 당시 대통령 전두환이 국민들의 민주화 요구를 거부하고, 대통령 직선제 개헌 논의를 중단시킨 조치이다. 이 조치는 오히려 국민들의 민주화 요구에 불을 지피는 역효과를 낳았다. 이 조치가 발표되면서 전국 각 지역에서 군사 독재 세력의 장기 집권 음모를 비난하고, 대통령 직선제로의 헌법 개정을 요구하는 시위가 잇따랐다.

③ 헌법 재판소
각종 법령, 정당 및 국가 기관의 활동 등이 헌법에 부합하는지를 심판하기 위해 설치된 헌법 재판 기관이다. 6월 민주 항쟁으로 개정된 현행 헌법에서 헌법 재판소 제도가 도입되어 1988년 역사상 처음으로 헌법 재판소가 구성되었다.

정리 교실 교과서 285쪽

㉠ 박종철 ㉡ 4·13 호헌 조치
㉢ 이한열 ㉣ 6·29 민주화 선언

교과서 | 286쪽

탐구 교실 참여자의 경험담을 통해 본 6월 민주 항쟁

활동 목표 | 6월 민주 항쟁은 한국 현대사에서 어떤 성격과 의미를 지니는지 말할 수 있습니다.

수도권 이○○ (당시 교사)

저는 당시 고등학교 교사였습니다. 그 무렵에는 5월이 되면 꼭 학생들이 광주에 대해 질문을 했어요. 그래서 토론도 많이 했어요. 아주 조심스럽게. 6월 민주 항쟁이 일어나자 종로 거리, 광화문 거리 시위 현장에서 누가 먼저랄 것도 없이 서로를 알아보고 인사했어요.

강원도 권○○ (당시 대학생)

6월 10일 국민 대회 당시 춘천에서는 중심지 역할을 했던 장소들이 이미 경찰에 의해 봉쇄되어 있었어요. 하지만 6월 18일 최루탄 추방 대회 때에는 춘천시 명동에 사람들이 어마어마하게 모였죠. 18, 19일에는 8호 광장에서 시민 대토론회를 진행했는데, 광장이 사람들로 꽉 찼었습니다.

충청도 김○○ (당시 목사)

제 경험으로는 대학생이 아닌 일반 성인들이 정식으로 진행하고 인사말을 하는 시위는 아마도 6·10 국민 대회가 처음이었던 것 같아요. 천안의 경우, 오룡동 성당과 천안역에서 동시에 진행되었어요. 오룡동 성당에서는 목사님이, 천안역에서는 신부님이 진행하셨던 기억이 납니다.

전라도 김○○ (당시 고등학생)

당시 고등학생이었던 저는 호헌 철폐가 무슨 뜻인지 잘 몰랐어요. 다만 1980년 5월의 경험과 전두환이라는 인물을 통해 우리나라가 독재 국가라는 점은 인식했어요. 그래서 전두환 정부의 독재를 막아야 한다는 생각으로 시위에 참여했어요. 호헌 철폐라는 구호는 크게 의식하지 못했어요.

경상도 강○○ (당시 시민운동가)

6·26 평화 대행진 당시 구호가 '동장에서 대통령까지 내 손으로'였어요. 그래서 이 구호가 담긴 펼침막을 만들어야 했는데, 이런 것을 만들면 감옥에 갈 수도 있어서 만들 사람이 없었어요. 그래서 제가 스프레이와 천을 사다가 밤에 건물 옥상에서 이 글귀를 현수막에다 적었어요.

제주도 송○○ (당시 대학생)

제가 '독재 정권 타도하고, 민주 헌법 쟁취하자.'라는 구호를 외치면서 중앙로 한복판으로 뛰쳐나갔어요. 순식간에 백여 명이 몰려들었죠. 제주 4·3 사건 이후 이런 집회는 제주도에서 처음이다 보니 경찰들의 대응이 늦었고, 시위대는 순식간에 300명으로 늘어났어요.

활동 도우미

- 토의를 통해 모둠별로 6월 민주 항쟁을 한 단어로 표현하고, 그 이유를 함께 말해 봅시다.
- 6월 민주 항쟁에 참여한 사람들의 경험담과 토론방의 내용을 통해 6월 민주 항쟁이 어떤 성격과 의미를 지닌 민주화 운동인지 알아봅시다.

자료 해설

- 민주화운동기념사업회에서 운영하는 오픈 아카이브(http://db.kdemocracy.or.kr/)의 구술사 자료를 활용하여 재구성한 것이다. 실제로 6월 민주 항쟁에 참여하였던 시민들의 목소리를 통해 이 사건이 전국적이고, 지속적이며, 대규모로 전개되었음을 생생하게 전달해 준다.

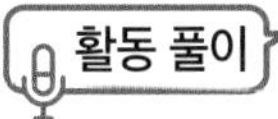

활동 풀이

1. 오늘 토론방의 주제는 1987년에 일어난 6월 민주 항쟁입니다. 호헌 철폐, 독재 타도를 외치며 민주화를 향한 열망을 분출하였던 6월 민주 항쟁의 성격과 의미에 대한 자신의 생각을 남겨 봅시다.

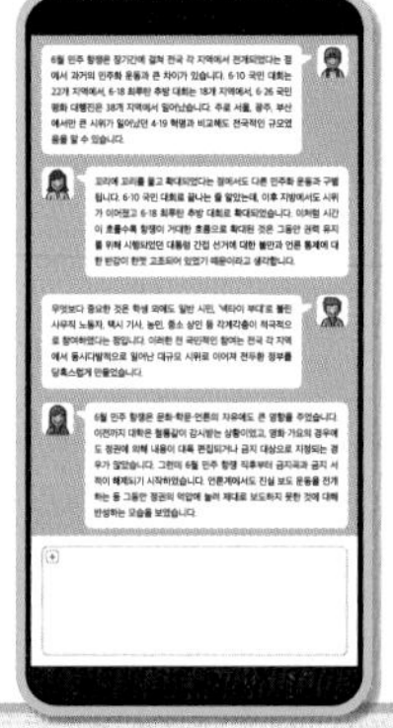

예시 답안 6월 민주 항쟁은 장기간에 걸쳐 전국적으로 일어난 규모 시위라고 생각합니다. 전국 각 지역에서 독재 정권을 몰아내고 민주주의를 지켜내려는 열망이 분출되었다는 점이 매우 인상적입니다. 교사, 학생, 종교인, 노동자 등 직업과 계층을 초월하여 우리 이웃과 같은 평범한 사람들이 적극적으로 참여하였다는 점도 돋보입니다. 이를 통해 민주주의는 뛰어난 몇몇 사람들이 아닌, 평범한 다수의 시민이 깨어 있을 때 지켜낼 수 있다는 생각을 하게 되었습니다.

간단 체크 정답 및 해설 42쪽

1987년 여당의 대통령 후보인 노태우는 6·29 민주화 선언을 발표하고 (　　) 개헌을 약속하였다.

6월 민주 항쟁과 민주주의의 발전

주제 69 시민의 참여로 발전한 민주주의

이번 주제에서는 | 6월 민주 항쟁 이후 시민 사회의 성장과 민주주의 발전 과정에 대해 다양한 자료를 활용하여 탐구할 수 있습니다.

교실 열기 6월 민주 항쟁 이후 시민운동이 활발해진 이유는 무엇일까?

예시 답안 | 6월 민주 항쟁 이후 민주적 제도의 중요성에 대한 국민들의 의식이 크게 높아졌기 때문이다.

1 평화적 정권 교체의 정착

(1) 배경: 6월 민주 항쟁 이후 절차적 민주주의[1]의 성숙

(2) 직선제 개헌 이후의 정부: 평화적 여야 정권 교체

정부	내용
노태우 정부	집권 초기 여소야대 국회[2] 형성, 지방 의회 구성, 북방 외교 추진
김영삼 정부	지방 자치제[3] 전면 시행, 고위 공직자 재산 등록, 금융 실명제 실시, 역사 바로 세우기 표방
김대중 정부	여성부 신설, 국가 인권 위원회 설치, 인사 청문회법 제정
노무현 정부	국민 참여 재판 제도 시행, 권위주의 청산 노력
이명박 정부	기업 규제 완화, 4대강 사업 추진, G20 정상 회의 개최
박근혜 정부	기초 연금법 제정, 탄핵으로 임기 중 퇴진

북방 외교 추진: 소련 및 동유럽, 중국 등의 국가와 교류를 확대하였다.

2 지방 자치를 위한 노력

(1) 지방 자치제: 지역 주민이나 정부가 해당 지역의 공공 문제를 자율적으로 처리하는 제도

(2) 지방 자치제 부활: 6월 민주 항쟁 이후 30년 만에 지방 의회 선거 실시(1991) → 지방 자치제 전면 시행(1995)

30년 만에 지방 의회 선거 실시(1991): 지방 의회 선거는 1961년 박정희가 주도한 5·16 군사 정변으로 중단되었다가 6월 민주 항쟁 이후인 1991년에 부활되었다.

지방 자치제 전면 시행(1995): 1995년 지방 선거를 계기로 한국의 지방 자치가 본격화되었다.

3 시민 사회의 성장과 참여

(1) 배경: 6월 민주 항쟁 이후 민주적 제도의 중요성에 대한 시민 의식 향상

(2) 결과

① 각종 선거와 정부의 정책 추진에 영향, 국민 기본권 향상에 기여

② 시민들의 정치적 의사 표현 활성화, 인권 침해 및 차별 문제 개선

③ 권력을 견제할 수 있는 법적·제도적 장치 마련

시민들의 정치적 의사 표현 활성화: 인터넷을 활용한 언론 매체가 등장하면서 시민들의 정치적 의사 표현이 활발해졌다.

4 과거사 청산을 위한 노력

(1) 배경: 민주화의 진전

민주화의 진전: 국가 권력에 의해 은폐되고 왜곡되었던 과거사를 바로잡아야 한다는 요구가 증대하였다.

(2) 전개

① 노태우 정부 시기: 5·18 민주화 운동의 진상 등을 밝히는 국회 청문회 개최

② 김영삼 정부 시기: 5·18 민주화 운동 관련 특별법 제정, 전두환·노태우를 군사 반란 등의 혐의로 구속, 거창 사건[3] 희생자에 대한 명예 회복 추진

③ 김대중 정부 시기: 제주 4·3 사건 관련 특별법 제정 및 진상 조사

④ 노무현 정부 시기: 과거사 진상 규명법 제정 → 과거사 청산 노력

개념 쏙쏙

① 절차적 민주주의
의사 결정이나 지도자 선출 과정에서 민주적 절차인 토론, 다수결, 비판 및 타협 등의 과정이 지켜지는 것을 말한다.

② 여소야대 국회
5년 단임의 직선제로 치러진 제13대 대통령 선거에서 여당 후보였던 노태우가 당선되었다. 그러나 이듬해 국회 의원 선거에서는 헌정 사상 처음으로 야당이 국회 의석의 과반수를 차지하는 여소야대 정국이 형성되었다. 이로 인해 5·18 민주화 운동의 진상을 규명하고 전두환 정부의 비리를 조사하기 위한 청문회가 열렸다.

③ 거창 사건
6·25 전쟁 중이던 1951년 경상남도 거창군 신원면에서 국군이 700명이 넘는 주민들을 집단 학살한 사건이다. 이 사건은 진상이 은폐된 채 묻혀 있다가 1996년 「거창 사건 등 관련자의 명예 회복에 관한 특별 조치법」 제정을 통해 희생자와 유족에 대한 명예 회복이 추진되었다.

정리 교실 교과서 290쪽

㉠ 평화적 여야 정권 교체
㉡ 지방 자치제
㉢ 사회 보장 제도
㉣ 제주 4·3 사건

탐구 교실 민주주의의 발전과 과거사 청산

활동 목표 | 외국 사례와 비교하여 한국의 과거사 청산이 어떻게 이루어졌는지 설명할 수 있습니다.

자료 1 아르헨티나의 과거사 청산

1960~1970년대 군사 독재에 의해 아르헨티나의 수많은 국민이 실종되거나 고문, 납치, 학살되었다. 그러나 거듭된 실정으로 군부가 퇴진하고 1983년에 치러진 민주적 선거에서 인권 변호사 출신인 라울 알폰신이 대통령에 당선되면서 '실종자 진상 조사 국가 위원회'가 설치되었다. 이 위원회가 작성한 보고서는 5만여 쪽에 달하는 방대한 분량이다. 보고서의 제목인 '눈카 마스(Nunca mas)'는 '다시는 안 돼!'라는 뜻이다.

아르헨티나의 실종자 진상 조사 국가 위원회의 보고서, 『눈카 마스』(1984)

자료 2 남아프리카 공화국의 과거사 청산

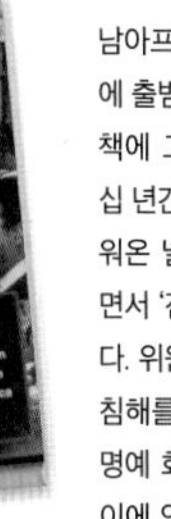

남아프리카 공화국의 『진실과 화해 위원회의 보고서』(2003)

남아프리카 공화국의 국민은 1948년에 출범한 국민당 정부의 인종 차별 정책에 고통받았다. 그러나 1994년 수십 년간 흑인 인권과 민주화를 위해 싸워온 넬슨 만델라가 대통령에 당선되면서 '진실과 화해 위원회'가 구성되었다. 위원회는 국가 권력이 저지른 인권 침해를 조사하고, 피해자들의 보상과 명예 회복에 대한 지침을 마련하였다. 이에 약 7년 동안 2만 명이 넘는 사람들이 잘못을 고백하거나 본인이 당한 학대 사실을 밝혔다.

자료 3 한국의 과거사 청산

분야	관련 위원회
식민지 잔재의 청산	친일 반민족 행위 진상 규명 위원회, 일제 강점하 강제 동원 피해 진상 규명 위원회, 친일 반민족 행위자 재산 조사 위원회
6·25 전쟁 전후 민간인 희생에 대한 과거사 정리	제주 4·3 사건 진상 규명 및 희생자 명예 회복 위원회, 노근리 사건 희생자 심사 및 명예 회복 위원회, 거창 사건 등 관련자 명예 회복 심의 위원회
권위주의 정권하의 인권 침해에 대한 과거사 정리	민주화 운동 관련자 명예 회복 및 보상 심의 위원회, 군 의문사 진상 규명 위원회, 국가 기관별 과거사 정리 위원회, 삼청 교육 피해자의 명예 회복 및 보상 심의 위원회
포괄적 과거사 정리	진실·화해를 위한 과거사 정리 위원회, 기타 위원회

한국에서는 1948년 정부 수립 직후 설치된 반민족 행위 특별 조사 위원회(반민 특위)가 1년 만에 해체되어 과거사 청산이 제대로 이루어지지 못하였다. 본격적인 과거사 청산은 6월 민주 항쟁 이후에 시작되었으며, 2000년대에 들어 다양한 위원회가 설치되어 포괄적인 과거사 청산이 진행되고 있다.

활동 도우미

- 자료 1~3을 읽고, 아르헨티나, 남아프리카 공화국, 한국의 현대사가 보여 준 공통점을 찾아봅시다.
- 과거사 청산이 왜 필요한지 생각해 보고, 자료로 제시된 세 나라에서 과거사 청산을 본격화하게 된 결정적인 계기가 무엇인지 살펴봅시다.
- 한국 현대사에서 과거사 청산이 가장 미약하다고 생각되는 분야가 무엇인지 찾아보고, 해당 위원회를 선택하여 그 이유를 말해 봅시다.

자료 해설

- **<자료 1>** | 아르헨티나의 「눈카 마스」 보고서는 군사 독재 시절에 자행된 인권 유린에 대한 진상을 밝히는 데 중점을 두었다.
- **<자료 2>** | 남아프리카 공화국의 「진실과 화해를 위한 위원회의 보고서」는 오랜 기간 백인 정권에 의해 자행된 인종 차별에 대한 진상을 밝히는 데 중점을 두었다.
- **<자료 3>** | 한국의 과거사 청산 작업은 일제 강점기 이후 100여 년 간 자행된 국가 폭력의 진상을 포괄적으로 밝히는 데 중점을 두었다.

활동 풀이

1. <자료 1, 2, 3>에서 과거사 청산이 본격적으로 이루어지는 공통적인 계기가 된 것이 무엇인지 설명해 보자.

예시 답안 세 나라 모두 절차적 민주주의가 지켜지고 민주적인 선거를 치르면서 과거사 청산이 본격적으로 이루어졌다. 이는 국민들의 의사가 분명하게 표출될 수 있는 절차와 통로가 마련되었을 때, 그동안 국가 권력에 의해 왜곡되고 은폐되었던 사실들을 밝혀냄으로써 억울하게 피해를 입은 사람들의 상처를 치유하고 가해자들의 반성을 이끌어내어 사회 구성원 간의 화합을 이룰 수 있음을 보여 준다.

2. <자료 3>에 제시된 과거사 청산 관련 위원회 중에서 참여하고 싶은 위원회와 그 이유를 써 보자.

예시 답안 진실·화해를 위한 과거사 정리 위원회에 참여하고 싶다. 한국 사회는 35년 간의 식민 지배와 40여 년 간의 독재를 겪으면서 쉴 새 없이 국가 폭력에 시달렸다. 이로 인해 수많은 사람이 억울하게 피해를 입었다. 20세기를 관통했던 다양한 국가 폭력의 사례들을 확인하고, 피해자들의 명예를 회복할 수 있는 방안들을 구체적으로 찾고 싶다.

간단 체크 정답 및 해설 42쪽

6월 민주 항쟁 이후 시민 사회의 성장과 참여는 언론·출판·집회·결사의 자유 등 국민의 (　　) 향상에 기여하였다.

1 개념 익히기

01 아래 설명이 맞으면 O표, 틀리면 X표를 해 보자.

(1) 6월 민주 항쟁은 관련 기록물이 유네스코 세계 기록 유산에 등재되었다. (　　)

(2) 노무현 정부의 등장으로 32년 만에 민간인 출신의 대통령이 국정을 주도하게 되었다. (　　)

(3) 인터넷을 활용한 언론 매체가 등장하면서 시민들의 정치적 의사 표현이 활발해졌다. (　　)

02 빈칸에 알맞은 말을 채워 보자.

(1) 1987년 4월, 기존 헌법을 유지한 채 선거를 치르겠다는 (　　　　)이/가 발표되었다.

(2) 김영삼 정부가 (　　　　)을/를 전면적으로 시행하여 지방 자치 단체장도 투표로 선출하였다.

(3) 김대중 정부는 (　　　　)에 대해 특별법을 제정하여 진상 조사를 하였다.

03 서로 관련 있는 내용끼리 연결해 보자.

a. 대통령 직선제 •　　• ㄱ. 금융 거래를 할 때 실제 이름을 사용하도록 하는 제도

b. 금융 실명제 •　　• ㄴ. 지역 주민이나 지방 정부가 해당 지역의 공공 문제를 자율적으로 해결하는 제도

c. 지방 자치제 •　　• ㄷ. 국민이 직접 투표를 통해 대통령을 선출하는 제도

04 6월 민주 항쟁에 대한 옳은 설명을 <보기>에서 모두 고르시오.

보기

ㄱ. 5·17 비상계엄이 확대되는 계기가 되었다.
ㄴ. 5년 단임의 대통령 직선제 개헌이 이루어졌다.
ㄷ. 계엄군이 시위 중인 시민들을 향해 총격을 가하였다.
ㄹ. 문화·학문·언론의 자유가 확대되는 데 영향을 끼쳤다.

2 내신 유형 익히기

중요

01 전두환 정부 시기의 상황으로 옳지 않은 것은?

① 유신 헌법을 제정하였다.
② 보도 지침을 통해 언론을 통제하였다.
③ 대학생 박종철이 고문으로 사망하였다.
④ 대통령 선거인단이 대통령을 선출하였다.
⑤ 각종 권력형 부정과 비리 사건이 발생하였다.

02 밑줄 친 '민주화 운동'에 대한 설명으로 옳은 것은?

이것은 당시 고문으로 사망한 대학생 박종철에 대한 국민 추도회 사진입니다. 이 고문 치사 사건은 이 민주화 운동의 도화선이 되었습니다.

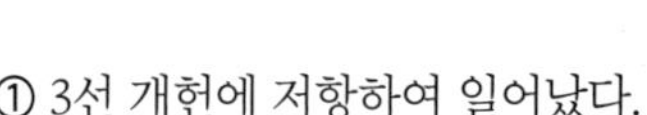

① 3선 개헌에 저항하여 일어났다.
② 신군부의 계엄령 전국 확대에 항거하였다.
③ 굴욕적인 한·일 국교 정상화에 반대하였다.
④ 이승만 대통령이 하야하는 결과를 가져왔다.
⑤ 대통령 직선제 개헌이 이루어지는 계기가 되었다.

03 6월 민주 항쟁의 배경으로 적절한 것은?

① 4·13 호헌 조치가 발표되었다.
② 민간인 출신의 대통령이 선출되었다.
③ 전두환 정부의 비리에 대한 청문회가 열렸다.
④ 울산을 시작으로 노동자 대투쟁이 전개되었다.
⑤ 사상 처음으로 야당이 국회 의석의 과반수를 차지하였다.

중요
04 6·29 민주화 선언의 내용으로 옳지 않은 것은?

① 평화적 정권 이양
② 대통령 직선제 개헌
③ 언론의 자율성 보장
④ 지방 자치와 교육 자치 시행
⑤ 통일 주체 국민 회의의 설치

05 (가), (나) 선언문이 발표된 사이의 시기에 있었던 사실로 옳은 것은?

> (가) 오늘 우리는 전 세계 이목이 우리를 주시하는 가운데 40년 독재 정치를 청산하고 희망찬 민주 국가를 건설하기 위한 거보(巨步)를 전 국민과 함께 내딛는다.
> (나) 비장한 각오로 역사와 국민 앞에 서게 되었습니다. …… 첫째, 여야합의하에 조속히 대통령 직선제 개헌을 하고 새 헌법에 의한 대통령 선거를 통해 88년 2월 평화적 정부 이양을 실현토록 해야겠습니다.

① 3·1 민주 구국 선언이 발표되었다.
② 계엄군에 맞서 시민군이 조직되었다.
③ 경찰이 경무대로 향하는 시위대에 발포하였다.
④ 학생 김주열이 최루탄에 맞아 숨진 채 발견되었다.
⑤ 6·26 평화 대행진에는 100만여 명이 시위에 참여하였다.

06 6월 민주 항쟁의 특징으로 적절하지 않은 것은?

① 대통령의 하야를 이끌어냈다.
② 전국에서 동시다발적으로 일어났다.
③ 장기간에 걸쳐 대규모로 전개되었다.
④ 문화, 학문, 언론의 자유에 큰 영향을 주었다.
⑤ 사무직 노동자와 중산층이 적극적으로 참여하였다.

중요
07 박종철 고문 치사 사건 이후의 상황으로 옳은 것은?

① 지방 자치법이 제정되었다.
② 4·13 호헌 조치가 발표되었다.
③ 국가 보위 비상 대책 위원회가 조직되었다.
④ 제1차 경제 개발 5개년 계획이 추진되었다.
⑤ 내각 책임제를 특징으로 하는 개헌이 단행되었다.

08 (가) 민주화 운동에 대한 설명으로 옳은 것은?

> <(가) 참여자 구술 녹취록>
>
> 김○○: 제 경험으로는 대학생이 아닌 일반 성인들이 정식으로 진행하고 인사말을 하는 시위는 아마도 6·10 국민 대회가 처음이었던 것 같아요. 천안의 경우, 오룡동 성당과 천안역에서 동시에 진행되었어요. 오룡동 성당에서는 목사님이, 천안역에서는 신부님이 진행하였던 기억이 납니다.

① 3·15 부정 선거가 원인이 되었다.
② 호헌 철폐와 독재 타도를 내세웠다.
③ 유신 체제가 붕괴되는 계기가 되었다.
④ 신군부의 비상 계엄 확대를 반대하였다.
⑤ 관련된 기록물이 유네스코 세계 기록 유산으로 등재되었다.

09 노태우 정부 시기의 사실로 옳은 것은?

① 여소야대 정국이 형성되었다.
② 부·마 민주화 운동이 전개되었다.
③ 세계 G20 정상 회의가 개최되었다.
④ 민주 헌법 쟁취 국민운동 본부가 조직되었다.
⑤ 헌법 재판소의 결정에 따라 대통령이 탄핵되었다.

정답 및 해설 42쪽

중요

10 다음 정부 시기에 있었던 사실로 옳지 않은 것은?

> 5·16 군사 정변 이후 처음으로 민간인 출신 대통령이 국정을 운영하게 되었다. 이 정부는 취임 초기 강력한 개혁 정책을 실시하여 국민의 높은 지지를 받았다.

① 농지 개혁법이 제정되었다.
② 전두환, 노태우가 구속되었다.
③ 금융 실명제가 전격 실시되었다.
④ 지방 자치제가 전면 시행되었다.
⑤ 고위 공직자 재산 등록이 실시되었다.

11 다음 취임사와 함께 출범한 정부 시기의 사실로 옳은 것은?

> 존경하는 국민 여러분! 우리는 외환 위기의 충격 속에서도 여야 간 평화적 정권 교체의 위업을 이룩하였습니다. 국민 여러분은 나라의 위기를 극복하기 위해 '금 모으기'에 나섰고, 이미 20억 달러가 넘는 금을 모아 주셨습니다.

① 삼청 교육대가 운영되었다.
② 야간 통행 금지가 해제되었다.
③ 국가 안전 기획부가 조직되었다.
④ 국가 인권 위원회가 설치되었다.
⑤ 프로 야구 등 프로 스포츠가 도입되었다.

12 노무현 정부 시기의 사실로 옳은 것은?

① 긴급 조치가 발표되었다.
② 기초 연금법이 실시되었다.
③ 최저 임금법이 제정되었다.
④ 언론사 통폐합 조치가 단행되었다.
⑤ 진실·화해를 위한 과거사 정리 위원회가 출범하였다.

서술형 문제

13 밑줄 친 '이 정부' 시기에 추진된 과거사 청산을 위한 노력의 사례를 두 가지 서술하시오.

> 5·16 군사 정변 이후 32년 만에 민간인 출신의 대통령이 국정을 주도하게 된 이 정부는 고위 공직자 재산 등록, 금융 실명제 등을 시행하여 부정부패 척결에 노력하였다. 또한 지방 자치제를 전면적으로 시행함으로써 지방 자치 단체장도 주민 투표로 선출할 수 있게 되었다.

서술형 문제

14 다음 글을 읽고 물음에 답하시오.

> 1987년 (가) 이후 민주화가 진전되면서 시민 의식이 한층 성숙하고 국민의 기본권도 향상되어 갔다. 시민들은 민주 사회 발전을 이끌어 가는 주체는 정부가 아닌 시민이라는 것을 깨달았다. 시민 개개인의 참여가 사회를 바꿀 수 있다는 희망이 싹트면서 ㉠ 다양한 형태의 시민운동이 활발하게 전개되었다.

(1) (가)에 해당하는 민주화 운동의 명칭을 쓰시오.

(2) ㉠에 해당하는 시민 단체 예를 두 가지 들고 그 활동을 서술하시오.

창의 융합 교실 더 나은 내일을 여는 시민 참여

교과서 292~293쪽

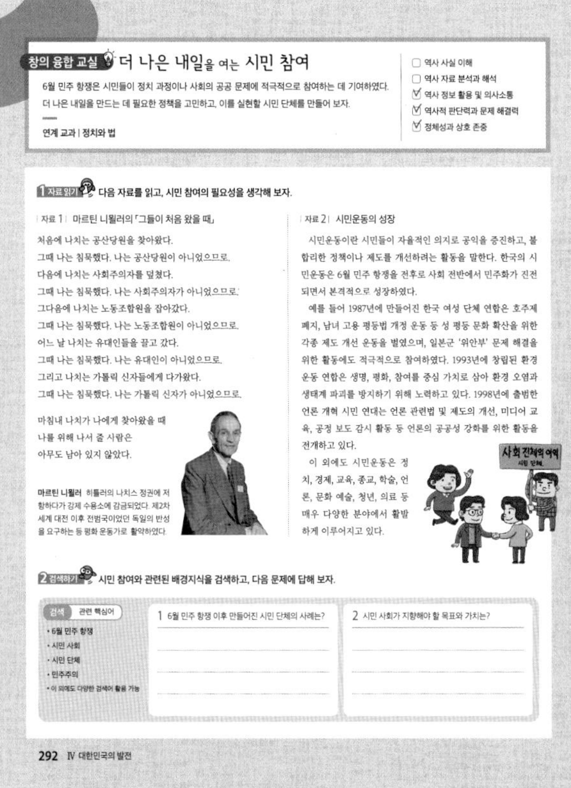

창의 융합 교실 더 나은 내일을 여는 시민 참여

6월 민주 항쟁은 시민들이 정치 과정이나 사회의 공공 문제에 적극적으로 참여하는 데 기여하였다. 더 나은 내일을 만드는 데 필요한 정책을 고민하고, 이를 실현할 시민 단체를 만들어 보자.

연계 교과 | 정치와 법

- ☐ 역사 사실 이해
- ☐ 역사 자료 분석과 해석
- ☑ 역사 정보 활용 및 의사소통
- ☑ 역사적 판단력과 문제 해결력
- ☑ 정체성과 상호 존중

1 자료 읽기 다음 자료를 읽고, 시민 참여의 필요성을 생각해 보자.

자료 1 | 마르틴 니묄러의 「그들이 처음 왔을 때」

처음에 나치는 공산당원을 찾아왔다.
그때 나는 침묵했다. 나는 공산당원이 아니었으므로.
다음에 나치는 사회주의자를 덮쳤다.
그때 나는 침묵했다. 나는 사회주의자가 아니었으므로.
그다음에 나치는 노동조합원을 잡아갔다.
그때 나는 침묵했다. 나는 노동조합원이 아니었으므로.
어느 날 나치는 유대인들을 끌고 갔다.
그때 나는 침묵했다. 나는 유대인이 아니었으므로.
그리고 나치는 가톨릭 신자들에게 다가왔다.
그때 나는 침묵했다. 나는 가톨릭 신자가 아니었으므로.

마침내 나치가 나에게 찾아왔을 때
나를 위해 나서 줄 사람은
아무도 남아 있지 않았다.

마르틴 니묄러 히틀러의 나치스 정권에 저항하다가 강제 수용소에 감금되었다. 제2차 세계 대전 이후 전범국이었던 독일의 반성을 요구하는 등 평화 운동가로 활약하였다.

자료 2 | 시민운동의 성장

시민운동이란 시민들이 자율적인 의지로 공익을 증진하고, 불합리한 정책이나 제도를 개선하려는 활동을 말한다. 한국의 시민운동은 6월 민주 항쟁을 전후로 사회 전반에서 민주화가 진전되면서 본격적으로 성장하였다.

예를 들어 1987년에 만들어진 한국 여성 단체 연합은 호주제 폐지, 남녀 고용 평등법 개정 운동 등 성 평등 문화 확산을 위한 각종 제도 개선 운동을 벌였으며, 일본군 '위안부' 문제 해결을 위한 활동에도 적극적으로 참여하였다. 1993년에 창립된 환경 운동 연합은 생명, 평화, 참여를 중심 가치로 삼아 환경 오염과 생태계 파괴를 방지하기 위해 노력하고 있다. 1998년에 출범한 언론 개혁 시민 연대는 언론 관련법 및 제도의 개선, 미디어 교육, 공정 보도 감시 활동 등 언론의 공공성 강화를 위한 활동을 전개하고 있다.

이 외에도 시민운동은 정치, 경제, 교육, 종교, 학술, 언론, 문화 예술, 청년, 의료 등 매우 다양한 분야에서 활발하게 이루어지고 있다.

2 검색하기 시민 참여와 관련된 배경지식을 검색하고, 다음 문제에 답해 보자.

검색 관련 핵심어
- 6월 민주 항쟁
- 시민 사회
- 시민 단체
- 민주주의
- 이 외에도 다양한 검색어 활용 가능

1 6월 민주 항쟁 이후 만들어진 시민 단체의 사례는?

2 시민 사회가 지향해야 할 목표와 가치는?

292 Ⅳ 대한민국의 발전

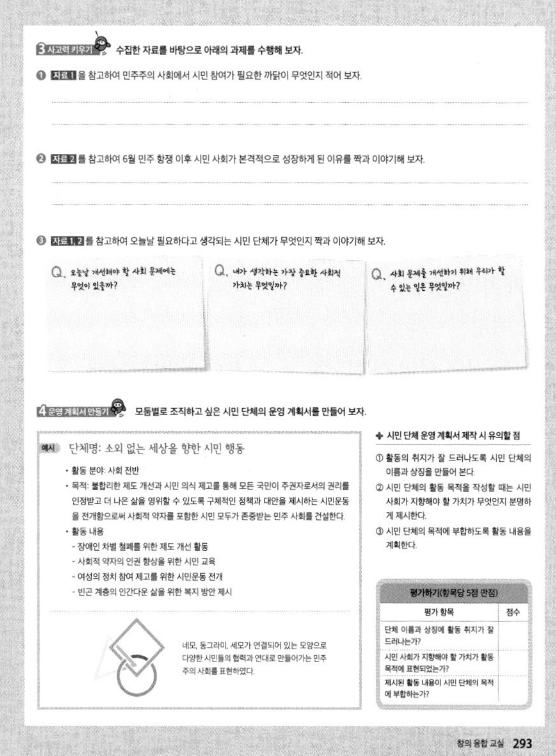

3 사고력 키우기 수집한 자료를 바탕으로 아래의 과제를 수행해 보자.

❶ 자료 1 을 참고하여 민주주의 사회에서 시민 참여가 필요한 까닭이 무엇인지 적어 보자.

❷ 자료 2 를 참고하여 6월 민주 항쟁 이후 시민 사회가 본격적으로 성장하게 된 이유를 짝과 이야기해 보자.

❸ 자료 1, 2 를 참고하여 오늘날 필요하다고 생각되는 시민 단체가 무엇인지 짝과 이야기해 보자.

Q. 오늘날 개선해야 할 사회 문제에는 무엇이 있을까?

Q. 내가 생각하는 가장 중요한 사회적 가치는 무엇일까?

Q. 사회 문제를 개선하기 위해 우리가 할 수 있는 일은 무엇일까?

4 운영 계획서 만들기 모둠별로 조직하고 싶은 시민 단체의 운영 계획서를 만들어 보자.

예시 단체명: 소외 없는 세상을 향한 시민 행동

- 활동 분야: 사회 전반
- 목적: 불합리한 제도 개선과 시민 의식 제고를 통해 모든 국민이 주권자로서의 권리를 인정받고 더 나은 삶을 영위할 수 있도록 구체적인 정책과 대안을 제시하는 시민운동을 전개함으로써 사회적 약자를 포함한 시민 모두가 존중받는 민주 사회를 건설한다.
- 활동 내용
  - 장애인 차별 철폐를 위한 제도 개선 활동
  - 사회적 약자의 인권 향상을 위한 시민 교육
  - 여성의 정치 참여 제고를 위한 시민운동 전개
  - 빈곤 계층의 인간다운 삶을 위한 복지 방안 제시

네모, 동그라미, 세모가 연결되어 있는 모양으로 다양한 시민들의 협력과 연대로 만들어가는 민주주의 사회를 표현하였다.

✚ 시민 단체 운영 계획서 제작 시 유의할 점

① 활동의 취지가 잘 드러나도록 시민 단체의 이름과 상징을 만들어 본다.
② 시민 단체의 활동 목적을 작성할 때는 시민 사회가 지향해야 할 가치가 무엇인지 분명하게 제시한다.
③ 시민 단체의 목적에 부합하도록 활동 내용을 계획한다.

평가하기(항목당 5점 만점)

평가 항목	점수
단체 이름과 상징에 활동 취지가 잘 드러나는가?	
시민 사회가 지향해야 할 가치가 활동 목적에 표현되었는가?	
제시된 활동 내용이 시민 단체의 목적에 부합하는가?	

창의 융합 교실 293

활동 목표

- 민주주의 사회에서 시민 참여의 필요성에 대해 말할 수 있습니다.
- 더 나은 사회로 나아가는 데 필요하다고 생각되는 시민 단체의 운영 계획서를 만들 수 있습니다.

활동 흐름

- <자료 1, 2>를 읽고 시민의 참여가 왜 중요한지 살펴봅니다.
- 한국의 시민 단체 사례와 시민 사회가 지향해야 할 목표와 가치에 대해 검색합니다.
- 오늘날 필요하다고 생각되는 시민 단체가 무엇인지 짝과 이야기해 봅니다.
- 토의 내용을 바탕으로 모둠별로 조직하고 싶은 시민 단체의 운영 계획서를 제작합니다.

예시 답안

- **6월 민주 항쟁 이후 만들어진 시민 단체의 사례는?** | 경제 정의 실천 시민 연합(1989), 환경 운동 연합(1993), 참여 연대(1994), 녹색 연합(1994) 등이 있다.
- **시민 사회가 지향해야 할 목표와 가치는?** | 시민 사회는 국가 권력이 해결하지 못하는 다양한 사회 현안에 대한 문제 제기, 대안 제시, 여론 조성 등을 통해 불합리한 제도를 개선하고 시민 의식을 제고하는 데 목표를 둔다. 기본적으로 국가 권력이나 자본으로부터 독립하여 활동하는 비정부 기구(Non-Government Organization, NGO)의 성격을 띠면서 공동선과 공공의 이익이라는 가치를 추구한다.

도움 자료

- **한국의 시민 단체** | 역사적으로 따져볼 때 YMCA와 YWCA, 흥사단은 광복 이전에 만들어져 현재까지 계승되고 있는 유서 깊은 시민 단체들이다. 한편, 대부분의 시민 단체들은 1980년대 민주화 운동, 특히 6월 민주 항쟁의 산물로 만들어졌다. 환경·정치·사회·경제정의·교육·여성·종교·학술·언론·문화 예술·인권·청년·의료·주민 자치 등 다양한 영역에서 시민 단체가 형성되었다. 지역 단위에서도 1만여 개가 넘는 풀뿌리 시민 단체가 조직되면서 활발한 사회적 의제의 개발, 대안 제시, 실천 등을 통해 시민 사회의 역량이 더욱 풍부해지고 있다.

외환 위기와 사회·경제적 변화

주제 70 세계화와 외환 위기

이번 주제에서는 | 세계화와 외환 위기의 관련성에 대해 탐구할 수 있습니다.

교실 열기 1987년 6월에 수백만 명의 국민이 광장에 모인 까닭은 무엇일까?

예시 답안 | 자유 시장과 규제 완화를 강조하는 신자유주의와 세계화로 인해 상품, 서비스, 자본의 이동이 자유로워졌기 때문이다.

1 세계화의 전개

(1) 배경

① 산업 혁명 이후 교통, 운송 기술의 발달: 지역 간 시공간적 거리 단축

② 정보 통신 기술의 혁신: 실시간 정보 공유 가능

→ 전기, 전자, 컴퓨터 기술 등의 발달로 정보 공유 속도가 놀라울 정도로 빨라졌다.

③ 자유 무역의 확대

- 관세 및 무역에 관한 일반 협정(GATT) 체결: 무역 장벽 제거
- 선진 자본주의 국가들의 신자유주의[1] 정책 추진: 자유 시장, 규제 완화 강조

→ 1947년에 체결된 국제적인 무역 협정으로 관세 장벽과 수출입 제한을 제거하고 자유롭게 무역하는 것을 목표로 하였다.

(2) 세계화 전개

① 1995년 세계 무역 기구(WTO)[2] 출범: 상품·서비스·자본의 이동 활성화

② 다국적 기업 및 금융 자본의 초국적 이윤 추구

(3) 한국의 적극적 대응

① 김영삼 정부의 세계화 강조, 신자유주의 정책 추진 : 기업 규제 완화, 시장 개방 확대

② 경제 협력 개발 기구(OECD)[3] 가입(1996): 신자유주의 정책 본격화

2 외환 위기의 발생

(1) 원인: 김영삼 정부의 신자유주의 정책 → 기업 규제 완화, 시장 개방 → 일부 대기업의 무리한 사업 확장, 연쇄 부도, 무역 적자

(2) 외환 위기: 주가 폭락, 원화 가치 하락 → 국가 신용도 하락 → 1997년 11월 국제 통화 기금(IMF)[4]에 긴급 구제 금융 요청

→ 기업, 은행, 국가, 개인 등이 파산 또는 지급 불능 등의 위기에 처해 있을 때 이를 구제하기 위해 지원되는 자금을 말한다.

3 외환 위기의 극복

(1) 김대중 정부의 노력

① 대기업 및 금융 기관 대상 구조 조정 추진

→ 부진한 사업 분야의 축소 또는 폐지, 조직 및 인원 감축, 부동산 등 소유 자산의 매각 처분 등을 통해 부실 기업의 문제를 해결하는 작업을 말한다.

② 국민 기초 생활 보장법 등 복지 정책 시행

→ 국가가 빈곤 계층의 국민에게 생계, 교육, 의료 주거 등에 필요한 경비를 제공하여 최소한의 기초 생활을 제도적으로 보장하는 것을 목적으로 한다.

(2) 국민의 노력: 자발적으로 금 모으기 운동 동참

(3) 외환 위기 극복: 2001년 국제 통화 기금 지원금 조기 상환

(4) 외환 위기 극복 과정의 부작용

① 많은 기업과 은행이 외국 자본의 소유로 전환

② 실직자·노숙인·비정규직 급증

4 세계화의 확대

(1) 다국적 기업의 한국 시장 침투 심화

(2) 미국, 중국, 유럽 연합(EU) 등과 자유 무역 협정(FTA) 체결

개념 쏙쏙

① 신자유주의
국가 권력의 시장 개입을 비판하고 시장의 기능과 민간의 자유로운 활동을 중시하는 이론이다. 1970년대부터 수정 자본주의의 실패를 지적하고 경제적 자유 방임주의를 주장하면서 본격적으로 대두하였다.

② 세계 무역 기구(WTO)
무역 자유화를 통한 전 세계적인 경제 교류를 목적으로 하는 국제기구이다. 1995년 1월 1일 정식으로 출범하였다. 한국은 WTO 출범과 함께 회원국으로 가입하였다.

③ 경제 협력 개발 기구(OECD)
1961년 파리에서 발족된 정부 간 정책 연구 협력 기구이다. 한국은 1996년에 가입하여 29번째 회원국이 되었다. 회원국이 되기 위해서는 민주주의와 시장 경제 체제라는 가치관을 지향해야 한다.

④ 국제 통화 기금(IMF)
제2차 세계 대전 이후 정치·경제적으로 주도권을 잡은 미국의 주도로 1945년에 설립된 국제 금융 기구이다. 워싱턴에 본부를 두었으며, 180개국 이상의 국가가 가입하였다. 한국은 1955년에 가입하였다. 회원국의 요청이 있을 때 기술 및 금융 지원을 직접 제공한다.

정리 교실 교과서 296쪽

㉠ 신자유주의 ㉡ 경제 협력 개발 기구 ㉢ 국제 통화 기금 ㉣ 다국적 기업 ㉤ 비정규직

교과서 | 297쪽

탐구 교실 금 모으기 운동에 대한 다양한 평가

활동 목표 | 금 모으기 운동이 한국 사회에 어떤 영향을 끼쳤는지 말할 수 있습니다.

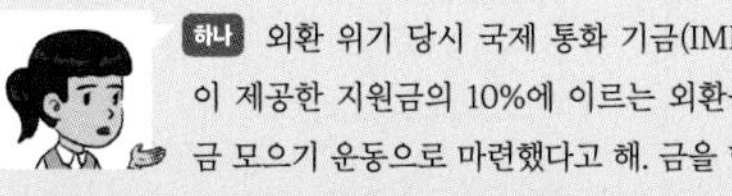

하나 외환 위기 당시 국제 통화 기금(IMF)이 제공한 지원금의 10%에 이르는 외환을 금 모으기 운동으로 마련했다고 해. 금을 헐값에 처분했다는 비판도 있지만, 부족한 외환을 확보하는 데 중요한 역할을 하였다는 사실은 부정할 수 없어. 또한 한국에 대한 긍정적인 이미지를 외국에 심어 주고 국가적 역량을 보여 줬다는 측면에서 크게 기여했다고 봐. 금 모으기 운동은 우리가 자랑할 만한 역사적 사건이라고 생각해.

두리 금 모으기 운동은 민주화와 경제 성장을 이룬 상황에서 위기를 함께 극복하는 공동체 의식이 발휘된 결과라고 할 수 있어. 유럽 국가들의 부채 위기가 한창이었던 2010년 5월, 영국의 『파이낸셜 타임스』는 "유럽인들은 나랏빚을 갚는 데 쓰라고 자신의 결혼반지를 내놓기 위해 줄을 설 수 있을까? 1997년 아시아 외환 위기 당시 한국인은 그렇게 하였다."라고 보도했어.

가온 금 모으기 운동으로 수집된 5,000만 달러의 금은 1998년에 유럽으로 처음 수출되었어. 당시 금 수입국이던 한국이 수출국이 되면서 전 세계 금값이 급격하게 떨어졌지. 대규모 물량이 쏟아지면서 금값이 하락한 데다 시세보다도 싸게 처분했다는 비난을 받기도 했어. 오히려 그렇게 모은 금을 외환 보유액으로 가지고 있었던 것이 낫지 않았을까?

누리 금 모으기 운동을 애국심과 국민의 자발적 희생으로 포장하여 외환 위기의 책임을 국민에게 돌렸다는 비판도 있어. 영국의 『파이낸셜 타임스』는 "외환 위기 당시 한국의 저소득층이 희생을 감수했지만 부유층 및 일부 기업들은 오히려 이득을 챙기기도 했다."라고 지적했지. 외환 위기 이후 심해진 빈부 격차를 고려하면 적절한 지적이라는 생각도 들어.

활동 도우미

- 금 모으기 운동 하면 떠오르는 것이 무엇인지 생각해 봅시다.
- 금 모으기 운동에 대한 네 학생의 의견에서 각각 핵심이 무엇인지 정리해 봅시다.
- 네 학생의 의견을 참고하여 금 모으기 운동이 이후 한국 사회에 끼친 영향을 분석해 봅시다.

자료 해설

- <하나> | 금 모으기 운동이 부족한 외환 확보에 중요한 역할을 하였으며, 한국의 국가 이미지 제고에 기여하였다는 입장이다.
- <두리> | 금 모으기 운동이 공동체 의식으로 외환 위기를 극복하는 모범 사례를 보여 주었다는 입장이다.
- <가온> | 금 모으기 운동이 수집된 금을 시세보다 싸게 처분함으로써 국가 차원에서 더 많은 외화를 확보하는 데 손해를 끼쳤다는 입장이다.
- <누리> | 금 모으기 운동은 저소득층을 비롯한 일반 서민들이 적극 동참하여 희생하였지만, 일부 기업과 부유층의 참여는 저조했다는 입장이다.

활동 풀이

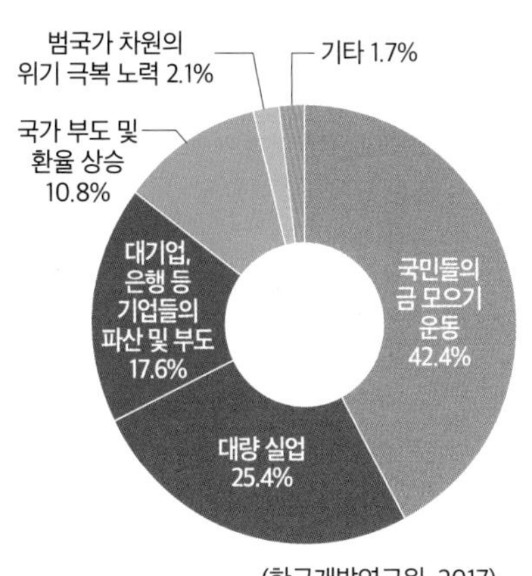

(한국개발연구원, 2017)

외환 위기하면 가장 먼저 생각나는 것

1. 네 학생의 의견을 각각 한 문장으로 정리해 보자.

- **하나:** 예시 답안 부족한 외환을 확보하고 외국에 긍정적인 이미지를 심어준 사건이야.
- **두리:** 예시 답안 위기를 함께 극복하는 공동체 의식이 발휘된 대표적인 사례야.
- **가온:** 예시 답안 세계적인 금값 하락을 가져와 금을 시세보다도 싸게 처분하는 결과를 초래했어.
- **누리:** 예시 답안 애국심과 자발적 희생으로 포장되었지만, 부유층이나 일부 기업의 참여는 저조했어.

2. 위 토론에 참여한다면, 나는 어떤 의견을 제시할 것인지 적어 보자.

나는 이렇게 생각해. 예시 답안 금 모으기 운동은 주권자인 국민들이 나라의 어려움을 함께 해결하고자 노력한 자랑스러운 사건이야. 하지만 외환 위기를 이용하여 오히려 부를 축적한 일부 대기업과 부유층의 행태로 인해 금 모으기 운동의 자랑스러움이 퇴색된 것 같아 아쉬워.

간단 체크 정답 및 해설 44쪽

신자유주의적 양상을 띤 (   )가 빠른 속도로 진행되면서 1995년 세계 무역 기구(WTO)가 출범하였다.

교과서 298~301쪽

외환 위기와 사회·경제적 변화

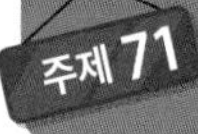

주제 71 외환 위기 이후 한국 사회의 과제

이번 주제에서는 | 외환 위기 이후 한국 사회의 과제를 파악하고 해결 방안에 대해 토론할 수 있습니다.

교실 열기 외환 위기 이후 비정규직이 급격하게 증가한 이유는 무엇일까?

예시 답안 | 외환 위기 이후 많은 기업이 채용을 줄이면서 해고가 어려운 정규직보다 비정규직 위주로 필요한 인원을 보충하였기 때문이다.

1 외환 위기가 남긴 고통

(1) 대규모 해고 사태의 발생 — 국제 통화 기금(IMF)의 관리 아래 강도 높은 구조 조정이 이루어지면서 대규모 해고 사태가 일어났다.

① 30~50대 연령층 실업자 대량 발생 → 신규 채용 감소

② 해고 대상의 확대 → 비정규직으로 충원 — 기간제 노동, 단시간 노동(파트타임), 파견 노동 등이 해당한다.

(2) 비정규직의 급격한 증가

① 배경: 외환 위기 이후 많은 기업이 채용을 줄이면서 해고가 쉬운 비정규직 위주로 필요한 인원 보충

② 문제점: 정규직과의 임금 차별, 고용 불안정, 정규직·비정규직 간 갈등

2 경제 불평등의 심화

(1) 배경: 경제적으로 어려워진 사람들이 집이나 땅을 헐값에 매각 → 부동산 가격의 폭락 → 금융·부동산 투기 세력이 이러한 상황을 이용하여 자산을 늘림.

(2) 내용: 소득 상·하위층 간 격차 증가, 토지 및 주택 소유 불평등의 심화 — 상위 1%의 집 부자 1인당 평균 보유 주택이 2007년에는 3.2채였으나, 2016년에는 6.5채로 늘어났다.

3 사회 양극화와 해결 과제

(1) 사회 양극화[1] 현상

① 대기업이 소상공업 부문까지 영업 확대

② 대기업·중소 기업 노동자 간 소득 및 노동 조건 격차 증가

(2) 문제점: 빈부 격차 심화, 사회 양극화로 인한 사회 갈등

(3) 해결 과제: 소득 재분배, 사회 복지 제도 보완 등 경제 민주화[2] 필요성 증대

4 다문화 사회로의 변화

(1) 배경

① 1990년대 중반 이후 정부의 세계화 정책 추진

② 시장 개방, 인적·물적 교류의 활성화

③ 취업, 결혼, 유학, 사업 등의 이유로 외국인 수 급증

④ 내국인 출산율 저하 — 통계청에 따르면, 2018년 합계 출산율은 0.98명으로 통계청 출생 통계 작성 이래 가장 낮은 수치이다.

(2) 긍정적인 영향: 노동력 부족 문제 해소에 기여, 문화 차이에 대한 이해도 제고

(3) 다문화 가정의 어려움

① 생활 양식, 가치관, 종교의 차이

② 언어·피부색에 대한 사회적 편견, 차별

(4) 향후 과제: 문화의 다양성[3]을 중시하는 방향으로의 정책 변화 필요

개념 쏙쏙

① 사회 양극화

'양극화'란 서로 다른 계층이나 집단이 점점 더 달라지고 멀어지게 되는 것을 말한다. 양극화는 보통 경제적 양극화(소득, 자산 등의 격차 심화)와 사회적 양극화를 의미하는데, 이 둘은 서로 밀접한 관계가 있다. 경제적 양극화에 따라 빈곤과 불평등, 차별이 점차 심해지면서 빈곤층과 부유층의 사회적 지위 및 생활수준의 차이가 더욱 벌어지는 사회적 양극화가 나타난다.

② 경제 민주화

자유 시장 경제 체제에서 발생하는 과도한 빈부 격차를 조정하자는 취지이다. 대한민국 헌법 제119조 제2항은 '국가는 균형 있는 국민 경제 성장과 적정한 소득 분배, 시장 지배와 경제력 남용 방지, 경제 주체 간의 조화를 통한 경제 민주화를 위해 경제에 관한 규제와 조정을 할 수 있다.'라고 규정되어 있다.

③ 문화의 다양성

각각의 문화 간에 그 어느 것이 더 좋고, 어떤 것이 나쁘다는 평가를 내릴 수 없다는 것을 의미한다. 문화의 다양성에 대한 존중은 다문화 사회일수록 더욱 중요한 가치를 지닌다.

정리 교실

교과서 300쪽

㉠ 외환 위기 이후 감소된 일자리를 비정규직으로 충원

㉡ 사회 양극화

㉢ 문화의 다양성 중시

교과서 | 301쪽

탐구 교실 우리가 해결해야 할 사회적 과제

활동 목표 | 토론과 공익 광고 제작 활동을 통해 사회적 과제에 대한 해결 방안을 탐구할 수 있습니다.

• 소득 수준과 건강 불평등

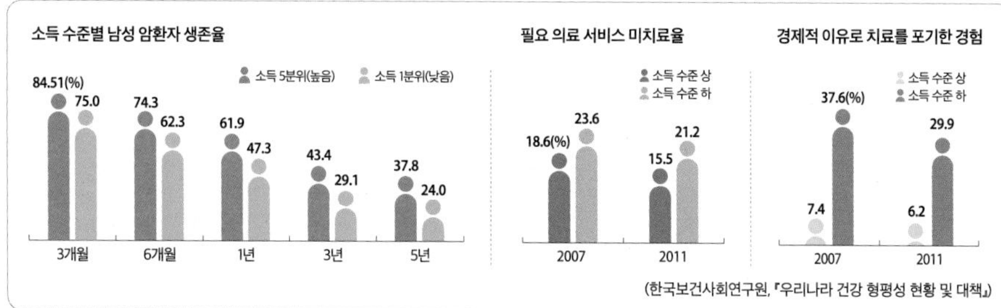

(한국보건사회연구원, 『우리나라 건강 형평성 현황 및 대책』)

활동 도우미

• 소득 수준에 따라 의료 서비스를 받을 수 있는 기회가 다른 이유를 사회 구조적 측면에서 탐구해 봅시다.
• 사회 양극화의 근본적인 원인이 무엇인지 분석해 봅시다.
• 다문화 사회에서 가장 우선적으로 해결해야 할 과제가 무엇인지 생각해 봅시다.

활동 풀이

1. 위와 같은 현상이 나타난 까닭을 써 보자.

예시 답안 일상생활을 하면서 소득 수준을 가장 크게 체감하게 되는 부분은 주택과 의료 서비스 분야이다. 특히, 암을 비롯하여 치료비 부담이 높은 질병의 경우 수술비, 입원비 등이 없어 치료를 포기하는 일이 생길 정도로 소득 또는 자산 수준의 영향을 매우 크게 받는다. 따라서 이러한 건강 불평등은 소득 상위층과 하위층 간의 격차에서 비롯한다고 볼 수 있다.

2. 위 문제를 해결할 수 있는 방안에 대해 짝과 토론해 보자.

예시 답안 1 소득 및 자산 상위층에 대한 과세를 높여 증가된 세액을 소득 하위층에 대한 경제 지원에 활용해야 한다. 특히, 의식주와 의료 서비스 등 인권과 직결된 기초적인 복지 분야에 투자해야 한다.

예시 답안 1 건강 보험의 적용 범위를 소득 수준에 따라 차등적으로 설정하여 소득 하위 계층일수록 비용 부담이 높은 질병에 대한 치료가 가능하도록 국가 차원에서 지원하는 방안을 생각해볼 수 있다.

자료 해설

• **<소득 수준과 건강 불평등>** | 소득 수준에 따라 남성 암환자 생존율, 필요 의료 서비스 미치료율 등 건강 관리에 차이가 난다는 것을 보여 주는 그래프이다.
• **<다문화 사회 광고>** | 공익 광고 협의회가 제작한 공익 광고이다. 다문화 가정에 대한 이해와 존중이 더욱 아름다운 사회를 만든다는 메시지를 담고 있다.

3. 아래 광고들을 참고하여 다문화 사회의 갈등 해결 방안을 주제로 공익 광고를 만들어 보자.

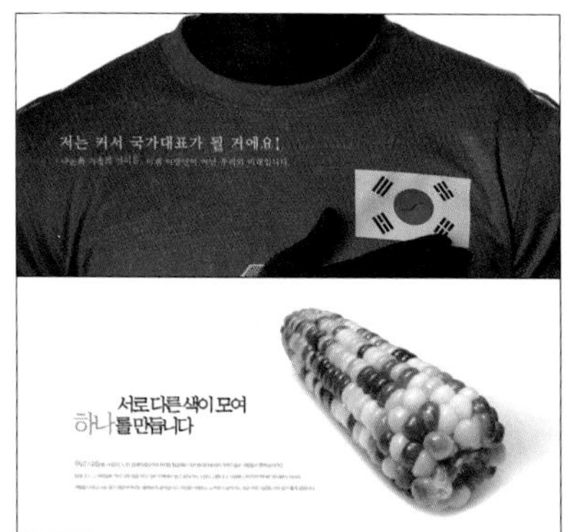

• **핵심 문구:** 예시 답안 아빠! 쟤는 눈이 너무 예뻐요
• **선정 이유:** 예시 답안 피부색이 서로 다른 어린이가 피부색이나 언어에 대한 편견 없이 서로를 존중하며 교제하는 모습을 통해 인류애의 중요성을 함께 느낄 수 있기를 바라는 취지에서 선정하였다.

그림 : 피부색이 서로 다른 어린이 두 명, 아빠 한 명을 그리고, 한 어린이가 피부색이 다른 어린이를 보면서 눈이 너무 예쁘다고 말하는 장면을 표현 한다.

간단 체크 정답 및 해설 44쪽

1997년 말 (　　　　)로 국제 통화 기금(IMF)의 관리하에 강도 높은 구조 조정이 이루어지면서 대규모 해고 사태가 일어났다.

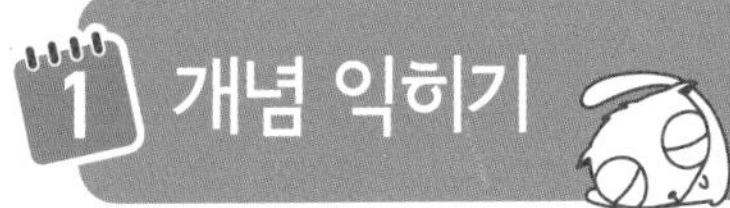

1 개념 익히기

01 아래 설명이 맞으면 O표, 틀리면 X표를 해 보자.

(1) 1995년 세계 무역 기구(WTO)가 출범하여 상품, 서비스, 자본의 이동이 더욱 활발해졌다. ( )

(2) 비정규직 노동자의 증가는 불안정한 소득과 저임금을 양산하고 있다. ( )

(3) 1990년대 중반 이후 전체 인구에서 외국인이 차지하는 비중이 줄어들고 있다. ( )

02 빈칸에 알맞은 말을 채워 보자.

(1) 한국 정부는 1996년에 국제 기구인 ( )에 가입하는 등 세계화에 적극 대응하였다.

(2) 무리한 시장 개방은 외한 위기로 이어졌고, 정부는 ( )에 긴급 구제 금융을 요청하였다.

(3) 한국의 다문화 정책은 점차 ( )을 중시하는 방향으로 변화하고 있다.

03 서로 관련 있는 내용끼리 연결해 보자.

a. 외환 위기 •	• ㄱ. 소득, 자산 등 경제 불평등이 심해지는 현상
b. 사회 양극화 •	• ㄴ. 외국 투자자들이 투자금을 회수하여 외환 보유액이 바닥나는 현상
c. 다문화 사회 •	• ㄷ. 인종, 언어, 문화적 배경이 다른 집단들이 하나의 공동체 안에서 살아가는 사회

04 외환 위기 극복 과정에 대한 옳은 설명을 <보기>에서 모두 고르시오.

보기
ㄱ. 금 모으기 운동이 전개되었다.
ㄴ. 국민 기초 생활 보장법이 시행되었다.
ㄷ. 경제 협력 개발 기구(OECD)에 가입하였다.
ㄹ. 실직자, 노숙인, 비정규직이 급격히 늘어났다.

2 내신 유형 익히기

중요
01 외환 위기의 원인으로 적절하지 않은 것은?

① 주가가 폭락하였다.
② 제1차 석유 파동이 일어났다.
③ 원화 가치가 크게 하락하였다.
④ 일부 대기업이 무리하게 사업을 확장하였다.
⑤ 김영삼 정부가 신자유주의 정책을 추진하였다.

02 밑줄 친 (가)에 들어갈 내용으로 옳은 것을 <보기>에서 고른 것은?

> 1997년 동남아시아에서 금융 위기가 발생하였다. 동남아시아의 금융 위기는 한국 경제에 부정적 영향을 끼쳤다. 외형적 규모 확대에 치중하며 사업을 확장하던 기업들 중 일부가 도산하였고, 외국 투자들이 자금을 회수하여 국가의 외환 보유고가 바닥났다. 외환 위기와 함께 시작한 김대중 정부는 (가) 각종 경제 개혁을 단행하였다.

보기
ㄱ. 강도 높은 구조 조정을 시행하였다.
ㄴ. 경제 협력 개발 기구에 가입하였다.
ㄷ. 정리 해고제와 근로자 파견제를 도입하였다.
ㄹ. 미국으로부터 농산물을 무상 지원을 받았다.

① ㄱ, ㄴ ② ㄱ, ㄷ ③ ㄴ, ㄷ
④ ㄴ, ㄹ ⑤ ㄷ, ㄹ

03 신자유주의에 대한 설명으로 옳은 것은?

① 자유 시장과 규제 완화를 강조하였다.
② 대규모 생산 수단의 국유화를 내세웠다.
③ 국가를 위한 개인의 희생을 당연시하였다.
④ 복지 예산의 증대와 정부 역할의 강화를 중시하였다.
⑤ 민족의 운명은 민족 스스로 결정해야 한다고 주장하였다.

중요

04 외환 위기 극복 과정에서 있었던 사실로 옳은 것은?

① 새마을 운동이 시작되었다.
② 경부 고속 도로가 개통되었다.
③ 국민 기초 생활 보장법이 제정되었다.
④ 원조 물자를 가공하는 삼백 산업이 발달하였다.
⑤ 제3차 경제 개발 계획 추진으로 중화학 공업이 육성되었다.

05 (가), (나) 사이의 시기에 있었던 사실로 옳은 것은?

> (가) 선진 자본주의 국가들이 무역 규제 완화 등의 경제 정책을 추진하고 이러한 양상을 띤 세계화가 빠른 속도로 진행되면서 세계 무역 기구(WTO)가 출범하였다.
> (나) 정부는 대기업과 금융 기관들을 대상으로 강도 높은 구조 조정을 추진하고, 국민 기초 생활 보장법을 제정하여 생활이 어려운 국민을 경제적으로 지원하였다.

① 건설업체의 중동 진출이 본격화되었다.
② 경제 협력 개발 기구(OECD)에 가입하였다.
③ 칠레와 자유 무역 협정(FTA)을 체결하였다.
④ 서독에 광부와 간호사를 파견하여 외화를 획득하였다.
⑤ 개성 공단 건설을 통해 남북 간 경제 교류가 이루어졌다.

06 외환 위기 이후 사회 양극화의 사례로 옳지 않은 것은?

① 비정규직 노동자의 수가 급증하였다.
② 토지 및 주택 소유의 격차가 심화되었다.
③ 소득 상위층과 하위층 간의 격차가 증대되었다.
④ 대기업이 소상공업 부문까지 사업 영역을 늘려 나갔다.
⑤ 일부 기업이 미국의 원조 물자 매각 과정에서 특혜를 받았다.

서술형 문제

07 밑줄 친 '다문화 사회'로 변화하게 된 배경을 두 가지 서술하시오.

> 오늘날 한국 사회는 빠른 속도로 인종·언어·문화적 배경이 다른 집단들이 하나의 공동체 안에서 살아가는 다문화 사회가 되어 가고 있다. 다문화 가족과 외국인들은 낯선 문화적 환경 속에서도 한국 사회에 적응하기 위해 노력하고 있으나, 의사소통 문제나 사회적인 편견 등으로 어려움을 겪기도 한다.

서술형 문제

08 다음 글을 읽고 물음에 답하시오.

> '제2의 국채 보상 운동'이라 불리는 [(가)]은/는 1998년 1월부터 4개월 동안 350여만 명이 참여하여 200톤이 넘는 금을 모아 전 세계의 이목을 집중시켰다. 당시 해외 언론에서는 "유럽인들은 나랏빚을 갚는 데 쓰라고 자신의 결혼반지를 내놓기 위해 줄을 설 수 있을까?"라는 기사를 보도하기도 하였다.

(1) (가)에 들어갈 사건의 명칭을 쓰시오.

(2) (가) 사건이 일어나게 된 직접적인 계기를 서술하시오.

교과서 302~304쪽

8 남북 화해와 동아시아 평화를 위한 노력

주제 72 북한 사회의 변화

이번 주제에서는 | 북한 사회의 변화 과정을 파악하고, 그 과제와 해결 방안을 탐구할 수 있습니다.

교실 열기 오늘날 북한 사회의 가장 큰 과제는 무엇일까?

예시 답안 | 경제 위기의 극복과 국제적 고립 탈피가 대표적이다.

1 1인 독재 체제의 확립

(1) 배경

① 중국·소련 간의 갈등: 북한의 외교적 위상 불안정

② 독자적 외교 추진: 중국·소련에 대한 의존도를 낮추는 방향으로 외교 전개

(2) 주체사상[1]: '수령' 중심의 독재 정당화

('한 당파나 무리의 우두머리'라는 뜻으로 이 용어만으로도 북한 사회가 독재 체제로 운영되고 있음을 보여 준다.)

① 내용: 사상·경제·국방·외교 등 모든 분야의 주체성·자주성 강조

② 실상: 정권 비판 세력 제거 및 주민 통제 수단으로 이용

(3) 사회주의 헌법 제정(1972)

① 주체사상을 사회 이념으로 공식화

② 주석제 신설: 김일성의 권력 절대화

(1972년부터 1998년까지 북한 헌법상 국가 주권을 대표한 최고 직위로 김일성만 맡았다. 김일성 사망 후 폐지되었다.)

2 3대에 걸친 독재 권력 세습

(1) 김정일의 권력 승계

① 김일성에 대한 우상화 심화: 김일성이 태어난 해를 주체 연호[2]로 제정, 김일성의 생일을 태양절로 지정

② 선군 정치[3] 표방: 군대가 사회를 이끈다는 통치 방식 → 대내외적 위기 상황을 극복하려 함.

(2) 김정은의 권력 승계: 권력 위협 세력 제거, 정책 변화 시도 및 독재 지속

3 경제 침체와 국제적 고립

(1) 경제 침체

(심각한 경제난 이후 '장마당'이라고 불리는 시장이 생겨나고, 북한 주민들은 식량, 의류, 생필품 등을 이 시장에서 해결하고 있다.)

① 정책 측면: 국방비 부담 증가, 중앙 집권적 계획 경제의 비효율성, 기술과 자본 부족

② 국제 정세 측면: 1980년대 말 이후 동유럽 사회주의 진영의 붕괴 → 에너지 공급 및 식량 지원 중단 → 경제적 어려움 증대

(2) 국제적 고립: 핵 개발로 인한 국제 사회의 제재 → 식량 부족과 경제난 직면

(3) 개혁의 필요성 증대: 북한 이탈 주민[4]의 증가, 외부 세계 정보의 북한 유입

4 위기 극복을 위한 노력

(1) 합영법 제정(1984): 외국의 자본과의 합작 및 투자 추진

(2) 남한과의 교류 확대: 개성 공단 건설 등

① 다양한 건설 사업 진행

② 경제 지대 확대: 나진·선봉, 신의주 등에 설치 → 자유 무역 시장, 자영업 허용

(외국의 투자를 유치하여 집중적으로 경제 개발을 추진하는 지역을 말한다.)

③ 시장 경제 요소 제한적 도입: 기업소·공장 운영의 자율성 확대

(2) 대외 무역의 활성화: 중국과의 무역을 중심으로 대외 무역 규모 증대

개념 쏙쏙

① 주체사상
북한의 정치, 외교, 사회, 군사, 문화 등의 모든 분야에서 유일한 지도 이념이다. 주체사상에서 '주체'는 개인이 아닌 '인민 대중'으로, 당과 수령의 영도에 복종해야 하는 수동적 존재이다. 따라서 주체사상은 김일성 독재 권력에 위협이 되는 세력을 제거하는 데 활용되었다.

② 주체 연호
김일성이 태어난 1912년을 기준으로 하는 연도 표기 방식이다. 예를 들어, 2011년은 주체 100년으로 표기한다.

③ 선군 정치
1990년 말부터 김정일이 주장한 것으로 '군대를 우선시하는 통치 방식'이다. 선군 정치는 군대의 영향력을 정치와 경제뿐만 아니라 교육, 문화, 예술 등에 이르기까지 북한 사회의 전 영역에 투영시켰다.

④ 북한 이탈 주민
북한에 주소, 직계 가족, 배우자, 직장 등을 두고 있는 사람으로서 북한을 벗어난 후 외국 국적을 취득하지 않은 사람을 말한다(「북한 이탈 주민의 보호 및 정착 지원에 관한 법률」 제2조 제1호). 이들의 국내 입국 규모는 1998년 이후 꾸준히 증가하여 2017년 12월 말 기준 3만여 명에 이르고 있다.

정리 교실 교과서 303쪽

㉠ 선군 정치 ㉡ 주체사상
㉢ 합영법 ㉣ 북한 이탈 주민

탐구 교실 오늘날 북한 사회의 과제

활동 목표 | 오늘날 북한 사회의 과제를 파악하고 해결 방안을 말할 수 있습니다.

자료 1 북한 이탈 주민의 유입

사회주의 진영의 붕괴로 1995년 북한의 무역 규모는 1990년에 비해 절반으로 뚝 떨어졌다. 각종 에너지와 원료, 식량을 지원받을 길이 막히면서 국내 물자 생산도 큰 차질을 빚게 되었다. 더욱이 1995~1996년의 대홍수와 1997년의 극심한 가뭄은 북한 농업을 붕괴 상태에 이르게 하였다. 또한 북한 정권의 핵 개발과 군사비 증강은 미국의 견제와 국제적 고립을 심화하여 경제 상황을 더 어렵게 만들었다. 1990~1999년 기간에 남한으로 들어온 북한 이탈 주민의 수는 488명에 달하였고, 이후 그 수는 급증하였다. 아래는 2001~2017년 기간에 북한 이탈 주민들의 대한민국 입국 현황을 그래프로 나타낸 것이다. 매년 1,000명 이상의 북한 이탈 주민이 유입되고 있음을 알 수 있다.

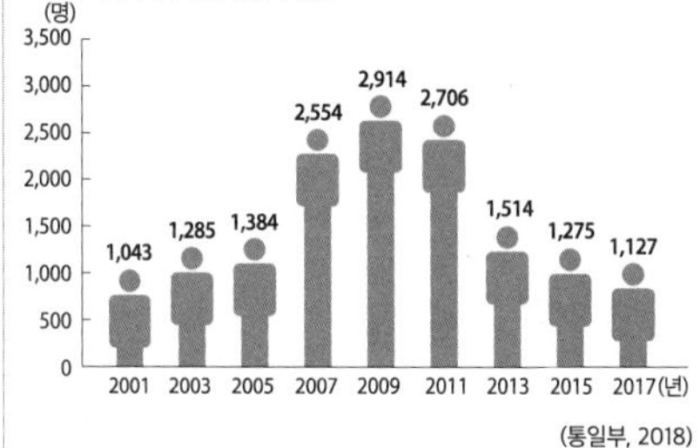

(통일부, 2018)

자료 2 정보화 시대의 북한

북한에서 스마트폰을 사용하는 주민의 수는 이미 인구의 10분의 1을 훌쩍 넘어선 것으로 추산된다. 북한에서는 2009년부터 3세대 이동 통신(3G) 사업이 시작되었는데, 스마트폰을 '지능형 손전화'라고 부른다. 북한의 스마트폰도 여러 가지 애플리케이션을 탑재할 수 있는데, 모바일 게임과 내비게이션이 인기가 많다. 예를 들어 '길동무 1.0'이라는 애플리케이션은 평양의 거의 모든 공공 및 상업 시설의 위치와 이동 경로를 제공한다. 그러나 북한에서는 우리가 보통 사용하는 인터넷이 아닌 외부와의 차단, 감시, 통제가 가능한 인트라넷을 사용한다. 이는 일반 주민의 해외 접촉을 차단하기 위한 것으로 보인다. 2015년에는 상업용 인트라넷이 개방되어 북한 당국에서 관리하는 '옥류'라는 북한 최초의 온라인 쇼핑 사이트가 개설되기도 하였다.

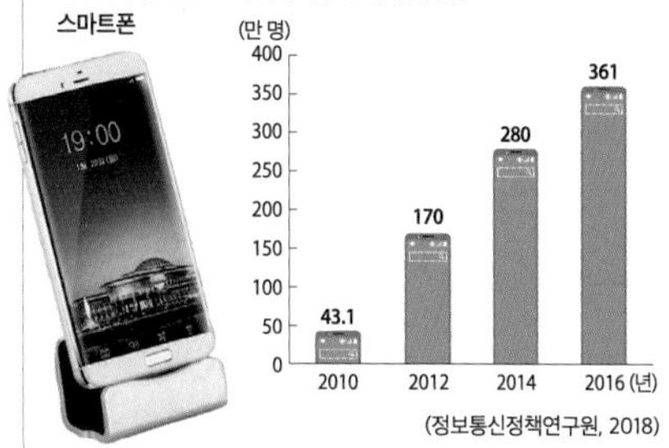

(정보통신정책연구원, 2018)

- 1990년대 이후 북한을 둘러싼 대내외 상황을 종합하여 북한 이탈 주민의 발생 이유를 생각해 봅시다.
- 정보화 시대 북한 사회의 모습을 한국의 상황과 비교하면서 분석해 봅시다.
- 자료 1, 2를 통해 북한의 과거와 현재 모습을 함께 살펴보고, 북한의 사회적 과제와 해결 방안이 무엇인지 생각해 봅시다.

- **<자료 1>** | 북한 이탈 주민의 지속적인 발생 원인으로 사회주의 진영의 붕괴로 인한 경제 교류 대상의 축소, 홍수와 가뭄에 따른 농업 생산 악화, 미국 등의 대북 제재에 의한 국제적 고립 등이 북한의 경제적 어려움을 가중시켰다는 점을 지적하고 있다.
- **<자료 2>** | 북한에서도 스마트폰 사용 인구가 갈수록 증가하고 있으며, 다양한 스마트폰 애플리케이션이 개발되고 있다. 그러나 인터넷이 아닌 인트라넷으로 운영하고 있다는 한계가 북한이 통제 사회임을 보여 준다.

활동 풀이

1. <자료 1>을 읽고 북한 이탈 주민이 계속 발생하는 이유가 무엇인지 생각해 보자.

예시 답안 경제 침체와 국제적 고립에 따른 식량난, 배급제의 폐지, 1인 독재 체제로 인한 극심한 사상 및 생활 통제 등으로 북한 이탈 주민이 지속적으로 발생하고 있다.

2. <자료 2>를 읽고 북한 사회의 정보화가 가지는 한계가 무엇인지 적어 보자.

예시 답안 외부와의 차단, 감시, 통제가 가능한 인트라넷을 사용하기 때문에 다양한 정보나 최신 자료 등을 확보하기 어렵고, 정보화의 최대 강점인 창의성 발현을 위한 자료 활용이 힘들다.

3. <자료 1, 2>를 종합하여 오늘날 북한 사회의 과제와 해결 방안에 대해 짝과 토론해 보자.

예시 답안

[예시 답안 1] 북한 사회는 국제적 고립을 극복하는 것이 우선이다. 이를 위해서는 비핵화를 통해 한국 및 국제 사회와 활발하게 교류하고 소통하면서 대외 교역을 활성화하는 것이 필요하다.

[예시 답안 2] 무엇보다 경제 침체를 극복하는 것이 중요하다. 북한 이탈 주민이 지속적으로 발생한 것도 기초적인 생계가 보장되지 않았기 때문이다. 북한 주민들이 적극적으로 경제 활동에 임할 수 있도록 다양한 동기를 유발할 수 있는 정책 개발이 필요하다.

간단 체크 정답 및 해설 45쪽

1972년에 제정된 (　　　)은 북한이 자주적인 사회주의 국가임을 강조하면서 주체사상을 사회 이념으로 공식화하였다.

8 남북 화해와 동아시아 평화를 위한 노력

주제 73 남북 화해와 통일을 위한 노력

이번 주제에서는 | 남북 화해의 과정을 파악하고, 한반도 평화와 평화 통일을 위한 실천 방안을 모색할 수 있습니다.

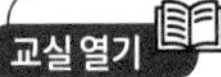

교실 열기 남북이 협력한 다른 사례에는 어떤 것들이 있을까?

예시 답안 | 금강산 관광 사업, 경의선과 동해선 철도의 연결, 개성 공단 건설 등이 있다.

1 남북 대립과 독재 체제의 강화

(1) 1950~1960년대 남북의 대립과 통일 논의

① 6·25 전쟁 이후: 상호 적대 의식에 기초한 독재 체제 강화

② 4·19 혁명 이후: 민간 차원의 통일 논의 활발 → 5·16 군사 정변으로 중단

(2) 남북 간 긴장 고조: 박정희 정부의 반공 정책 강화와 북한의 지속적 도발

2 7·4 남북 공동 성명과 남북 대립의 지속

(1) 7·4 남북 공동 성명(1972)

→ 분단 이후 남북이 처음으로 통일과 관련하여 발표한 공동 성명이다.

① 배경: 1970년대 냉전의 완화 → 남북 관계 개선

② 내용: 통일의 3대 원칙(자주, 평화, 민족 대단결) 제시, 남북 조절 위원회[1]가 설치되어 통일을 위한 실무자 회담 진행

(2) 남북의 대립과 갈등 지속: 남북 지도자 모두 독재 체제 강화에 활용

→ 남북한 모두 통일을 추진한다는 명분 아래 각각 「유신 헌법」과 「사회주의 헌법」을 제정하였다.

3 상대방의 체제를 인정한 남북 기본 합의서

(1) 남북 관계의 개선

① 냉전 체제의 해체 → 노태우 정부의 북방 외교[2] 추진, 북한의 남북 관계 개선 모색

② 남북한의 국제 연합 동시 가입(1991)

(2) 내용: 상대방 체제 존중, 군사적 침략 금지, 상호 교류 협력

4 평화의 길을 모색한 남북 정상 회담

(1) 김대중 정부

- 대북 화해 협력 정책(햇볕 정책) 추진: 금강산 관광 시작 등 북한과의 교류 본격화

→ 1998년 11월 한국의 민간인들이 해로를 이용해 금강산 관광을 시작하였다.

- 제1차 남북 정상 회담(2000) 개최: 6·15 남북 공동 선언[3] 채택 → 이산가족 상봉, 경의선 및 동해선 철도 연결, 개성 공단 건설 등의 사업 추진

→ 1985년 이산가족 상봉과 함께 이루어진 예술 공연단의 교환 방문을 시작으로 사회·문화 분야의 남북 교류도 활성화되었다.

(2) 노무현 정부

① 김대중 정부가 합의한 개성 공단 건설 실현

② 제2차 남북 정상 회담(2007): 10·4 남북 공동 선언[4] 채택

(3) 이명박 정부: 천안함 피격 사건, 연평도 포격 사건 → 남북 관계 다시 경색

(4) 박근혜 정부: 개성 공단 가동 중단 등 남북 관계 더욱 악화

(5) 문재인 정부: 제3차 남북 정상 회담 개최 등 남북 관계 개선 노력

5 남북 관계 발전을 위한 시민 사회의 움직임

(1) 시민 사회의 남북 교류 진행: 6월 민주 항쟁 이후 본격화

(2) 영향: 한반도 평화 통일의 필요성에 대한 국제적 지지 및 협력 기반 확대, 북한 주민 인권 문제에 대한 국내외 관심 및 인도적 지원 견인

개념 쏙쏙

① 남북 조절 위원회
1972년 7·4 남북 공동 성명 제6항과 같은 해 11월 4일 합의 서명된 「남북 조절 위원회 구성 및 운영에 관한 합의서」에 의해 설치되었다.

② 북방 외교
1980년대 노태우 정부가 사회주의 국가들과의 관계 개선을 통해 한반도의 긴장 완화와 평화 정착, 통일 기반 조성을 추구한 외교 정책이다.

③ 6·15 남북 공동 선언(2000)
2000년 6월 13~15일 평양에서 열린 첫 남북 정상 회담에서 김대중 대통령과 김정일 국방위원장 간의 합의에 따라 발표된 선언문이다.

④ 10·4 남북 공동 선언(2007)
2007년 10월, 평양에서 열린 제2차 남북 정상 회담에서 노무현 대통령과 김정일 국방위원장 사이의 합의에 따라 발표된 선언이다. '남북 관계 발전과 평화 번영을 위한 선언'을 발표하였다.

정리 교실 교과서 307쪽

㉠ 7·4 남북 공동 성명
㉡ 북방 외교
㉢ 남북 기본 합의서
㉣ 6·15 남북 공동 선언

교과서 | 308쪽

탐구 교실 평화 통일을 위한 정부와 시민 사회의 노력

활동 목표 | 한반도 평화와 평화 통일을 향한 구체적인 방안을 말할 수 있습니다.

자료 1 6·15 남북 공동 선언(2000)

1. 남과 북은 나라의 통일 문제를 그 주인인 우리 민족끼리 서로 힘을 합쳐 자주적으로 해결해 나가기로 하였다.
2. 남과 북은 나라의 통일을 위한 남측의 연합제 안과 북측의 낮은 단계의 연방제 안이 서로 공통성이 있다고 인정하고 앞으로 이 방향에서 통일을 지향해 나가기로 하였다.
3. 남과 북은 올해 8·15에 즈음하여 흩어진 가족, 친척 방문단을 교환하며, 비전향 장기수 문제를 해결하는 등 인도적 문제를 조속히 풀어 나가기로 하였다.
4. 남과 북은 경제 협력을 통하여 민족 경제를 균형적으로 발전시키고, 사회, 문화, 체육, 보건, 환경 등 제반 분야의 협력과 교류를 활성화하여 서로의 신뢰를 다져 나가기로 하였다.
5. 남과 북은 이상과 같은 합의 사항을 조속히 실천에 옮기기 위하여 빠른 시일 안에 당국 사이의 대화를 개최하기로 하였다.

경의선 및 동해선 철도·도로 연결 착공식(2002)

자료 2 6·15 공동 선언 실천 남측 위원회

2005년에 결성된 6·15 공동 선언 실천 남측 위원회는 대북 지원 활동에 참여해 온 시민 사회 단체들의 협의체이다. 전국의 노동 단체, 농민 단체, 여성 단체, 교원 단체, 민족 화해 협력 범국민 협의회, 통일 연대 등 각계각층이 참여하여 남북 당국 간의 관계가 경색되었을 때, 이를 개선하는 데 실질적인 기여를 하였다. 예를 들어 북한의 미사일 발사 강행으로 남북 당국 간 대화가 중단되었던 2006년 여름, 홍수 피해를 입은 북한이 6·15 공동 선언 실천 남측 위원회에 지원을 요청하였다. 위원회는 대북 협력 민간단체 협의회(북민협)를 비롯하여 남한 내 시민 사회 단체들과 함께 정부와 시민들을 상대로 북한의 홍수 피해 복구 지원 운동을 전개하였다. 이로 인해 남한 당국은 홍수 지원을 구실로 북측과의 대화를 재개할 수 있었다.

6·15 공동 선언 실천 남측 위원회가 주최한 행사에서 한반도기를 들고 평화를 바라는 시민들(2016)

자료 3 남북 교류의 사례들

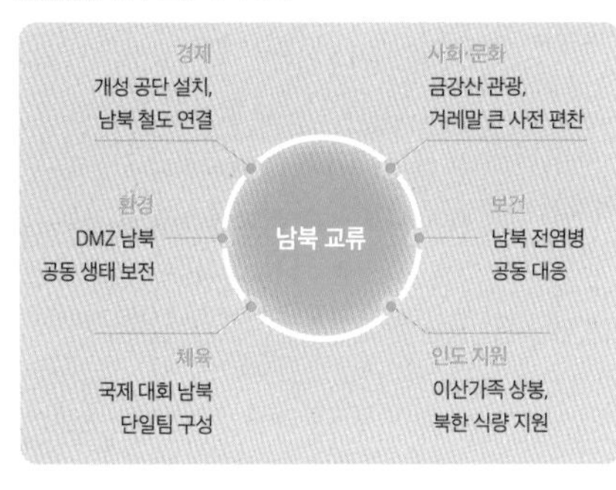

활동 풀이

1. <자료 1>에서 합의된 사항들이 어떻게 구현되었는지 <자료 2, 3>을 통해 알아보자.

예시 답안 개성 공단 설치, 남북 철도 연결 사업, 금강산 관광 등이 추진되었다.

2. 자신을 6·15 공동 선언 실천 남측 위원회 위원이라고 가정하고, 한반도 평화와 평화 통일을 위해 우선적으로 추진하고 싶은 일이 무엇인지 발표해 보자.

예시 답안 스포츠 분야에서의 남북한 교류를 확대하고 싶습니다. 우선, 남북 간의 '평화 올림픽'을 만들어 다양한 종목에서 남북의 선수들이 함께 경기하는 모습을 보여 줌으로써 서로의 접촉면을 확대하고 공동체 의식을 회복하는 데 기여하고 싶습니다.

활동 도우미

- 6·15 남북 공동 선언 이후 남북 교류의 사례를 알아봅시다.
- 남북 교류 과정에서 한반도 평화와 통일 지향적인 여론 조성에 가장 기여하였다고 생각되는 사례에 대해 말해 봅시다.
- 한반도 평화와 평화 통일을 위해 국가 차원에서 우선적으로 해야 할 일이 무엇인지 생각해 봅시다.

자료 해설

- **<자료 1>** | 6·15 남북 공동 선언 이후 이산가족 방문단 교환, 남북 장관급 회담, 남북 경제 협력 추진 위원회 구성 등이 이루어졌으며, 남북 분단으로 단절되었던 경의선과 동해선 연결을 위한 복원 공사가 착수되었다.
- **<자료 2>** | 남측 위원회는 각계각층의 시민 사회 단체가 참여하여 결성되었다는 점에서 의미가 크다. 시민 단체들은 남북 당국 간의 관계가 경색될 때마다 상호 대화의 통로로서 중요한 역할을 수행하여 왔다.

간단 체크 정답 및 해설 45쪽
노무현 정부는 2007년 남북 정상 회담에서 (   )을 채택하였다.

8 남북 화해와 동아시아 평화를 위한 노력

주제 74 동아시아의 갈등과 협력

이번 주제에서는 | 동아시아 평화를 위해 공헌할 수 있는 구체적인 실천 방안을 모색할 수 있습니다.

교실 열기 일본군 '위안부' 할머니들이 일본에 바라는 진정한 사과는 무엇일까?

예시 답안 | 일본의 침략 전쟁 중 일어난 일제의 만행에 대한 일본 정부의 진심 어린 사죄와 배상이다.

1 동아시아의 다양한 갈등

(1) 영토 갈등

① 쿠릴 열도[1] 분쟁

- 일본의 영토였다가 제2차 세계 대전 이후 소련이 차지
- 일본의 남쿠릴 열도(북방 4개 섬) 반환 요구 → 러시아의 자국 영유권 강조

② 센카쿠 열도(댜오위다오 및 부속 도서)[2] 분쟁

- 일본측 주장: 청·일 전쟁 승리 이후 차지한 자국 영토
- 중국측 주장: 청·일 전쟁으로 일본에 빼앗긴 자국 영토

(2) 역사 갈등

① 일본의 역사 왜곡: 침략 전쟁 미화, 우리나라에 대한 식민 지배 정당화, 반인륜적 전쟁 범죄 은폐·축소, 일부 극우 세력의 주장이 담긴 역사 교과서 제작

② 중국의 동북공정

- 의미: 2002년부터 진행된 중국 동북 지방의 역사와 현재 상황에 대한 연구 사업 (동북: 랴오닝성, 지린성, 헤이룽장성 등 동북 3성을 말한다.)
- 목적: 중국 내 소수 민족을 통합시키기 위한 논리 필요
- 주장: 중국 정부의 '통일적 다민족 국가론' 강조 → 고조선·부여·고구려가 고대 중국 왕조의 지방 정권이므로 중국사에 편입시켜야 한다고 주장 (통일적 다민족 국가론: 중국은 고대부터 다민족으로 구성되었지만 정치적으로 통일된 하나의 국가였다는 논리이다.)

③ 전쟁 피해자 배상 문제

- 일본의 전쟁 범죄: 태평양 전쟁 당시 일본의 강제 징용(강제 노역 동원), 아시아 각지의 여성들을 일본군 '위안부'로 삼은 인권 유린 (태평양 전쟁: 1941~1945년까지 일본과 연합국 사이에 벌어진 전쟁으로, 일본의 무조건 항복으로 끝났다.)
- 피해자들의 소송: 강제 징용자들의 손해 배상, 체불 임금 지급 소송 → 일본 정부와 전범 기업의 무책임한 태도

2 동아시아 갈등을 해결하기 위한 노력

(1) 특징: 정부보다 민간 차원에서 전개

(2) 일본 정부 상대 소송: 일본의 침략 전쟁으로 입은 피해, 과거사 문제와 관련된 소송 (일본 시민들도 참여하고 있다.)

(3) 공동의 역사 인식 형성 노력

① 목적: 동아시아 3국이 합의할 수 있는 역사 인식 형성

② 활동

- 공동 역사 교재 발간: 한·중·일 3국 언어로 번역하여 동시 출간 (공동 역사: 한국·중국·일본의 학자들과 교사들의 공동 역사 연구를 통해 이루어졌다.)
- 상호 역사 이해 활동 전개: 동아시아 청소년 역사 체험 캠프 등 → 평화, 민주주의, 인권의 가치를 실천적으로 배우는 교육적 계기 제공

(4) 다양한 형태의 교류 추진: 베세토(BeSeTo) 페스티벌 등 개최

개념 쏙쏙

① 쿠릴 열도
러시아 동부 사할린주에 속한 섬들로 캄차카 반도와 일본의 홋카이도 사이에 56개의 섬과 바위섬들이 줄지어 분포하고 있다. 일본 이름으로는 '치시마(千島)'라고 한다.

② 센카쿠 열도(댜오위다오 및 부속 도서)
동중국해상에 위치한 8개 무인도로 구성되어 있다. 센카쿠 열도는 청·일 전쟁에서 승리한 일본이 차지하였으나, 태평양 전쟁 이후 미국이 점령하였다가 일본에 돌려주었다. 중국은 자국의 고유 영토인 센카쿠 열도를 일본이 강제로 빼앗았다고 주장하는 반면, 일본은 청·일 전쟁 당시 주인 없는 섬을 자국 영토에 편입하였다고 주장하고 있다.

③ 야스쿠니 신사
신사(神社)란 일본 황실의 조상이나 신 또는 국가에 큰 공로가 있는 사람을 신으로 모신 사당을 말한다. 야스쿠니 신사는 도쿄 중심가에 위치한 일본 최대 규모의 신사이다. 제2차 세계 대전 A급 전범들의 위패가 보관되어 있어 군국주의를 조장한다는 논란이 끊이지 않고 있다.

정리 교실 교과서 310쪽

㉠ 센카쿠 열도
㉡ 일본군 '위안부'
㉢ 동북공정
㉣ 역사 교과서

교과서 | 311쪽

탐구 교실 동아시아 평화를 위해 우리가 가져야 할 자세

활동 목표 | 동아시아의 평화를 위해 필요한 자세가 무엇인지 말할 수 있습니다.

일본군 '위안부'는 본인의 의지와는 상관없이 모집되고 관리되었습니다. 인도네시아에서 네덜란드 여성들이 '위안부'로 끌려간 사건의 기록을 봐도 '강제성이 없었다.'라고 말할 수 없습니다. ㉠ 일본에 한류 열풍이 불고, 월드컵도 공동 개최하고 일본 국립 미술관에서 한글을 주제로 한 전시회가 열리기까지 했는데 현재 상황이 왜 이렇게 됐는지 안타깝습니다.

- 『조선일보』 2015. 6. 9.

나는 우리 나이로 15살에 일본군 '위안부'로 끌려갔어요. 그런데 93살 먹도록 기다려도 어떤 사죄도, 배상도 이뤄지지 않았어요. 우리가 진정 바라는 것은 진심 어린 사죄와 피해자들의 명예 회복입니다. 지난 시간 동안 우리가 싸워온 것은 밥을 못 먹고 생활이 고달파서가 아닙니다. ㉡ 만약 전쟁이 난다면 우리가 겪은 일이 다시는 일어나지 않는다고 장담할 수 없잖아요.

- 『한겨레』 2019. 1. 29.

고노 요헤이 전 장관

김복동 할머니

위 자료는 2015년 6월 도쿄의 일본 기자 클럽에서 고노 요헤이 전 장관이 발언한 내용과 2018년 8월 일본군 '위안부' 피해자 쉼터인 '평화의 우리집'에서 진행된 김복동 할머니의 인터뷰 내용을 재구성한 것이다. 고노 전 장관은 일본군 '위안부'에 대한 일본군의 개입과 강제를 인정했던 '고노 담화'(1993)의 주인공이고, 김복동 할머니는 일본군 '위안부' 피해자로 세계 여러 지역을 순회하며 활동한 인권 운동가이다. 발언한 장소와 시기는 달랐지만, 두 사람 모두 과거사를 왜곡하고 갈등을 부추기는 일본 정부의 행태를 강도 높게 비판하였다.

활동 풀이

1. ㉠에서 고노 전 장관이 지적하고 있는 현재 상황이 무엇인지 생각해 보자.

예시 답안 일본은 정부를 중심으로 과거 일본의 전쟁 범죄를 미화하거나 왜곡하고 있다. 아베 총리를 비롯한 고위 관료들과 극우 정치인들의 역사 왜곡 발언, 일본의 침략 전쟁 당시 벌어진 일제의 각종 만행에 대한 모르쇠 등을 예로 들 수 있다.

2. ㉡이 의미하는 바에 대해 생각해 보자.

예시 답안 전쟁은 수많은 사람의 인권을 유린하고 평화를 해치는 가장 위험한 범죄 행위이다. 일본군 '위안부' 문제와 같은 인권 유린 문제에 대한 정부 차원의 진심 어린 사죄와 배상이 없다면 과거에 일본이 저지른 전쟁 범죄는 언제든지 반복될 수 있다.

3. 동아시아의 화해와 평화를 위해 우리가 가져야 할 자세에 대해 토의해 보자.

예시 답안 1 주변국과의 갈등 유발을 통해 국가의 결속을 강화하여 권력을 유지하려는 정치인들을 항상 경계해야 한다. 일본의 젊은이들 대부분이 일본군 '위안부' 문제에 대해 잘 모르는 이유는 이러한 극우 정치인들이 막강한 영향력을 행사하고 있기 때문이다.

예시 답안 1 화해와 평화는 과거의 역사에 대한 제대로 된 교육에서 비롯한다. 한·중·일 학교 현장과 언론에서 공동의 역사 교재를 적극 활용하여 동아시아의 영토 갈등, 역사 갈등이 단순히 '국가 대 국가'의 문제가 아니라 '평화'와 '인권'의 문제라는 것을 인식하도록 노력해야 한다.

활동 도우미

- 오늘날까지 지속되고 있는 동아시아 갈등이 무엇인지 생각해 봅시다.
- 일본에서 고노 전 장관과 같은 입장에서 발언하고 실천하는 인물들에 대해 조사해 봅시다.
- 김복동 할머니처럼 일제의 만행으로 피해를 입은 당사자들의 입장에서 동아시아의 평화가 갖는 의미가 무엇일지 생각해 봅시다.

자료 해설

- **<고노 요헤이 전 장관>** | 고노 전 관방 장관은 1993년 8월 '고노 담화'의 주인공으로, 일본군 위안소는 당시 군 당국의 요청에 의해 설치된 것이며, 위안소의 설치·관리 및 일본군 '위안부' 이송에 당시 일본군이 관여하였다고 발표하였다.
- **<김복동 할머니>** | 일본군 '위안부' 피해자이자 평화 운동가이다. 1992년 일본군 '위안부' 피해 사실을 고발하였다. 이후 전 세계 전쟁 피해 여성들의 인권 신장을 위해 노력하는 등 인권 운동가로서 활발히 활동하였다.

간단 체크 정답 및 해설 45쪽

중국 정부는 센카쿠 열도를 (   )라고 부르면서 영유권을 주장하고 있다.

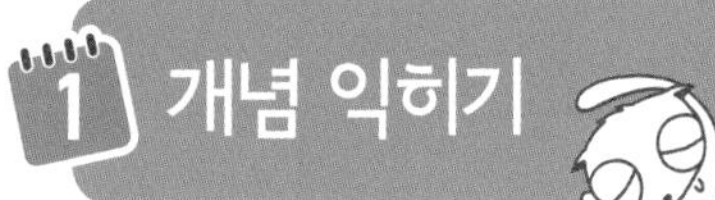

01 아래 설명이 맞으면 O표, 틀리면 X표를 해 보자.

(1) 김정은 체제 출범 이후 기업소와 공장 경영의 자율성이 크게 제약받고 있다. (　　)

(2) 7·4 남북 공동 성명 이후 남북한에서 각각 유신 헌법과 사회주의 헌법을 공포하였다. (　　)

(3) 남한에서 민간 차원의 통일 논의는 박정희 정부 시기부터 활발해졌다. (　　)

02 빈칸에 알맞은 말을 채워 보자.

(1) 북한은 외국 자본의 투자를 늘리기 위해 외국 자본과의 합작을 인정한 (　　　)을/를 제정하였다.

(2) 남북은 국제 연합에 동시 가입하고, 상대방의 체제를 존중하는 (　　　)을/를 채택하였다.

(3) 중국 정부는 (　　　)을/를 통해 고조선, 발해, 고구려 등의 역사가 중국사의 일부라고 주장하고 있다.

03 서로 관련 있는 내용끼리 연결해 보자.

a. 7·4 남북 공동 성명 ·	· ㄱ. 2007년 발표한 '남북 관계 발전과 평화 번영을 위한 선언'이다.
b. 10·4 남북 공동 성명 ·	· ㄴ. 통일 원칙으로 자주·평화·민족 대단결을 강조하였다.
c. 6·15 남북 공동 성명 ·	· ㄷ. 2000년 6월 분단 이후 처음으로 남북 정상 회담 결과 발표되었다.

04 김대중 정부의 통일 노력에 대한 설명을 <보기>에서 모두 고르시오.

보기
ㄱ. 7·4 남북 공동 성명을 발표하였다.
ㄴ. 6·15 남북 공동 선언을 채택하였다.
ㄷ. 최초의 남북 정상 회담을 개최하였다.
ㄹ. 한반도 비핵화 공동 선언에 합의하였다.

중요

01 7·4 남북 공동 성명에 대한 설명으로 옳지 않은 것은?

① 박정희 정부 시기에 발표되었다.
② 남북 정상 회담의 결과로 발표되었다.
③ 독재 체제 강화에 활용되었다는 비판을 받았다.
④ 통일 원칙으로 자주·평화·민족 대단결을 강조하였다.
⑤ 남북이 처음으로 통일과 관련하여 발표한 공동 성명이다.

02 다음 문서를 채택한 정부 시기의 사실로 옳은 것은?

> 남과 북은 7·4 남북 공동 성명의 원칙을 재확인하고 …… 쌍방 사이의 관계가 나라와 나라 사이의 관계가 아닌 통일을 지향하는 과정에서 잠정적으로 형성되는 특수 관계라는 것을 인정하고 …… 다음과 같이 합의하였다.
> 제1조 남과 북은 서로 상대방의 체제를 인정하고 존중한다.
> 제9조 남과 북은 상대방에 대하여 무력을 사용하지 않으며, 상대방을 무력으로 침략하지 아니한다.

① 금강산 관광이 시작되었다.
② 개성 공단 건설이 실현되었다.
③ 천안함 피격 사건이 일어났다.
④ 남북한이 유엔에 동시 가입하였다.
⑤ 남북 이산가족 상봉이 처음으로 이루어졌다.

03 북한의 사회주의 헌법에 대한 설명으로 옳은 것은?

① 조소앙이 기초하였다.
② 주체사상을 사회 이념으로 공식화하였다.
③ 통일 주체 국민 회의의 설치를 규정하였다.
④ 5·10 총선거를 통해 구성된 국회에서 제정되었다.
⑤ 대한민국 임시 정부의 법통을 계승하였음을 명시하였다.

중요

04 남북 기본 합의서를 채택한 정부 시기의 사실로 옳은 것은?

① 김신조 사건이 발생하였다.
② 경의선 복원 공사가 시작되었다.
③ 통일 주체 국민 회의가 설치되었다.
④ 사회주의 국가들과 교류가 본격화되었다.
⑤ 평화 통일을 주장한 진보당이 탄압받았다.

05 다음 성명에 대한 설명으로 옳은 것을 <보기>에서 고른 것은?

> 첫째, 통일은 외세에 의존하거나 외세의 간섭을 받음이 없이 자주적으로 해결되어야 한다.
> 둘째, 통일은 서로 상대방을 적대하는 무력행사에 의거하지 않고, 평화적 방법으로 실현되어야 한다.
> 셋째, 사상·이념·제도의 차이를 초월하여 우선 하나의 민족으로서 민족적 대단결을 도모한다.

보기

ㄱ. 남북한의 독재 체제 강화에 이용되었다.
ㄴ. 남북 조절 위원회가 설치되는 계기가 되었다.
ㄷ. 남북한이 유엔에 동시에 가입한 직후 발표하였다.
ㄹ. 남북한 정부 간에 최초로 공식 합의한 문서이다.

① ㄱ, ㄴ ② ㄱ, ㄷ ③ ㄴ, ㄷ
④ ㄴ, ㄹ ⑤ ㄷ, ㄹ

06 남북 조절 위원회가 설치된 계기로 옳은 것은?

① 김일성이 사망하였다.
② 10·26 사태가 발생하였다.
③ 개성 공단 건설에 합의하였다.
④ 7·4 남북 공동 성명이 발표되었다.
⑤ 북한이 핵 확산 금지 조약에서 탈퇴하였다.

중요

07 개성 공단 건설이 실현된 이후의 사실로 옳은 것은?

① 소련과 수교하였다.
② 남북한이 유엔에 동시 가입하였다.
③ 한반도 비핵화 공동 선언이 채택되었다.
④ 통일의 3대 원칙에 처음으로 합의하였다.
⑤ 판문점에서 남북 정상 회담이 개최되었다.

08 다음 선언에 대한 설명으로 옳은 것은?

> 조국의 평화적 통일을 염원하는 온 겨레의 숭고한 뜻에 따라 남북 정상들은 6월 13일부터 6월 15일까지 평양에서 역사적인 상봉을 하였으며 정상 회담을 가졌다. 남북 정상들은 분단 역사상 처음으로 열린 이번 상봉과 회담이 서로 이해를 증진시키고 남북 관계를 발전시키며 평화 통일을 실현하는 데 중대한 의의를 가진다고 평가하고 다음과 같이 선언한다.

① 김대중 정부 시기에 채택되었다.
② 북한의 주석제 신설에 영향을 주었다.
③ 4·19 혁명이 직접적인 계기가 되었다.
④ 유신 헌법이 제정되는 데 영향을 주었다.
⑤ 통일의 3대 원칙을 처음으로 공식화하였다.

09 10·4 남북 공동 선언을 채택한 정부 시기의 사실로 옳은 것은?

① 개성 공단 건설이 실현되었다.
② 좌우 합작 위원회가 구성되었다.
③ 북방 외교가 처음으로 추진되었다.
④ 제2차 미·소 공동 위원회가 개최되었다.
⑤ 유엔 소총회의 결의에 따라 총선거가 실시되었다.

중요
10 6·15 남북 공동 선언이 채택된 배경으로 가장 적절한 것은?

① 정전 협정이 체결되었다.
② 장면 내각이 출범하였다.
③ 이른바 햇볕 정책이 추진되었다.
④ 통일의 3대 원칙에 처음으로 합의하였다.
⑤ 판문점에서 남북 정상 회담이 개최되었다.

11 (가), (나) 사이의 시기에 있었던 사실로 옳지 않은 것은?

> (가) 서울에서 열린 제5차 남북 고위급 회담에서 남북 수석 대표는 '남북 사이의 화해와 불가침 및 교류·협력에 관한 합의서'에 서명하였다.
> (나) 평양에서 열린 제2차 남북 정상 회담에서 남북 정상은 합의된 '남북 관계 발전과 평화 번영을 위한 선언'에 서명하였다.

① 금강산 관광이 시작되었다.
② 개성 공단 건설이 실현되었다.
③ 남북 조절 위원회가 설치되었다.
④ 6·15 남북 공동 선언이 발표되었다.
⑤ 경의선과 동해선 철도가 연결되었다.

12 쿠릴 열도에 대한 설명으로 옳은 것은?

① 러시아가 자국 영토임을 강조하고 있다.
② 중국이 청·일 전쟁으로 일본에 빼앗겼다.
③ 프랑스가 병인박해를 구실로 침공하였다.
④ 미국이 제너럴 셔먼호 사건을 구실로 침략하였다.
⑤ 영국이 러시아의 남하를 견제하기 위해 점령하였다.

서술형 문제
13 (가)에 들어갈 사례를 두 가지 서술하시오.

> 동유럽 사회주의 정권이 몰락하고 소련이 해체되면서 냉전 체제가 무너졌다. 또한 국내에서는 민간 차원의 통일 운동이 활발해졌다. 이러한 상황에서 당시 정부는 동유럽과 아시아의 여러 사회주의 국가에 문호를 개방하였고, 남북 대화도 다시 시작하여 [(가)]

서술형 문제
14 다음 글을 읽고 물음에 답하시오.

> IMF 위기 상황 아래 대통령에 취임하면서 저는 우리 국민의 저력에 대한 확신이 있었기에 1년 반 안에 외환 위기를 이겨내겠다고 약속할 수 있었고, 또 이 약속을 지킬 수 있었습니다. 대북 정책에 있어서도 안보를 바탕으로 한 포용 정책을 일관되게 추진해서 한반도의 전쟁 위기를 감소시키겠다고 한 약속을 지켜가고 있습니다.
>
> \- [(가)] 대통령 광복절 경축사 -

(1) (가)에 해당하는 인물을 쓰시오.

(2) 위의 경축사를 발표한 정부 시기의 통일 노력을 두 가지 서술하시오.

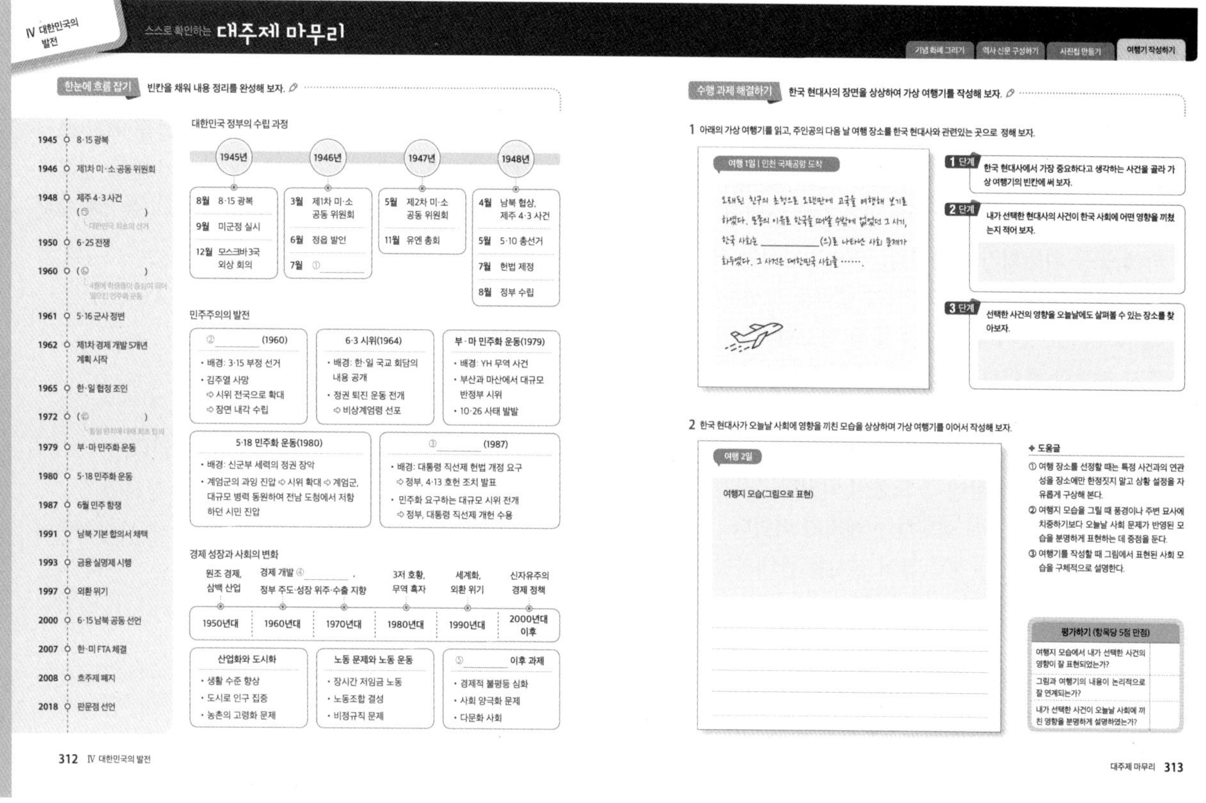

한눈에 흐름 잡기

㉠ 5·10 총선거 ㉡ 4·19 혁명 ㉢ 7·4 남북 공동 성명
① 좌우 합작 위원회 구성 ② 4·19 혁명 ③ 6월 민주 항쟁
④ 5개년 계획 ⑤ 외환 위기

수행 과제 해결하기

과제 목표

- 가상 여행기 작성을 통해 한국 현대사에서 가장 중요하다고 생각하는 사건이 무엇인지 설명할 수 있습니다.
- 해당 사건이 한국 사회에 미친 영향과 관련 답사 장소를 가상 여행기에 포함시킬 수 있습니다.

활동 도우미

- 여행기의 형식과 구성을 알아보기 위해 도서관에 배치된 답사 중심의 역사 교양서를 활용합니다.
- 여행 장소는 학생이 선택한 사건의 맥락을 자연스러운 이야기 형태로 풀어내기 위한 수단의 차원에서 선정합니다.
- 여행지에 대한 묘사는 학생이 선택한 사건과 관련 지어 과거와 현재를 비교하고 해당 사건이 현재의 모습에 미친 영향 등을 포함하여 수행합니다.

예시 답안

- **사건 정하기** | 6월 민주 항쟁 → [선정 이유] 1987년 6월 민주 항쟁은 박정희 정부, 전두환 정부로 이어지는 30여 년간의 군사 독재에 대한 국민의 불만과 민주화를 향한 열망이 총체적으로 분출된 사건이었다. 또한 민주화 열풍이 불던 1980년대 후반의 세계적인 민주화 흐름과 함께 하는 사건이었다. 아시아와 라틴아메리카의 독재정권이 연쇄적으로 붕괴하고, 동유럽의 사회주의 정권도 붕괴하였다. 이러한 민주화 흐름은 자연 발생적인 대중시위, 지배 세력과 저항 세력의 타협, 점진적 민주화라는 특징을 갖고 있었다. 6월 민주항쟁은 이와 같은 역사적 맥락을 선도하는 역할을 하였다.

내신 만점 도전하기

난이도 상 / 중 / 하

01 제시된 자료와 관련된 정치 세력의 동향을 옳게 설명한 것을 <보기>에서 고른 것은?

> 조선의 발전과 독립 국가 수립을 원조 협력할 방안을 수립할 때는 임시 정부와 민주주의 단체의 참여하에 공동 위원회가 수행한다. 공동 위원회는 최고 5년 기한으로 4개국 신탁 통치의 협약을 작성하기 위해 미·영·소·중 4국 정부가 공동 참고할 수 있도록 임시 정부와 협의한 후 방안을 제출해야 한다.

보기
ㄱ. 중도 세력의 확장에 큰 도움이 되었다.
ㄴ. 반소·반공 운동이 쇠퇴하는 계기가 되었다.
ㄷ. 좌익도 처음에는 신탁 통치 실시를 반대하였다.
ㄹ. 국내 정치 세력이 좌·우로 급속하게 재편되었다.

① ㄱ, ㄴ ② ㄱ, ㄷ ③ ㄴ, ㄷ
④ ㄴ, ㄹ ⑤ ㄷ, ㄹ

02 6·25 전쟁 과정에서 (가)~(라) 시기에 대한 설명으로 옳은 것을 <보기>에서 고른 것은?

> (가) 제1국면(1950. 6. - 1950. 9.): 북한 인민군 공세
> (나) 제2국면(1950. 9. - 1950. 11.): 유엔군 반격
> (다) 제3국면(1950. 11. - 1951. 5.): 중국군과 북한 인민군 공세
> (라) 제4국면(1951. 5. - 1953. 7.): 전선의 교착과 정전 협정

보기
ㄱ. (가) - 개전 3일 만에 북한 인민군이 서울을 점령하였다.
ㄴ. (나) - 중국군 개입은 유엔군 참전의 직접적인 원인이었다.
ㄷ. (다) - 공산군의 공세에 밀려 1·4 후퇴를 하였다.
ㄹ. (라) - 정전 협상의 당사국은 미국과 소련이었다.

① ㄱ, ㄴ ② ㄱ, ㄷ ③ ㄴ, ㄷ
④ ㄴ, ㄹ ⑤ ㄷ, ㄹ

03 밑줄 친 '나'의 활동으로 옳은 것은?

> 나는 통일된 조국을 건설하려다 38도선을 베고 쓰러질지언정 일신에 구차한 안일을 취하여 단독 정부를 세우는 데에는 협력하지 아니하겠다. 나는 내 생전에 38도선 이북에 가고 싶다. 그 쪽 동포들도 제 집을 찾아가는 것을 보고서 죽고 싶다.

① 5·10 총선거에 참여하지 않았다.
② 조선 인민 공화국 수립을 주도하였다.
③ 좌우 합작 운동을 전개하다가 암살되었다.
④ 신탁 통치 문제를 수용해야 한다고 주장하였다.
⑤ 1948년 대한민국 정부의 초대 대통령에 취임하였다.

04 (가)~(마)에 대한 설명으로 옳지 않은 것은?

(가)	1952년 헌법을 개정하여 대통령 선출 방식을 국회 간선제에서 국민 직선제로 바꾸었다.
(나)	1953년 한·미 상호 방위 조약을 체결하여 미군이 한반도에 주둔하게 되었다.
(다)	1954년 초대 대통령에 한하여 중임 제한을 폐지하도록 헌법을 개정하였다.
(라)	1958년 진보당의 조봉암을 국가 보안법 위반과 간첩죄를 씌워 사형을 집행하였다.
(마)	1960년 3·15 부정 선거를 통해 이승만과 이기붕이 각각 대통령과 부통령에 당선되었다.

① (가) - 이를 발췌 개헌이라고 부른다.
② (나) - 미국이 정전 회담 기간 중에 이승만 정부와 체결하였다.
③ (다) - 이승만 정부는 개헌안 통과를 위해 사사오입이라는 변칙적인 논리를 활용하였다.
④ (라) - 이승만 정부가 반공 이념을 정치적으로 악용한 대표적인 사례이다.
⑤ (마) - 4·19 혁명이 일어나는 직접적인 원인이 되었다.

05 박정희 정부가 다음 내용들을 추진한 공통적인 목적으로 가장 적절한 것은?

> • 한·일 협정을 체결하여 일본과 국교를 재개하였다.
> • 베트남 전쟁에 국국 전투 부대를 대규모로 파병하였다.

① 경제 개발 자금 확보
② 해외 거주 한국인 보호
③ 미국 중심의 외교 관계 탈피
④ 북한에 대한 우리 체제의 우월성 과시
⑤ 장기 집권 체제에 대한 국제 사회의 승인 획득

06 (가)~(다)는 역대 헌법 가운데 대통령 임기와 선출 방식을 간추린 것이다. 이에 대한 설명으로 옳은 것을 <보기>에서 고른 것은?

	대통령 임기	대통령 선출 방식
(가)	5년, 단임제	국민들이 직접 선출
(나)	7년, 단임제	대통령 선거인단에서 선출
(다)	6년, 연임 제한 없음	통일 주체 국민 회의에서 선출

보기
ㄱ. (가) - 6월 민주 항쟁을 계기로 개정된 현행 헌법이다.
ㄴ. (나) - 대통령이 국회를 해산할 수 있는 권한이 있었다.
ㄷ. (다) - 재야인사와 종교계 인사들이 3·1 민주 구국 선언을 발표하였다.
ㄹ. 헌법 개정을 순서대로 배열하면 (다) - (가) - (나)이다.

① ㄱ, ㄴ ② ㄱ, ㄷ ③ ㄴ, ㄷ
④ ㄴ, ㄹ ⑤ ㄷ, ㄹ

07 (가), (나)에 해당하는 정부끼리 옳게 짝지은 것은?

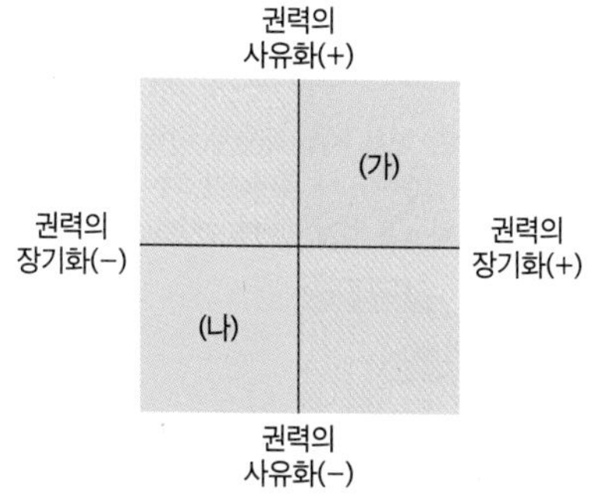

	(가)	(나)
①	이승만 정부	박정희 정부
②	박정희 정부	김대중 정부
③	전두환 정부	이승만 정부
④	김영삼 정부	전두환 정부
⑤	김대중 정부	노태우 정부

08 다음 상황 이후에 전개된 사실로 옳은 것을 <보기>에서 고른 것은?

> 1973년 제4차 아랍-이스라엘 전쟁이 발생하자, 석유 수출국 기구(OPEC)는 원유 가격을 대폭 인상하였다. 그 결과 세계 경제는 커다란 혼란에 빠지게 되었다. 이에 한국 경제도 인플레이션과 경제 불황에 직면하였다.

보기
ㄱ. 한·미 상호 방위 조약이 체결되었다.
ㄴ. 제4차 경제 개발 5개년 계획이 추진되었다.
ㄷ. 국교 정상화를 위한 한·일 협정이 체결되었다.
ㄹ. 연간 수출액 100억 달러가 처음으로 달성되었다.

① ㄱ, ㄴ ② ㄱ, ㄷ ③ ㄴ, ㄷ
④ ㄴ, ㄹ ⑤ ㄷ, ㄹ

09 다음 뉴스의 사건이 일어난 정부 시기에 볼 수 있는 모습으로 적절한 것은?

① 포항 제철소 준공식에 참석하는 공무원
② 금강산 해로 관광 시작 소식을 접하는 대학생
③ 김주열 군의 희생 소식에 분노하는 마산 학생
④ 반민특위 설치 소식에 기뻐하는 독립운동가 가족
⑤ 계엄군의 만행에 맞서 시민군을 조직하는 광주 시민

10 다음 자료에 나타난 민주화 운동에 대한 설명으로 옳은 것은?

> 6·10 국민 대회 행동 요강
> (1) 오후 6시 국기 하강식을 기하여 전 국민은 있는 자리에서 애국가를 제창하고,
> (2) 애국가가 끝난 후 자동차는 경적을 울리고,
> (3) 전국 사찰, 성당, 교회는 타종을 하고,
> (4) 국민들은 형편에 따라 만세 삼창(민주 헌법 쟁취 만세, 민주주의 만세, 대한민국 만세)을 하든지 제자리에서 1분 간 묵념을 함으로써 민주 쟁취의 결의를 다진다.

① 유신 체제가 붕괴되는 계기가 되었다.
② 이승만 대통령이 하야하는 결과를 가져왔다.
③ 5년 단임의 대통령 직선제 개헌을 이끌어 냈다.
④ 신군부가 계엄령을 확대한 것에 대해 반대하였다.
⑤ 관련 기록물이 유네스코 세계 기록 유산으로 등재되었다.

11 다음 담화문을 발표한 정부 시기에 있었던 사실로 옳은 것은?

> 전직 대통령을 구속하고 재판하는 일은 국가적으로 불행하고 부끄러운 일입니다. 그러나 이러한 과정을 거치지 않으면 우리 역사는 바로 설 수 없습니다. 우리는 이를 통해 군사 쿠데타라는 불행하고 후진적인 유산을 영원히 추방함으로써 군의 진정한 명예와 국민적 자존심을 되찾을 것입니다. …… 우리가 광복 50주년을 맞아 일제 잔재인 옛 조선 총독부 건물을 철거하기 시작한 것도 역사를 바로잡아 민족정기를 확립하기 위한 것입니다.

① 새마을 운동을 시작하였다.
② 야간 통행 금지가 해제되었다.
③ 미국으로부터 농산물을 무상 지원받았다.
④ 서독에 광부와 간호사를 파견해 외화를 획득하였다.
⑤ 대통령의 긴급 명령으로 금융 실명제가 전격 실시되었다.

12 다음 법률이 제정된 정부 시기의 경제 상황으로 옳은 것은?

> 제1조 [목적] 이 법은 생활이 어려운 자에게 필요한 급여를 행하여 이들의 최저 생활을 보장하고 자활을 조성하는 것을 목적으로 한다.
> ……
> 제3조 [급여의 기본 원칙] ① 이 법에 의한 급여는 수급자가 자신의 생활 유지·향상을 위하여 그 소득·재산·근로 능력 등을 활용하여 최대한 노력하는 것을 전제로 이를 보충·발전시키는 것을 기본 원칙으로 한다.

① 최저 임금법이 제정되었다.
② 제2차 석유 파동이 발생하였다.
③ 세계 무역 기구(WTO)가 출범하였다.
④ 국제 통화 기금의 지원금을 상환하였다.
⑤ 한·칠레 자유 무역 협정(FTA)이 체결되었다.

13 다음 대통령 신년사가 발표된 이후의 사실로 옳은 것은?

> 21세기를 눈앞에 두고 세계는 지금 새로운 질서가 펼쳐지고 있습니다. 새해와 더불어 WTO 체제가 출범하며 나라와 나라 사이에, 지역과 지역 사이에 치열한 무한 경쟁이 벌어지는 시대가 온 것입니다. 올해, 정부는 물론 모든 국민이 세계화를 본격 추진하는 해가 되어야 할 것입니다.
>
> -「대통령 신년사」-

① 미국과 브라운 각서에 합의하였다.
② 경공업 중심의 경제 개발을 추진하였다.
③ 경제 협력 개발 기구(OECD)에 가입하였다.
④ 일본이 독립 축하금 명목의 지원금을 제공하였다.
⑤ 남북한이 유엔에 동시 가입하고 「남북 기본 합의서」를 채택하였다.

14 다음 성명이 발표된 이후의 상황으로 옳은 것을 <보기>에서 고른 것은?

> 첫째, 통일은 외세에 의존하거나 외세의 간섭을 받음이 없이 자주적으로 해결되어야 한다.
> 둘째, 통일은 서로 상대방을 적대하는 무력행사에 의거하지 않고, 평화적 방법으로 실현되어야 한다.
> 셋째, 사상·이념·제도의 차이를 초월하여 우선 하나의 민족으로서 민족적 대단결을 도모한다.

보기

ㄱ. 남북 조절 위원회가 구성되었다.
ㄴ. 한·미 상호 방위 조약이 체결되었다.
ㄷ. 북한에서 사회주의 헌법이 제정되었다.
ㄹ. 닉슨 독트린 발표로 냉전 체제가 완화되었다.

① ㄱ, ㄴ ② ㄱ, ㄷ ③ ㄱ, ㄹ
④ ㄴ, ㄹ ⑤ ㄷ, ㄹ

주관식·서술형 평가

15 다음 자료를 읽고 물음에 답하시오.

> 우리는 왜 총을 들 수밖에 없었는가? …… 각 학교에 공수 부대를 투입하고, …… 너무나 경악스러운 또 하나의 사실은 20일 밤부터 계엄 당국은 발포 명령을 내려 무차별 발포를 시작했다는 것이다. …… 그래서 우리는 이 고장을 지키고 우리의 부모 형제를 지키고자 손에 총을 들었던 것이다.

(1) 자료와 관련이 깊은 사건의 명칭을 쓰시오.

(2) 자료를 통해 시민들이 무장한 이유를 서술하시오.

16 다음 글을 읽고 물음에 답하시오.

> <참여자의 구술을 통해 본 (가)>
>
> 권○○: 6월 10일 국민 대회 당시 춘천의 중심지 등은 이미 경찰이 봉쇄하고 있었어요. 하지만 6월 18일 최루탄 추방 대회 때에는 춘천시 명동에 많은 사람이 모였습니다.
>
> 김△△: 당시 광주의 고등학교를 다녔던 저는 호헌 철폐가 무슨 뜻인지 잘 몰랐어요. 다만 1980년 5월의 경험을 통해 우리나라가 독재 국가라는 점은 인식했어요. 그래서 전두환 정부의 독재를 막아야 한다는 생각으로 시위에 참여했습니다.

(1) (가)에 해당하는 민주화 운동의 명칭을 쓰시오.

(2) (가)의 민주화 운동으로 인해 나타난 대통령 선출 방식의 변화를 서술하시오.

MEMO

이 책의 정답은 QR코드로 확인할 수 있어요~!

2015 개정 교육과정

고등학교 **한국사**

자습서

최준채 | 윤영호 | 김용석 | 이동욱
정의진 | 한슬기 | 김용천 | 손석영

정답 및 해설

금성출판사

고등학교 **한국사**

자습서

최준채 | 윤영호 | 김용석 | 이동욱
정의진 | 한슬기 | 김용천 | 손석영

정답 및 해설

금성출판사

정답 및 해설

대주제1 전근대 한국사의 이해

1 고대 국가의 지배 체제

간단 체크

9쪽 움집 11쪽 ○ 13쪽 ○ 15쪽 고구려 16쪽 ×

개념 익히기  18쪽

01 (1) ○ (2) ○ (3) ○ (4) × 02 (1) 정착 (2) 사출도 (3) 5소경 (4) 「신라 촌락 문서」 03 a-ㄷ, b-ㄴ, c-ㄱ 04 ㄴ, ㄷ, ㄹ

내신 유형 익히기  18~20쪽

01 ② 02 ② 03 ③ 04 ③ 05 ⑤ 06 ④ 07 ② 08 ② 09 ① 10 (1) 제가 회의 (2) 해설 참조 11 (1) 「신라 촌락 문서」 (2) 해설 참조

01 구석기 시대의 유물

주로 동굴과 막집에 거주하며 수렵·채집 생활을 영위한 것은 구석기인의 생활 모습이다. 뗀석기인 주먹도끼는 구석기 시대를 대표하는 유물이다.

오답 피하기

① 식량 보관, 조리 등에 쓰인 빗살무늬 토기는 신석기 시대에 등장하였다.
③ 실을 만드는 데 쓰인 가락바퀴는 신석기 시대에 등장하였다.
④ 농경문 청동기는 후기 청동기·초기 철기 시대의 유물이다.
⑤ 간석기인 반달 돌칼은 곡물의 이삭을 따는 데 쓰인 청동기 시대의 대표적인 농기구이다.

02 고조선의 성립

제시된 자료는 고조선의 8조법이다. 사유 재산의 존재, 노동력 중시, 계급 출현 등의 사회 모습이 담겨 있다. 고조선은 잉여 생산의 발생과 계급 사회의 형성이 이루어진 청동기 시대에 등장하였다.

오답 피하기

①, ③ 고구려, ④ 동예에 대한 설명이다.
⑤ 신석기 시대의 사회 모습으로, 고조선은 계급 사회였다.

03 철기 시대 여러 나라의 성립

(가)는 부여, (나)는 고구려, (다)는 옥저, (라)는 동예, (마)는 삼한이다. 민며느리제는 옥저의 결혼 풍습이다.

오답 피하기

① 옥저와 동예, ②, ④ 부여에 해당한다.
⑤ 진대법은 고구려 고국천왕 대 시행된 빈민 구제 정책이다.

04 삼국 간의 전쟁

(가)는 5세기 고구려 장수왕의 남진 정책에 따른 한성 함락, (나)는 4세기 백제 근초고왕 때의 평양성 공격, (다)는 6세기 신라 법흥왕 때의 금관가야 흡수와 관련된 사료이다.

05 후기 가야 연맹의 성립

제시된 자료는 5세기 초 광개토 대왕이 신라를 지원하여 신라에 침입한 가야·왜 연합 세력을 격퇴한 사실을 기록한 것이다. 광개토 대왕이 보낸 군대가 가야까지 침입하여 전기 가야 연맹을 이끌던 금관가야가 쇠퇴함에 따라, 전기 가야 연맹이 해체되고 대가야를 중심으로 후기 가야 연맹이 형성되었다.

오답 피하기

① 4세기 근초고왕 대, ② 4세기 초, ③ 4세기 후반, ④ 3세기의 일이다.

06 6세기 신라의 팽창

제시된 자료는 '왕' 칭호 사용. 실직주 설치 등을 통해 지증왕 때의 일임을 알 수 있다. 지증왕은 우산국을 정복하여 지배 영역을 확장하였다.

오답 피하기

① ② 법흥왕, ③, ⑤ 진흥왕 때의 일이다.

07 통일 신라의 통치 체제 정비

제시된 자료는 신문왕의 관료전 지급, 녹읍 폐지와 녹봉 지급과 관련한 기록이다. 삼국을 통일한 문무왕에 이어 즉위한 신문왕은 국학 설치, 집사부를 중심으로 한 중앙 행정 관서와 관직 체계 정비, 9주 5소경 제도 완비, 관료전 지급 및 녹읍 폐지 등의 정책을 통해 통치 체제를 정비하였다.

오답 피하기

① 법흥왕, ③ 원성왕, ④ 문무왕, ⑤ 내물왕 때의 일이다.

08 나당 연합군의 결성

(가)는 645년, 고구려 군대가 안시성에서 당 군대의 침략을 격퇴한 안시성 전투, (나)는 백제 멸망 후 백제 부흥 운동이 전개되었던 때의 기록이다. 고구려가 수, 당의 거듭된 침입을 막아낸 후, 백제의 압박에 시달리던 신라와 고구려 공략에 어려움을 겪던 당은 나당 연합군을 결성하여 백제와 고구려를 차례로 무너뜨렸다. 백

제와 고구려 유민 중 일부는 멸망 후 각각 부흥 운동을 일으켰다.

오답 피하기

① 통일 신라 말기인 9세기 초, ③ 538년, ④ 612년, ⑤ 675년의 일이다.

09 발해의 정치적 변천

제시된 도표는 발해의 중앙 정치 조직을 도식화한 것이다. 대조영이 고구려인과 말갈인을 이끌고 고구려의 옛 땅인 동모산에서 발해를 건국하였다.

오답 피하기

② 백제, ③, ④ 신라, ⑤ 신라 초기에 해당한다.

10 제가 회의

제시된 자료는 제가 회의를 통해 범죄자의 처벌 수위를 결정하는 장면으로 왕과 족장들이 함께 나라의 중대사를 논의하는 초기 국가의 정치적 의사 결정 과정을 담고 있다.

모범답안 | (2) 왕은 전쟁·외교 등 대외 활동을 주관하고, 본인의 직할지를 다스렸다. 족장은 자기 집단에 대해서는 일종의 자치권을 인정받아 왕의 간섭을 받지 않았다.

채점 기준	
상	왕과 족장 세력의 권한을 모두 명확히 서술한 경우
중	왕과 족장 세력의 권한 중 하나만 서술한 경우
하	왕과 족장 세력의 권한 모두 잘못 서술한 경우

11 신라 촌락 문서

제시된 자료는 「신라 촌락 문서」이다. 조세 수취와 노동력 동원을 위해 전국의 인구와 경제 상황을 정확하고자 만들어졌다.

모범답안 | (2) 조세는 재산 규모에 따라 호의 등급을 나누어 부과하고, 군대 복무와 각종 공사에 동원하는 역의 대상은 일정 연령대의 남자들로 정하였기 때문이다.

채점 기준	
상	조세와 역의 부과 기준을 모두 명확히 서술한 경우
중	조세와 역의 부과 기준 중 하나만 서술한 경우
하	조세와 역의 부과 기준 모두 잘못 서술한 경우

2 고대 사회의 종교와 사상

간단 체크

23쪽 ○ 25쪽 ×

개념 익히기 — 26쪽

01 (1) ○ (2) × (3) ○ (4) ○ 02 (1) 토테미즘 (2) 유학 (3) 관음 신앙 (4) 풍수지리설 03 a-ㄱ, b-ㄷ, c-ㄴ 04 ㄱ, ㄷ

내신 유형 익히기 — 26~27쪽

01 ③ 02 ④ 03 ① 04 ④ 05 ④ 06 해설 참조 07 해설 참조

01 고구려의 제천 행사

제시된 자료는 연노부·절노부·순노부·관노부·계루부의 5부족 연맹체였던 초기 고구려의 정치적 특징과 서옥제라는 혼인 풍습을 보여 주고 있다. 고구려는 10월에 동맹이라는 제천 행사를 열었다.

오답 피하기

① 독서삼품과는 통일 신라 원성왕 때 실시한 관리 선발 제도이다.

② 불교식 왕명은 신라에서 사용되었다.

④ 청동기 문화를 기반으로 건국된 나라는 고조선이며, 고구려는 철기 문화를 기반으로 등장하였다.

⑤ 사출도는 부여의 제가(諸加)들이 다스리던 지역이다.

02 도교 관련 문화유산

삼국 시대에 전래된 도교는 신선 사상을 기반으로 여러 민간 신앙이 결합하여 성립하였으며, 고구려의 연개소문은 도교를 정치적으로 활용하여 불교 세력을 약화하고자 하였다. 백제의 산수무늬 벽돌은 위쪽에는 봉황과 구름무늬를, 아래쪽에는 산수무늬를 그려 넣어 신선들의 이상 세계를 표현하였다.

오답 피하기

① 금동 미륵보살 반가 사유상은 불교의 미륵 신앙과 관련 있다.

② 임신서기석은 신라의 두 청년이 왕에게 충성하고 유학을 익히는 데 노력할 것이라는 다짐을 새겨 놓은 비석이다.

③ 이차돈 순교비는 불교 공인을 위해 순교한 이차돈을 추모하기 위해 만든 비석이다.

⑤ 미륵사지 석탑은 백제 말기의 화강암 석탑이다.

03 고구려의 유학 교육 기관

제시된 자료에서 길거리마다 지어서 글과 활쏘기를 익히게 했다는 데에서 (가)는 경당임을 알 수 있다. 고구려는 중앙에 태학을 설립하여 유교 경전과 역사서를, 지방에 경당을 설치하여 한학과 무술을 가르쳤다.

오답 피하기

② 통일 신라, ③ 고구려, ④ 고려, ⑤ 발해에서 설치되었던 유학 교육 기관이다.

04 원효의 활동

신라의 삼국 통일 전후에 활약하였던 원효는 화쟁 사상을 내세워 불교 종파 간 대립을 해소하고자 하였으며, 아미타 신앙을 전파하여 불교 대중화에 기여하였다.

오답 피하기

① 원광, ② 의상에 대한 설명이다.

③ 원효는 당에 유학하지 않았다. 빈공과에 합격했던 인물로 최치원이 있다.

⑤ 원효의 아들인 설총이 이두를 정리하였다.

05 통일 신라 말 선종의 확산

제시된 자료는 통일 신라 말기 사회 혼란 속에서 호족이 성장하는 모습을 보여 주고 있다. 이 시기에는 중앙 정부의 지방 통제력 약화로 지방에는 농민들이 봉기하고, 호족이라 불리는 지방 세력이 성장하였다.

오답 피하기

① 국학은 신라의 삼국 통일 직후 설치되었다.

② 애니미즘은 신석기 시대에 출현하였다.

③ 도교 사상은 삼국 시대에 전래되었다.

⑤ 나당 연합군은 7세기, 신라의 삼국 통일 전에 결성되었다.

06 재래 신앙의 형성

제시된 자료는 고조선 건국 이야기로 환인은 천신을, 웅녀는 곰을 숭배하는 부족을 의미한다.

모범답안 | 환인의 아들 환웅이 인간 세상을 다스리기 위해 하늘에서 내려왔다는 것에서 천신 신앙을, 웅녀를 통해서 동물을 부족의 신으로 섬기는 토테미즘이 있었음을 알 수 있다.

채점 기준	
상	천신 신앙과 토테미즘을 모두 명확히 서술한 경우
중	천신 신앙과 토테미즘 중 하나만 서술한 경우
하	천신 신앙과 토테미즘을 모두 잘못 서술한 경우

07 불교와 유학의 사회적 역할

제시된 자료는 신라 유학자인 강수와 아버지의 대화로 당시 사회에서 불교는 세상 밖의 가르침을 전하는 종교로, 유학은 세속에서 익혀야 할 학문으로 기능하였음을 보여 준다.

모범답안 | 고대 사회에서 불교는 부처에 대한 신앙을 강조하는 종교의 역할, 유학은 충·효·신과 같은 국왕 중심의 지배 질서를 뒷받침하는 도덕 규범을 바탕으로 행정 실무를 담당할 관리를 양성하는 역할을 맡았다.

채점 기준	
상	불교와 유학의 역할을 모두 명확히 서술한 경우
중	불교와 유학의 역할 중 하나만 서술한 경우
하	불교와 유학의 역할을 모두 잘못 서술한 경우

3 고려의 통치 체제와 국제 질서의 변동

간단 체크

29쪽 ○ 31쪽 귀주 33쪽 × 35쪽 ○

개념 익히기 36쪽

01 (1) × (2) ○ (3) × (4) ○ 02 (1) 향리 (2) 별무반 (3) 몽골 (4) 위화도 회군 03 a-ㄴ, b-ㄱ, c-ㄷ 04 ㄱ, ㄹ

내신 유형 익히기 36~39쪽

01 ⑤ 02 ③ 03 ④ 04 ① 05 ① 06 ⑤ 07 ② 08 ③ 09 ③ 10 ③ 11 ① 12 ③ 13 ④ 14 해설 참조 15 해설 참조

01 태조의 정책

제시된 자료는 태조 왕건의 호족 통제 정책인 사심관 제도와 왕씨 성을 하사하여 우대하는 사성 정책과 관련한 것이다. 호족들의 도움으로 왕위에 오르고 후삼국을 통일할 수 있었던 태조는 호족의 자제를 인질로 삼는 기인 제도를 시행하고, 유력한 호족과의 혼인 관계를 맺는 등의 정책을 통해 호족 세력을 포섭하고 왕권을 안정적으로 유지하고자 하였다.

오답 피하기

ㄱ. 지방관 파견은 성종 때 처음으로 이루어졌다.

ㄴ. 후백제는 견훤이 건국하였다.

02 광종의 정책

제시된 자료는 최승로가 광종의 노비안검법으로 인해 신분 질서가 혼탁해졌다며 광종을 비판한 글로 (가)는 광종이다. 광종은 노비안검법과 과거제 시행, 공신과 호족 숙청 등을 통해 왕권을 강화하였다.

오답 피하기

① 통일 신라의 신문왕, ② 고려 태조, ④ 인종, ⑤ 성종 때의 일이다.

03 고려의 음서 제도

대화 내용을 통해 최씨 무신 정권을 열었던 최충헌은 고위 관료였던 아버지의 덕으로 과거 시험을 치르지 않고 관직에 올랐음을 알 수 있다. 이는 최충헌이 공신이나 5품 이상 관리의 자손에게 주어지는 음서의 혜택을 받았음을 의미한다.

오답 피하기

① 과거 제도 중 기술관을 선발하는 잡과에 대한 설명이다.

② 과거 제도 중 문신을 선발하는 문과에 대한 설명이다.

③ 음서 제도는 성종 때 처음으로 시행되었다.

⑤ 과거를 통해서도 고위 관료로 승진할 수 있었다.

04 고려의 언론 기구

제시된 자료는 중서문하성 3품 이하 관료인 낭사의 언론 활동을 기록한 것으로 (가)는 낭사이다. 중서문하성의 낭사는 어사대 관원과 함께 간쟁, 서경, 봉박의 언론을 담당하여 정치 운영에서 견제와 균형을 이루는 역할을 하였다.

오답 피하기

② 과거 시험은 6부 중 하나인 예부에서 주관하였다.

③ 도병마사는 중서문하성 2품 이상 관료인 재신과 중추원의 고위 관료 추밀의 회의 기구였다.

④ 양계는 군사적 특수 행정 구역으로 병마사가 파견되었다.

⑤ 호족은 지방관 파견 이후 행정 실무를 담당하는 향리로 변화하였다.

05 거란의 침입

(가)는 거란의 1차 침입 당시 서희와 소손녕의 외교 협상, (나)는 거란의 2차 침입 당시 개경이 함락되고 왕이 피란 가는 상황을 기록한 것이다. 서희와 소손녕의 외교 협상으로 고려는 압록강 동쪽의 여진을 몰아내고 이 지역에 강동 6주를 설치하였다.

오답 피하기

② 천리장성은 거란의 3차 침입 이후에 만들어졌다.

③ 거란의 침입은 10세기 말에서 11세기 초에 발생하였다. 망이·망소이의 난은 무신 정권 때인 12세기 후반에 발생하였다.

④ 대몽 항쟁 과정에서 발생한 처인성 전투에 대한 설명이다.

⑤ 귀주 대첩은 거란의 3차 침입 당시에 벌어진 전투이다.

06 묘청의 서경 천도 운동

(가)는 묘청이다. 묘청은 이자겸의 난 이후 인종이 개혁 정치를 추진하는 과정에서 서경 천도를 주장하고, 받아들여지지 않자 서경을 중심으로 반란을 일으켰다.

오답 피하기

① 강화 천도는 최씨 무신 정권 때 최우에 의해 이루어진 것으로, 이에 찬성한 대표적인 인물은 이규보이다.

② 공민왕 사후 권력을 잡은 이인임 등은 북원과의 외교를 재개하였다.

③ 명종은 무신 정변 이후 정중부 등에 의해 왕위에 올랐다.

④ 안향은 고려에 성리학을 최초로 소개하였다.

07 별무반의 활동

(가)는 별무반으로, 윤관은 여진 정벌을 위해 별무반 창설을 건의하였다. 또한 직접 별무반을 이끌고 여진을 정벌하여 동북 9성을 축조하였다.

오답 피하기

① 도방은 무인 집권자의 사병 조직이었다.

③ 별기군은 조선 고종 때 개화 정책을 펼치면서 만들어진 신식 군대이다.

④ 야별초에서 분리된 좌별초와 우별초, 신의군으로 구성된 부대로 최씨 무신 정권 때 설치되었다.

⑤ 최우가 치안 유지와 반대 세력 제거 등을 목적으로 설치한 부대이다.

08 무신 정권의 통치 기구

무신 정변 이후 권력을 잡은 무신들은 무신 회의 기구인 중방에서 국정을 운영하였으나, 최씨 무신 정권을 열었던 최충헌은 교정도감을 설치하여 1인 독재 체제를 확립하였다.

오답 피하기

① 도병마사, 식목도감 ② 어사대, ④ 도방, 삼별초, ⑤ 서방에 대한 설명이다.

09 몽골의 침입

몽골의 침입 이후 수도를 강화도로 옮긴 이후 최씨 무신 정권은 1236년 대장도감을 설치하고 팔만대장경 조성 사업을 시작하여 16년 만인 1251년에 완성하였다.

10 원 간섭기의 사회 모습

제시된 자료는 충렬왕 7년인 1281년, 원으로부터 부마국으로 책봉받은 사실에 대한 기록이다. 원 간섭기 고려왕이 원 황실의 공주와 혼인하며 고려는 원의 부마국이 되었다. 원 간섭기에는 변발, 몽골식 복장 등의 몽골풍이 유행하였다.

오답 피하기

① 호족은 통일 신라 말부터 고려 초까지 존재하였던 지방 세력이다.

② 송은 금의 세력 확장으로 중국 강남 지방으로 물러난 후(남송), 몽골(원)이 세력을 확장하여 중국 전체를 지배하면서 멸망하였다.

④ 6두품은 신라 골품제에 의한 신분이다.

⑤ 석굴암 본존불상은 통일 신라 때에 만들어졌다.

11 공민왕의 개혁 정치

(가)는 공민왕이다. 공민왕은 반원 개혁 정치의 일환으로 쌍성총관부를 공격하여 철령 이북의 땅을 되찾았다. 또한 변발 등 몽골풍 금지, 친원 세력 제거, 정동행성 이문소 폐지, 전민변정도감 설치 등의 정책을 실시하였다.

오답 피하기

ㄷ. 이성계 일파는 위화도 회군으로 권력을 장악한 뒤 창왕을 폐하고, 공양왕을 옹립하였다.

ㄹ. 인종은 이자겸 등의 주장에 따라 금의 군신 관계 요구를 수용하였다.

12 신진 사대부의 활동

제시된 자료는 권문세족의 농장 경영으로 인한 폐단 해결을 촉구하는 조준과 북원과의 외교 재개에 반대하는 정도전의 활동을 보여 주는 기록이다. 이들 신진 사대부는 성리학에 입각하여 성리학적 윤리와 도덕을 강조하고, 민생 안정과 친명 외교 추진 등을 주장하였다.

13 조선 건국 과정

(가)는 이방원이 정몽주를 죽이는 장면이다. 위화도 회군 이후 정권을 잡은 후 신진 사대부는 급진파와 온건파로 나뉘었고, 정몽주는 새 왕조 건설에 반대한 온건파의 대표적인 인물이다. (나)는 요동 정벌을 계획하는 창왕과 최영의 행적이 드러나는 장면이다. (다)는 위화도 회군에 앞서 이성계가 창왕에게 요동 정벌을 철회할 것을 요구하는 장면이다. 따라서 (나) - (다) - (가)의 순이다.

14 지방관의 파견

제시된 자료는 성종이 지방 주요 거점에 12목을 설치하고 지방관을 파견하였음을 알려 주는 사료이다.

모범답안 | 호족은 향촌 사회를 실질적으로 지배하는 존재였다. 그러나 지방관 파견 이후에는 지방관을 보좌하고 행정 실무를 담당하는 향리로 그 성격이 변화하였다.

채점 기준	
상	지방관 파견으로 인한 호족 지위 변화를 정책 시행 전과 비교하여 명확히 서술한 경우
중	지방관 파견 이후 호족의 지위를 서술하였으나, 정책 시행 전과 비교하지 못한 경우
하	지방관 파견 이후 호족의 지위를 서술하지 못한 경우

15 송과의 외교 관계

제시된 자료에서 송의 관리는 송이 고려와의 외교를 통해 많은 손해를 보고 있음을 주장하고 있다. 고려가 다원적 국제 질서 속에서 주변국의 정세를 살피며 실리 외교를 추진하면서 제기된 비판이다.

모범답안 | 고려가 다원적 국제 질서 속에서 실리 외교를 추진하면서 송과의 교류를 통해 정치·경제·문화적 이익을 취한 반면 송의 군사적 협조 요청은 거절하였기 때문이다.

채점 기준	
상	고려 외교 정책의 전반적인 방향성 속에서 송과의 관계를 명확히 서술한 경우
중	고려 외교 정책의 전반적인 방향성과 송과의 관계 중 하나만 서술한 경우
하	고려 외교 정책의 전반적인 방향성과 송과의 관계를 모두 잘못 서술한 경우

4 고려의 사회와 사상

간단 체크

41쪽 향·부곡·소　43쪽 유교, 도교

개념 익히기  44쪽

01 (1) × (2) × (3) × (4) ○　02 (1) 주현, 속현 (2) 정호, 백정 (3) 국자감, 향교 (4) 『삼국사기』　03 a-ㄴ, b-ㄷ, c-ㄱ　04 ㄴ, ㄹ

내신 유형 익히기 44~46쪽

01 ②　02 ⑤　03 ⑤　04 ④　05 ④　06 ⑤　07 ③　08 ④　09 해설 참조　10 (1) 해동 천태종 (2) 해설 참조

01 고려의 신분 제도

고려의 신분은 크게는 양인과 천인으로 나뉘었으며, 세부적으로는 귀족, 중간 계층, 양민, 천민 등의 신분이 존재하였다. 이 중 양민은 농민·수공업자·상인 등 생산 활동에 종사하는 계층을 의미한다.

오답 피하기

ㄴ. 노비는 천민에 해당한다.

ㄹ. 문무 관료는 귀족에 해당한다.

02 고려 신분제의 개방성

이의민과 박의의 사례는 고려 시대에는 신분 이동이 가능했음을 보여 준다.

오답 피하기

① 골품제는 신라의 신분 제도이다.

② 조선 후기 향전으로 인해 향촌의 지배권이 변화하였다.

③ 이의민의 사례만 무신 집권기에 해당한다.

④ 박의의 사례만 원 간섭기에 해당한다.

03 고려 시대 여성의 지위

제시된 사료는 박유라는 관료가 일부다처제 실시를 주장하였다가 여성들에게 지탄을 받았다는 내용을 담고 있다. 여성의 사회적 지위가 높았음을 통해 사료의 시대 배경이 고려 시대임을 추론할 수 있다. 고려 시대에 여성들은 재산 상속, 제사 봉양 등에서 차별을 받지 않았다. 또 여성이 호주가 되기도 하였으며 호적에도 자녀가 태어난 순으로 기재되었다.

오답 피하기

①, ③, ④ 조선 후기에는 남성 중심, 장자 중심의 가족 제도가 보편화되면서 친영 제도가 정착되고 장자 중심으로 재산이 상속되었으며, 아들이 없다면 양자를 들여서라도 대를 잇게 하였다.

② 고려 여성의 사회적 지위는 높았으나, 정치적 권한에서는 배제되었다.

04 고려 특수 행정 구역의 특징

제시된 자료는 망이, 망소이의 난에 대한 것으로 '이 지역'은 명학소이다. 소 지역은 수공업 제품들을 주로 생산하던 지역으로 이 지역의 주민들은 거주 이전의 제한이 있었고, 무거운 세금을 부

담하고 있었다.

오답 피하기

① 소의 주민들은 신분상으로는 양인이었다.
② 소 지역은 공을 세워 일반 군현으로 승격되기도 하였다.
③ 소 주민과 일반 군현민의 혼인은 제한되었다.
⑤ 소의 주민들은 과거 응시가 금지되어 있었다.

05 지눌의 사상과 불교 개혁 운동

첫 번째 사료는 지눌이 제시한 불교의 수행법인 정혜쌍수에 대한 내용이고, 두 번째 사료는 지눌의 수선사 결사에 대한 내용이다. 지눌은 무신 집권기에 활동한 승려로 무신 집권기 불교계의 부패를 개혁하자는 수선사 결사 운동을 펼친 승려이다.

오답 피하기

① 일연, ② 의천, ③ 요세, ⑤ 의천에 해당한다.

06 『삼국유사』의 편찬

밑줄 친 '이 역사서'는 『삼국유사』이다. 『삼국유사』는 충렬왕 7년(1281)년에 승려 일연이 저술한 책으로, 단군의 고조선 건국 신화를 담고 있어서 민족사의 기원을 고조선으로 끌어올렸다는 평가를 받는다. 이러한 역사 인식의 변화는 몽골의 침입을 겪은 고려 사회를 통합하고 자주성을 강조하기 위한 것으로 여겨진다.

07 성리학의 특징

제시된 자료에서 공민왕 대 성균관을 다시 세우고 이색, 정몽주 등을 교관을 삼았다는 내용을 통해 (가) 학문은 성리학임을 알 수 있다. 성리학은 신진 사대부들에 의해 적극적으로 수용되었다.

오답 피하기

① 조선 후기 서학과 동학에 의해 신분 평등이 주장되었다.
② 원효는 불교의 대중화에 기여하였다.
④ 풍수지리설이 서경 천도 운동에 영향을 주었다.
⑤ 고려 말 불교가 권문세족과 연결되어 세속화되고, 부패하였다.

08 고려의 풍수도참 사상

풍수지리설은 고려 시대에 도참 사상과 결합하여 다양한 정치적 목적으로 이용되었다. 풍수도참 사상은 송악(개경), 평양(서경), 한양(남경) 등 정치적으로 중요한 지역의 우수성을 드러내기 위한 수단으로 사용되었다.

오답 피하기

④ 산신에 대한 제사는 고려 시대에 성행한 민간 신앙에 대한 내용이다.

10 정호와 백정

고려의 신분은 양인과 천인을 구분하는 양천제였다. 그러나 양인 내에도 여러 가지 사회적 구분이 존재하였다. 양인은 직역의 유무에 따라 정호와 백정으로 구분하였다.

모범답안 | 정호는 국가에 특정한 직역을 담당하는 계층으로 서리·향리·하급 장교 등이 이에 해당한다. 반면 백정은 국가에 특정한 직역을 갖지 않는 일반 농민을 의미한다.

채점 기준	
상	정호의 개념 설명, 백정의 개념 설명, 정호의 예시를 모두 서술함.
중	상기 기준 중 2개만을 서술한 경우
하	상기 기준 중 1개만을 서술한 경우

11 의천의 활동

고려 시대에는 불교계의 여러 종파 간 갈등이 심하였다. 의천(1055~1101)은 해동 천태종을 창시하여 천태종을 중심으로 교단 통합 운동을 벌였다. 이를 위한 수행법으로는 교종에서 강조하는 교리 연구와 선종에서 강조하는 실천적 수행을 병행해야 한다는 교관겸수를 제창하였다.

모범답안 | (2) 교관겸수란 의천이 종파 간 갈등을 극복하고자 제창한 불교 수행법이다. 교종에서 강조하는 교리 연구와 선종에서 강조하는 실천적 수행을 겸하여 수행해야 한다는 내용이다.

채점 기준	
상	교관겸수를 주창한 배경, '교종'과 '교리'라는 키워드, '선종'과 '수행'이라는 키워드를 모두 서술한 경우
중	상기 기준 중 2개만을 서술한 경우
하	상기 기준 중 1개만을 서술한 경우

5 조선 시대 세계관의 변화

간단 체크

49쪽 『용비어천가』 51쪽 대간 53쪽 항왜원조, 분로쿠·게이초의 역 55쪽 천주당, 유리창 거리 57쪽 전정, 군정, 환정(환곡)

개념 익히기 58쪽

01 (1) × (2) × (3) ○ (4) ○ 02 (1) 『삼강행실도』 (2) 『경국대전』 (3) 의정부, 6조 03 a-ㄴ, b-ㄱ, c-ㄷ 04 ㄴ, ㄷ

내신 유형 익히기 58~61쪽

01 ⑤ 02 ① 03 ③ 04 ① 05 ① 06 ② 07 ② 08 ④ 09 ② 10 ② 11 ② 12 ④ 13 해설 참조 14 (1) 임진왜란 (2) 해설 참조

01 조선 초기의 문물 제도 정비

(가)는 성종이다. 성종은 집현전을 계승한 홍문관을 설치하고 『국조오례의』를 간행하여 국가 의례를 정비하였다. 또한 세조 때 편찬하기 시작한 『경국대전』을 완성하여 유교적 통치 규범을 성문화하였다.

02 조선의 통일적 성문법 질서 확립

조선은 유교적 통치 이념을 성문화하기 위하여 통일적 성문 법전 편찬에 착수하였다. 그 결과 세조에서 성종 대에 걸쳐 『경국대전』이 완성되었다.

오답 피하기

② 『경제육전』은 태조 때 조준 등이 만든 관찬 법전이다.
③ 『훈민정음』은 세종이 반포하였다.
④ 『삼강행실도』는 세종 때 편찬한 윤리서이다.
⑤ 『조선경국전』은 태조 때 정도전이 만든 사찬 법전이다.

03 조선의 중앙 정치 기구

조선은 국정을 총괄하는 의정부와, 실무를 나누어 담당하는 육조를 중심으로 중앙 정치 기구를 정비하였다. 조선의 중앙 정치 기구 중 특수한 지위에 있는 것은 삼사였다. 삼사는 사헌부, 사간원, 홍문관을 합쳐 부르는 말로 왕과 대신들을 견제하는 언론 기구 역할을 수행하였다.

오답 피하기

① 성균관은 조선 시대에 서울에 설치한 최고 유학 교육 기관이다.
② 승정원은 왕명 출납을 담당하는 기구이다.
④ 의금부는 반역죄 등을 담당하는 국왕 직속 특별 사법 기구이다.

04 조선의 지방 통치 제도

제시된 지도는 조선의 지방 행정 구역을 나타낸 것이다. 조선은 전국은 8도로 정비하고 그 아래 군·현을 두었다. 조선 시대에는 고려 시대에 존속하던 향·부곡·소 등의 특수 행정 구역이 소멸하였으며, 모든 군현에 지방관이 파견되었다. 또한 지방관의 부정을 막고자 지방관이 자기 출신 지역에 부임하지 못하게 하는 상피제가 실시되었다.

오답 피하기

ㄷ. 군사 행정 구역인 양계는 고려 시대의 행정 구역이다.
ㄹ. 고려 시대에 존재하던 향·부곡·소는 조선의 지방 통치 정비 과정에서 소멸하였다.

05 조광조의 정책

중종 때 등용된 조광조 등 사림의 목표는 왕도 정치 실현과 사림 중심의 향촌 질서 확립이었다. 이를 위해 덕이 있는 인재를 추천과 간단한 시험으로 등용하는 현량과를 실시하였고, 향촌의 자치적 약속인 향약을 보급하여 향촌 사회에서 사림의 영향력을 확대하고자 하였다.

오답 피하기

ㄷ. 비변사는 왜구, 여진의 침입에 대비하기 위해 만든 임시 군사 기구로 조광조와는 무관하다.
ㄹ. 균역법은 1750년(영조 26)에 군역의 부담을 경감하기 위해 시행된 세법이다.

06 붕당의 성립과 붕당 정치의 전개

선조 때 중앙 정계를 장악한 사림은 외척 정치의 청산을 둘러싸고 내부 갈등을 겪었다. 이러한 갈등은 인사권을 지닌 이조 전랑 임명 문제를 둘러싸고 격화되었다. 결국 기성 사림을 중심으로 서인이, 신진 사림을 중심으로 동인이 형성되어 붕당 정치가 시작되었다. 붕당은 상호 토론과 비판을 통해 조선의 공론 정치 이념을 지탱하였다. 각지의 서원은 선현을 중심으로 붕당을 결속시키는 기능을 했기 때문에 각 당이 세력을 확장하는 주요 수단이 되었다.

오답 피하기

② 조광조는 붕당 정치가 본격화되기 이전인 중종 때 활약한 인물이다.

07 조선과 여진의 관계

조선은 여진에 대해 교린 정책을 사용하여 경성·경원에 무역소를 설치하거나, 귀순을 장려하는 회유책을 사용하는 한편, 세종 때는 여진을 토벌하여 4군 6진을 개척하기도 하였다.

오답 피하기

ㄴ. 임진왜란 이후 일본의 요구로 조선은 일본에 통신사를 파견하였다.
ㄹ. 3포 왜란과 을묘왜변은 조선의 무역 통제 정책에 불만을 품은 일본인이 일으킨 사건이다.

08 임진왜란의 전개 과정

ㄱ. 노량 해전은 정유재란 때인 1598년 11월에 발생한 것으로 도요토미 히데요시 사후 퇴각하던 일본군을 이순신이 추적하여 일어났다.
ㄴ. 평양성을 탈환한 것은 1593년 1월로, 명나라 군이 참전한 이후이다.
ㄷ. 임진왜란 개전 20여 일 만인 1592년 5월 한양이 함락되었다.
ㄹ. 명과 일본 사이에 전개되던 휴전 회담이 결렬되고 1597년 1월 정유재란이 발발하였다.

09 광해군의 중립 외교

광해군은 선조의 둘째 아들로서 임진왜란 이후 즉위하였다. 임진왜란에서 국력을 소진한 명은 신흥 강국인 후금의 공세에 대응하기 위해 조선에 원군 파병을 요청하였다. 그러나 임진왜란의 피로가 누적된 상태에서 후금과 적대 관계를 맺는 것은 조선에게 막대한 부담이었다. 이에 광해군은 원군을 파견하여 명분을 취하되, 후금과의 직접 충돌은 회피하는 중립 외교를 펼쳤다.

10 병자호란

병자호란이 발발하자, 인조는 남한산성에서 청에 항전하였으나 결국 청에 항복하여 군신 관계를 수립하였다. 당시 인조는 삼전도에서 청 황제에게 굴욕적인 항복 의식을 거행해야 했다.

오답 피하기

① 정묘호란은 조선과 후금의 전쟁이며 당시 인조는 강화도로 피신하였다.
③ 정유재란은 임진왜란의 휴전 협상이 결렬되자 일본이 조선을 재침략한 사건이다.
④ 임진왜란은 조선과 일본 간의 전쟁이다.
⑤ 을묘왜변은 조선의 무역 통제 정책에 불만을 품은 일본인이 일으킨 사건이다.

11 탕평 정치

영조는 붕당 간 세력 균형을 이루고 왕권을 강화하기 위해 탕평 정치를 추진하였다.

오답 피하기

① 북벌론과 북학론은 병자호란 이후 청을 정벌하여 명에 대한 의리를 지키자는 주장과, 청의 발달된 문물을 배우자는 주장을 의미한다.
③ 탕평 정치를 추구한 정조가 죽은 후 어린 순조가 즉위하면서 일부 외척이 정권을 장악하는 세도 정치가 전개되었다.
④ 환국과 일당 전제화의 심화는 숙종 때 나타난 현상이다.
⑤ 예송은 효종, 효종비의 장례에 자의 대비가 상복을 몇 년 입어야 하는지에 대해 논한 예법 논쟁이다.

12 대동법의 실시

조선의 백성들은 조세·공납·역을 부담해야 했다. 그런데 서리와 상인 등이 결탁하여 공납을 대신 내고 농민에게 비싼 대가를 받아 내는 방납이 만연하였다. 이에 광해군은 대동법을 실시하였는데 그 내용은 가호를 기준으로 할당하던 공납을 토지 기준으로 할당하고, 현물 대신 쌀·포·동전 등으로 납부하게 하는 것이었다.

오답 피하기

① 인조 때 조세 부담을 경감하기 위해 실시한 영정법에 대한 설명이다.
② 영조 때 군역 부담을 경감하기 위해 실시한 균역법에 대한 설명이다.
③ 대동법이 실시되기 이전 공납 제도에 대한 설명이다.
⑤ 조선 시대의 군역 제도에 대한 설명이다.

13 조선의 공론 정치 이념

공론이란 단순히 다수가 따르는 의견이 아니라, 누구나 옳고 그름을 가릴 수 있는 공정하고 바른 의견을 의미한다. 제시된 자료는 『태조실록』으로 조선에서는 국초부터 공론 정치 이념이 중요시되었음을 알 수 있다.

모범답안 | 공론이란 누구나 시비를 가릴 수 있는 공정하고 바른 의견을 의미한다. 즉 공론 정치 이념이란 언론을 활성화하여 간언에 귀를 기울이고 바른 방향으로 정치를 이끌어 가려는 사상이다.

채점 기준	
상	공론의 개념, '언론의 활성화', '바른 정치'라는 키워드를 모두 서술한 경우
중	상기 기준 중 2개만을 서술한 경우
하	상기 기준 중 1개만을 서술한 경우

14 북벌론

병자호란에서 패한 조선은 청과 군신 관계를 맺었다. 이후 명이 멸망하면서 명을 중심으로 한 동아시아 질서는 청을 중심으로 재편되었다.

모범답안 | (2) 효종 대에는 청을 정벌하여 임진왜란 때 조선을 도운 명에 대한 의리를 지키자는 북벌론이 전개되었다.

채점 기준	
상	'북벌론'이라는 개념어, '명에 대한 의리', '청을 정벌'이라는 키워드를 모두 서술한 경우
중	상기 기준 중 2개만을 서술한 경우
하	상기 기준 중 1개만을 서술한 경우

6 양반 신분제 사회와 상품 화폐 경제

간단 체크

63쪽 양반 **65쪽** 모내기, 상품 작물

개념 익히기 66쪽

01 (1) ○ (2) ○ (3) × (4) × **02** (1) 양천제 (2) 유향소 (3) 모내기 (4) 공인 **03** a-ㄴ, b-ㄹ, c-ㄷ, d-ㄱ **04** ㄱ, ㄴ, ㄷ

내신 유형 익히기 66~67쪽

01 ① **02** ⑤ **03** ⑤ **04** ④ **05** 해설 참조 **06** (1) 향전 (2) 해설 참조

01 조선 시대 중인의 지위

자료에 제시된 '의원과 역관'은 기술관으로서 중인에 해당한다. 기술관·향리·서리·서얼 등이 해당하는 중인은 양반에 비해 승진에 제한을 받았다. 기술관·향리·서리는 승진할 수 있는 품계에 상한선이 존재하였으며, 서얼은 문과에 응시하는 것이 불가능하였다.

오답 피하기

② 노비, ③ 상민 중 상인, ④ 상민에 대한 설명이다.

02 사족 중심의 향촌 지배

조선은 모든 군현에 지방관을 파견하며 중앙 집권을 강화하였지만, 향촌에는 여전이 사족의 영향력이 강하였다. 사족 지배를 보조하는 기구로 수령을 보좌하고 향리의 비리를 감찰하는 기구는 유향소이다.

오답 피하기

① 향안은 지방 사족의 명부이다.
② 서원은 선현에 대한 제사와 후학 교육을 담당하는 향촌의 사립 교육 기관으로, 지방 사족의 여론을 수렴하는 기능을 하였다.
③ 향약은 향촌 운영을 위한 자치적 약속이다.
④ 향교는 지방에 설립된 교육 기관이다.

03 조선 후기 상품 화폐 경제의 발달

조선 후기에는 도시 인구가 증가하며 상업이 크게 발달하였다. 이에 따라 금난전권 등 상행위에 대한 제약도 대폭 완화되었고, 상품 생산을 위한 수공업 생산도 증가하였다. 이런 변화와 함께 상행위를 전제로 생산되는 상품의 유통이 활발해지고, 지불 수단으로 화폐의 사용이 일반화되었다. 이와 같은 변화를 상품 화폐 경제의 발달이라고 한다. 따라서 (가)에 들어갈 말은 상품 화폐 경제이다.

04 홍경래의 난

홍경래의 난은 1811년(순조 11)에 평안도 지방을 근거지로 홍경래 등이 일으킨 하층민의 항쟁이다. 조선에서는 서북 지방(평안도)이 오랑캐와 인접한 지역이라 하여 해당 지역 출신자를 관료 임용에서 공공연하게 차별하고 있었다. 홍경래는 이러한 차별에 불만을 품고 세도 정권의 가혹한 수탈에 신음하던 농민, 광산 노동자 등을 규합하여 봉기를 일으켰다.

오답 피하기

ㄱ, ㄷ 고려 무신 집권기에 발생한 하층민 봉기에 대한 설명이다.

05 조선 후기 상민층의 분화

조선 후기에는 모내기의 확대로 광작이 유행하여 부농이 되는 이들이 등장하였다. 또한 상품 화폐 경제의 발달로 부를 축적한 상인, 수공업자도 증가하였다. 이들은 경제력을 이용해서 양반 지위를 획득하기도 하였다. 그러나 토지 면적 대비 경작에 필요한 노동력이 감소하면서 많은 농민이 소작지를 잃게 되었다. 이러한 농민들은 품팔이를 하거나 도적으로 전락하기도 하였다.

모범답안 | 조선 후기에는 농업 생산력 증대, 상품 화폐 경제의 발달로 부를 축적한 농민, 상인, 수공업자 등이 증가하였다. 이들은 경제력을 이용하여 양반 신분을 획득하기도 하였다. 그러나 양반의 증가로 인해 나머지 계층의 세금 부담이 무거워졌고, 광작의 확대로 소작지를 상실한 농민도 증가하였다. 조선 후기 상민층의 분화는 이러한 원인에서 비롯되었다.

채점 기준	
상	농업 생산력 증대, 상품 화폐 경제의 발달, 광작으로 인한 소작지 상실, 양반의 증가로 인한 나머지 계층의 세금 부담 증가라는 4가지 키워드 중 3가지 이상을 서술한 경우
중	상기 기준 중 2개만을 서술한 경우
하	상기 기준 중 1개만을 서술한 경우

06 조선 후기 사족 중심 향촌 지배 질서의 변화

조선 후기에는 농업 생산력의 증대로 새로이 성장한 부농층이 사족 중심의 향촌 지배 질서에 도전하기 시작하였다. 새로이 성장한 부농층(신향)과 기존 사족(구향)의 대립을 향전이라고 한다. 향전으로 인해 수령권이 강화되며 향촌 지배 질서가 변화한다.

모범답안 | (2) 향전의 결과 기존 사족의 향촌 지배력은 쇠퇴하고 부농층의 영향력이 확대되었다. 그러나 부농층은 수령의 간섭에서 벗어날 수 없었고 결과적으로 향전은 수령권의 강화로 이어졌다.

채점 기준	
상	기존 사족의 향촌 지배력 쇠퇴, 부농층의 영향력 확대, 수령의 간섭으로 인한 수령권의 강화 라는 3가지 키워드를 모두 서술한 경우
중	상기 기준 중 2개만을 서술한 경우
하	상기 기준 중 1개만을 서술한 경우

내신 만점 도전하기

70~73쪽

01 ① 02 ④ 03 ② 04 ③ 05 ② 06 ① 07 ② 08 ④
09 ③ 10 ⑤ 11 ② 12 ⑤ 13 ① 14 ④ 15 (1) 해동 천하
(2) 해설 참조 16 (1) 대동법 (2) 해설 참조

01 주먹도끼

제시된 유물은 구석기 시대의 대표적 뗀석기인 주먹도끼이다.

오답 피하기

②, ③ 신석기 시대, ④ 청동기 시대, ⑤ 청동기 시대 이후의 모습이다.

02 여러 국가의 형성

지도의 (가)는 부여, (나)는 고구려, (다)는 옥저, (라)는 동예, (마)는 삼한이다. 책화는 동예의 풍습이다.

오답 피하기

①, ⑤ 고구려, ② 부여, ③ 고조선에 대한 설명이다.

03 중앙 집권적 고대 국가

중앙 집권적 고대 국가의 특징을 찾는 문항이다. ㄱ은 중앙 집권적 통치 체제를 뒷받침할 수 있는 사상적 기반으로 기능하였으

며, ㄷ은 국왕 중심의 일원적 지배 체제의 형성을 위해 시행되었다.

오답 피하기

ㄴ과 ㄹ은 연맹체적 성격의 초기 국가에서 볼 수 있는 모습이다.

04 4~5세기 한반도 정세

(가)는 4세기 근초고왕의 평양성 공격, (나)는 장수왕의 남진 정책으로 한성이 함락된 상황을 설명한 자료이다. 고구려 왕실은 근초고왕의 평양성 공격으로 지배 체제의 위기를 맞았으나, 소수림왕의 체제 정비를 기반으로 광개토 장수왕 때 지배 영역을 크게 확장하였다.

오답 피하기

①, ②, ④ (나) 이후, ⑤ (가) 이전의 사실이다.

05 최치원

제시된 연보는 최치원의 생애를 나타낸 것이다. 6두품 출신인 최치원은 당에서 유학하며 빈공과에 급제하고 「토황소격문」을 짓는 등 명성을 떨쳤으며, 신라 귀국 후 진성 여왕에게 사회 개혁을 위한 시무책 10여 조를 올렸으나 받아들여지지 않았으며 이후 은둔 생활하였다.

오답 피하기

①, ④ 설총, ③ 의상, ⑤ 강수에 대한 설명이다.

06 왕건의 정책

제시된 자료는 태조 왕건이 시행한 사심관 제도와 기인 제도이다. 호족들의 도움으로 후삼국을 통일한 태조 왕건은 이들을 통제하기 위해서 사심관 제도와 기인 제도를 시행하였다.

07 고려 초기 주요 사건들

(가)는 최승로의 시무 28조 건의(10세기 후반 성종 대), (나)는 묘청의 서경 천도 운동(1135), (다)는 이자겸의 난(1126), (라)는 무신 정변(1170)이다. 따라서 순서는 (가) - (다) - (나) - (라)이다.

08 친원 세력

제시된 자료는 공민왕의 기철 등 친원 세력 숙청에 대한 내용이다. 원의 세력이 점차 쇠퇴하던 시점에 왕위에 오른 공민왕은 반원 정책을 추진하면서 고려 왕실의 권위를 회복하고자 하였다.

오답 피하기

①, ② 광종, ③ 인종, ⑤ 태조의 정책이다.

09 고려 시대 여성의 지위

제시된 자료는 고려 시대 여성의 지위를 보여 주는 글이다. 당시 여성은 호주가 될 수 있었으며, 자녀들은 남녀 구분 없이 태어난 순서대로 호적에 올랐다. 재산은 자녀에게 균등 분배되고 제사도 자녀들이 번갈아가며 지냈다.

오답 피하기

ㄱ. 고려 시대는 여성도 호주가 될 수 있었다.
ㄹ. 조선 중기 이후의 일이다.

10 지눌

제시된 자료는 지눌의 활동과 사상에 대한 설명이다.

오답 피하기

① 원광 ②, ③ 의천, ④ 원효에 대한 설명이다.

11 조선의 중앙 정치 조직

제시된 구조도는 조선의 중앙 정치 조직을 나타낸 것이다.

오답 피하기

① 의정부, ③ 승정원, ④ 의금부, ⑤ 6조에 대한 설명이다.

12 조광조

제시된 자료는 조선 중종 대에 활약한 조광조에 대한 설명이다. 조광조는 추천 제도인 현량과를 시행하였다.

오답 피하기

① 박제가, 박지원 등 조선 후기 북학파 실학자, ② 정약용, ③ 이이, ④ 정도전에 대한 설명이다.

13 병자호란

제시된 자료는 병자호란에 대한 설명이다. 병자호란에 대한 정치적 책임을 회피하기 위해 서인 정권은 북벌을 주장하였다.

오답 피하기

②, ③, ④, ⑤는 모두 병자호란 이전에 있었던 사건이다.

14 예송과 탕평 정치

(가)는 1차 예송인 기해예송, (나)는 영조의 탕평 정치에 대한 설명이다. 두 차례의 예송을 거치며 서인과 남인의 대립은 점차 심화하였으며, 숙종 때 세 차례의 환국을 거치며 일당 전제화 현상이 나타났다. 환국 과정에서 서인은 노론과 소론으로 분열하였다. 환국으로 인한 정치적 혼란을 극복하고자 영조는 탕평 정치를 시행하였다.

오답 피하기

③, ⑤ (가) 이전, ①, ② (나) 이후의 사실이다.

15

모범답안 | (2) 고려 전기의 동아시아에서는 한반도의 고려, 중국의 송, 북방 지역의 거란과 여진을 중심으로 다원적 국제 질서가 형성되어 있어 있었기에 해동 천하 의식이 나타날 수 있었다. 그러나 이는 몽골을 중심으로 한 동아시아 국제 질서가 형성되면서 붕괴되었다.

채점 기준	
상	성립과 붕괴의 대외적 배경을 모두 서술한 경우
중	성립과 붕괴의 대외적 배경 중 한 가지만 서술한 경우
하	성립과 붕괴의 대외적 배경 모두 서술하지 못한 경우

16

모범답안 | (2) 대동법은 방납의 폐단을 해결하기 위해 만들어졌다. 이 법이 시행되면서 공인이 등장하여 장시와 상공업 발달을 촉진하였다.

채점 기준	
상	시행 배경과 경제에 미친 영향을 모두 서술한 경우
중	시행 배경과 경제에 미친 영향 중 한 가지만 서술한 경우
하	시행 배경과 경제에 미친 영향을 모두 서술하지 못한 경우

대주제2 근대 국민 국가 수립 운동

1 서구 열강의 접근과 조선의 대응

간단 체크

77쪽 호포제 79쪽 척화비

개념 익히기 80쪽

01 (1) × (2) ○ (3) ○ (4) × 02 (1) 제국주의 (2) 병인박해 (3) 제너럴 셔먼호 사건 (4) 척화비 03 a-ㄱ, b-ㄷ, c-ㄴ 04 ㄱ, ㄴ

내신 유형 익히기 80~81쪽

01 ③ 02 ① 03 ② 04 ⑤ 05 ① 06 ④ 07 (1) 당백전 (2) 해설 참조 08 (1) 신미양요 (2) 해설 참조

01 흥선 대원군 집권기의 사실 파악

흥선 대원군은 1863년 고종이 즉위한 뒤 집권하여 1873년 고종이 친정을 하면서 하야하였다.

오답 피하기

③ 임술 농민 봉기는 고종 즉위 이전인 철종 때 일어났다.

02 사창제 실시의 이해

제시된 자료에서 관장할 사람을 면에서 뽑고 관에서 강제로 정하지 말라는 내용, 환곡을 나누어준다는 내용 등을 통해 (가)는 사창임을 알 수 있다. 사창은 마을 단위로 운영되었다.

오답 피하기

② 고액 화폐인 당백전 발행은 물가 폭등을 초래하였다.
③ 사창제는 마을 단위로 넉넉한 자를 택하여 운영되었다.
④ 흥선 대원군은 군정 문제를 해결하기 위해 호포제를 시행하였다.
⑤ 흥선 대원군은 세도 정치 해소를 위해 다양한 정치 세력을 등용하였다.

03 서원 정리의 이해

제시된 자료에 나타난 정책은 흥선 대원군의 서원 정리를 설명한 것이다. 서원전의 면세 규정 폐지는 국가 재정의 확충에 기여하였다.

오답 피하기

① 양반들은 서원 철폐에 크게 반발하였다.
③ 흥선 대원군은 경복궁 중건을 위해 원납전 징수, 당백전 발행 등을 추진하였다.
④ 흥선 대원군의 집권은 그의 아들이 고종으로 즉위한 것과 관련이 있다.
⑤ 임술 농민 봉기는 세도 정치 시기 삼정의 문란 등과 관련이 있다.

04 1860년대 사실의 파악

제시된 (가)는 1866년의 제너럴 셔먼호 사건, (나)는 1868년 오페르트의 남연군 묘 도굴 사건이다. 1866년 병인양요 때 프랑스군은 강화도의 외규장각 도서를 약탈하였다.

오답 피하기

① 제너럴 셔먼호 사건 이후 일어난 1866년 병인박해가 시작되었다.
② 1871년에 미군이 강화도를 침범하는 신미양요가 일어났다.
③ 1871년 신미양요 직후 흥선 대원군은 전국 각지에 척화비를 건립하도록 하였다.
④ 1860년에 러시아는 청과 서구 열강 간의 강화를 중재한 대가로 청으로부터 연해주 지역을 획득하였다.

05 정족산성 전투의 이해

제시된 자료에서 정족산성 수성장 양헌수 등을 통해 병인양요 때의 정족산성 전투에 대한 내용임을 알 수 있다. 프랑스군이 강화도를 침범한 병인양요 때 문수산성 전투, 정족산성 전투 등이 일어났다.

오답 피하기

② 프랑스군은 병인박해를 구실로 병인양요를 일으켰다.
③ 제너럴 셔먼호 사건 이후에 병인양요가 일어났다.
④ 신미양요 때 미군은 어재연 부대와의 광성보 전투 이후 철수하였다.
⑤ 오페르트의 남연군 묘 도굴 사건은 병인양요 이후 일어났다.

06 척화비의 이해

제시된 자료의 비석은 신미양요 이후 전국 각지에 세워진 척화비

이다. 척화비 건립은 흥선 대원군이 통상 수교 거부 정책을 더욱 강력히 추진하겠다는 의지를 표명한 것이었다.

오답 피하기

① 병인양요는 병인박해를 구실로 프랑스군이 강화도를 침범한 사건이다.
② 척화비는 신미양요 이후 전국 각지에 세워졌다.
③ 천주교를 탄압한 병인박해의 시작은 병인양요의 구실이 되었다.
⑤ 어재연 부대의 광성보 전투는 신미양요 때 있었던 사건이다.

07 당백전의 이해

모범답안 | (2) 흥선 대원군은 경복궁 중건에 필요한 비용을 마련하기 위해 당백전을 발행하였다.

채점 기준	
상	경복궁 중건 비용 마련 내용을 포함하여 서술한 경우
중	국가 재정이 부족하였기 때문이라고 서술한 경우
하	많은 돈이 필요하였기 때문이라고 서술한 경우

08 신미양요의 이해

모범답안 | (2) 미국은 조선과의 통상 수교 문제를 해결하기 위해 제너럴 셔먼호 사건을 구실로 신미양요를 일으켰다.

채점 기준	
상	조선과의 통상 수교 문제 해결, 제너럴 셔먼호 사건을 모두 서술한 경우
중	제너럴 셔먼호 사건만 서술한 경우
하	조선과의 통상 수교 문제 해결만 서술한 경우

2 동아시아의 변화와 근대적 개혁의 추진

간단 체크

83쪽 강화도 조약　85쪽 통리기무아문　87쪽 우정총국

개념 익히기　88쪽

01 (1) ○ (2) × (3) ○ (4) ×　02 (1) 조 · 미 수호 통상 조약 (2) 조사 시찰단 (3) 영남 만인소 (4) 거문도　03 a-ㄴ, b-ㄱ, c-ㄷ　04 ㄱ, ㄴ

내신 유형 익히기　88~90쪽

01 ⑤　02 ②　03 ④　04 ⑤　05 ③　06 ⑤　07 ④　08 ①
09 ⑤　10 ③　11 ③　12 ⑤　13 (1) 『조선책략』 (2) 해설 참조
14 (1) 갑신정변 (2) 해설 참조

01 중국·일본의 개항 이해

중국은 1840년대에 영국, 일본은 1850년대에 미국에 처음으로 개항을 하였다.

오답 피하기

① 일본, ② 조선, ③, ④ 중국에 해당되는 설명이다.

02 강화도 조약의 이해

제시된 자료는 1876년 체결된 강화도 조약으로, 부산 외 2개 항구의 개항을 규정하고 해안 측량권, 영사 재판권 등을 허용한 불평등 조약이다.

오답 피하기

① 최익현 등 위정척사파는 왜양일체론을 내세우며 개항에 반대하였다.
③ 『조선책략』의 유포를 계기로 체결된 조약은 조·미 수호 통상 조약이다.
④ 미·일 화친 조약은 1854년에 체결되었다.
⑤ 일본은 조선을 개항시키기 위해 운요호 사건을 일으켰으며, 이를 계기로 강화도 조약이 체결되었다.

03 조·일 무역 규칙의 이해

1876년 강화도 조약 체결에 이어 같은 해에 조·일 수호 조규 부록과 조·일 무역 규칙이 체결되었는데, 조·일 무역 규칙은 무관세 및 양곡의 무제한 유출 문제를 초래하였다.

오답 피하기

① 강화도 조약에는 영사 재판권이 규정되었다.
② 조·일 수호 조규 부록의 체결로 일본 화폐 유통이 허용되었다.
③ 메이지 유신 이후 일본과 발생한 외교 문제 등을 계기로 정한론이 제기되었다.
⑤ 조·일 수호 조규 부록의 체결로 일본 외교관의 내지 여행이 사실상 허용되었다.

04 조·미 수호 통상 조약의 이해

제시된 자료는 1882년 체결된 조·미 수호 통상 조약의 일부 내용이다. 조·미 수호 통상 조약은 서구 열강과 체결한 최초의 조약으로 러시아와 일본을 견제하기 위한 청의 알선으로 체결되었다. 최혜국 대우, 영사 재판권 등을 규정한 불평등 조약으로 위정척사파의 반발을 초래하였다.

오답 피하기

⑤ 미국의 무력시위에 굴복하여 조약을 체결한 국가는 일본이다.

05 개항 이후 추진된 정부의 개화 정책 이해

제시된 자료는 강화도 조약 체결 이후 정부가 추진한 개화 정책에 대한 설명이다. 정부는 박문국과 전환국 설치, 별기군 창설, 5군영을 2군영(무위영, 장어영)으로 개편, 기기창(무기 제조 기관) 설치 등의 정책을 추진하였다.

오답 피하기

③ 의정부와 삼군부 부활은 개항 이전 흥선 대원군의 개혁에 해당한다.

06 외교 사절과 시찰단 파견의 이해

1881년 일본에 비밀리에 파견한 (가) 사절단은 조사 시찰단이다. 이들이 제출한 보고서는 조선의 개화 정책 추진에 영향을 주었다.

오답 피하기

① 통신사는 강화도 조약 체결 이전 일본에 파견한 외교 사절이다.

② 수신사는 강화도 조약 체결 이후 일본에 파견한 외교 사절이다.

③ 영선사는 1881년 청에 파견한 사절이다.

④ 보빙사는 1883년 미국에 파견한 사절이다.

07 위정척사 운동의 이해

제시된 자료는 위정척사 운동 중 1880년대에 정부의 개화 정책 추진에 반대하였던 영남 만인소 중 일부이다.

오답 피하기

④ 박규수 등의 통상 개화론을 계승한 것은 개화파에 해당한다.

08 제물포 조약의 이해

제시된 자료는 1882년 임오군란을 계기로 일본과 체결한 제물포 조약이다. 이를 통해 배상금 지불과 일본 공사관 경비 병력의 주둔을 허용하였다.

오답 피하기

② 일본은 갑신정변을 계기로 한성 조약 체결을 요구하였다.

③ 프랑스는 병인박해를 구실로 병인양요를 일으켰다.

④ 일본은 운요호 사건을 구실로 강화도 조약 체결을 요구하였다.

⑤ 미국은 제너럴 셔먼호 사건을 구실로 신미양요를 일으켰다.

09 개화파의 이해

제시된 자료의 (가)는 온건 개화파, (나)는 급진 개화파이다. 개화파는 임오군란 이후 개화 정책의 방법과 속도 등을 둘러싸고 온건 개화파와 급진 개화파로 나뉘었다.

오답 피하기

⑤ 청의 내정 간섭에 반발한 것은 급진 개화파이다. 온건 개화파는 청과의 우호 관계를 중요시하였다.

10 갑신정변의 이해

제시된 (가)는 우정총국 개국 축하연을 이용한 갑신정변의 발발, (나)는 갑신정변이 실패로 끝난 상황을 보여 주고 있다. 급진 개화파는 갑신정변을 일으켜 새 정부를 구성한 뒤 개혁 정강을 발표하였으나 청군의 개입으로 3일 천하로 끝나고 말았다.

오답 피하기

①, ②, ④ (나) 이후의 일이고, ⑤ (가) 이전의 일이다.

11 톈진 조약의 이해

제시된 자료는 갑신정변 이후 청과 일본 간에 체결된 톈진 조약의 일부 내용으로 1894년 발발한 청·일 전쟁의 빌미가 되었다.

오답 피하기

① 갑신정변의 계기가 된 것은 임오군란 이후 청의 내정 간섭 등이다.

② 임오군란을 계기로 체결된 조약은 제물포 조약과 조·청 상민 수륙 무역 장정이다.

④ 1870년대 강화도 조약의 체결을 전후하여 왜양일체론을 내세우며 개항에 반대하는 위정척사 운동이 전개되었다.

⑤ 임오군란을 계기로 체결된 제물포 조약에 의해 일본군의 조선 주둔이 허용되었다.

12 갑신정변 이후 개혁의 이해

제시된 자료는 갑신정변 이후 열강의 각축이 심화하는 상황에서 조선 정부가 추진한 개혁을 설명한 것이다. 내무부는 1885년 설치되어 1894년까지 존속하였다.

병인양요는 1866년, 신미양요는 1871년, 강화도 조약 체결은 1876년, 갑신정변 발발은 1884년, 청·일 전쟁 발발은 1894년이다.

13 위정척사 운동의 이해

제시된 자료는 이만손을 비롯한 영남 유생들이 올린 영남 만인소 중 일부 내용이다. 1880년대에는 정부의 개화 정책 추진에 반대하는 보수적 유생들의 위정척사 운동이 전개되었다.

모범답안 | (2) 위정척사 운동을 전개하였다. 위정척사는 바른 학문인 성리학을 지키고 사악한 학문인 서양 학문, 특히 천주교를 배척한다는 의미이다.

채점 기준	
상	위정척사 운동의 명칭과 그 성격을 옳게 서술한 경우
중	위정척사 운동의 성격만 옳게 서술한 경우
하	위정척사 운동의 명칭만 옳게 쓴 경우

14 갑신정변의 이해

제시된 자료는 우정총국 개국 축하연을 이용한 갑신정변의 발발 상황을 알려 주고 있다. 김옥균, 박영효 등 급진 개화파는 청의 간섭에서 벗어나 근대 국가를 수립하고자 갑신정변을 일으켰다.

모범답안 | (2) 급진 개화파(개화당)이다. 급진 개화파는 일본의 메이지 유신을 본보기로 문명개화론의 입장에서 급진적인 개혁을 추구하였다.

채점 기준	
상	급진 개화파의 명칭과 그 성격을 옳게 서술한 경우
중	급진 개화파의 성격만 옳게 서술한 경우
하	급진 개화파의 명칭만 옳게 쓴 경우

3 근대 국민 국가 수립을 위한 노력

간단 체크

77쪽 갑오개혁　95쪽 홍범 14조　97쪽 관민 공동회　99쪽 대한국 국제

개념 익히기

100쪽

01 (1) × (2) ○ (3) × (4) ○　02 (1) 교조 신원 운동 (2) 을미사변 (3) 독립 협회 (4) 환구단　03 a-ㄷ, b-ㄴ, c-ㄱ　04 ㄷ, ㄹ

내신 유형 익히기

100~103쪽

01 ④　02 ⑤　03 ①　04 ⑤　05 ③　06 ⑤　07 ③　08 ④　09 ②　10 ⑤　11 ⑤　12 ③　13 ①　14 ②　15 ①　16 ④　17 ①　18 ⑤　19 (1) 교조 신원 운동 (2) 해설 참조　20 (1) 지계아문 (2) 해설 참조

01 교조 신원 운동의 이해

제시된 자료는 정부의 동학 탄압과 동학의 교세 성장을 보여 주고 있다. 이에 동학교도들은 정부를 상대로 교조 신원과 동학 인정을 요구하는 교조 신원 운동을 전개하였다.

오답 피하기

① 을미의병은 을미사변과 단발령에 반발하여 유생들이 일으켰다.
② 아관 파천은 을미의병의 상황에서 고종이 러시아 공사관으로 처소를 옮긴 사건이다.
③ 임오군란과 갑신정변 때 일본 공사관이 습격을 당하였다.
⑤ 임오군란 때 구식 군인들은 왕궁을 습격하고 고관들을 살해하였다.

02 고부 농민 봉기의 이해

제시된 자료는 전봉준 등의 고부 관아 점령 등을 통해 고부 농민 봉기에 대한 것임을 알 수 있다. 전봉준 등은 고부 군수 조병갑의 수탈 등에 항거하여 봉기를 일으켰다.

오답 피하기

① 흥선 대원군은 경복궁 중건 비용을 마련하기 위해 고액 화폐인 당백전을 발행하였다.
② 일본은 삼국 간섭 이후 일본 세력이 퇴조하는 상황에서 명성 황후를 살해하는 을미사변을 일으켰다.
③ 흥선 대원군 집권 시기의 병인박해는 병인양요의 구실이 되었다.
④ 임오군란 때 일본은 조선과 제물포 조약을 체결하였다.

03 동학 농민 운동의 이해

제시된 (가)는 제1차 농민 운동 때의 황룡촌 전투와 전주성 점령, (나)는 제2차 농민 운동 때의 우금치 전투를 설명한 것이다. 농민군의 전주성 점령 이후 청·일 양국군의 출병 상황에서 정부와 농민군은 전주 화약을 체결하였다.

오답 피하기

② 1885년, ③ 1875년, ⑤ 1862년의 일로 (가) 이전이다. ④ 1898년에 일어난 사건으로 (나) 이후이다.

04 제2차 농민 운동의 이해

제시된 자료는 전주 화약 이후 제2차 농민 운동이 전개된 까닭을 묻고 있다. 전주 화약 이후 집강소를 중심으로 개혁을 추진하던 농민군은 일본군의 경복궁 침범과 내정 간섭에 항거하여 제2차 농민 운동을 일으켰다.

오답 피하기

① 단발령 공포에 항거하여 유생들은 을미의병을 일으켰다.
② 명성 황후가 살해된 을미사변과 단발령 공포 등을 배경으로 유생들은 을미의병을 일으켰다.
③ 임오군란 때 청군은 흥선 대원군을 청으로 납치하였다가 갑신정변 이후 귀국시켰다.
④ 임오군란 이후 청의 내정 간섭이 심화하는 상황에서 급진 개화파는 갑신정변을 일으켰다.

05 동학 농민 운동의 이해

제시된 자료는 제1차 농민 운동 당시 고부에서 농민군이 발표한 4대 강령이다. 제1차 농민 운동 당시 농민군은 황토현 전투와 황룡촌 전투에서 승리하고 전주성을 점령하였다.

오답 피하기

① 1880년대에 보수적 유생들은 위정척사 운동을 전개하면서 영남 만인소를 올려 정부의 개화 정책 추진에 반대하였다.
② 임오군란과 갑신정변 때 일본 공사관이 습격을 당하였다.
④ 온건 개화파는 청의 양무운동을 본보기로 점진적인 개혁을 추진하였다.
⑤ 흥선 대원군 집권기에 유생들은 서원 정리에 반발하였다.

06 청·일 전쟁의 이해

밑줄 친 '전쟁'은 일본군이 경복궁을 침범한 뒤 청과 일으켰다는 것을 통해 청·일 전쟁임을 알 수 있다. 청·일 전쟁 중에 군국기무처를 중심으로 제1차 갑오개혁이 추진되었다.

오답 피하기

① 청·일 전쟁 이후 러시아의 주도로 삼국 간섭이 일어났다.
② 갑신정변 이후 청과 일본 간에 톈진 조약이 체결되었는데, 이는 청·일 전쟁의 빌미가 되었다.
③ 병인양요 때 한성근이 지휘하는 조선군은 문수산성 전투에서 프랑스군에 맞서 싸웠다.
④ 병인양요 때 프랑스군은 철수하면서 외규장각 도서를 약탈하였다.

07 제1차 갑오개혁의 이해

제시된 자료의 (가)는 입법권을 가진 초정부적 기구, 약 210건의 안건을 의결했다는 내용 등을 통해 군국기무처임을 알 수 있다. 군국기무처는 제1차 갑오개혁을 추진했던 기구로, 이때 경무청 신설, 공사 노비제 혁파, 은 본위 화폐제, 탁지아문으로 재정 일원화 등이 추진되었다.

오답 피하기

③ 대한 제국 때 광무개혁이 추진되면서 독립 협회의 요구를 받아들여 중추원 신관제가 공포되었다.

08 제2차 갑오개혁의 이해

제시된 자료의 사건은 제2차 갑오개혁 때 고종의 홍범 14조 선포에 해당한다. 제2차 갑오개혁은 김홍집·박영효 연립 내각에 의해 추진되었다.

오답 피하기

① 제2차 갑오개혁은 대한 제국 성립 이전에 추진되었다.
② 제2차 갑오개혁은 청·일 전쟁 발발 이후에 추진되었다.
③ 통리기무아문은 강화도 조약 체결 이후 정부가 개화 정책을 추진하기 위해 1880년에 설치하였다.
⑤ 독립 협회는 갑오·을미개혁이 중단된 뒤 창립되었다.

09 을미개혁의 이해

밑줄 친 '개혁'은 을미사변 이후 김홍집 내각이 구성되어 추진하였다는 것을 통해 을미개혁임을 알 수 있다. 을미개혁은 고종이 러시아 공사관으로 처소를 옮긴 아관 파천으로 김홍집 내각이 붕괴되면서 중단되었다.

오답 피하기

① 군국기무처는 제1차 갑오개혁을 주도하였다.
③ 제2차 갑오개혁 때 교육입국 조서가 반포되었다.
④ 급진 개화파가 문명개화론의 입장에서 갑신정변을 일으켰다.
⑤ 임오군란 이후 청의 내정 간섭 심화는 갑신정변의 배경이 되었다.

10 갑오·을미개혁의 이해

갑오·을미개혁은 1894년부터 1896년 아관 파천 이전까지 시행되었다. 이 시기 청·일 전쟁에서 승리한 일본은 시모노세키 조약을 체결하여 랴오둥반도를 할양받았다. 이에 삼국 간섭이 발생하여 일본은 랴오둥반도를 다시 청에 반환하였다. 그리고 제1차 갑오개혁을 추진하던 군국기무처가 폐지되고 제2차 갑오개혁이 추진되었다. 단발령은 을미개혁 때 공포되었다.

오답 피하기

⑤ 23부제의 폐지와 13도제의 실시는 아관 파천으로 갑오·을미개혁이 중단된 뒤 성립된 새 내각에서 추진하였다.

11 독립문의 이해

(가) 건축물은 영은문이 있던 자리에 새로 세운 문이라고 한 것 등을 통해 독립문임을 알 수 있다.

오답 피하기

⑤ 을미사변 당시 순국한 군인들을 기리기 위해 세운 것은 장충단이다.

12 독립 협회 성격 변화의 배경 파악

제시된 (가)는 독립 협회 초기의 상황을 설명한 것이고, (나)는 독립 협회의 변화된 모습을 보여 주고 있다. 독립 협회가 정부의 외세 의존 정책을 비판하는 등 정치 활동을 전개하면서 보수적 정부 관리들이 독립 협회를 빠져나갔다. 이에 독립 협회는 점차 민중을 대변하는 정치 단체로 바뀌었다.

오답 피하기

① 독립 협회가 해산된 뒤 러·일 전쟁이 일어났다.
② (나)의 성격 변화 뒤 독립 협회는 황국 협회와 충돌이 일어났고 결국 해산되었다.
④ (나)의 성격 변화 뒤 독립 협회는 보수 세력으로부터 공화제를 시행하려 한다는 모함을 받고 결국 해산되었다.
⑤ 독립 협회 창립 이전에 고종이 러시아 공사관으로 처소를 옮긴 아관 파천이 일어났다.

13 만민 공동회의 이해

제시된 자료의 (가)는 1898년 3월부터 종로에서 개최되었으며, 러시아의 내정 간섭과 이권 침탈을 규탄하여 저지에 성공하였다고 한 것 등을 통해 만민 공동회임을 알 수 있다. 만민 공동회는 러시아의 내정 간섭과 이권 침탈을 규탄하는 자주 국권 운동을 전개하였다.

오답 피하기

② 공사 노비제 폐지는 갑오개혁 때 실시되었다.
③ 독립문 건립을 위해 창립된 것은 독립 협회이다.
④ 을미사변과 단발령 공포에 반발하여 유생들은 을미의병을 일으켰다.
⑤ 대한 제국의 황제권 강화를 법적으로 뒷받침한 것은 대한국 국제이다.

14 헌의 6조의 이해

제시된 자료는 국권 수호, 민권 보장 등을 강조한 헌의 6조이다. 독립 협회는 관민 공동회를 열어 헌의 6조를 결의하였으며, 고종은 이를 수용하였다.

오답 피하기

① 군국기무처는 제1차 갑오개혁을 주도하였다.
③ 고종이 선포한 국정 개혁의 기본 강령은 제2차 갑오개혁 때의 홍범 14조이다.
④ 급진 개화파는 갑신정변을 일으켜 새 정부를 구성한 뒤 개혁 정강을 발표하였다.
⑤ 대한 제국은 광무개혁을 추진하면서 황제권을 강화하고자 하였다.

15 광무개혁의 이해

밑줄 친 '개혁'은 대한 제국이 전제 군주제를 기반으로 자주적 근대화를 추진하였다고 한 것을 통해 광무개혁임을 알 수 있다. 광무개혁이 추진되면서 황제권 강화를 위해 원수부가 설치되었다.

오답 피하기

②, ④ 제2차 갑오개혁, ③ 을미개혁, ⑤ 제1차 갑오개혁 때의 일이다.

16 환구단의 이해

제시된 건축물은 황제가 하늘에 제사를 지내는 제단인 환구단이다. 고종은 러시아 공사관에서 경운궁으로 환궁한 뒤 이곳에서 황제 즉위식을 거행하고 이튿날 대한 제국이라는 새로운 국호를 선포하였다. 삼국 간섭은 1895년 4월, 을미사변은 1895년 10월, 아관 파천은 1896년, 경운궁 환궁은 1897년, 러·일 전쟁 발발은 1904년이다.

17 대한국 국제의 이해

제시된 자료는 황제권 강화를 법적으로 뒷받침한 대한국 국제이다. 대한국 국제는 대한 제국이 자주독립국임을 천명하면서 입법·행정·사법에 걸친 절대권을 황제에게 부여하여 전제 군주제를 지향하였다.

오답 피하기

② 급진 개화파는 청의 내정 간섭을 비판하면서 갑신정변을 일으켰다.
③ 대한 제국은 독립 협회의 건의를 수용하여 중추원 신관제를 공포하였다.
④ 아관 파천 이후 1897년 대한 제국이 수립되고 1899년 대한국 국제가 공포되었다.
⑤ 독립 협회의 의회 설립 운동에 따라 중추원 신관제가 공포되었다.

18 광무개혁의 이해

밑줄 친 '이 개혁'은 열강의 세력 균형을 배경으로 추진되었으며, 러·일 전쟁의 발발로 세력 균형이 깨지면서 중단되었다고 한 것을 통해 광무개혁임을 알 수 있다.

오답 피하기

⑤ 김홍집을 비롯한 온건 개화파가 주도한 것은 제1차 갑오개혁이다.

19 교조 신원 운동의 이해

모범답안 | (2) 교조 신원, 즉 처형당한 교조 최제우의 억울함을 풀어 주고, 동학에 대한 탄압 중지, 즉 동학 인정을 요구하였다.

채점 기준	
상	교조 신원(처형당한 교조 최제우의 억울함 해소)과 동학 인정(동학에 대한 탄압 중지)을 모두 서술한 경우
중	교조 신원만 서술한 경우
하	동학 인정만 서술한 경우

20 광무개혁의 이해

모범답안 | (2) 대한 제국은 근대적인 토지 제도와 지세 제도를 수립하고자 양전 사업과 지계 사업을 추진하였다.

채점 기준	
상	근대적인 토지 제도와 지세 제도의 수립이라고 서술한 경우
중	근대적인 지세 제도의 수립만 서술한 경우
하	근대적인 토지 제도의 수립만 서술한 경우

4 일본의 침략 확대와 국권 수호 운동

간단 체크

105쪽 한·일 신협약 107쪽 을미의병: 이소응, 유인석, 을사의병: 민종식, 최익현, 신돌석, 정미의병: 이인영, 허위 109쪽 경학사 111쪽 ○

개념 익히기 112쪽

01 (1) ○ (2) ○ (3) ○ (4) × 02 (1)「시일야방성대곡」 (2) 헤이그 특사 (3) 13도 창의군 (4) 대한 자강회 03 a-ㄴ, b-ㄱ, c-ㄷ 04 ㄷ, ㄹ

내신 유형 익히기 112~114쪽

01 ⑤ 02 ② 03 ② 04 ① 05 ① 06 ④ 07 ② 08 ③ 09 ② 10 ④ 11 ⑤ 12 ⑤ 13 (1) 제2차 한·일 협약(을사늑약) (2) 해설 참조 14 (1) 백두산정계비 (2) 해설 참조

01 일제의 국권 침탈 과정

ㄱ. 헤이그 특사 사건을 빌미로 일제가 고종 황제를 강제 퇴위시키고 한·일 신협약을 체결하였는데, 그 직후 체결된 비밀 각서에 의해 군대 해산이 이루어졌다.
ㄴ. 통감부는 러·일 전쟁 종료 직후인 1905년 11월 체결된 을사늑약에 의거하여 1906년 2월에 설치되었다.
ㄷ. 러·일 전쟁은 1904년 2월에 발발하였다.
ㄹ. 헤이그 특사는 1907년 고종 황제가 을사늑약의 부당성을 국제 사회에 알리기 위해 네덜란드에서 열린 만국 평화 회의에 파견하였다.

02 러·일 전쟁

제시된 그림은 러·일 전쟁을 풍자하고 있다. 거드름을 피우고 있는 러시아 앞으로 영국과 미국이 일본을 밀어 싸움을 부추기고 있다.

오답 피하기

② 일본이 영국과 맺은 동맹 가운데 군사 동맹은 제1차 영·일 동맹으로 러·일 전쟁 발발 이전인 1902년 체결되었다.

03 을사늑약 체결 이후의 상황

연표에서 (가)는 1905년 11월에서 1907년 7월까지의 기간이며, (나)는 1907년 7월부터 1910년 8월까지의 기간이다. 을사늑약 체결에 반발하여 항일 의병이 봉기하였는데 최익현은 전라도에서 의병을 일으켜 정읍, 순창 일대를 장악하였다.

오답 피하기

① 1895년, ③ 1904년으로 (가) 이전이다.

④ 1911년의 일로 (나) 이후이다.

⑤ 광무는 고종 재위기에 사용한 연호로, 1907년 순종 즉위 후부는 융희라는 연호가 사용되었다.

04 한·일 신협약 체결의 영향

제시된 자료는 헤이그 특사 사건을 계기로 1907년 체결된 한·일 신협약이며, ㄱ 내용은 일본인 차관을 임명하는 것이다. 한·일 신협약은 고종이 강제 퇴위되고 순종이 즉위한 직후 체결되었으며 이후 비밀 각서를 체결하여 대한 제국의 군대가 해산되었다.

오답 피하기

② 고종 황제는 한·일 신협약 체결 이전에 퇴위하였다.

③ 고문 정치는 1904년 제1차 한·일 협약 체결을 계기로 시작되었다.

④ 러·일 전쟁은 1904년에 발발하였고, 러·일 전쟁 종료 직후 을사늑약이 체결되었다.

⑤ 조선 총독부는 1910년 한국 병합 조약 체결 이후 설치되었다.

05 을미의병

제시된 격문은 을미사변과 단발령을 계기로 의병을 일으킨 유인석이 의병 봉기의 이유를 설명한 글이다. 자료에서 '국모의 원수'는 을미사변을, '임금이 머리를 깎이시고'는 단발령을 의미한다.

오답 피하기

② 군국기무처는 을미사변 이전인 1894년 제1차 갑오개혁을 추진하기 위해 설치되었다.

③ 동학 농민군은 1894년 1월 고부 농민 봉기를 시작으로 봉기하였으며, 동학 농민군이 전주 화약을 맺고 자진 해산한 이후 갑오개혁이 추진되었다.

④ 통감부는 일제가 을사늑약 체결 이후 대한 제국의 외교권을 대행하기 위해 설치한 기구이다.

⑤ 대한 제국은 1910년 한국 병합 조약 체결 결과 일본에 병합되었다.

06 정미의병

제시된 자료는 해산된 군인의 합류로 의병의 전투력과 조직력이 강화되었던 정미의병에 대하여 설명하고 있다. 따라서 '이 시기'는 1907년 이후가 된다.

오답 피하기

④ 최익현, 신돌석 등은 을사늑약을 계기로 의병을 일으켰으며, 최익현은 이때 체포되어 일제에 의해 쓰시마 섬으로 유배를 가서 그곳에서 순국하였다.

07 신민회의 활동

제시된 자료는 신민회의 4대 강령이다. 신민회는 민족의 실력 양성 운동과 함께 국외 독립운동 기지 건설을 추진하였다. 그 결과 신민회는 서간도 지역의 삼원보에 한인촌을 건설하고 신흥 무관 학교를 설립하여 군사력 양성을 기도하였다.

오답 피하기

① 일진회는 1904년 결성된 친일 단체로 송병준 등에 의해 결성되었다.

③ 신민회는 입헌 공화정체의 근대 국민 국가 건설을 목표로 삼았다.

④ 신민회는 1911년 105인 사건을 계기로 해체되었다.

⑤ 대한 자강회에 대한 설명이다. 신민회는 비밀 결사로 지방에 지회를 설치하지 않았다.

08 대한 자강회의 활동

제시된 자료는 대한 자강회의 취지문이다. 대한 자강회는 교육과 산업을 통한 자강을 내세우고 전국에 지회를 두고 월보를 간행하였다. 대한 자강회는 1907년 고종의 강제 퇴위 반대 운동을 전개하다가 일제의 탄압으로 해체되었다.

오답 피하기

① 신민회, ② 독립 협회, ④ 보안회에 대한 설명이다.

⑤ 대한 자강회는 정치 개혁보다는 민족의 실력 양성을 추구하였다. 헌정 연구회가 입헌 정치를 추구하였다.

09 의사들의 의거

ㄱ. 안중근은 1909년 하얼빈에서 을사늑약의 주역인 이토 히로부미를 사살하였다.

ㄷ. 이재명은 1909년 명동 성당 앞에서 이완용을 습격하여 중상을 입혔다.

오답 피하기

ㄴ. 오적 암살단과 자신회에서 을사오적의 암살을 시도하였다. 장인환은 전명운과 함께 친일 미국인 스티븐스를 사살하였다.

ㄹ. 오기호는 나철과 자신회를 조직하고 단군 신앙을 바탕으로 대종교를 창시하였다.

10 을사늑약에 대한 민족의 저항

제시된 자료는 모두 을사늑약에 대한 민족의 저항에 해당한다. 을사늑약의 강제 체결로 외교권을 박탈당하자 민영환은 자결하고 장지연은 황성신문에 '시일야방성대곡'이란 논설을 게재하였다. 또한 민종식, 최익현, 신돌석 등은 의병을 일으켰다.

오답 피하기

① 일제는 1909년 기유각서를 체결하여 사법권을 박탈하였다.
② 고문 정치는 1904년 체결된 제1차 한·일 협약에 의해 이루어졌다.
③ 군대 해산은 1907년 헤이그 특사 사건의 영향으로 체결된 한·일 신협약에 이은 부속 각서로 이루어졌다.
⑤ 한국 병합 조약은 1910년 이루어졌다.

11 독도

오답 피하기

⑤ 일본은 러·일 전쟁 발발 직후 한일 의정서를 강제로 체결하여 군사상 요충지를 임의 사용할 수 있도록 하였고 이에 의거하여 1905년 2월 22일 독도를 일본 영토로 불법 편입하였다. 당시 독도를 부속 도서로 편입했던 일본 시마네현은 2월 22일을 다케시마의 날로 정하여 매년 기념 행사를 거행하고 있다.

12 간도 협약

제시된 자료는 을사늑약으로 외교권을 강탈한 일제가 1909년 청과 체결한 간도 협약이다. 그 내용은 일제가 남만주 철도 부설권과 푸순 탄광 채굴권을 얻는 대신 간도를 청의 영토로 인정하는 것이다.

13 을사늑약

제시된 자료는 1905년 일제의 강압 아래 체결된 을사늑약이다. 을사늑약은 일제가 대한 제국의 외교권을 강탈하고 이를 대행하는 기관인 통감부를 설치하는 것으로 실질적인 국권 피탈이라 할 수 있다.

모범답안 | (2) 을사늑약 체결에 대항하여 고종을 을사늑약을 끝까지 승인하지 않았으며, 1907년 헤이그에 특사를 파견하여 부당성을 국제 사회에 알리려하였다. 장지연은 황성신문에 「시일야방성대곡」을 게재하였고, 민영환은 자결하였다. 민종식, 최익현, 신돌석 등은 의병을 일으켰다.

채점 기준	
상	2가지 내용을 모두 정확하게 서술하였을 경우
중	2가지 중 한 가지만을 정확하게 서술하였을 경우
하	2가지 중 한 가지도 정확하게 서술하지 못한 경우

14 백두산정계비와 간도 귀속 문제

제시된 자료는 1909년 일본과 청 사이에 체결된 간도 협약이다. 간도 협약은 조선과 청 사이에 발생했던 간도 귀속 문제를 해결한 것이었지만 일본이 불법적인 을사늑약에 의거하여 강탈한 외교권을 행사한 것이기 때문에 원천 무효라 할 수 있다.

모범답안 | (2) 백두산정계비는 청과 조선의 국경을 동으로는 토문강, 서로는 압록강을 경계로 규정하였다. 그런데 토문강에 대한 양국의 해석이 서로 달라 간도 귀속 문제가 발생하였다. 청은 토문강을 두만강으로 해석한 반면, 조선은 이를 쑹화강의 지류로 해석하였다.

채점 기준	
상	토문강을 명시하고 이에 대한 청과 조선의 해석 차이를 정확히 기술한 경우
중	토문강을 명시하였으나 이에 대한 두 나라의 해석 차이를 정확히 구분하여 기술하지 못한 경우
하	토문강을 정확히 명시하지 못하고 두 나라의 해석 차이도 정확하게 구분하여 기술하지 못한 경우

5 개항 이후 나타난 경제적 변화

간단 체크

117쪽 ○　119쪽 대구

개념 익히기  120쪽

01 (1) ○ (2) × (3) × (4) ○　02 (1) 조·청 상민 수륙 무역 장정 (2) 조선은행 (3) 조·일 통상 장정 (4) 대구　03 a-ㄴ, b-ㄷ, c-ㄱ
04 ㄴ, ㄷ

내신 유형 익히기 120~121쪽

01 ⑤　02 ④　03 ③　04 ③　05 ①　06 ②　07 (1) 해설 참조 (2) 해설 참조　08 (1) 조·일 통상 장정 (2) 해설 참조

01 외국 상인의 내륙 진출

제시된 지도는 청과 일본 상인이 서울에 진출하여 상권을 확립하고 있음을 보여 주고 있다. 이러한 상황은 1882년 체결된 조·청 상민 수륙 무역 장정을 계기로 청 상인들의 내륙 진출이 이루어지면서 나타난 현상이다. 일본 상인들은 1882년 조·일 수호 조규 속약으로 자유롭게 통행할 수 있는 거리가 100리로 확대되었고, 1883년 체결된 조·일 통상 장정에서 최혜국 대우를 인정받음으로써 내륙 진출이 가능해졌다.

오답 피하기

① 상회사는 일본 상인의 내륙 진출을 계기로 조선의 토착 상인들이 1883년부터 결성하였다.
② 청·일 전쟁은 청과 일본 상인의 상권 경쟁이 종식되고 일본 상인의 무역 독점 현상이 나타나는 계기가 되었다.
③ 강화도 조약과 그 부속 조약에 의거하여 일본 상인들은 개항장 밖으로 나오지 못했고 이를 배경으로 거류지 무역이 발달하였다.
④ 일제는 을사늑약 체결 이후 외교권을 대행하기 위해 통감부를 설치하였다.

02 일제의 토지 약탈

일제의 토지 약탈은 러·일 전쟁 발발 이후 심화되었다. 한·일 의정서를 체결하여 군용지를 임의로 점령하였고, 전쟁 중 경부선과 경의선 부설 공사를 하면서 철도 용지라는 명목으로 필요한 것보다 훨씬 넓은 토지를 빼앗았다. 이를 배경으로 일제는 1908년 동양 척식 주식회사를 설립하여 토지 운용을 맡게 하였다.

오답 피하기

① 지계는 대한 제국에서 시행한 광무 개혁 때 토지 조사 사업을 진행하면서 발급했던 토지 소유 문서이다.

② 농광 회사는 일제가 황무지 개간권 요구를 했을 때 이를 저지하기 위해 설립한 회사로 황무지 개간을 목적으로 하였다.

③ 일제는 대한 제국의 국권을 강탈한 후 토지 조사 사업을 실시하였다.

⑤ 일제가 한국 농민에게 토지를 분배한 적은 없다.

03 화폐 정리 사업

제시된 지폐는 일제가 화폐 정리 사업을 추진하는 과정에서 발행한 일본 제일은행권이다. 일제는 1905년 화폐 정리 사업을 추진하여 당시 통용되었던 상평통보와 백동화를 일본 제일은행권으로 대체하였다.

오답 피하기

① 보안회는 1904년 조직되어 일제의 황무지 개간권 요구를 저지하였다.

② 전환국은 1883년 화폐 발행을 목적으로 설치되었으며, 여기서 백동화를 주조하였다. 전환국은 화폐 정리 사업 추진 과정에서 철폐되었다.

④ 독립 협회는 이권 수호 운동을 전개하였다. 1896년 조직되어 1898년 해체되었다.

⑤ 스티븐스는 제1차 한·일 협약 결과 파견된 외교 고문이며, 화폐 정리 사업은 재정 고문이었던 메가타에 의해 추진되었다.

04 상권 수호 운동의 전개

제시된 자료는 서울에서 상권 수호 운동을 전개했던 황국 중앙 총상회의 장정이다. 황국 중앙 총상회는 1898년 서울의 각 시전 상인을 중심으로 조직된 단체로, 외국 상인의 한성 진출로 인해 피해를 보게 된 시전 상인들의 이권을 보호하기 위한 이익 단체 성격을 띠고 있다.

오답 피하기

① 보안회는 일제의 황무지 개간권 요구를 저지하였다.

② 독립 협회는 자유 민권 운동을 전개하였다.

④ 화폐 정리 사업은 당시 통용되던 상평통보와 백동화를 일본 제일은행권으로 교체하는 사업으로 일본인 재정 고문 메가타에 의해 추진되었다.

⑤ 1889년과 1890년 함경도와 황해도에서 방곡령 선포를 둘러싸고 일본과 외교 문제가 발생하였다.

05 보안회의 활동

제시된 자료는 보안회의 주장이다. 1904년 나가모리라는 일본인이 황무지 개간권을 이양받고자 일본 공사를 통해 조선 정부에 압력을 가해 왔다. 이를 저지하기 위해 송수만, 심상진 등이 1904년 7월 서울 종로 백목전에서 회의를 열어 보안회를 발기하였다.

오답 피하기

② 신민회는 1907년 안창호, 양기탁 등이 공화정체의 근대 국민 국가 수립을 목표로 결성하였다.

③ 독립 협회는 1896년 자주 국권, 자유 민권, 자강 개혁을 사상적 기반으로 서재필에 의해 결성되었다.

④ 대한 자강회는 1906년 헌정 연구회를 계승하여 교육과 산업 발전을 목표로 조직되었다.

⑤ 국채 보상 기성회는 1907년 국채 보상 운동을 추진하는 과정에서 결성되었다.

06 국채 보상 운동의 전개

제시된 자료는 여성들이 국채 보상 운동에 참여하기 위해 결성되었던 탈환회의 취지문이다. 탈환회는 여성들이 반지를 빼서 이를 국가에 기증하여 국채를 보상하자는 목적으로 설립되었다.

오답 피하기

② 국채 보상 운동은 대구에서 시작하여 전국으로 확산되었다.

07 청과 일본 상인의 상권 경쟁

제시된 그래프에서 1885년부터 1893년까지의 변화를 분석하면 청으로부터의 수입액이 지속적으로 늘어 1893년에는 일본과 청의 수입액 비율이 거의 대등해지고 있음을 알 수 있다. 이는 1880년대 청 상인의 활동이 활발해졌다는 것을 의미하는데 임오군란, 갑신정변을 통해 청의 정치적 위상이 높아진 것이 그 원인이 되었다.

모범답안 | (1) 청의 수입액이 점차 증가하여 1890년대 전반이 되면 일본과 거의 대등한 수준이 되었다.

채점 기준	
상	1880년대 중반에서 1890년 전반이라는 시기와 청으로부터의 수입액이 증대되고 있음을 정확히 서술한 경우
중	두 가지 내용 중 한 가지만 정확하게 서술한 경우
하	두 가지 중 한 가지도 정확하게 서술하지 못한 경우

(2) 이러한 청 상인의 활동 확대는 임오군란과 갑신정변 때 청이 위기에 처한 민씨 정권을 구해 줌으로써 청의 정치적 지위가 강화된 것이 배경이 되었다.

채점 기준	
상	임오군란, 갑신정변 두 가지 사건을 들어 청의 정치적 지위 강화하는 배경을 정확하게 서술한 경우
중	청의 정치적 지위 강화라는 의미로 서술하였으나 두 가지 사건 중 한 가지만 서술한 경우
하	구체적 사실을 제시하지 못하고 단순하게 청의 정치적 지위 강화만 서술한 경우

08 방곡령 사건

제시된 자료는 1889년 함경도 관찰사 조병식이 원산에서 발표한 방곡령의 내용이다. 자료에서 '조약'은 방곡령 선포의 근거를 규정한 조·일 통상 장정이며, 이에 의하면 '흉년으로 식량 사정이 안 좋을 때 지방관은 방곡령을 선포할 수 있는데 단 1개월 전에 문서로 통보한다'고 되어 있다.

모범답안 | (2) 방곡령으로 인해 곡물을 일본으로 반출하지 못한 일본 상인들은 '1개월 전 문서로 통보'라는 규정 미준수를 들어 일본 정부를 앞세워 방곡령을 철회하고 배상금을 요구하였다. 결국 일본 정부의 압력에 굴복하여 정부는 방곡령 철회와 배상금 지불을 결정하였다.

채점 기준	
상	'1개월 전 문서 통보 규정'이라는 일본 상인의 주장과 방곡령 철회 및 배상금 요구를 정확하게 서술한 경우
중	일본 상인의 요구는 서술하였으나 그 근거를 정확하게 서술하지 못한 경우
하	단순히 반발하였다는 의미로 서술한 경우

6 개항 이후 나타난 사회·문화적 변화

간단 체크

123쪽 일본, 전차　125쪽 북간도, 신한촌　127쪽 『은세계』

개념 익히기 128쪽

01 (1) × (2) ○ (3) ○ (4) ×　02 (1) 한성 전기 회사 (2) 신문지법 (3) 육영 공원 (4) 『독사신론』　03 a-ㄴ, b-ㄱ, c-ㄷ　04 ㄱ, ㄴ

내신 유형 익히기 128~130쪽

01 ③　02 ③　03 ②　04 ⑤　05 ②　06 ①　07 ②　08 ③　09 ④　10 ④　11 ②　12 ⑤　13 (1) ㉠ 우정총국, ㉡ 한성 전기 회사 (2) 해설 참조　14 (1) 박성춘, 관민 공동회 (2) 해설 참조

01 근대 문물의 수용 과정

제시된 자료에서 연도를 확인할 수 있는 근거는 '전차 개통'이다. 서울에 최초로 전차가 개통한 것은 1899년 서대문에서 청량리에 이르는 구간이다. 따라서 '올해'는 1899년이 된다. 1899년 일본에 의해 노량진에서 제물포 구간을 운행하는 경인선 열차가 개통되었다.

오답 피하기

① 『대한매일신보』는 1904년 창간되어 1910년 폐간되었다.
② 육영 공원은 1886년 설립되어 1894년 폐교되었다.
④ 국문 연구소는 1907년 학부 안에 설치된 한글 연구 기관으로 1909년 연말까지 활동하였다.
⑤ 천도교는 손병희가 1905년 동학을 개편하여 창시하였다.

02 신문의 발간

제시된 자료에서 설명하고 있는 신문은 『한성순보』이다. 『한성순보』는 인쇄를 담당하는 기구인 박문국에서 1883년 창간하였으며 주로 근대 문물을 소개하거나 정부의 정책을 알리는 관보의 성격을 띠었다. 『한성순보』는 우리나라 최초의 신문이다.

오답 피하기

① 『한성순보』는 한문으로 발간되었다. 순 한글로 발간된 신문은 『독립신문』, 『제국신문』이 있다.
② 신문지법은 1907년 일제가 언론 탄압을 목적으로 제정한 법률이다.
④ 『대한매일신보』에 대한 설명이다.
⑤ 『한성순보』는 갑신정변을 계기로 박문국이 철폐되면서 1884년 폐간되었고, 『한성순보』를 계승하여 1886년 『한성주보』가 간행되었다.

03 서양식 병원의 설립

제시된 자료에서 설명하고 있는 서양식 병원은 광혜원이다. 광혜원은 설립 직후 이름을 제중원으로 개칭하였으며, 왕실에서 설립하고 미국인 선교사이자 의사인 알렌이 운영하였다. 이후 알렌을 대신하여 애비슨 등 미국인 선교사들이 환자를 진료하였다.

오답 피하기

① 1899년 설립된 내부 병원이 1900년 광제원으로 개칭되었다.
③ 대한 의원은 1907년 광제원, 관립 의학교 등을 통합하여 설립되었다.
④ 자혜 의원은 1909년 전주, 청주, 함흥 등 3개 지방에 설립된 서양식 병원이다. 이듬해 수원, 공주, 광주, 대구 등 10곳에 추가 설치되었다.
⑤ 제중원은 1904년 그 운영권을 미국 북장로교 선교부에 넘겨 주어 세브란스 병원이 되었다.

04 근대적 교육 기관 설립

제시된 자료는 갑오개혁 이후 정부의 관립 학교 설립 과정을 설명하고 있다. 고종이 발표한 교육입국 조서 이후 본격적으로 관립 학교가 세워졌는데, 소학교, 한성 중학교, 한성 사범학교 등이 이에 해당한다.

오답 피하기

① 동문학은 1883년 통리기무아문에서 통역관 양성을 위해 설립하였다.
② 육영 공원은 1886년 근대 학문을 익힌 유능한 관료 양성을 목적으로 설립되었다.
③ 사립 학교령은 1908년 일제가 민족 교육을 실시하는 사립 학교를 탄압할 목적으로 제정한 법률이다.
④ 신민회에서는 인재 양성을 위해 평양에 대성 학교, 정주에 오산 학교를 설립하였다.

05 근대적 교육 기관 설립

제시된 자료는 정부에서 본격적인 근대 교육을 목적으로 설립한 육영 공원을 설명하고 있다. 육영 공원은 미국에서 헐버트 등 세 명의 교사를 초빙하여 1886년 서울에서 개교하였다. 현직 관료, 양반의 자녀 중 총명한 사람들 모아 두 학급을 편성하였는데, 학교의 설립 목적은 유능한 관리의 양성에 있었다.

오답 피하기

① 동문학은 1883년 설립된 통역관 양성 학교로 영어와 일본어를 가르쳤다.
③ 원산 학사는 1883년 원산에 설립된 우리나라 최초의 근대 학교이다.
④ 오산 학교는 신민회가 정주에 설립한 학교로 인재 양성을 목적으로 하였다.
⑤ 한성 사범학교는 1895년 정부가 교사 양성을 목적으로 설립하였다.

06 여권 신장

제시된 자료는 1898년 『독립신문』에 발표된 「여권통문」이다. 여권통문은 북촌의 양반 부인들이 발표한 선언문으로 여성들의 교육받을 권리와 직업권, 정치 참여권 등을 주장하였다. 「여권통문」 발표를 계기로 여성 운동 단체인 찬양회가 조직되었다.

오답 피하기

② 교육입국 조서는 1895년 고종이 발표하였다.
③ 이화 학당은 1886년 미국 북감리교 여자 선교사인 스크랜튼에 의해 설립된 사립 학교이다.
④ 국채 보상 기성회는 국채 보상 운동을 전개하였다.
⑤ 독립 협회는 자유 민권 사상에 기반하여 의회 설립 운동을 전개하였는데 그 결과 중추원 관제 개편을 이끌어냈다.

07 생활상의 변화

ㄱ. 서양 음식과 서양식 식사 예절이 수용되면서 일부 상류층에서는 기호 식품인 커피를 즐겼다.
ㄷ. 서양식 복제가 도입되면서 두루마기가 유행하였고 마고자나 조끼 같은 새로운 의복이 나타났다.

오답 피하기

ㄴ. 경복궁 근정전은 흥선 대원군이 중건한 경복궁의 중심 건물이다.
ㄹ. 근대 문물 수용 이후 상차림에서 겸상과 두레상이 나타났다.

08 신채호의 근대 계몽 사학

제시된 자료는 1908년 신채호가 대한매일신보에 연재했던 사론인 『독사신론』이다. 『독사신론』은 민족을 역사 서술의 주체로 내세우며 왕조 중심의 역사 서술에서 탈피하여 민족주의 사학의 기본 틀을 마련하였다.

오답 피하기

① 국문 연구소는 주시경이 중심이 되어 운영되었다.
② 대한매일신보는 영국인 베델이 사장이 되고 양기탁 등이 운영하였다.
④ 식민사관은 일제가 한국 병합을 합리화하기 위해 내세운 사관으로 조선사편수회, 청구학회 등에서 확산시켰다.
⑤ 박은식은 『동명성왕실기』, 『천개소문전』 등 고구려의 기개를 높게 평가하는 책을 지었다.

09 해외 이주 동포들의 생활

제시된 자료에서 설명하고 있는 지역은 하와이이다. 하와이 이민은 1902년 12월 제물포 항을 떠나 1903년 1월 97명의 노동자가 하와이 땅을 밟으면서 시작되었다. 하와이를 포함한 미주 지역에서는 교민 단체인 대한인 국민회가 조직되었다.

오답 피하기

① 안중근은 하얼빈에서 이토 히로부미를 사살하였다.
② 간도 협약은 북간도를 청의 영토로 인정한 조약이다.
③ 신흥 무관 학교는 신민회가 서간도에 설립한 군사 교육 기관이다.
⑤ 신민회는 서간도에 삼원보를 건설하여 독립운동 기지로 삼았다.

10 문학과 예술의 새경향

ㄴ. 개항 이후 음악에서는 신재효에 의해 판소리가 정리되었고, 창가와 창극이 유행하였다. 창가는 가사에 서양식 곡을 붙인 노래를 말한다.
ㄹ. 1908년 최초의 서양식 극장인 원각사가 설립되어 판소리나 창극, 신극 등이 공연되었다.

오답 피하기

ㄱ. 한글 소설과 사설시조는 조선 후기에 등장한 서민 문학이다.
ㄷ. 민화나 진경산수화는 조선 후기에 등장한 새로운 미술 작품이다. 진경산수화는 정선에 의해 창안되었다.

11 박은식의 『유교 구신론』

제시된 자료는 개항 이후 유교계의 새로운 움직임을 설명하고 있다. 개신 유학자들이 유교의 개혁을 주장하였는데 박은식은 유교구신론은 유교 개혁론 가운데 하나이다. 박은식은 『유교 구신론』에서 실천적 유교 정신을 강조하였다.

오답 피하기

① 박은식의 『유교 구신론』은 성리학보다 양명학을 중시하였다.
③ 예학은 양 난 이후 조선 사회를 재건하기 위해 강조되었다. 예학이란 유교적 의식을 연구하는 학문이다.
④ 개신교에 대한 설명이다. 개신교 선교사들은 학교와 병원을 설립하는 과정에서 미신 타파 및 평등사상 전파 등을 주장하였다.
⑤ 천주교에서는 주로 보육원과 양로원을 운영하는 등 사회사업에 관심을 기울였다.

12 종교의 새로운 경향

제시된 자료에서 (가)는 천도교이다. 천도교는 1905년 손병희가 동학을 모체로 창시하였는데 기관지로 『만세보』를 창간하였다. 천도교는 3·1 운동에 적극 참여하여 상당한 탄압을 받았으며 그 후에는 주로 문화 활동과 계몽활동에 주력하였다.

오답 피하기
① 대종교의 나철, 오기호 ②, ④ 개신교, ③ 불교의 한용운에 해당되는 설명이다.

13 근대 문물 수용의 영향

제시된 자료는 개항 이후 근대 문물의 수용 과정을 설명하고 있다. 서양 근대 문물 가운데 가장 먼저 수용된 것이 전신, 전화 등 통신 시설과 철도, 전차 등 교통 시설이었다.

모범답안 | (2) 이들 시설은 생활상의 편리함을 주었지만 열강의 이권 침탈과 침략과 밀접하게 연관되어 있어 민중의 반감을 사기도 하였다.

채점 기준	
상	외세의 이권 침탈과 침략이라는 두 가지 내용을 정확하게 서술한 경우
중	단순히 외세의 침략 혹은 외세의 간섭이라는 의미로만 서술한 경우
하	정확한 서술을 하지 못한 경우

14 근대 의식의 확산

제시된 자료는 1898년 10월 독립 협회에서 개최한 관민공동회에서 백정 출신 박성춘이 행한 연설의 일부분이다. 박성춘은 많은 사람이 모여 있는 대중 집회에서 당당하게 자신의 신분을 밝히고 국가에 대한 애국심을 강조하고 있다. 이은 당시의 사회 변화를 반영한 것이다.

모범답안 | (2) 박성춘의 연설을 통해 당시 신분 제도가 철폐되고 평등 의식과 근대 의식이 널리 확산되었음을 알 수 있다.

채점 기준	
상	신분제 폐지, 평등 의식의 확산이라는 두 가지 내용을 정확하게 서술한 경우
중	두 가지 중 한 가지만 정확하게 서술한 경우
하	한 가지도 정확하게 서술하지 못한 경우

내신 만점 도전하기

132~135쪽

01 ⑤ 02 ③ 03 ④ 04 ③ 05 ⑤ 06 ④ 07 ④ 08 ② 09 ③ 10 ② 11 ① 12 ③ 13 ⑤ 14 ③ 15 (1) 사창 (2) 해설 참조 16 (1) 백두산정계비 (2) 해설 참조

01 조·일 수호 조규 부록

제시된 자료는 강화도 조약의 부속 조약으로 체결된 조·일 수호 조규 부록이다.

오답 피하기
① 강화도 조약 등, ②, ④ 조 · 미 수호 통상 조약, ③ 강화도 조약 체결 이전에 해당한다.

02 영남 만인소

제시된 자료는 1880년대 초에 조선책략이 유포되어 미국과의 수교 분위기가 조성되는 상황에서 이에 반대하여 이만손을 중심으로 올린 영남 만인소이다.

오답 피하기
① 1860년대, ④ 1870년대 위정척사 운동과 관련 있다.
②, ⑤ 영남 만인소 사건 이후이다.

03 동도서기론

제시된 자료는 윤선학의 상소로, 동도서기론에 따른 점진적인 개혁을 주장한 것이다.

오답 피하기
① 1860년대의 위정척사 운동, ② 보수적인 유생들, ③, ⑤ 급진 개화파에 해당한다.

04 제2차 갑오개혁

제시된 자료는 제2차 갑오개혁 때의 재판소 설치 등을 그린 것이다. 당시 박영효는 제2차 김홍집 내각의 내무대신으로 개혁을 추진하였다.

오답 피하기
① 을미개혁 이후, ② 아관 파천 이후, ④, ⑤ 대한 제국 시기에 해당한다.

05 톈진 조약

제시된 자료는 갑신정변 이후인 1885년 청·일 간에 체결된 톈진 조약이다. 조선에서 양국 군대를 철수하고 앞으로 조선에 군대를 파병할 때는 미리 서로 알린다는 내용으로, 이후 청·일 전쟁의 빌미를 제공하였다.

병인양요는 1866년, 신미양요는 1871년, 강화도 조약은 1876년, 임오군란은 1882년, 갑신정변은 1884년, 갑오개혁은 1894년이다.

06 독립 협회

제시된 토론회를 주최한 (가) 단체는 독립 협회이다. 독립 협회는 입헌 군주제와 유사한 정치 체제를 지향하면서 의회 설립 운동을 추진하였다.

오답 피하기
①, ② 대한 제국 정부, ③ 독립 협회 창립 이전 정부, ⑤ 대한 자강회에 해당한다.

07 대한 제국

제시된 자료의 (가)는 대한 제국이다. 대한 제국 선포 이후 정

부는 광무개혁을 추진하면서 만국 우편 연합 가입, 파리 만국 박람회 참가, 한·청 통상 조약 체결, 벨기에, 덴마크와의 국교 수립 등 여러 활동을 하였다.

오답 피하기

④ 임오군란 이후 청의 간섭과 관련 있다.

08 을사늑약과 병합 조약

(가)는 1905년 11월 체결된 을사늑약, (나)는 1910년 체결된 한국 병합 조약이다. 1907년 헤이그 특사 사건을 계기로 고종이 강제 퇴위되고 순종이 즉위하였는데 이때부터 융희라는 연호를 사용하였다.

오답 피하기

①은 1904년, ③은 1899년, ④는 1905년 7월, ⑤는 1904년이다.

09 백두산정계비

자료에서 '비석'은 백두산정계비를 가리킨다. 숙종 때 청과 국경을 정하고 세운 백두산정계비에는 압록강과 토문강을 경계로 한다고 새겨져 있다. 토문강의 해석 문제로 간도 귀속 문제가 발생하였다.

오답 피하기

①, ④ 독도와 관련된 내용, ② 하얼빈, ⑤ 서간도 지역에 해당된다.

10 개항 이후 맺은 조약들

(가)는 1883년 체결된 조·일 통상 장정, (나)는 1882년 체결된 조·청 상민 수륙 무역 장정이다. 조·일 통상 장정으로 일본은 최혜국 대우를 인정받았고, 조·청 상민 수륙 무역 장정으로 청 상인이 특권을 인정받아 청과 일본 상인의 상권 경쟁이 치열해졌다.

오답 피하기

ㄴ. 관세 부과가 이루어졌다.

ㄹ. 조·청 상민 수륙 무역 장정 체결 이전의 사실이다.

11 항일 의거 활동

자료는 데라우치 총독 암살 미수 사건의 재판 과정에서 등장한 피고인의 진술 내용이다. 일제는 안명근 사건 이후 소위 데라우치 총독 암살 미수 사건을 조작하여 신민회 회원들을 체포하고 이 가운데 105인을 유죄 판결하였다. 이로 인해 신민회가 해체되었다.

오답 피하기

② 이재명은 이완용을 습격하였다.

③ 안악 사건의 영향을 받아 105인 사건이 일어났다.

④ 오적 암살단은 을사 오적을 처단하기 위해 조직되었다.

⑤ 13도 창의군은 정미의병 때 결성되었다.

12 국채 보상 운동

자료는 국채 보상 기성회의 취지문이다. 국채 보상 운동은 국민의 모금 운동으로 일본에 진 빚을 갚자는 운동으로 국채 보상 기성회가 주도하였다. 『대한매일신보』, 『황성신문』 등 언론 기관의 호응으로 확산되었는데 여성들도 탈환회 등을 조직하여 적극 참여하였다. 그러나 이 운동은 일제 통감부의 탄압으로 중단되고 말았다.

오답 피하기

③ 국채 보상 운동은 대구에서 시작되었다.

13 신채호의 『독사신론』

자료는 신채호의 『독사신론』이다. 신채호는 이 글에서 역사의 주체를 민족으로 규정하여 후일 민족주의 사학의 연구 방향을 제시하였다.

오답 피하기

① 안국선, ② 유길준, ③ 주시경, ④ 박은식에 대한 설명이다.

14 개항 이후 나타난 변화들

자료에서 서울에 민간 전등이 가설된 것은 1900년이고, 전차는 1899년부터 운행되었다. 황제라는 호칭은 1897년 대한 제국 선포 이후 사용되었다. 따라서 이 자료는 1900년 이후의 상황이 된다. 1898년 한성 전기 회사가 설립되어 전기 사업이 시작되었고, 1902년 하와이 이민이 정부의 모집으로 시작되었다. 조선 광문회는 1910년 조직되었고, 대한매일신보는 1904년 창간되었다.

오답 피하기

③ 방곡령 사건은 1889~1890년에 발생하여 1894년 종결되었다.

15 사창 제도의 시행

모범답안 | (2) 삼정의 폐단 중 환곡의 경우 운영 과정에서 관리의 수탈이 심하였다. 이에 흥선 대원군은 마을마다 사창을 설치하여 주민 자치적으로 운영하게 함으로써 관리의 수탈을 막고 농민 생활을 안정시키려고 하였다.

채점 기준	
상	사창제 시행 배경과 목적을 모두 서술한 경우
중	사창제 시행 목적만 옳게 서술한 경우
하	사창제 시행 배경만 옳게 서술한 경우

16 백두산 정계비문의 이해

모범답안 | (2) 토문강을 청은 두만강으로, 조선은 쑹화강 지류로 해석하여 간도 귀속 문제가 발생하였다.

채점 기준	
상	토문강을 명시하고 양국의 입장 차이를 정확하게 기술한 경우
중	토문강은 명시하였으나 양국의 입장 차이가 불분명한 경우
하	토문강을 명시하지 못하고 일반적으로 기술한 경우

대주제3 일제 식민지 지배와 민족 운동의 전개

일제의 식민지 지배 정책

간단 체크

139쪽 조선 태형령 141쪽 치안 유지법

개념 익히기 142쪽

01 (1) ○ (2) × (3) × (4) ○ 02 (1) 조선 태형령 (2) 제1차 조선 교육령 (3) 동양 척식 주식회사 (4) 수리 조합 03 a-ㄱ, b-ㄴ,ㄷ 04 ㄱ, ㄴ

내신 유형 익히기 142~143쪽

01 ① 02 ① 03 ① 04 ③ 05 ② 06 ④ 07 (1) 제1차 조선 교육령 (2) 해설 참조 08 (1) 치안 유지법 (2) 해설 참조

01 윌슨의 민족 자결주의 원칙

제시된 내용은 제1차 세계 대전이 끝날 무렵 미국의 윌슨 대통령이 제시한 민족 자결주의 원칙이다. 민족 자결주의는 식민지 피압박 민족에게 독립의 희망을 주었고, 3·1 운동에도 영향을 미쳤다.

오답 피하기

② 제1차 세계 대전이 전개되던 시기인 1917년이다.
③ 3·1 운동 이후 언론 및 강연 등을 통해 사회주의 사상이 전파되었다.
④ 일본은 제1차 세계 대전 당시 연합국 측에 참전하였다.
⑤ 윌슨의 민족 자결주의 원칙은 제1차 세계 대전이 끝날 무렵 발표되었다.

02 일제의 무단 통치

일제의 무단 통치의 특징은 헌병 경찰 통치, 한국인들의 언론과 집회의 자유 금지, 교원의 칼 및 제복 착용 등이 있다.

오답 피하기

②, ③, ⑤ 1920년대 문화 통치 시기이다. ④ 1940년대에 해당한다.

03 토지 조사 사업

토지 조사 사업은 토지 소유자가 직접 신고하는 것을 원칙으로 하였다. 그 결과 조선 총독부의 지세 수입이 늘고, 지주의 권한이 강화된 반면 토지를 잃은 농민은 소작농으로 전락하였다.

오답 피하기

① 지주의 소유권만 인정하고, 소작인들의 경작권은 인정받지 못하였다.

04 회사령

제시된 내용은 1910년대 실시한 회사령이다. 회사령은 회사 설립 시 조선 총독의 허가를 받아야 한다고 규정한 것으로, 민족 자본을 억제하는 역할을 하였다. 회사령 폐지 후 일본 자본이 한국에 본격적으로 진출하였다.

오답 피하기

③ 회사령 시행으로 민족 자본 성장이 억제되었다.

05 1920년대 일제의 문화 통치

제시된 내용은 1920년대 일제의 식민 정책이다. 이 시기에 일제는 문관 총독 임명, 보통 경찰제, 교원의 제복 및 칼 착용 금지 등 형식적으로는 유화 정책을 실시하는 '문화 통치'를 표방하였다. 하지만 실질적으로는 민족 운동을 분열시키고 친일파를 양성하였다.

06 산미 증식 계획

일본의 쌀 소동을 계기로 시행된 산미 증식 계획은 한국에서 쌀 생산량을 늘려 해결하고자 하였다. 그 결과 쌀 농사 위주의 단작 농업이 정착되었으며 일본으로 쌀 수출이 늘어나는 반면, 한국인의 쌀 소비량이 감소하고 만주 등에서 잡곡을 수입하여 먹는 경우가 증가하였다.

오답 피하기

④ 미곡 공출은 일제의 병참 기지화 정책 중 하나로 1930년대와 1940년대에 해당된다.

07 제1차 조선 교육령

모범답안 | (2) 일제는 제1차 조선 교육령을 통해 일왕의 신민을 만들기 위한 토대가 되는 일본어를 보급하고, 보통 교육과 실업 교육을 중심으로 편성하여 일본인과 차별을 두고자 하였다.

채점 기준	
상	제1차 조선 교육령을 명시하고 특징을 모두 서술한 경우
중	제1차 조선 교육령을 명시하고 특징을 일부분 서술한 경우
하	제1차 조선 교육령을 명시하였으나 내용을 잘못 서술한 경우

08 치안 유지법

모범답안 | (2) 일제는 1925년 치안 유지법 시행을 통해 사회주의 세력과 민족 운동 세력을 억압하고 독립운동을 방해하였다.

채점 기준	
상	치안 유지법을 명시하고 시행 결과를 모두 서술한 경우
중	치안 유지법을 명시하고 결과를 일부분 서술한 경우
하	치안 유지법을 명시하였으나 내용을 잘못 서술한 경우

2 일제의 식민지 지배 정책

간단 체크

145쪽 공화주의 **147쪽** × **149쪽** 대한민국 임시 정부

개념 익히기 150쪽

01 (1) × (2) ○ (3) ○ (4) × **02** (1) 대한 광복회 (2) 민족 자결주의 (3) 문화 통치 (4) 신한청년당 **03** a-ㄷ, b-ㄴ, c-ㄱ **04** ㄴ, ㄷ

내신 유형 익히기 150~153쪽

01 ② **02** ⑤ **03** ④ **04** ⑤ **05** ② **06** ④ **07** ④ **08** ③ **09** ④ **10** ⑤ **11** ② **12** ⑤ **13** ⑤ **14** ⑤ **15** ② **16** ① **17** ① **18** ① **19** 해설 참조 **20** (1) 중국 상하이 (2) 중국 상하이는 일제의 영향력이 상대적으로 약하고, 서양 열강의 조계지가 있어 외교 활동에 유리하였기 때문이다.

01 대한민국 임시 정부의 활동

(가)의 대한민국 임시 정부는 연통제와 교통국을 조직하였으며, 『독립신문』을 발행하고 임시 사료 편찬 위원회를 설치하였다.

오답 피하기

② 대한민국 임시 정부는 민주 공화제의 이념을 채택하였고, 삼권 분립 원칙을 표방하였다.

02 대한 광복회

박상진을 중심으로 한 대한 광복회는 공화정 수립을 목표로 한 비밀 결사이다. 독립군 양성, 무기 구입, 군자금 모집 등의 활동을 하였으나 일제의 탄압으로 체포되어 큰 타격을 입었다.

오답 피하기

① 북간도 지역에서 명동 학교를 설립하였다.
② 하얼빈 역에서 이토 히로부미를 사살하였다.
③ 한인 사회당을 설립하였으며 대한민국 임시 정부에서 활동하였다.
④ 의병장 출신으로 고종의 밀명을 받고 대한 독립 의군부를 조직하였다.

03 기미 독립 선언

제시된 자료는 1919년 3월 1일에 발표한 기미 독립 선언서 내용이다. 3·1 운동의 영향으로 대한민국 임시 정부가 수립되었다.

오답 피하기

① 대한 독립 의군부에서 내세웠다.
② 3·1 운동의 영향으로 일제는 이른바 '문화 통치'를 실시하였다.
③ 2·8 독립 선언에 대한 설명이다.
⑤ 레닌이 선언하여 국내외 민족 운동 지도자들에게 많은 영향을 주었다.

04 대한 독립 의군부

대한 독립 의군부는 의병장 출신 임병찬이 고종의 밀명을 받고 조직한 비밀 결사이다. 이 단체는 복벽주의 이념에 따라 고종의 복위를 목표로 전국적인 의병을 일으키려 하였다.

05 1910년대 독립운동 기지 건설 운동

(가)는 서간도, (나)는 북간도, (다)는 연해주 지역이다. 서간도 지역에서는 교육 기관으로 신흥 강습소가 세워져 독립군을 양성하였으며, 이후 신흥 무관 학교로 이어졌다.

오답 피하기

① (다)의 연해주 지역에서 대한 광복군 정부를 수립하였다.
③ (가) 서간도 지역의 삼원보에서 자치 기관인 경학사를 조직하였다.
④ 중국 상하이에서 신한청년당을 조직하였다.
⑤ 미수 지역에서 민족 운동 단체들이 통합되어 대한인 국민회를 조직하였다.

06 3·1 운동의 배경

러시아 혁명 이후 레닌은 식민지 피압박 민족의 해방 운동을 지원하겠다고 선언하였다. 또한 1918년 제1차 세계 대전이 끝나갈 무렵 미국의 윌슨 대통령이 민족 자결주의 원칙을 제시하였다. 이 두 사건은 식민 지배를 받고 있던 국가와 민족들에게 큰 희망을 주었다.

오답 피하기

① 3·1 운동의 영향으로 대한민국 임시 정부가 수립되었다.
② 3·1 운동의 결과 일제는 무단 통치 대신 이른바 '문화 통치'를 실시하였다.
③ 1926년에 일어난 6·10 만세 운동에 대한 설명이다.
⑤ 1929년에 일어난 광주 학생 항일 운동에 대한 설명이다.

07 개조파와 창조파의 대립

대한민국 임시 정부는 독립운동의 방향과 임시 정부 조직을 둘러싸고 개조파와 창조파가 대립하였다. (가) 개조파는 임시 정부를 독립운동 최고 대표 기관으로 인정하고, 조직만 개편하자고 주장하였다. (나) 창조파는 임시 정부를 해체하여 새로운 독립운동 조직을 만들자고 주장하였다.

오답 피하기

ㄱ. 이승만을 중심으로 한 현상 유지파였다.
ㄷ. 창조파는 임시 정부를 해체하고 새로운 정부를 수립하자고 주장하였다.

08 1910년대 연해주의 독립운동

1910년대 연해주의 독립운동 기지 건설 운동은 블라디보스토크의 신한촌을 중심으로 전개되어 권업회라는 자치 단체가 조직되었다. 권업회는 『권업신문』을 발행하였고, 연해주에서는 이후 이상설과 이동휘를 정·부통령으로 하는 대한 광복군 정부가 수립되었다.

09 이상설의 활동

이상설은 고종의 밀명으로 1907년 헤이그 특사로 파견되었다. 이후 북간도 지역에서 서전서숙을 세우고, 연해주에서 수립된 대한 광복군 정부에서 활동하였다.

오답 피하기

① 중국 상하이에서 활동하였으며 대동단결 선언을 발표하기도 하였다.
② 을사의병에 참여한 평민 의병장 출신이다.
③ 연해주에서 한인 사회당을 설립하였으며, 대한민국 임시 정부의 국무총리로 활동하였다.
⑤ 신민회 회원으로 서간도로 이주하여 경학사 등을 세우고, 신흥 강습소를 조직하였다.

10 복벽주의와 공화주의

(가)는 군주제를 표방한 복벽주의, (나)는 공화주의이다. 의병장 출신 임병찬 등이 조직한 대한 독립 의군부는 복벽주의를 표방하였다. 대한민국 임시 정부는 민주 공화제를 내세웠다.

오답 피하기

ㄱ. 국내에서 민족주의 세력과 사회주의 세력의 분화는 1920년대이다.
ㄴ. 대한 광복회는 공화주의를 추구하였다.

11 대동단결 선언

신규식 등이 중심이 된 대동 단결 선언은 국민 주권론과 공화주의를 바탕으로 한 임시 정부가 수립되어야 한다고 주장하였다.

오답 피하기

① 대동단결 선언은 공화주의를 표방하고 있다.
③ 대동단결 선언은 1917년 신규식 등이 중심이 되어 발표하였다.
④ 김구 등이 조직한 한인 애국단의 윤봉길 의거 사건이 계기가 되었다.
⑤ 독립운동 기지 건설 운동은 국권 강탈 이후 1910년대 만주와 연해주 등지에서 추진되었다.

12 3·1 운동의 전개

제시된 자료는 3·1 운동 당시 수감자의 공판 기록 내용이다. 3·1 독립 선언으로 국내외에서 만세 시위가 일어났으며 참여 계층도 학생, 교사, 노동자, 농민 등 다양하였다. 이에 일제는 무력으로 3·1 운동을 진압하였으며, 화성 제암리 학살을 저질러 보복하였다.

오답 피하기

① 1920년대 농민 운동의 특징이다.
② 1930년대 양세봉이 이끄는 조선 혁명군이 한·중 연합군을 결성하였다.
③, ④ 광주 학생 항일 운동과 관련된 내용이다.

13 2·8 독립 선언

제시된 자료는 일본에 유학하고 있던 학생들이 발표한 2·8 독립 선언서 내용이다. 일본 도쿄 유학생들을 중심으로 한 2·8 독립 선언은 3·1 운동에도 많은 영향을 끼쳤다.

오답 피하기

① 1910년대 일제가 시행한 회사령은 허가제를 원칙으로 하였다.
② 민족 자결주의 제창은 2·8 독립 선언의 배경 중 하나이다.
③ 토지 조사 사업은 1910년대에 시행되었다.
④ 신한청년당의 외교 활동이 2·8 독립 선언에 영향을 주었다.

14 독립 공채와 대한민국 임시 정부의 활동

사진 자료는 대한민국 임시 정부가 독립운동에 필요한 자금을 마련하기 위해서 발행한 독립 공채이다. 대한민국 임시 정부는 주로 외교 활동에 주력하여 김규식을 중심으로 한 파리 위원부, 이승만을 중심으로 한 구미 위원부를 두었다.

오답 피하기

① 의열단은 1920년 김원봉 등이 조직하였다.
② 3·1 운동 결과 대한민국 임시 정부가 수립되었다.
③ 김원봉 등이 1938년 조선 의용대를 창설하였다.
④ 영국인 베델 등이 발행한 것으로 양기탁 등이 중심이 되었다.

15 연통제

연통제는 대한민국 임시 정부의 국내외 비밀 행정 조직이다. 상하이, 영국, 미국, 기타 각 나라와 비밀리에 통신을 교환하며 독립운동 자금을 모금하여 외국으로 보냈다.

16 3·1 운동의 배경과 영향

윌슨의 민족 자결주의 제창 등 국제 정세의 변화 속에서 독립 선언을 위한 움직임이 일어났다. 이에 국내에서 3·1 운동이 전개되었고, 그 결과 대한민국 임시 정부가 수립되었다.

17 대한민국 임시 정부

대한민국 임시 정부는 중국 상하이에 위치하여 외교 활동에 주력하였으며, 연통제와 교통국을 조직하였다. 1923년 독립운동의 방향을 모색하기 위해 국민대표 회의를 열었으나 결국 갈등이 해결되지 못하고 많은 독립운동가가 임시 정부를 떠났다. 이후 임시 정부는 체제를 개편하고, 1940년 충칭에서 활동하며 한국 광복군을 조직하였다.

18 민주 공화제와 대한민국 임시 정부

대한민국 임시 정부는 모든 인민이 평등하고 주권이 있다는 민주 공화제를 표방하였다.

오답 피하기

② 윤봉길 의거를 계기로 대한민국 임시 정부는 점차 활기를 띠게 되었다.
③ 신간회에 대한 설명이다.
④ 복벽주의에 대한 설명이다.
⑤ 의열단에 대한 설명이다.

19 3·1 운동의 의의

자료에서 설명하는 것은 3·1 운동이다.

모범답안 | 3·1 운동은 모든 계층이 참여한 우리 역사상 최대 규모의 민족 운동이었으며, 일제는 이른바 '문화 통치'로 통치 방식을 바꾸었고, 만세 시위에 참여한 청년, 노동자, 농민 계층은 민족 운동의 주체로 등장하였다. 또한 3·1 운동을 계기로 하여 민주 공화제를 바탕으로 한 대한민국 임시 정부가 수립되었다.

채점 기준	
상	3·1 운동의 역사적 의의를 두 가지 모두 서술한 경우
중	3·1 운동의 역사적 의의를 한 가지만 서술한 경우
하	3·1 운동의 역사적 의의를 제대로 서술하지 못한 경우

20 중국 상하이와 대한민국 임시 정부

대한민국 임시 정부는 한성 정부안을 바탕으로 여러 지역의 정부를 통합하여 수립하였다. 통합 과정에서 외교 활동에 유리한 상하이와 무장 투쟁에 적합한 연해주를 놓고 의견 대립이 있었다. 결국 외교 활동에 유리한 중국 상하이로 합의하였다.

채점 기준	
상	대한민국 임시 정부의 소재지인 중국 상하이를 명시하고, 그 이유를 두 가지 명확하게 서술한 경우
중	대한민국 임시 정부의 소재지인 중국 상하이를 명시하고, 그 이유 중 한 가지만 서술한 경우
하	상하이 명칭만 쓰고 이유를 제대로 서술하지 못한 경우

3 민족 운동의 성장

간단 체크

155쪽 3부　157쪽 ○　159쪽 물산 장려 운동　161쪽 신간회

개념 익히기 162쪽

01 (1) × (2) ○ (3) ○ (4) ×　02 (1) 김좌진 (2) 물산 장려 운동 (3) 민립 대학 설립 운동 (4) 신간회　03 a-ㄴ, b-ㄷ, c-ㄱ　04 ㄱ, ㄴ, ㄹ

내신 유형 익히기 162~164쪽

01 ⑤　02 ⑤　03 ④　04 ②　05 ②　06 ⑤　07 ②　08 ④　09 ④　10 ②　11 ⑤　12 ③　13 해설 참조　14 (1) 신간회 (2) 해설 참조

01 홍범도

홍범도는 대한 독립군 등의 활동으로 봉오동 전투에서 승리하였으며, 이어 김좌진 등 북로 군정서와 연합하여 청산리에서 큰 승리를 거두었다.

02 1920년대 국외 독립운동의 전개

1920년대 국외 독립운동의 순서이다. 독립군 부대들의 청산리 전투 승리 이후 이에 대한 보복으로 일제는 간도 지역의 한인 마을을 파괴하고 한국인을 학살하는 간도 참변을 일으켰다. 이에 독립군을 일제의 추격을 피하기 위해 자유시(스보보드니)로 이동하였으나 자유시 참변으로 많은 독립군이 희생되었다.

03 양세봉과 조선 혁명군

1920년대 중후반 민족 유일당 운동의 영향으로 3부 통합 운동이 전개되었다. 3부 통합 운동 결과 남만주에는 조선 혁명당과 조선 혁명군이 성립하였다. 양세봉은 조선 혁명군을 이끌었으며, 한·중 연합군을 결성하여 영릉가 전투와 흥경성 전투에서 승리하였다.

오답 피하기

① 의열단원으로 조선 총독부에 폭탄을 던졌다.
② 의열단원으로 동양 척식 주식회사에 투척하였다.
③ 서로 군정서에서 활동하였으며, 조선 총독 암살 작전과 일본 관동군 사령관 암살 계획이 발각되어 순국하였다.
⑤ 타이완에 방문한 일본 육군 대장을 독 묻은 칼로 저격하였고, 거사 직전 현장에서 붙잡혀 순국하였다.

04 신채호의 조선 혁명 선언

자료는 신채호의 『조선 혁명 선언』이다. 조선 혁명 선언은 폭력을 통해 민중의 직접 혁명을 주장하였다. 이는 김원봉 등을 중심으로 한 의열단이 활동 지침으로 삼았다. 신채호는 대한민국 임시 정부에 참여하였으며, 임시 정부를 해체하고 새로운 조직을 만들 것을 주장하였던 창조파로, 국제 연맹에 위임 통치를 주장한 이승만을 비판하였다.

05 의열단

의열단은 1919년 만주 지역에서 김원봉을 중심으로 조직되었다. 의열단은 일제의 감시망을 피하기 위해 비밀 조직으로 운영되었으며, 베이징과 난징 등으로 옮겨 다녔다. 단원들은 일제 통치 기관을 파괴하고, 일제 고관이나 친일파를 처단하는 의열 투쟁을 전개하였다.

오답 피하기

① 사회주의자와 학생 세력이 중심이 되어 추진하였다.
③ 민족주의 세력을 중심으로 추진하였다.
④ 신간회에 대한 설명이다.
⑤ 한인 애국단에 대한 설명이다.

06 한인 애국단

밑줄 친 '이 단체'는 한인 애국단이다. 김구는 대한민국 임시 정부의 침체를 극복하고, 독립운동에 활력을 불어넣고자 1931년 한인 애국단을 조직하였다. 한인 애국단은 이봉창과 윤봉길 의거를 계획하였다.

오답 피하기

① 의열단에 대한 설명이다.
② 복벽주의는 군주제를 지향하는 이념이다.
③ 한국 독립군의 지청천에 대한 설명이다.
④ 이회영 등에 대한 설명이다.

07 물산 장려 운동

1920년 회사령 폐지 이후 일본의 자본이 한국으로 유입되었고 일본인 회사와 한국인 회사가 설립되었다. 그러나 한국인 자본은 일본인 자본에 비해 매우 적은 편이었다. 이어 일본과 한국 사이의 관세가 폐지되어 한국인 자본가와 회사에 위기의식이 몰려왔으며, 이에 한국인 회사 물품을 사용하자는 물산 장려 운동이 전개되었다.

08 민립 대학 발기 취지서

자료는 민립 대학 발기 취지서이다. 이상재 등을 중심으로 민립 대학 기성 준비회가 조직되어 한국인들의 힘으로 고등 교육 기관을 설립하자고 주장하는 내용이다.

09 안창호

제시된 인물은 안창호이다. 안창호는 1926년 독립을 위해서 모든 세력이 힘을 합해야 한다고 연설하여 국내외 민족 유일당 운동이 활발하게 전개되도록 하였다.

오답 피하기

① 이승만, ② 신규식 등에 대한 설명이다. ③ 홍범도에 대한 설명이고, ⑤ 이광수 등 타협적 민족주의 세력의 주장이다.

10 자치론

이광수가 동아일보에 쓴 「민족적 경륜」의 일부분이다. 일제가 허락하는 범위 내에서 자치를 해야 한다고 주장하였다. 이들을 타협적 민족주의 세력이라고 하며, 신간회 강령에서는 이를 기회주의로 배격하였다.

오답 피하기

ㄴ. 타협적 민족주의 세력을 중심으로 자치론이 주장되었다.
ㄷ. 비타협적 민족주의 세력과 사회주의 세력의 연합으로 결성되었다.

11 신간회

신간회 강령은 민족 단결을 강조하고 자치 운동 등 일제와 타협하는 것을 기회주의로 비판하고 있다. 신간회는 광주 학생 항일 운동을 전국적인 항일 운동으로 발전시키기 위해 조사단을 파견하였다.

오답 피하기

① 백정들을 중심으로 추진되었다.
② 사회주의자를 중심으로 조직되었다.
③ 사회주의자와 학생 세력이 중심이 되었다.
④ 1920년대 초 조만식 등이 조직하였다.

12 광주 학생 항일 운동

(가)는 광주 학생 항일 운동이다. 광주 학생 항일 운동은 1929년 나주역에서 한·일 학생 간의 충돌로부터 시작되었다.

오답 피하기

① 3·1 운동, ② 신간회, ④ 민립 대학 설립 운동이다. ⑤ 1920년대 언론 기관을 중심으로 전개되었다.

13 한인 애국단과 윤봉길 의거

자료에서 설명하는 사건은 윤봉길 의거이다.

모범답안 | 윤봉길 의거를 계기로 중국 국민당 정부는 대한민국 임시 정부를 적극적으로 지원하였다. 이는 이후 중국 영토 내에서 한국 광복군이 조직되는 토대가 되었다. 그러나 윤봉길 의거 이후 일제의 감시와 탄압이 심해졌고, 대한민국 임시 정부는 1940년 중국 상하이를 떠나 충칭에 정착할 때까지 중국 각지로 이동하였다.

채점 기준	
상	윤봉길 의거가 대한민국 임시 정부에 끼친 영향을 맥락적으로 서술한 경우
중	윤봉길 의거가 대한민국 임시 정부에 끼친 영향을 한 가지 서술한 경우
하	윤봉길 의거가 대한민국 임시 정부에 끼친 영향을 제대로 서술하지 못한 경우

14 신간회

(가)는 조선 민흥회 선언, (나)는 정우회 선언이다.

모범답안 | (2) 신간회 결성 배경은 국외적으로 중국의 제1차 국·공 합작과 만주의 3부 통합 운동 및 코민테른의 민족 통일 전선 지지 등을 들 수 있다. 국내적으로는 비타협적 민족주의 세력을 중심으로 타협적 민족주의 세력을 비판하는 움직임이 나타났으며, 사회주의 세력은 치안 유지법으로 인해 어려움을 겪는 상황에서 정우회 선언을 통해 비타협적 민족주의 세력과의 협동을 강조하였다.

채점 기준	
상	신간회를 명시하고 신간회 성립의 국내외적인 배경을 모두 서술한 경우
중	신간회를 명시하고 신간회 성립의 국내외적인 배경을 일부분 서술한 경우
하	신간회를 명시하였으나 신간회 성립의 국내외적인 배경을 제대로 서술하지 못한 경우

4 사회·문화의 변화와 사회 운동의 전개

간단 체크

167쪽 남촌, 북촌　169쪽 ○　171쪽 암태도 소작 쟁의　173쪽 ×

개념 익히기　174쪽

01 (1) ○ (2) ○ (3) × (4) ×　02 (1) 토막민 (2) 모던 걸, 모던 보이 (3) 치안 유지법 (4) 저항 문학　03 a-ㄴ, b-ㄷ, c-ㄱ　04 ㄱ, ㄷ

내신 유형 익히기　174~177쪽

01 ③　02 ⑤　03 ⑤　04 ⑤　05 ②　06 ⑤　07 ④　08 ⑤　09 ①　10 ①　11 ⑤　12 ④　13 ④　14 ③　15 해설 참조　16 해설 참조

01 식민지 도시화

개항 이후 근대 문물이 도입되고 인구가 증가하면서 도시화가 이루어졌다. 식민지 도시는 민족 문제와 빈부 격차라는 문제를 지녔다.

오답 피하기

③ 신흥 도시들은 식민지 공업화 정책의 영향으로 신흥 도시들이 성장하였다.

02 일제 강점기에 발전한 사상들

일제 강점기에는 민족의 독립 회복을 목표로 한 민족주의와 계급 투쟁을 통해 차별 없는 평등 사회 건설을 목표로 한 사회주의가 발전하였다.

오답 피하기

⑤ 제1차 세계 대전을 전후로 수용되고 발전하였다.

03 강주룡

강주룡은 1931년 평양 평원 고무 공장에 다니던 노동자로 공장 측의 부당한 임금 삭감과 해고에 맞서 을밀대라는 건축물 지붕 위에서 고공 시위를 했던 인물이다. 이 인물의 이야기는 당시 열악한 조선 노동자들의 상황을 잘 보여 준다.

04 원산 총파업

1929년 영국인 소유 문평 라이징 선 제유 회사에서 일본인 감독이 조선인 노동자를 구타한 것에 대한 저항으로 원산의 노동자들이 총파업을 일으킨 것이다. 원산 총파업의 소식이 국외에도 알려지자 프랑스, 중국, 소련 등 여러 국가의 노동자 단체들이 원산 총파업을 응원하는 전문을 보내 오기도 하였다.

오답 피하기

① 암태도 소작 쟁의는 1923년에 발생하였다.
② 3·1 운동을 계기로 일제의 통치 방식이 변화하였다.
③ 암태도 소작 쟁의에서 소작인들이 친일 지주 문재철에게 소작료 인하를 주장하였다.
④ 조선 형평사는 수평사와 연대하여 차별없는 세상을 만들고자 하였다.

05 근우회의 활동

1927년 여러 여성 단체를 통합하여 탄생한 근우회는 조선 여자의 단결과 지위 향상을 추구하는 여성 단체이면서, 민족 통합 운동의 결과 탄생한 신간회의 자매 단체로 신간회와 행보를 같이하기도 하였다.

오답 피하기

ㄴ. 민립 대학 설립 운동은 조선 민립 대학 설립 기성회가 주도하였다.
ㄹ. 조선 형평사에 대한 설명이다.
ㅁ. 1932년부터 일제에 의해 실시된 농촌 운동이다.

06 형평 운동

일제 강점기에 들어서도 개선되지 않는 백정에 대한 차별을 철폐하고자 1923년 진주에서 조선 형평사라는 단체가 조직되었다.

오답 피하기

① 천주교, ② 자치론자들의 활동이다.
③ 물산 장려 운동에 대한 설명이다.
④ 의열단에 대한 설명이다.

07 천도교

천도교는 『개벽』을 창간하여 문화 운동에 주력하는 한편, 농민·청년·소년·여성 운동 등 대중 운동을 적극적으로 전개하였다.

오답 피하기

①, ⑤ 대종교에 대한 설명이다.
② 의민단은 천주교 신자들을 중심으로 조직된 항일 무장 단체이다.
③ 근검 절약 등을 내세운 새생활 운동은 원불교를 중심으로 전개되었다.

08 대종교

대종교는 단군을 모시는 민족 종교이다. 대종교 신자들을 중심으로 만주에서 중광단이라는 항일 무장 단체가 조직되기도 하였다.

오답 피하기

① 천도교, ② 개신교, ③ 천주교, ④ 원불교에 대한 설명이다.

09 물산 장려 운동, 형평 운동, 소년 운동

(가)는 조선 물산 장려 운동, (나)는 형평 운동, (다)는 소년 운동에 관한 내용이다.

오답 피하기

①은 국채 보상 운동에 대한 설명이다.

10 일제 강점기 문학·예술 활동

3·1 운동을 계기로 다양한 문예 사조가 등장하였고, 1920년대 중반에는 신경향파 문학이 등장하였다. 1930년대에는 순수 문학 경향이 나타나고 이육사·윤동주 등은 저항 의식을 담은 문학을 발표하였다. 일부 예술가들은 친일적 성향을 띠며 일제의 정책을 찬양하였다.

오답 피하기

① 심훈은 「그날이 오면」과 같은 문학 작품을 남겼다.

11 1920년대 이후 문학·예술계의 경향

1920년대에는 토월회가 신극 운동을 전개하였고, 사회주의 영향을 받아 카프가 조직되면서 신경향파 문학이 등장하였다. 1930년대 이후에는 식민 통치에 대한 저항을 드러내는 저항 문학이 등장하였지만, 일제의 침략을 미화하는 작품 활동을 하는 작가도 생겨났다.

오답 피하기

⑤ 최남선이 쓴 「해에게서 소년에게」는 1908년에 발표한 것이다.

12 백남운의 『조선사회경제사』

일제는 조선에는 중세 봉건 사회가 존재하지 않았다는 정체성론을 내세워 일본의 식민 지배를 정당화하고자 하였다. 백남운은 『조선사회경제사』를 저술하여 한국사도 서양이나 일본처럼 '고대 노예제 사회, 중세 봉건 사회, 근대 자본주의 사회'를 거치며 중세 봉건 사회가 발전하였다고 하였다. 이로써 백남운은 한국은 봉건 사회를 거치지 못해 스스로 근대화할 수 없다는 식민 사관의 정체성론을 반박하였다.

오답 피하기

① 박은식에 대한 설명이다.

② 실증주의 사학을 추구하였던 이병도에 대한 설명이다.

③ 정인보, 안재홍 등이 해당한다.

⑤ 신채호에 대한 설명이다.

13 신채호

제시한 글은 신채호가 주장한 것이다. 국외에서 독립운동에 몸바쳐 활동한 신채호는 민족주의 사학을 발전시켰으며, 역사를 '아(我)와 비아(非我)의 투쟁'으로 표현하였다. 그는 상고사와 문화사를 강조하며, 『조선사연구초』, 『조선상고사』 등을 통해 외세 침략에 맞선 선조들의 활동을 주체적으로 그려냈다.

오답 피하기

ㄱ. 조선 총독부는 조선사 편수회를 설치해 한국의 역사를 왜곡하여 정리한 『조선사』를 편찬하였다.

ㄷ. 백남운은 『조선사회경제사』를 저술하여 한국사가 세계사의 보편적 발전 과정을 걸어 왔음을 주장하였다.

14 조선어 학회

조선어 연구회를 개칭한 단체로, 「한글 맞춤법 통일안」 등을 발표하며 표준어를 제정하였다. 이를 기초로 『조선말(우리말) 큰사전』의 편찬 작업에 착수하였다. 그러나 원고가 거의 완성되었을 무렵, 일제가 조작한 조선어 학회 사건으로 인해 중단되었다. 광복 이후 경성역 창고에서 『조선말 큰사전』의 원고가 발견되었고 조선어 학회를 계승한 한글 학회에 의해 완성되어 『우리말 큰사전』으로 발행되었다.

오답 피하기

① 천도교 소년회에 관한 설명이다.

② 신민회에 관한 설명이다.

④ 조선어 연구회에 대한 설명이다.

⑤ 신간회에 대한 설명이다.

15 신여성들의 활동

1920년대 이후 신식 교육을 받고 사회에 진출하는 '신여성'이 본격적으로 등장하였다. 신여성들은 여성의 사회적 지위 향상과 여성 해방을 목표로 한 사회 운동도 주도하였다. 초기에는 주로 여성 교육과 계몽을 중시하는 단체들이 성립되었으며, 1924년 이후에는 사회주의 계열을 중심으로 여성 해방을 강조하는 단체들이 조직되었다.

모범답안 | 신여성들은 조혼, 축첩, 강제 결혼 등을 여성 억압의 상징으로 여겨 이를 비판하고, 여성들의 교육·경제권뿐만 아니라 자유 연애, 자유 결혼을 주장하였다.

채점 기준	
상	신여성들의 주장을 구체적으로 두 가지 이상 제시한 경우
중	신여성들의 주장을 한 가지만 제시한 경우
하	신여성들의 주장을 제시하지 못한 경우

16 사회 경제 사학

밑줄 친 내용은 일제의 식민 사관 중 정체성론에 해당한다. 백남운은 마르크스 유물 사관의 영향을 받아 사회 경제 사학을 내세워 식민 사관의 주장을 비판하였다.

모범답안 | 백남운 등 사회 경제 사학자들은 유물 사관의 입장에서 한국의 역사가 세계 여러 나라와 마찬가지로 보편적인 법칙에 따라 발전하였다고 보았다. 백남운은 이러한 논리를 바탕으로 『조선사회경제사』를 저술하여 식민 사관의 정체성론을 비판하였다.

채점 기준	
상	사회 경제 사학을 명시하고, 사회 경제 사학의 내용을 바탕으로 구체적으로 서술한 경우
중	사회 경제 사학을 명시하였으나, 사회 경제 사학의 내용을 구체적으로 서술하지 못한 경우
하	사회 경제 사학의 명칭과 내용을 모두 서술하지 못한 경우

5 전시 동원 체제와 민중의 삶

간단 체크

179쪽 대동아 공영권　181쪽 ×　183쪽 ○

개념 익히기

184쪽

01 (1) × (2) ○ (3) ○ (4) ○　02 (1) 대동아 전쟁 (2) 내선일체 (3) 일본군 '위안부' (4) 국가 총동원법　03 a-ㄴ, b-ㄷ, c-ㄱ　04 ㄷ, ㄹ

내신 유형 익히기

184~186쪽

01 ④　02 ④　03 ③　04 ②　05 ⑤　06 ④　07 ④　08 ⑤　09 해설 참조　10 해설 참조

01 1930~40년대 일제의 식민 지배 정책

애국반은 1938년 국민정신 총동원 조선 연맹의 말단 조직이다. 이 시기 일제 식민 지배 정책을 민족 말살 정책(황국 신민화 정책)이라고 부른다. 대표적 사례로 황국 신민 서사 암기 등이 있다.

오답 피하기

①, ②, ⑤ 1910년대 정책이다. ③ 치안 유지법은 1925년에 발표되었다.

02 하와이의 한인 활동

1903년부터 한인의 하와이 이주가 시작되었다. 1941년 재미 독립운동 단체들이 연합하여 하와이 호놀룰루 지역에서 재미 한족 연합 위원회를 결성하여 재정적으로 독립운동을 지원하였다.

03 중앙아시아 강제 이주

1937년 스탈린의 강제 이주 정책에 따라 연해주의 한인들이 강제로 중앙아시아로 이주하였다. 많은 한인들이 중앙아시아라는 낯선 땅에서 고향으로 돌아가지 못한 채 고난을 겪어야 하였다.

04 국가 총동원법

일제는 침략 전쟁에 필요한 인적, 물적 자원 수탈을 위해 1938년 국가 총동원법을 발표하였다.

오답 피하기

ㄴ. 원산 총파업은 1929년에 발생하였다. ㄷ. 1910년대 모습이다.

05 공출 제도

공출 제도는 중·일 전쟁 이후 물자 부족으로 인해 실시된 정책이다. 일제는 태평양 전쟁 이후 식량뿐만 아니라 무기 제조에 필요한 각종 금속도 공출하였다.

06 민족 말살 정책

일제는 침략 전쟁을 확대하면서 민족의식을 말살하여 침략 전쟁에 본격적으로 동원하고자 하였다.

오답 피하기

④ 회사령 내용이 허가제에서 신고제로 전환된 것은 1920년이다.

07 국민 징용령

일제는 1938년 국가 총동원법을 발표한 뒤, 1939년 국민 징용령을 발표해 침략 전쟁에 필요한 노동력을 착취하고자 하였다.

08 1940년대의 모습

일제는 1938년 지원병제, 1943년 학도 지원병제, 1944년에는 징병제를 실시하여 침략 전쟁에 필요한 인적 자원을 수탈하였다.

오답 피하기

① 1926년, ② 1929년에 발생하였다. ③ 민립 대학 설립 운동은 1920년대 초에 시작되었고, ④ 1910년대 무단 통치 시기의 모습이다.

09 일상적 궁핍에 빠진 한국인들

모범답안 | 일제는 식량 배급을 줄이고 하루에 죽한 그릇 먹기 운동, 절미 운동 등을 벌여 한국인의 희생을 강요하였고, 만주에서 비료로 사용되던 콩깻묵을 식용으로 배급하였다. 또한 일제는 가정의 놋그릇 등 금속을 강제로 공출하였다. 소비도 통제하여 한국인들은 생필품을 구하기가 힘들어졌고 암거래가 증가하여 물가가 치솟았다.

채점 기준	
상	식량 배급량 감소와 소비 통제 등의 내용을 구체적으로 두 가지 이상 서술한 경우
중	식량 배급량 감소와 소비 통제 등의 내용을 구체적으로 한 가지만 서술한 경우
하	한국인의 희생 내용을 서술하지 못한 경우

10 식민지 공업화의 영향

모범답안 | 일제의 식민지 공업화는 주로 대륙과 가깝고 지하자원을 확보하기 쉬운 한반도 북부에서 이루어졌다. 일제의 공업화 정책으로 중화학 분야가 북부 지방에 편중되면서, 광복 이후 남북 간, 산업 분야 간의 불균형이 심해졌다.

채점 기준	
상	식민지 공업화에 따른 산업 분야 간, 지역 간 산업 불균형의 원인을 모두 서술한 경우
중	식민지 공업화에 따른 산업 분야 간, 지역 간 산업 불균형의 원인 중 하나만을 서술한 경우
하	식민지 공업화가 광복 이후 산업에 미친 영향을 서술하지 못한 경우

6 광복을 위한 노력

간단 체크

189쪽 ○ 191쪽 ×

개념 익히기 192쪽

01 (1) ○ (2) × (3) ○ (4) × 02 (1) 한국 광복군 (2) 조선 의용군 (3) 삼균주의 (4) 조선 건국 동맹 03 a-ㄴ, b-ㄷ, c-ㄱ 04 ㄱ, ㄴ

내신 유형 익히기 192~194쪽

01 ② 02 ④ 03 ③ 04 ④ 05 ③ 06 ④ 07 ④ 08 ④ 09 ⑤ 10 ① 11 (1) 한국 광복군 (2) 해설 참조 12 (1) 해설 참조 (2) 해설 참조

01 조선 의용대

자료는 1938년 발표된 조선 의용대 성립 선언이다. 조선 의용대는 중국과 힘을 합쳐 일본 제국주의를 타도하는 것을 목표로 하였다. 조선 의용대는 주로 후방 공작 활동과 일본군에 대한 심리전에서 활약하였다.

02 대한민국 임시 정부

대한민국 임시 정부는 1940년대 충칭에 자리 잡으며 한국 독립당을 창당하고, 한국 광복군을 창설하여 형식상 정부, 정당, 군대를 모두 갖추게 되었다. 이를 바탕으로 대한민국 임시 정부는 1941년 일본에 선전 포고를 하였다.

오답 피하기

① 동아일보에 대한 설명이다. ②, ⑤ 조선 독립 동맹에 대한 설명이다. ③ 의열단에 대한 설명이다

03 조소앙

조소앙은 개인, 민족, 국가 간의 균등함을 실현하기 위해 정치, 경제, 교육의 균등함이 필요하다는 삼균주의를 주장하였다. 삼균주의는 대한민국 임시 정부 선국 강령의 바탕이 되었다.

04 항일을 위한 한·중 연합 작전 전개

중·일 전쟁이 일어나자 중국 내 독립운동 세력은 이를 적극적인 항일 투쟁의 기회로 보았다. 대표적으로 조선 의용대와 한국 광복군은 중국 국민당 지원을 받으며 한·중 연대의 항일 작전을 전개하였다.

오답 피하기

① 지청천은 한국 광복군의 총사령관이었다.

② 조선 의용대는 한커우에서, 한국 광복군은 충칭 지역에서 조직되었다.

③ 대종교 신자들로 구성된 항일 무장 단체는 중광단이 대표적이다.

⑤ 국내 진공 작전을 계획한 것은 한국 광복군이다.

05 조선 건국 동맹

(가)에 들어갈 단체는 조선 건국 동맹이다. 조선 건국 동맹은 여운형을 중심으로 한 국내의 민족 지도자들이 1944년 비밀리에 결성한 단체이다. 1945년 광복 이후 조선 건국 준비 위원회로 전환되기 전까지 1년간 전국에 지방 조직을 만들고, 산하에 노동자, 농민, 청년 등 다양한 계층을 포함한 조직을 구성하였다.

06 조선 의용대

조선 민족 전선 연맹은 1938년 중국 국민당 정부의 지원을 받아 군사 조직인 조선 의용대를 조직하였다. 조선 의용대 일부 대원들은 더욱 적극적인 항일 투쟁을 위해 중국 공산당과 일제가 맞서고 있던 화베이 지역으로 이동하였다. 이들은 조선 의용대 화북 지대를 결성하여 중국 공산당 팔로군과 함께 호가장 전투와 반소탕전에서 활약하였다.

오답 피하기

① 1920년대 일본군이 간도의 한국인 마을을 공격하여 무차별 학살을 자행한 것이다.

② 조선 혁명군에 대한 설명이다.

③ 북로 군정서, 대한 독립군 등 만주에서 활동하던 독립군들에 대한 설명이다.

⑤ 한국 광복군에 대한 설명이다.

07 조선 독립 동맹

조선 독립 동맹은 중국 화베이 지방 옌안에서 한국인 사회주의자들을 중심으로 결성되었다. 산하에 조선 의용군을 두었으며, 일제의 패망을 대비하여 대한민국 임시 정부 건국 강령과 비슷한 내용의 건국 강령을 발표하기도 하였다. 이후 조선 독립 동맹을 이끌던 인물들은 대부분 북한 정권에 참여하였다.

08 카이로 회담

1943년 이집트 카이로에서 미국, 영국, 중국의 지도자들이 모여 상호 협력과 전후 처리에 대해 논의하였다. 여기에서 채택된 카이로 선언은 우리나라의 독립을 연합국이 최초로 보장하였다는 점에서 한국의 독립이 국제적으로 처음 약속되었다는 의미를 지닌다. 그러나 '적당한 시기(in due course)'라는 문구는 향후 많은 문제를 야기하였다.

오답 피하기

① 소련의 대일전 참전이 결의된 것은 1945년의 얄타 회담이다.

② 자유시 참변 당시 러시아 적군에 의해 독립군들이 무장 해제되었다.

③ 얄타 회담에서 미국, 영국, 소련의 지도자들이 모였다.

⑤ 1945년 7월에 개최된 포츠담 회담이다.

09 조선 의용대 화북 지대

조선 의용대 일부 대원들은 더욱 적극적인 항일 투쟁을 위해 중국 공산당과 일제가 맞서고 있던 화베이 지역으로 이동해 조선 의용대 화북 지대를 결성하였다. 이들은 중국 공산당의 팔로군과 함께 호가장 전투, 반소탕전 등에서 활약하였다.

오답 피하기

① 대한 광복회에 대한 설명이다.
② 동학 농민군에 대한 설명이다.
③ 의병 연합 부대인 13도 창의군에 대한 설명이다.
④ 대한민국 임시 정부에 대한 설명이다

10 한국 광복군

한국 광복군은 대한민국 임시 정부 산하 부대로 1940년 충칭에서 조직되었다. 영국군의 요청으로 인도·미얀마 전선에 파견되었으며, 미국 OSS와 함께 국내 진공 작전을 계획하였다. 그러나 모든 준비를 마치고 작전을 실행에 옮기기 직전, 일제가 연합군에 항복하면서 작전 계획을 실현하지 못하였다.

오답 피하기

② 대한 독립 의군부에 대한 설명이다.
③ 한인 애국단의 윤봉길에 대한 설명이다.
④ 의열단에 대한 설명이다.
⑤ 신간회에 대한 설명이다.

11 한국 광복군의 활동

밑줄 친 '이 단체'는 한국 광복군이다.

모범답안 | (2) 한국 광복군은 연합군과의 합동 작전에 주력하여 영국군의 요청에 따라 인도·미얀마 전선에서 일본군을 상대로 한 포로 심문, 정보 수집, 선전 활동 등을 수행하였다. 또한 중국에서 활동 중이던 미국 전략 정보국(OSS)의 지원을 받아 국내 진공 작전을 계획하였다.

채점 기준	
상	한국 광복군의 명칭과 한국 광복군의 활동을 구체적으로 두 가지 이상 서술한 경우
중	한국 광복군의 명칭과 한국 광복군의 활동을 구체적으로 한 가지만 서술한 경우
하	한국 광복군의 명칭과 한국 광복군의 활동을 서술하지 못한 경우

12 대한민국 임시 정부의 대한민국 건국 강령

자료의 건국 강령을 발표한 단체는 대한민국 임시 정부이다.

모범답안 | (1) 1940년 충칭에 자리 잡은 대한민국 임시 정부는 헌법을 개정해 김구 중심의 지도 체제를 마련하였고, 중국 국민당의 지원을 받아 한국 광복군을 창설하였다. 또한 태평양 전쟁이 발발하자 대일 선전 성명서를 발표하여 국제 사회에 대한민국 임시 정부 승인 및 한국 독립을 요구하는 외교 활동을 펼쳤다.

채점 기준	
상	대한민국 임시 정부 명칭과 1940년대 활동을 두 가지 구체적으로 서술한 경우
중	대한민국 임시 정부 명칭과 1940년대 활동을 한 가지 구체적으로 서술한 경우
하	대한민국 임시 정부 명칭과 1940년대 활동을 서술하지 못한 경우

모범답안 | (2) 건국 강령의 바탕이 된 사상은 조소앙이 제창한 삼균주의이다. 삼균주의는 개인과 개인, 민족과 민족, 국가와 국가 간의 균등함을 추구하였다. 이를 위해 구체적으로 한 나라 안에서 보통 선거를 통한 정치의 균등, 생산 기관의 국유화를 통한 경제의 균등, 의무 무상 교육을 통한 교육의 균등이 필요하다고 보았다.

채점 기준	
상	삼균주의의 명칭과 삼균주의 내용인 세 가지 균등함에 대해 모두 서술한 경우
중	삼균주의의 명칭은 서술하였으나, 세 가지 균등함에 대해 다소 부족하게 서술한 경우
하	삼균주의의 명칭과 세 가지 균등함에 대해 모두 서술하지 못한 경우

내신 만점 도전하기

196~199쪽

01 ④ 02 ② 03 ① 04 ③ 05 ① 06 ③ 07 ④ 08 ⑤
09 ① 10 ① 11 ⑤ 12 ③ 13 ⑤ 14 ⑤ 15 해설 참조
16 (1) 삼균주의 (2) 해설 참조

01 무단 통치

밑줄 친 시기의 모습은 헌병 경찰을 앞세운 무단 통치 시기이다. 1910년대 일제는 헌병 경찰 제도를 바탕으로 강압적인 무단 통치를 실시하였다.

02 토지 조사 사업

(가) 정책은 토지 조사 사업이다. 토지 조사 사업의 목적은 지세 수입을 늘려 식민지 지배의 경제적 기반을 확보하고, 나아가 일본인이 쉽게 토지에 투자할 수 있게 하려는 데 있었다.

오답 피하기

②는 대한제국 시기 양전·지계 사업에 대한 설명이다.

03 치안 유지법

1925년 제정된 치안 유지법은 사회주의자뿐만 아니라 민족 운동가들을 탄압하는 데에 활용되었다. 이 시기에 산미 증식 계획이 이루어졌다.

04 산미 증식 계획

(가)는 산미 증식 계획이다. 산미 증식 계획은 일제의 산업화에 따른 쌀 부족 및 쌀 가격 상승 문제를 해결하기 위해 조선을 식량 공급 기지로 삼고자 한 정책이다.

05 1910년대 비밀 결사

(가)는 대한 광복회로, 공화정 수립을 목표로 1915년 대구에서 조직한 비밀 결사 단체였다. 이 단체는 의병 계열과 애국 계몽 운동 계열이 모여 결성되었다.

오답 피하기

②, ⑤ 대한 독립 의군부이다. ③ 의열단에 대한 내용이다. ④ 홍범도가 이끄는 대한 독립군 등의 활동이다.

06 3·1 운동

(가)는 3·1 운동이다. 3·1 운동은 국외에서도 이어졌고, 1920년대 일제의 통치 방식이 변화하는 계기 중 하나였다.

오답 피하기

ㄱ. 신민회가 독립운동 기지를 건설하는 데 앞장섰다.

ㄹ. 광주 항일 학생 운동에 대한 설명이다.

07 대한민국 임시 정부

대한민국 임시 정부는 독립운동 자금을 마련하기 위해 독립 공채를 발행하거나 의연금을 거두었다.

오답 피하기

ㄷ. 한성 정부의 법통을 계승하였다. ㅁ. 국무총리에 이동휘를 선출하였다.

08 북로 군정서

김좌진이 이끌던 북로 군정서군은 만주의 다른 독립군 부대와 연합하여 청산리 전투 등에서 일본군을 크게 무찔렀다.

09 한·중 연합

(가)는 한국 독립군 (나)는 조선 혁명군으로 두 독립군 부대는 모두 만주 지역에서 중국군과 연합하여 항일 작전을 전개하였다.

오답 피하기

② 조선 혁명군에 해당한다.

③ 자유시 참변에 대한 설명이다.

④ 만주 지역의 각 독립군 부대에 해당한다.

⑤ 한국 광복군에 관한 설명이다.

10 물산 장려 운동

제시된 자료는 물산 장려 운동 취지서이다.

오답 피하기

①은 국채 보상 운동에 관한 설명이다.

11 광주 학생 항일 운동

'이 운동'은 광주 학생 항일 운동으로, 한·일 학생 간의 충돌에서 비롯하였다. 신간회에서는 조사단을 파견하여 광주 학생 항일 운동을 지원하고자 하였다.

12 1930년대 농민 운동

1930년대 농민 운동은 혁명적 농민 조합을 중심으로 비합법적인 폭력 투쟁 방식으로 전개되었으며, 생존권 투쟁에서 항일 투쟁적 성격까지 띠게 되었다.

13 형평 운동

자료의 사칙을 내건 단체는 조선 형평사이다. 조선 형평사는 백정에 대한 사회적 차별 철폐를 주장하는 형평 운동을 펼쳤다.

14 국가 총동원법

'이 법'은 1938년에 제정된 국가 총동원법이다. 이 법에 의거하여 일제는 전쟁에 필요한 물자와 인력을 수탈하였다.

15 대한민국 임시 정부의 군사 활동

(가) 단체는 대한민국 임시 정부가 발표한 대일 선전 포고 성명서이다.

모범답안 | 1940년대 대한민국 임시 정부는 충칭에 자리 잡고 한국 독립당을 창당하고 한국 광복군을 결성하는 등 정당과 군대 등의 조직을 갖추고, 중국 국민당 정부와 연대하여 항일 작전을 펼치고자 노력하였다.

채점 기준	
상	대한민국 임시 정부의 명칭과 활동을 두 가지 서술한 경우
중	대한민국 임시 정부의 명칭과 활동을 한 가지만 서술한 경우
하	대한민국 임시 정부의 명칭과 활동을 모두 서술하지 못한 경우

16 대한민국 임시 정부와 조선 건국 동맹의 건국 강령

모범답안 | (1) (가)는 대한민국 임시 정부의 건국 강령으로, 조소앙의 삼균주의가 바탕이 되었다. 삼균주의는 정치, 경제, 교육의 균등을 통해 개인과 개인의 균등을 실현하고, 이를 토대로 민족과 민족, 국가와 국가의 균등을 추구하자는 주장이었다.

모범답안 | (2) (나)는 조선 건국 동맹의 건국 강령으로, 대한민국 임시 정부의 건국 강령과 공통적 내용은 보통 선거를 통한 민주주의 정부 수립, 토지와 생산 기관의 국유화, 의무 교육 시행 등이다.

채점 기준	
상	(가), (나)의 공통적인 내용을 두 가지 모두 서술한 경우
중	(가), (나)의 공통적인 내용을 한 가지 서술한 경우
하	(가), (나)의 공통적인 내용을 서술하지 못한 경우

대주제4 대한민국의 발전

1 8·15 광복과 통일 정부 수립을 위한 노력

간단 체크

203쪽 ○ 205쪽 중도

개념 익히기 206쪽

01 (1) × (2) ○ (3) ○ (4) × 02 (1) 냉전 (2) 모스크바 3국 외상 회의 (3) 좌익 03 a-ㄷ, b-ㄱ, c-ㄴ 04 ㄴ, ㄹ

내신 유형 익히기 206~207쪽

01 ④ 02 ④ 03 ⑤ 04 ⑤ 05 ① 06 해설 참조 07 (1) 대한민국 임시 정부 (2) 해설 참조

01 38도선 설정

38도선은 미국과 소련이 한반도를 분할 점령하는 과정에서 군사적 편의를 위해 설정한 경계선에 불과하였다. 그러나 냉전이 심화되면서 남북을 가르는 경계선이 되고 말았다.

오답 피하기

④ 38도선을 먼저 제안한 것은 미국이었다.

02 미국의 한반도 정책

제시된 자료는 미군정청의 기본 정책을 잘 보여 주고 있다. 미군정청은 38도선 이남 지역에 대한 직접 통치를 선포하고, 통치의 편의를 위해 조선 총독부 체제를 그대로 유지하였다. 이에 따라 8·15 광복 직후 자발적으로 각지에 설치된 인민 위원회는 강제로 해산되거나 영향력을 상실하였다.

오답 피하기

ㄱ. 소련은 38도선 이북 지역에 간접 통치로 영향력을 행사하였다.

ㄷ. 김일성은 소련의 도움에 힘입어 정치적 실권을 장악할 수 있었다.

03 조선 건국 준비 위원회의 활동

8·15 광복 직후 여운형, 안재홍 등이 결성한 조선 건국 준비 위원회는 전국적으로 지부를 설치하고, 행정과 치안을 담당하는 등 국가 건설 운동을 전개하였다. 또한 미군이 한반도에 진주하기 전에 서둘러 조선 인민 공화국으 수립을 선포하였다.

오답 피하기

⑤ 조선 건국 준비 위원회는 미군이 한반도에 진주하기 전에 결성되었다.

04 모스크바 3국 외상 회의

8·15 광복 직후 개최된 모스크바 3국 외상 회의에서 미국, 영국, 소련은 한반도 문제에 관해 임시 민주주의 정부 수립, 미·소 공동 위원회 설치, 신탁 통치 실시 등의 결정 사항을 발표하였다.

오답 피하기

⑤ 중도 세력은 신탁 통치는 반대하였지만, 미·소 공동 위원회에 협조할 것을 주장하였다.

05 통일 정부 수립

제1차 미·소 공동 위원회가 결렬되자, 미군정청은 중도 세력이 추진한 좌우 합작 운동을 후원하였다. 좌우 합작 운동은 미·소 대립이 심화되는 가운데 좌익, 우익 모두 소극적인 태도를 보여 큰 성과를 거두지 못하고, 결국 실패로 끝나고 말았다.

오답 피하기

② 유엔 소총회는 선거가 가능한 지역에서 총선거 실시를 결의하였다.

③ 남북 협상에 대해 미군정청과 우익 세력은 반대 입장을 표명하였다.

④ 제주 4·3 사건은 남한 단독 선거에 반대하며 일어난 사건이다.

⑤ 제1차 미·소 공동 위원회가 결렬된 후 이승만이 정읍 발언을 주장하였다.

06 미군정청의 기본 정책

모범답안 | 미군정청은 38도선 이남 지역에 대한 직접 통치를 선포하고, 통치의 편의를 위해 조선 총독부 체제를 그대로 유지하였다. 친일파는 큰 제한없이 활동할 수 있었고, 정부 수립 이후 친일파 청산이 제대로 이루어지지 못하는 데 큰 영향을 미쳤다.

채점 기준	
상	미군정청의 기본 정책이 친일파 청산에 미친 영향을 명확하게 서술한 경우
중	미군정청의 기본 정책이 친일파 청산에 미친 영향을 서술하였으나, 사실 관계가 어긋난 점이 있는 경우
하	미군정청의 기본 정책과 친일파 청산을 연관 지어 서술하지 못한 경우

07 모스크바 3국 외상 회의 결정 사항

모범답안 | (2) 우익 세력은 모스크바 3국 외상 회의 결정 사항 중 신탁 통치는 또다른 식민 지배라고 간주하였으며, 이는 카이로 선언과 포츠담 선언에서 약속한 한국의 독립을 포기하는 것이라고 받아들였다.

채점 기준	
상	우익 세력이 모스크바 3국 외상 회의 결정 사항을 반대하였던 이유를 명확하게 서술한 경우
중	우익 세력이 모스크바 3국 외상 회의 결정 사항을 반대하였던 이유를 서술하였으나, 사실 관계가 어긋난 경우
하	우익 세력이 모스크바 3국 외상 회의 결정 사항을 반대하였던 사실을 서술하지 못한 경우

2 대한민국 정부의 수립

간단 체크

209쪽 국회 211쪽 반민족 행위 특별 조사 위원회(반민 특위)

개념 익히기  212쪽

01 (1) ○ (2) × (3) ○ (4) × 02 (1) 5·10 총선거 (2) 소련 (3) 반민족 행위 처벌법(반민법) (4) 3 03 a-ㄷ, b-ㄴ, c-ㄱ 04 ㄱ, ㄷ, ㄹ

내신 유형 익히기  212~213쪽

01 ④ 02 ⑤ 03 ② 04 ⑤ 05 ⑤ 06 (1) 반민족 행위 처벌법(반민법) (2) 해설 참조 07 (1) 농지 개혁 (2)해설 참조

01 5·10 총선거

제시된 자료는 5·10 총선거 결과 정당별 의석 분포를 나타낸 것이다. 미·소 공동 위원회가 결렬된 이후 유엔 총회와 유엔 소총회의 결의를 거쳐 마침내 5·10 총선거가 실시되었다.

오답 피하기

① 5·10 총선거 결과에 따라 제헌 국회가 구성되었고, 여기에서 제헌 헌법이 마련되었다.

② 이승만이 정읍 발언에서 선거에 관해 구체적으로 언급하지는 않았다.

③ 좌우 합작 7원칙에는 선거 실시에 관한 내용이 없다.

⑤ 모스크바 3국 외상 회의 결정 사항에는 선거와 관련된 내용이 없다.

02 제헌 헌법

5·10 총선거를 통해 구성된 제헌 국회는 국호를 '대한민국'으로 정하고, 삼권 분립에 바탕을 둔 헌법을 공포하였다. 헌법은 대한민국이 3·1 운동으로 수립된 대한민국 임시 정부의 법통을 계승하였으며, 국민 주권에 바탕을 둔 민주 공화국임을 명시하였다.

오답 피하기

⑤ 대통령과 부통령은 국회에서 간선제 방식으로 선출하도록 하였다.

03 북한 정권의 수립

북조선 임시 인민 위원회를 계승한 북조선 인민 위원회는 조선 인민군 창설, 헌법 초안 확정 등의 정책을 실시하였다. 북한은 대한민국 정부가 수립되자 곧이어 조선 민주주의 인민 공화국의 수립을 선포하였다.

오답 피하기

①, ③ 조선 건국 준비 위원회는 미군의 한반도 진주에 앞서 이승만을 주석으로 한 조선 인민 공화국의 수립을 선포한 바 있다.

④ 북조선 임시 인민 위원회는 친일파 청산, 토지 개혁 등을 실시하였다.

⑤ 조선 민주주의 인민 공화국은 북한의 정식 국호이다.

04 반민 특위 활동

제시된 자료는 제헌 국회에서 제정한 반민족 행위 처벌법(반민법) 가운데 일부이다. 반민 특위 활동은 1949년 1월부터 본격적으로 시작되었다. 그러나 국회가 반민법의 시효를 단축하는 개정법을 통과함에 따라 반민 특위 활동은 큰 성과를 내지 못하였다.

오답 피하기

ㄱ. 북한에서는 8·15 광복 직후 전격적으로 친일파를 청산하였다.

ㄹ. 반민 특위 활동은 당시 국민들의 전폭적인 지지를 받으며 추진되었다.

05 농지 개혁

제시된 그래프는 농지 개혁의 결과를 정리한 것이다. 광복 후 친일파 청산과 함께 토지 개혁은 국민 대다수가 요구하는 개혁 과제였다. 제헌 국회는 토지 개혁의 법률적 근거로 농지 개혁법을 제정하였고, 이승만 정부는 이를 바탕으로 농지 개혁을 실시하였다.

오답 피하기

⑤ 농지 개혁은 정부 수립 이후에 추진되었다.

06 반민 특위 활동

모범답안 | (2) 반민 특위 활동에 대해 이승만 정부는 친일파 청산보다는 반공이 우선이라는 주장을 펴며 공개적으로 반대 입장을 폈다. 특히, 친일 경력자가 다수 포함되어 있던 경찰은 반민 특위 사무실을 습격하는 등 방해 공작을 펴 결국 국민들의 기대와는 달리 반민 특위 활동은 큰 성과를 거두지 못하였다.

채점 기준	
상	반민 특위 활동과 이승만 정부의 반공 우선 논리를 연관 지어 명확하게 서술한 경우
중	반민 특위 활동과 이승만 정부의 반공 우선 논리를 연관 지어 서술하였으나, 사실 관계가 어긋난 경우
하	반민 특위 활동과 이승만 정부의 반공 우선 논리를 연관 지어 서술하지 못한 경우

07 농지 개혁

모범답안 | (2) 이승만 정부는 토지 소유 상한선을 3정보로 설정하고, 초과 토지는 정부가 유상 매입하여 농민에게 유상 분배하는 방식으로 농지 개혁을 실시하였다. 그 결과 지주 계급이 소멸하고, 토지 소유 불균등으로 인한 사회적 갈등이 상당 부분 해소되어 사회 안정에 큰 도움이 되었다.

채점 기준	
상	농지 개혁의 의의를 토지 소유 관계를 중심으로 명확하게 서술한 경우
중	농지 개혁의 의의를 토지 소유 관계를 중심으로 서술하였으나, 사실 관계가 어긋난 경우
하	농지 개혁의 의의와 토지 소유 관계를 연관 지어 서술하지 못한 경우

3 6·25 전쟁과 남북 분단의 고착화

간단 체크

215쪽 유엔군　217쪽 ○

개념 익히기 　218쪽

01 (1) ○ (2) ○ (3) ×　02 (1) 중국 (2) 휴전선 (3) 민간인 (4) 북한　03 a-ㄱ, b-ㄷ, c-ㄴ　04 ㄴ, ㄷ

내신 유형 익히기　218~219쪽

01 ⑤　02 ③　03 ①　04 ②　05 ④　06 ④　07 (1) 애치슨 라인(미국 극동 방위선) (2) 해설 참조　08 (1) 비무장 (2) 해설 참조

01 6·25 전쟁 무렵의 국내외 정세

동아시아의 냉전적 대립이 심해지는 가운데 미국은 일본을 반공 기지로 삼아 공산주의 세력에 적극적으로 대응하는 전략을 추진하였다. 미국 국무장관 애치슨은 1950년 1월 의회 연설에서 애치슨 라인이라고 불리는 성명을 발표하였다. 이 성명에는 미국의 극동 방위선에서 한국, 타이완을 제외한다는 내용이 담겨 있어 큰 혼란을 불러일으켰다.

오답 피하기

⑤ 일본은 애치슨 라인에 포함되어 있었다.

02 6·25 전쟁의 전개 과정

6·25 전쟁 발발 초기에는 북한 인민군이 우세하였다. 인천 상륙 작전을 계기로 전세를 역전시켜 10월 말에는 압록강 일대까지 진출하였다. 그러나 중국군의 참전으로 전세는 재역전되어 서울을 다시 빼앗겼다(1·4 후퇴). 서울 재수복 이후 양측은 오늘날 휴전선 일대를 중심으로 공방전을 지속하였다.

03 정전 협정 체결

소련의 제안으로 시작된 정전 교섭은 2년 가까이 진행되었다. 정전 회담의 주요 쟁점은 군사 분계선 설정과 포로 송환 문제였다. 군사 분계선을 두고 중국과 북한은 38도선을 주장하였으나, 정전 회담 당시의 접촉선을 주장한 미국의 요구가 받아들여져 오늘날의 휴전선으로 확정되었다.

04 6·25 전쟁의 영향

(가) 일본은 6·25 전쟁 특수로 경제 성장을 이루었고, 치안 유지를 명분으로 자위대를 조직하였다. (나) 중국은 6·25 전쟁을 치르면서 유엔군과 대등한 군사력을 보여줌으로써 국제 사회에서 발언권을 높일 수 있었다.

05 미국의 경제 원조

전후 복구 사업에서 미국의 경제 원조는 큰 역할을 하였다. 미국은 한국에 대규모로 원조 물자를 제공하였고, 이승만 정부는 이를 민간에 매각하여 재정을 확보하였다. 이를 대충 자금이라고 부르는데, 주로 미국산 무기 구입, 군대 유지 등 국방 분야에 널리 사용되었다.

오답 피하기

④ 한국은 당시 제조업의 토대가 제대로 갖추어져 있지 않았다.

06 북한의 전후 복구 사업

북한은 전후 복구 사업을 전개하면서 개인 상공업 폐지, 부분적 사유제 폐지, 협동 농장 체제 구축 등의 조치들을 통해 사회주의 경제 체제를 확립하였다. 그러나 중공업과 군수 산업 육성에 치중한 탓에 북한 주민의 생활 수준은 크게 나아지지 못하였다.

오답 피하기

ㄱ. 토지 개혁은 광복 직후 북조선 임시 인민 위원회의 주도로 실시되었다.

07 6·25 전쟁의 배경

모범답안 | (2) 미국 국무장관 애치슨은 1950년 1월에 한반도는 애치슨 라인, 곧 미국의 극동 방위선에서 제외된다고 선언하였다. 이는 북한 정권이 전쟁을 일으키면 어렵지 않게 이길 수 있다고 정세를 잘못 판단하는 데 큰 영향을 미쳤다.

채점 기준	
상	애치슨 선언이 북한 정권의 정세 판단에 미친 영향을 구체적으로 서술한 경우
중	애치슨 선언이 북한 정권의 정세 판단에 미친 영향을 서술하였으나, 사실 관계가 어긋난 경우
하	애치슨 선언과 북한 정권의 정세 판단을 연관 지어 서술하지 못한 경우

08 정전 협정 체결

모범답안 | (2) 정전 회담에서 유엔군 측과 공산군 측은 군사 분계선 설정 문제로 대립하였는데, 미국이 요구한 정전 회담 당시의 접촉선을 공산군 측이 수용함으로써 지금의 휴전선이 확정되었다. 포로 송환 방식도 양측이 쉽게 합의하지 못하였는데, 포로들의 자유로운 선택권을 존중하는 미국의 주장에 공산군 측이 대체로 동의함으로써 마침내 정전 협정이 체결되었다.

채점 기준	
상	군사 분계선 설정 문제, 포로 송환 방식 두 가지 모두 명확하게 서술한 경우
중	군사 분계선 설정 문제, 포로 송환 방식 두 가지 모두 서술하였으나, 사실 관계가 어긋난 경우
하	군사 분계선 설정 문제, 포로 송환 방식 가운데 한 가지만 서술한 경우

4 4·19 혁명과 민주화를 위한 노력

간단 체크

221쪽 ○ 223쪽 ○ 225쪽 미국

개념 익히기 226쪽

01 (1) × (2) ○ (3) × (4) ○ **02** (1) 국가 보안법 (2) 장면 (3) YH 무역 (4) 삼청 교육대 **03** a-ㄷ, b-ㄴ, c-ㄱ **04** ㄱ, ㄷ, ㄹ

내신 유형 익히기 226~228쪽

01 ① **02** ④ **03** ① **04** ③ **05** ② **06** ① **07** ① **08** ② **09** ④ **10** ② **11** ③ **12** ⑤ **13** (1) 브라운 각서 (2) 해설 참조 **14** (1) 사사오입 개헌 (2) 해설 참조

01 사사오입 개헌

제시된 자료는 이승만 정부의 사사오입 개헌과 관련된 것이다. 1950년 6·25 전쟁이 발발하기 직전에 실시된 제2대 국회 의원 선거 결과, 이승만 정부에 비판적인 의원들이 대거 당선되었다. 이에 이승만 정부는 6·25 전쟁 중인 1952년 5월 부산 정치 파동을 일으켜 공포 분위기를 조성하고 대통령 직선제를 핵심 내용으로 한 발췌 개헌을 통과시켰고, 이어 실시된 제2대 대통령 선거에서 이승만이 당선되었다.

오답 피하기

②, ④ 박정희 정부에 관한 설명이다.

③ 신군부 세력이 구성한 국가 보위 비상 대책 위원회가 주도하였다.

⑤ 경제 개발 5개년 계획을 처음으로 수립한 것은 장면 정부이고, 박정희 정부는 이를 구체화하여 실행에 옮겼다.

02 사사오입 개헌

대통령을 직선제로 선출하는 발췌 개헌 통과로 연임에 성공한 이승만은 장기 집권을 위해 대통령의 3선을 금지하는 내용의 헌법을 고치려 하였다. 당시 여당이었던 자유당이 1954년 개헌 당시의 대통령에 한해서 중임 횟수 제한을 없앤다는 내용의 개헌안을 제출하였다가 1표차로 개헌안이 부결되자, 자유당 정권은 수학의 반올림 곧 사사오입이라는 변칙적인 논리를 내세워 개헌안을 통과시켰다. 개정된 헌법에 따라 실시된 제3대 대통령 선거에서 이승만은 또 다시 대통령에 당선되었다.

오답 피하기

① 대통령 임기 단임제는 현행 헌법의 내용이다.

② 1952년 발췌 개헌으로 통과되었다.

③ 박정희 정부와 전두환 정부 때 시행되었다.

⑤ 4·19 혁명 이후 장면 내각 때에 해당한다.

03 이승만 정부의 독재 정치

제시된 포스터는 1956년 제3·4대 정·부통령 선거와 관련된 것이다. 무소속 대통령 후보였던 조봉암은 이승만의 북진 통일론에 맞서 평화 통일을 선거 구호로 내걸어 큰 지지를 받았다. 이에 위기의식을 느낀 이승만 정부는 조봉암을 국가 보안법 위반과 간첩죄를 씌워 사형을 집행하였다.

오답 피하기

② 3·15 부정 선거는 1960년 제4·5대 정·부통령 선거에 해당한다.

③ 국회 프락치 사건은 이승만 정부의 반민 특위 활동 방해에 해당한다.

④, ⑤ 박정희 정부에 해당한다.

04 박정희 정부의 성립

제시된 자료에서 '본인'은 5·16 군사 정변을 일으킨 박정희를 가리킨다. 이 시기의 대통령 중심제 정부를 제3 공화국이라고 부른다. 한·일 협정 체결, 베트남 파병 모두 박정희 정부가 추진한 정책이었다.

오답 피하기

ㄱ. 12·12 사태, ㄹ. 5·18 민주화 운동은 신군부 세력의 중심 인물이었던 전두환과 관련이 깊다.

05 한·일 국교 정상화

박정희 정부는 경제 개발에 필요한 자금 마련 등을 이유로 한·일 국교 정상화를 추진하였다. 미국도 반공을 위한 한·미·일 집단 안보 체제를 구축하기 위해 국교 정상화를 요구하였다. 1964년 박정희 정부가 일본 정부의 사과와 배상 없이 한·일 국교 정상화를 추진 중이라는 사실이 알려졌다. 이에 한·일 국교 정상화에 반대하는 6·3 시위가 전국적으로 일어났다.

오답 피하기

② 1969년 닉슨 독트린 발표 이후 냉전 체제가 완화되었다.

06 박정희 정부의 정책

제시된 자료는 박정희 정부 시기 베트남 파병을 기념하여 발행한 우표이다. 박정희 정부는 한·일 국교 재개, 베트남 파병 등을 통해 경제 개발에 필요한 자금을 확보하였다.

오답 피하기

②, ⑤ 전두환 정부, ③ 장면 내각, ④ 이승만 정부이다.

07 유신 체제의 성립

제시된 자료는 긴급 조치 1호 일부 내용이다. 긴급 조치는 유신 헌법의 대표적인 독소 조항으로서, 국민의 민주적 기본권을 크게 억압하는 내용이다.

오답 피하기

① 6·3 시위는 한·일 국교 재개에 반대하며 일어난 민주화 운동이다.

08 유신 헌법

1972년 국내외적으로 위기에 처한 박정희 정부는 비상 계엄을 선포한 다음, 안보와 통일 등을 명분으로 헌법 개정안(유신 헌법)을 내놓았다. 「유신 헌법」은 국민 투표를 거쳐 확정되었고, 박정희 정부는 유신 헌법에 반대하며 자유와 민주주의 제도 회복을 주장하는 사람들은 반정부 세력으로 규정하며 탄압하였다.

오답 피하기

② 유신 헌법에서 대통령 임기는 6년이었다.

09 유신 체제의 붕괴

제시된 자료는 1979년 YH 무역 사건 당시 농성 참가자들이 발표한 호소문의 일부이다. 1970년대 말 제2차 석유 파동으로 인한 경제적 어려움은 유신 체제에 대한 불만으로 이어졌다. YH 무역 사건을 계기로 1979년 10월 부산과 마산에서 유신 철폐와 독재 반대를 외치는 시위가 격렬하게 전개되었다.

오답 피하기

① 전두환 정부에서 취한 유화 정책의 일환이다.

② 1964년부터 1973년까지 베트남 전쟁에 국군을 파병하였다.

③ 이승만 정부 때 『경향신문』이 폐간되었다.

⑤ '서울의 봄'은 10.26 사태 이후 1980년 봄에 일어난 민주화 운동을 가리키는 말이다.

10 민주화 운동의 전개

(가)는 4·19 혁명, (나)는 5·18 민주화 운동, (다)는 6·3 시위와 관련된 자료이다. 이를 순서대로 배열하면 (가)-(다)-(나)이다.

11 민주화 운동의 전개

5·18 민주화 운동은 신군부 세력의 권력 장악에 반발한 사건이다. 4·19 혁명은 이승만 정부 시기, 6·3 시위는 박정희 정부 시기에 일어났다.

오답 피하기

ㄱ. 긴급 조치는 유신 헌법의 내용이다.

ㄹ. 4·19 혁명과 5·18 민주화 운동에 해당한다.

12 전두환 정부의 성립

제시된 내용은 모두 전두환 정부와 관련이 깊다. 전두환 정부는 유화 정책으로 야간 통행 금지 해제, 학원 자율화, 해외 여행 자유화, 프로 스포츠 도입 등의 정책을 실시하였다.

오답 피하기

①, ④ 박정희 정부, ② 이승만 정부와 관련 깊다.

③ 10·26 사태는 박정희가 측근에 의해 피살된 사건이다.

13 박정희 정부의 베트남 파병

모범답안 | (2) 박정희 정부는 경제 개발에 필요한 자금을 확보하기 위해 한·일 협정을 체결하고, 국민들의 반대를 무릅쓰고 베트남에 국군을 파병하였다. 미국은 베트남 파병의 대가로 브라운 각서를 통해 국군의 현대화, 경제 개발 지원 등을 약속하였다.

채점 기준	
상	베트남 파병의 목적과 브라운 각서의 내용을 연관 지어 명확하게 서술한 경우
중	베트남 파병의 목적과 브라운 각서의 내용을 연관 지어 서술하였으나, 사실 관계가 어긋난 경우
하	베트남 파병의 목적과 브라운 각서의 내용을 연관 지어 서술하지 못한 경우

14 주요 헌법 개정

모범답안 | (2) 1차 개헌, 2차 개헌, 5차 개헌, 7차 개헌은 공통적으로 민주주의 발전이나 사회 안정보다 집권 세력의 정치 권력을 강화하는 데 궁극적인 목적이 있었다. 이를 위해 편법을 동원하거나 위기 상황을 조성하는 일도 서슴지 않았다.

채점 기준	
상	제시된 개헌의 공통적인 목적을 집권 세력의 권력 강화라는 관점에서 명확하게 서술한 경우
중	제시된 개헌의 공통적인 목적을 집권 세력의 권력 강화라는 관점에서 서술하였으나, 사실 관계가 어긋난 경우
하	제시된 개헌의 공통적인 목적과 집권 세력의 권력 강화를 연관 지어 서술하지 못한 경우

5 경제 성장과 사회·문화의 변화

간단 체크

231쪽 3저 호황 233쪽 광주 대단지

개념 익히기  234쪽

01 (1) ○ (2) ○ (3) × 02 (1) 경제 개발 5개년 계획 (2) 정경 유착 (3) 근로 기준법 03 a-ㄱ, b-ㄷ, c-ㄴ 04 ㄴ, ㄷ, ㄹ

내신 유형 익히기

234~235쪽

01 ② 02 ② 03 ② 04 ③ 05 ③ 06 ④ 07 한국은 부족한 자본과 기술, 상품 시장 확보, 전반적인 경제 개발과 관련하여 미국의 지원을 받을 수 있었다. 08 (1) 노동자 대투쟁 (2) 1987년 6월 민주 항쟁으로 민주화의 열기가 높아졌다.

01 박정희 정부 시기의 경제 상황

박정희 정부는 962년부터 5년 단위로 총 4차례에 걸쳐 경제 개발 5개년 계획을 추진하였다. 경제 개발에 필요한 자금을 확보한다는 명분으로 베트남 파병을 결정하고 한·일 협정도 체결하였다. 또한 수출 주도형 경제 개발(저임금 정책)을 추진하였다. 이로 인해 농촌 인구는 급격하게 줄어들었고, 도시와 농촌의 소득 격차는 갈수록 심해졌다. 이에 1970년대부터 새마을 운동을 추진하여 농촌 생활 환경 개선과 소득 증대를 꾀하였다.

오답 피하기

① 회사령이 실시된 시기는 일제 강점기이다.
③ 금융 실명제는 김영삼 정부 시기부터 실시되었다.
④ 물산 장려 운동이 전개된 시기는 일제 강점기이다.
⑤ 미국과의 자유 무역 협정은 2012년 발효되었다.

02 한국 경제의 성장 과정

제시된 자료는 한국 경제의 성장 과정을 나타낸 연표이다. 제2차 석유 파동이 발생한 시기는 1978년이다.

오답 피하기

① 3저 호황을 누린 시기는 1980년대 중후반이다.
③ 경부 고속 도로가 개통된 시기는 1970년이다.
④ 삼백 산업이 발달한 시기는 1950년대 이승만 정부 시기이다.
⑤ 경제 협력 개발 기구에 가입한 시기는 1996년이다.

03 광주 대단지 사건

1960년대 말부터 서울시가 판자촌을 정리하면서 경기도 광주에 철거민들을 입주만 시켜 놓고 방치하자, 1971년 8월 10일 광주 대단지 주민 5만여 명이 대규모 시위를 벌인 사건이다.

오답 피하기

① 1987년 6월 항쟁 직후에 발생한 노동 운동에 대한 설명이다.
③ 1970년 전태일의 노동 운동에 대한 설명이다.
④ 전두환 정부 시기의 노동 운동에 대한 설명이다.
⑤ 새마을 운동에 대한 설명이다.

04 1980년대 경제 상황

1980년대 중후반 한국 경제는 저달러·저유가·저금리의 3저 호황을 맞이하였다. 경제 활동에 유리한 환경이 조성되자 반도체·자동차·철강 등 중화학 부문을 중심으로 경제가 크게 성장하였다.

오답 피하기

① 포항 제철소 준공은 1973년의 일이다.
② 제1차 석유 파동이 일어난 시기는 1973~1974년이다.
④ 칠레와의 자유 무역 협정이 체결된 해는 2004년이다.
⑤ 경공업 중심의 경제 개발이 추진된 시기는 주로 1960년대이다.

05 포항 제철소 준공 당시의 경제 모습

포항 제철소는 중화학 공업화가 본격적으로 전개된 1973년에 준공되었다. 박정희 정부 시기 한국의 베트남 파병에 대한 보상 조치로 미국은 군사·경제 원조를 추진하였다. 이를 통해 한국 경제는 베트남 전쟁 특수를 누리게 되었고, 이러한 특수는 경부 고속 도로 건설, 포항 제철소 준공에도 큰 영향을 주었다. 따라서 포항 제철소 준공 시기는 베트남 전쟁 참전에 다른 특수를 누린 시기이다.

오답 피하기

① 개성 공업 단지의 조성은 노무현 정부 시기의 일이다.
② 경공업 중심의 경제 정책 추진은 1960년대의 일이다.
④ 농축산물 시장 개방 반대 운동은 1990년대 이후의 일이다.
⑤ 세계 무역 기구(WTO)가 출범한 해는 1995년이다.

06 전태일 분신 사건과 1970년대 경제 상황

1970년 전태일 분신 사건을 계기로 노동 조건에 대한 사회적 관심이 높아졌다. 이 시기에 한국의 중화학 공업화가 본격적으로 추진되었고, 1977년 한국 경제는 연간 수출액 100억 달러를 달성하였다.

오답 피하기

① 농지 개혁법 제정 시기는 1949년 이승만 정부 시기이다.
② 한·일 국교 정상화 시기는 1965년이다.
③ 한·미 상호 방위 조약은 1953년에 체결되었다.
⑤ 제1차 경제 개발 5개년 계획의 추진 기간은 1962~1966년이다.

07 한국 경제를 둘러싼 대외적 상황

미국은 동아시아 지역의 중요한 반공 기지이자 동맹국인 한국의 경제 개발 계획을 적극적으로 지원하였다. 또한 한국의 베트남 파병에 대한 보상 조치로 군사·경제 원조를 추진하였다.

채점 기준	
상	선진 자본주의 국가의 경제 지원 내용을 구체적으로 서술함.
중	선진 자본주의 국가의 경제 지원 내용을 대략적으로 서술함.
하	자본주의 진영의 지원과 관련 없는 내용을 서술함.

08 노동자 대투쟁

제시된 자료는 노동자 대투쟁에 관한 설명이다. 노동자 대투쟁은 1987년 6월 민주 항쟁 직후 민주화의 열기에 힘입어 전개되었다. 비교적 규모 있는 기업들에서 노동조합이 결성되었고, 노동자들은 정치·사회 문제에 목소리를 내기 시작하였다.

채점 기준	
상	1987년, 6월 민주 항쟁 등 구체적 용어를 사용하여 서술함.
중	피상적 용어를 사용하여 서술함.
하	관련 없는 내용을 서술함.

6 6월 민주 항쟁과 민주주의의 발전

간단 체크

237쪽 대통령 직선제　239쪽 기본권

개념 익히기 240쪽

01 (1) × (2) × (3) ○　02 (1) 4·13 호헌 조치 (2) 지방 자치제 (3) 제주 4·3 사건　03 a-ㄷ, b-ㄱ, c-ㄴ　04 ㄴ, ㄹ

내신 유형 익히기 240~242쪽

01 ①　02 ⑤　03 ①　04 ⑤　05 ⑤　06 ①　07 ②　08 ②　09 ①　10 ①　11 ④　12 ⑤　13 특별법 제정으로 5·18 민주화 운동 관련자에 대한 처벌이 가능해졌다. 전직 대통령인 전두환과 노태우가 반란 및 내란죄로 구속되었다. 거창 사건 희생자에 대한 명예 회복에 관한 특별 조치법이 제정되었다.　14 (1) 6월 민주 항쟁 (2) 경제 정의 실천 시민 연합은 정경 유착, 불공정한 노사 관계, 부와 소득의 불공정한 분배 등을 몰아내기 위한 활동을 전개하였다. 환경 운동 연합, 녹색 연합 등의 환경 단체들은 대기 오염 방지, 새만금 갯벌 살리기와 같은 환경 운동을 전개하였다.

01 전두환 정부 시기의 상황

전두환 정부는 대통령 임기 7년 단임제와 대통령 선거인단에 의한 간선제를 특징으로 한 헌법 개정을 하였다. 또한 이른바 '보도 지침'을 내려 언론의 보도 방향을 통제하고 민주화 운동을 비롯한 각종 사회 운동을 탄압하는 강압 정치를 펼쳤으며, 이 과정에서 대학생 박종철이 고문으로 사망하였다. 전두환 정부는 학원 자율화, 야간 통행 금지 해제 등과 같은 유화 정책을 펼쳤으나 각종 권력형 부정과 비리 사건으로 국민의 불신과 불만은 높아져 갔다.

오답 피하기

① 유신 헌법은 박정희 정부 시기인 1972년에 제정되었다.

02 6월 민주 항쟁의 의미

제시된 자료는 6월 민주 항쟁의 도화선 중 하나인 박종철 국민 추도회 사진이다. 1987년에 일어난 6월 민주 항쟁은 장기간에 걸쳐 전국적으로 전개된 대규모 시위로 수백 만 명의 시민이 참여함으로써 대통령 직선제 개헌 등을 이루게 하였다.

오답 피하기

① 박정희 정부 시기인 1960년대 말 3선 개헌 반대 운동에 대한 설명이다.
② 5·18 민주화 운동(1980)에 대한 설명이다.
③ 6·3 시위(1964)를 비롯한 한·일 국교 정상화 반대 운동에 대한 설명이다.
④ 4·19 혁명(1960)에 대한 설명이다.

03 6월 민주 항쟁의 배경

전두환 정부는 박종철 고문 치사 사건을 은폐한 상황에서 기존 헌법을 유지한 채 선거를 치르겠다는 4·13 호헌 조치를 발표하였다. 이후 호헌 철폐를 요구하는 시위가 이어졌고, 대학생 이한열이 경찰의 최루탄에 맞아 쓰러졌다. 이러한 일련의 과정은 6월 민주 항쟁이 전국적으로 확산되는 배경이 되었다.

오답 피하기

② 1987년 6월 민주 항쟁 이전에 선출된 민간인 출신의 대통령은 이승만, 윤보선, 최규하였다.
③ 6월 민주 항쟁 이후인 1988~1989년에 열렸다.
④ 1987년 노동자 대투쟁은 6월 민주 항쟁을 계기로 발생하였다.
⑤ 1988년 4월에 치러진 제13대 국회 의원 선거에서 비롯하였다.

04 6·29 민주화 선언의 내용

전두환 정부는 국민의 민주화 요구에 굴복하여 여당 대통령 후보인 노태우를 통해 6·29 민주화 선언을 발표하였다. 6·29 민주화 선언의 주요 내용은 대통령 직선제 개헌과 평화적 정권이양, 인권 침해 사례의 즉각적 시정, 언론 자율성 최대한 보장, 지방 자치 및 교육 자치 시행 등이다.

오답 피하기

⑤ 통일 주체 국민 회의는 1972년에 제정된 유신 헌법으로 설치되었다.

05 6월 민주 항쟁의 전개 과정

(가)는 1987년 6월 민주 항쟁의 본격적인 시작점이라고 할 수 있는 6·10 국민 대회 선언문으로 6월 10일에 발표되었다. (나)는 6월 민주 항쟁의 결과 발표된 6·29 민주화 선언이다. 6월 민주 항쟁은 장기간에 걸쳐 전국적인 대규모 시위로 전개되었으며, 6월 26일 평화 대행진은 100만여 명이 참여할 정도로 절정을 이루었다.

오답 피하기

① 3·1 민주 구국 선언은 유신 체제하인 1976년에 발표되었다.
② 1980년 5·18 민주화 운동 당시의 일이다.
③ 1960년 4·19 혁명 과정에서 발생하였다.
④ 1960년 3·15 부정 선거 직후의 일이다.

06 6월 민주 항쟁의 특징

6월 민주 항쟁은 장기간, 전국적, 대규모로 전개되었다는 점에서 다른 민주화 운동과 큰 차이가 있다. 또한 그동안 정치적 의사 표현에 소극적이었던 사무직 노동자와 중산층이 적극적으로 참여하였다는 점, 통제와 감시의 대상이었던 문화, 학문, 언론의 자유에 큰 영향을 주었다는 점도 특징이다.

오답 피하기

① 대통령의 하야를 이끌어낸 것은 4·19 혁명이다.

07 박종철 고문 치사 사건 이후의 상황

박종철 고문 치사 사건은 1987년 1월 14일에 발생하였다. 당시 전두환 정부는 언론을 통제하는 등의 방법을 통해 박종철 고문 치사 사건을 은폐하였다. 사건 발생 3개월 뒤인 4월 13일, 전두환 정부는 선거인단에 의한 대통령 간선제를 핵심으로 하는 기존 헌법을 유지한 채 대통령 선거를 치르겠다는 4·13 호헌 조치를 발표하였고, 이것은 6월 민주 항쟁의 기폭제가 되었다.

오답 피하기

① 이승만 정부 때인 1949년이다.

③ 5·18 민주화 운동 직후인 1980년 5월 31일이다.

④ 박정희 정부 시기인 1962년부터 추진되었다.

⑤ 4·19 혁명으로 이승만 정부가 무너진 직후 이루어졌다.

08 6월 민주 항쟁 당시의 구호

'6·10 국민 대회'라는 단서를 통해 볼 때, 제시된 자료에서 (가) 민주화 운동은 1987년 6월 민주 항쟁임을 알 수 있다. 6월 민주 항쟁 당시 시민들이 가장 많이 외쳤던 구호 중 하나는 '호헌 철폐, 독재 타도'였다.

오답 피하기

① 4·19 혁명(1960)에 대한 설명이다.

③ 부·마 민주화 운동(1979)에 대한 설명이다.

④, ⑤ 5·18 민주화 운동(1980)에 대한 설명이다.

09 노태우 정부 시기의 정치 상황

5년 단임의 직선제로 치러진 제13대 대통령 선거에서 야당의 분열로 여당 후보였던 노태우가 당선되었다. 그러나 이듬해 국회의원 선거에서는 헌정 사상 처음으로 야당이 국회 의석의 과반수를 차지하는 여소야대 정국이 형성되었다. 이로 인해 5·18 민주화 운동의 진상을 규명하고 전두환 정부의 비리를 조사하기 위한 청문회가 열렸다.

오답 피하기

② 부·마 민주화 운동은 박정희 정부 시기의 사실이다.

③ 세계 G20 정상 회의 개최는 이명박 정부 시기의 사실이다.

④ 민주 헌법 쟁취 국민운동 본부는 전두환 정부 시기에 출범하였다.

⑤ 대통령이 탄핵된 것은 박근혜 정부 시기의 일이다.

10 김영삼 정부 시기의 정치 상황

1993년에 출범한 김영삼 정부는 고위 공직자 재산 등록, 금융실명제 등을 실시하여 부정부패 척결에 노력하였다. 또한 '역사 바로 세우기'를 내세워 전두환, 노태우를 반란 및 내란죄로 구속하고, 지방 자치제를 전면 시행하였다.

오답 피하기

① 농지 개혁법은 이승만 정부 시기인 1949년에 제정되었다.

11 김대중 정부의 정책

제시된 자료는 '외환 위기의 충격', '여야 간 평화적 정권 교체' 등의 단서를 통해 김대중 대통령의 취임사임을 알 수 있다. 김대중 정부는 여성부를 신설하여 성차별 극복을 추진하였으며, 국가 인권 위원회를 설치하여 국민의 인권을 보호하고자 하였다. 또한 인사 청문회법을 제정하여 고위 공직자의 능력과 도덕성을 공개적으로 검증하였다.

오답 피하기

①, ②, ③, ⑤ 모두 전두환 정부 시기의 사실이다.

12 노무현 정부의 과거사 청산

참여 민주주의, 권위주의 청산, 정경 유착의 단절을 강조하였던 노무현 정부는 시민이 재판에 참여할 수 있도록 국민 참여 재판 제도를 시행하였으며, 과거사 진상 규명법을 제정하여 이전 정부에서 진행한 과거사 청산을 본격화함과 동시에 왜곡된 진상을 규명해 역사적 진실을 밝히고자 하였다.

오답 피하기

① 긴급 조치는 박정희 정부 시기의 일이다.

② 기초 연금법은 박근혜 정부 시기에 시행되었다.

③, ④ 전두환 정부 시기의 일이다.

13 김영삼 정부의 '역사 바로 세우기'

'32년 만에 민간인 출신의 대통령'이라는 단서를 통해 볼 때, 제시된 자료에서 '이 정부'는 김영삼 정부임을 알 수 있다. 김영삼 정부는 여러 가지 개혁 정책을 폈지만, 임기 말 외환 위기를 맞이하기도 하였다.

채점 기준	
상	구체적인 사례를 두 가지 제시하여 서술한 경우
중	구체적인 사례를 한 가지 제시하여 서술한 경우
하	구체적인 사례를 제시하지 못한 경우

14 6월 민주 항쟁과 시민 운동

6월 민주 항쟁 이후 높아진 시민 의식은 이후 우리 사회 민주화의 진전에 큰 디딤돌이 되었다. 시민운동 단체는 합법적이고 평화적인 방법으로 경제 정의, 환경, 여성, 사회적 약자 등 다양한 영역에서 공정한 사회 질서를 확립하고 인간다운 삶을 보장하기 위해 힘쓰고 있다. 또한 정부 정책이나 사회 문제를 비판하고 대안을 제시하면서 그 영향력을 확대하고 있다.

채점 기준	
상	시민 단체 사례를 두 가지 제시하고 활동을 서술한 경우
중	시민 단체 사례를 한 가지 제시하고 활동을 서술한 경우
하	시민 단체 사례를 제시하지 못한 경우

7 외환 위기와 사회·경제적 변화

간단 체크

245쪽 세계화　247쪽 외환 위기

개념 익히기 248쪽

01 (1) ○ (2) ○ (3) × 02 (1) 경제 협력 개발 기구(OECD) (2) 국제 통화 기금(IMF) (3) 문화의 다양성 03 a-ㄴ, b-ㄱ, c-ㄷ 04 ㄱ, ㄴ, ㄹ

내신 유형 익히기 248~249쪽

01 ② 02 ② 03 ① 04 ③ 05 ② 06 ⑤ 07 1990년대 이후 세계화와 시장 개방으로 외국인 이주자가 증가하였다. 취업, 결혼, 유학, 사업 등의 이유로 외국인 수가 급증하였다. 08 (1) 금 모으기 운동 (2) 금 모으기 운동은 외환 위기가 발생하여 이를 극복하기 위해 국민들이 자발적으로 참여하였다.

01 외환 위기의 원인

김영삼 정부가 신자유주의 정책을 추진하면서 일부 대기업은 무리하게 사업을 확장하였고, 이로 인한 연쇄 부도, 무역 적자가 이어졌다. 이러한 상황은 주가 폭락, 원화 가치 하락으로 연결되면서 국가 신용도를 떨어뜨렸고 외환 위기를 불러왔다.

오답 피하기

② 제1차 석유 파동은 1973~1974년에 석유 가격 급등으로 일어났다.

02 외환 위기의 극복 상황

외환 위기를 극복하기 위해 김대중 정부는 강도 높은 구조 조정을 실시하고 외국 자본 유치에 힘썼다. 이와 함께 공기업 민영화와 경영 혁신, 정리 해고제와 근로자 파견제를 도입하였으며, 고용 보험 확대와 근로시간 단축 등의 노력을 전개하였다.

오답 피하기

ㄴ. 1996년 김영삼 정부의 신자유주의 정책과 관련된다.

ㄹ. 미국에서 농산물을 무상 지원받은 시기는 주로 1950년대이다.

03 신자유주의의 개념

신자유주의는 국가 권력의 시장 개입을 비판하고 시장의 기능과 민간의 자유로운 활동을 중시하는 이론이다. 1970년대부터 수정 자본주의의 실패를 지적하고 경제적 자유 방임주의를 주장하면서 본격적으로 대두되었다.

오답 피하기

② 사회주의에 대한 설명이고, ③ 전체주의에 대한 설명이다.

④ 수정 자본주의에 대한 설명이고, ⑤ 민족 자결주의에 대한 설명이다.

04 외환 위기의 극복 과정

1997년 말 발생한 외환 위기는 사회적으로 많은 변화를 가져왔다. 김대중 정부는 대기업과 금융 기관들을 대상으로 강도 높은 구조 조정을 추진하고, 국민 기초 생활 보장법을 시행하여 생활이 어려운 국민을 경제적으로 지원하였다.

오답 피하기

① 새마을 운동은 1970년부터 시작되었다.

② 경부 고속 도로가 개통된 해는 1970년이다.

④ 삼백 산업이 발달한 것은 주로 이승만 정부 시기인 1950년대이다.

⑤ 제3차 경제 개발 계획은 1972~1976년에 추진되었다.

05 김영삼 정부의 세계화 정책

(가)에 나타난 시기는 세계 무역 기구가 출범한 1995년이고, (나)의 시기는 국민 기초 생활 보장법을 제정한 1999년이다. 김영삼 정부는 세계 무역 기구의 출범 다음 해인 1996년에 경제 협력 개발 기구(OECD)에 가입하였다.

오답 피하기

① 건설업체의 중동 진출이 본격화된 것은 1960~70년대이다.

③ 칠레와 자유 무역 협정을 체결한 해는 2004년이다.

④ 서독에 광부와 간호사를 파견한 것은 1960~70년대의 일이다.

⑤ 개성 공단이 준공된 해는 2007년이다.

06 외환 위기 이후 사회 양극화 사례

외환 위기 이후 많은 기업이 채용을 줄이면서 비정규직 위주로 필요한 인원을 보충하였다. 한편 외한 위기로 경제 사정이 어려워진 사람들이 집이나 땅을 헐값에 팔면서 부동산 가격이 폭락하였고, 이로 인해 토지 및 주택 소유의 격차가 심화되었다. 이러한 경제 불평등은 사회, 문화, 교육 등 대부분의 분야에서 나타났다. 대기업이 소상공업 분야까지 영역을 확대하여 소상공인을 위협하고 있으며, 대기업과 중소 기업의 노동자 사이에서도 소득, 노동 조건 등에서 차이가 벌어지고 있다.

오답 피하기

⑤ 1950년대 6·25 전쟁의 전후 복구 과정에서 나타났다.

07 다문화 사회로의 변화 배경

교통 수단과 정보 통신 기술이 발달하면서 세계화는 서로 다른 문화권에 속한 사람들 간의 이동과 연결을 가속하였다. 이러한 배경 속에서 우리나라도 외국인 근로자 국제 결혼 이주민, 북한 이탈 주민 등이 증가하면서 빠르게 다문화 사회로 접어들고 있다.

채점 기준	
상	다문화 사회로의 변화 배경을 두 가지 서술한 경우
중	다문화 사회로의 변화 배경을 한 가지 서술한 경우
하	다문화 사회로의 변화 배경이 사실과 어긋난 경우

08 금 모으기 운동과 외환 위기

제시된 자료는 1997년 말에 발생한 외환 위기 당시 시민 사회와 언론을 중심으로 전개한 금 모으기 운동에 관한 것이다.

채점 기준	
상	금 모으기 운동과 외환 위기를 연관 지어 설명한 경우
중	금 모으기 운동과 외환 위기를 직접 언급하지 못한 경우
하	금 모으기 운동 명칭은 썼으나 사실 관계가 어긋난 경우

8 남북 화해와 동아시아 평화를 위한 노력

간단 체크

251쪽 사회주의 헌법 253쪽 10·4 남북 공동 선언 255쪽 댜오위다오 및 부속 도서

개념 익히기  248쪽

01 (1) × (2) ○ (3) × 02 (1) 합영법 (2) 남북 기본 합의서 (3) 동북공정 03 a-ㄴ, b-ㄱ, c-ㄷ 04 ㄴ, ㄷ

내신 유형 익히기  256~258쪽

01 ② 02 ④ 03 ② 04 ④ 05 ① 06 ④ 07 ⑤ 08 ① 09 ① 10 ③ 11 ③ 12 ① 13 남북 기본 합의서를 채택하였다. 남북한이 국제 연합에 동시 가입하였다. 한반도 비핵화 공동 선언에 합의하였다. 14 (1) 김대중 (2) 처음으로 남북 정상 회담을 개최하였다. 6·15 남북 공동 선언을 발표하였다. 금강산 관광을 시작하였다. 개성 공단 조성에 합의하였다. 경의선 복원 공사를 시작하였다.

01 7·4 남북 공동 성명

1970년대 초반, 냉전이 완화되면서 남북 관계에도 변화가 나타났다. 그 결과 서울과 평양에서 7·4 남북 공동 성명을 발표하였는데, 이는 분단 이후 남북이 처음으로 통일과 관련하여 발표한 공동 성명이다. 7·4 남북 공동 성명을 통해 남북은 자주·평화·민족 대단결의 통일 3대 원칙을 공식화하였고, 남북 조절 위원회를 설치하여 통일 방안을 논의하였다. 그러나 남북한 모두 통일을 추진한다는 명분 아래 각각 「유신 헌법」과 「사회주의 헌법」을 제정하여 7·4 남북 공동 성명을 독재 체제 강화에 활용하였다는 비판을 받았다.

오답 피하기

② 남북 정상 회담의 결과로 발표된 것으로 6·15 남북 공동 선언(2000), 10·4 남북 공동 선언(2007), 판문점 선언(2018) 등이 있다.

02 노태우 정부 시기의 남북 관계

제시된 자료는 노태우 정부 시기인 1991년에 채택된 남북 기본 합의서이다. '제1조 남과 북은 서로 상대방의 체제를 인정하고 존중한다.'를 통해 이 문서가 남북 기본 합의서임을 알 수 있다. 냉전 체제가 해체되던 당시 남북한은 국제 연합에 동시 가입하였고, 남북 기본 합의서를 채택하여 상호 교류 협력을 통해 단계적으로 평화 통일을 위해 노력할 것을 다짐하였다.

오답 피하기

① 금강산 관광이 시작된 것은 김대중 정부 시기이다.
② 개성 공단 건설이 실현된 것은 노무현 정부 시기이다.
③ 천안함 피격 사건이 일어난 것은 이명박 정부 시기이다.
⑤ 남북 이산가족 상봉이 처음으로 이루어진 것은 전두환 정부 시기이다.

03 북한 사회주의 헌법의 성격

1972년에 제정된 북한의 「사회주의 헌법」은 북한이 자주적인 사회주의 국가임을 강조하면서 '수령'인 김일성을 절대시하는 주체사상을 사회 이념으로 공식화하였다.

오답 피하기

① 조소앙이 기초한 것은 대한민국 건국 강령(1941)이다.
③ 통일 주체 국민 회의의 설치를 규정한 것은 유신 헌법(1972)이다.
④ 국회에서 제헌 헌법을 제정하였다.
⑤ 대한민국의 제헌 헌법에 담겨 있다.

04 노태우 정부의 북방 외교

남북 기본 합의서를 채택한 정부는 노태우 정부이다. 노태우 정부는 냉전 체제가 해체되는 상황에서 소련을 비롯한 사회주의 국가들과 교류를 본격화하였다. 이것을 북방 외교라고 한다.

오답 피하기

①, ③ 박정희 정부 시기이다.
② 김대중 정부 시기인 2002년이다.
⑤ 진보당 사건은 이승만 정부 시기인 1950년대이다.

05 박정희 정부 시기의 통일 정책

제시된 자료는 박정희 정부 시기인 1972년에 발표된 7·4 남북 공동 성명이다. 1969년 닉슨 독트린 발표 이후 냉전이 완화되고 국제적으로도 평화와 공존의 분위기가 고조되자 남과 북의 관계도 개선되었다. 이에 1971년 이산가족 상봉을 위한 남북 적십자 회담을 시작으로 대화의 통로를 연 남과 북은 1972년 통일 원칙을 담은 7·4 남북 공동 성명을 발표하였다.

오답 피하기

ㄷ. 남북한이 유엔에 동시 가입 직후 발표한 것은 「남북 기본 합의서」이다.

ㄹ. 7·4 남북 공동 성명은 남북의 특사들이 비밀리에 오고 간 결과 서울과 평양에서 동시에 발표되었다.

06 남북 조절 위원회가 설치된 계기

남북 조절 위원회는 박정희 정부 시기인 1972년 7·4 남북 공동 성명이 발표된 이후 남북 간의 합의 사항과 통일 문제를 협의하기 위해 1972년 11월에 설치되었다.

오답 피하기

① 김일성이 사망한 해는 1994년이다.

② 10·26 사태는 1979년 대통령 박정희가 피격되어 사망한 사건을 말한다.

③ 개성 공단 건설에 합의한 것은 김대중 정부 시기의 일이다.

⑤ 북한이 핵 확산 금지 조약에서 탈퇴한 것은 1990년대 이후의 일이다.

07 개성 공단 건설 실현 이후의 남북 관계

노무현 정부는 김대중 정부가 합의한 개성 공단 건설을 실현하였으며(2004년), 2007년 평양에서 열린 남북 정상 회담에서 10·4 남북 공동 선언을 채택하였다.

오답 피하기

①, ②, ③ 노태우 정부 시기(1988~1993)의 사실이다.

④ 1972년에 발표된 7·4 남북 공동 성명에서 합의한 내용이다.

08 6·15 남북 공동 선언

제시된 자료는 김대중 정부 시기인 2000년에 발표된 6·15 남북 공동 선언이다. 6·15 남북 공동 선언은 분단 이후 처음으로 개최된 남북 정상 회담의 결과로 발표되었다.

오답 피하기

② 북한의 주석제 신설은 1972년에 제정된 사회주의 헌법의 핵심 내용이다.

③ 1960년 대학 교수단 시국 선언문이 해당한다.

④, ⑤ 1972년 7·4 남북 공동 성명에 대한 설명이다.

09 노무현 정부 시기의 남북 관계

10·4 남북 공동 선언은 노무현 정부 시기인 2007년에 채택되었다. 노무현 정부는 개성 공단 건설을 실현하였으며, 김대중 정부에 이어 두 번째 남북 정상 회담을 개최함으로써 10·4 남북 공동 선언을 이끌어냈다.

오답 피하기

②, ④, ⑤ 미 군정기의 사실이다.

③ 노태우 정부 시기의 사실이다.

10 6·15 남북 공동 선언이 채택된 계기

6·15 남북 공동 선언은 김대중 정부 시기 통일 정책의 산물이다. 김대중 정부는 오랫동안 계속된 남북 사이의 대립을 해소하기 위해 이른바 '햇볕 정책', 즉 대북 화해·협력 정책을 추진하였다. 그 결과, 2000년 분단 이후 처음으로 남북 정상 회담이 개최되었다. 정상 회담 결과 발표된 6·15 남북 공동 선언에 따라 이산가족의 방문이 재개되고 끊어진 경의선과 동해선 철도가 연결되었다.

오답 피하기

① 정전 협정의 체결은 이승만 정부 시기인 1953년의 일이다.

② 장면 내각은 4·19 혁명으로 이승만 정부가 무너지면서 출범하였다.

④ 통일의 3대 원칙에 처음으로 합의한 것은 1972년 7·4 남북 공동 성명이다.

⑤ 판문점 남북 정상 회담 개최는 문재인 정부 시기인 2018년이다.

11 김대중, 노무현 정부의 통일 정책

(가)는 남북 기본 합의서가 채택된 1991년의 일이고, (나)는 10·4 남북 공동 선언이 채택된 2007년의 일이다.

오답 피하기

③ 남북 조절 위원회는 7·4 남북 공동 성명에 의해 설치되었다.

12 쿠릴 열도를 둘러싼 영토 갈등

쿠릴 열도는 19세기 후반 러시아와 일본의 협약에 의해 일본의 영토가 되었으나, 제2차 세계 대전 이후 승전국이 된 소련이 영유하였다. 이후 일본이 계속 반환을 요구하고 있으나, 러시아는 자국 영토임을 강조하고 있다.

오답 피하기

② 댜오위다오 및 부속 도서에 대한 설명이다.

③, ④ 강화도에 대한 설명이다.

⑤ 거문도에 대한 설명이다.

13 노태우 정부 시기의 남북 관계

제시된 자료는 노태우 정부 시기인 1990년대 초반 상황에 대한 것이다. 냉전 체제가 해체되는 상황에서 노태우 정부는 소련을 비롯한 사회주의 국가들과 교류를 본격화하였다(북방 외교). 북한도 사회주의 진영의 붕괴라는 위기 속에서 남한과의 관계 개선을 모색하였다.

채점 기준	
상	남북 관계 사례를 두 가지 이상 제시한 경우
중	남북 관계 사례를 한 가지만 제시한 경우
하	남북 관계 사례를 제시하지 못한 경우

14 김대중 정부의 통일 노력

제시된 자료는 1999년 김대중 대통령의 광복절 경축사이다. 김대중 정부는 오랫동안 계속된 남북 사이의 대립을 해소하기 위해 화해·협력 정책(햇볕 정책)을 추진하였다.

채점 기준	
상	김대중 정부의 통일 노력 사례를 두 가지 모두 제시한 경우
중	김대중 정부의 통일 노력 사례를 한 가지만 제시한 경우
하	김대중 정부의 통일 노력 사례를 제시하지 못한 경우

내신 만점 도전하기

260~263쪽

01 ⑤ 02 ② 03 ① 04 ② 05 ① 06 ② 07 ② 08 ④ 09 ① 10 ③ 11 ⑤ 12 ④ 13 ③ 14 ② 15 (1) 5·18 민주화 운동 (2) 해설 참조 16 (1) 6·15 남북 공동 선언 (2) 해설 참조

01 신탁 통치

제시한 자료는 1945년 12월 모스크바 3국 외상 회의에서 미·영·소가 한반도 문제에 대해 발표한 결정 사항이다.

오답 피하기

ㄱ. 신탁 통치 문제로 좌우 대립이 격화되면서 중도 세력의 입지가 크게 축소되었다. ㄴ. 우익 세력은 반탁 운동을 반소·반공 운동으로 발전시키며 정치적 영향력을 키워 나갔다.

02 6·25 전쟁

6·25 전쟁은 1950년 6월 25일 북한 인민군의 남침으로 시작되었다.

오답 피하기

ㄴ. 중국은 유엔군이 38도선을 돌파하고 북진을 계속하자, 위기감을 느껴 중국군을 파병하였다. 중국에서는 이를 항미원조 정책이라고 부른다. ㄹ. 정전 협상의 당사국은 유엔군을 대표한 미국, 공산군측의 북한과 중국이었다.

03 김구

제시된 자료에서 '나'는 김구이다. 김구는 남한 단독 선거는 곧 분단을 초래할 것이라며 5·10 총선거에 불참하였다.

04 6·25 전쟁 이후 국내외 정세 변화

정전 협상 당시 이승만 정부는 북진 통일을 주장하며 정전에 반대하는 한편, 북한의 재침에 대비한 강력한 군사 동맹을 요구하였다. 이에 미국은 이승만 정부에 방위 조약을 약속하였고, 정전 협정 체결 직후 1953년 10월 한·미 상호 방위 조약을 체결하였다.

05 박정희 정부의 주요 정책

박정희 정부는 5·16 군사 정변의 명분 가운데 하나였던 경제 개발을 추진하기 위해 한·일 협정, 베트남 파병 등을 추진하였다. 한·일 협정은 박정희 정부가 식민 지배에 대한 정당한 사죄와 배상을 외면하여 국민적 반발을 불러 일으켰다. 또한, 베트남 파병은 경제 개발 추진에 큰 도움이 되었지만, 수많은 국군 장병이 희생되었고 베트남에 끼친 피해도 적지 않았다.

06 헌법 개정

(가) 현행 헌법, (나) 5·18 민주화 운동 직후 개정된 제5공화국 헌법, (다) 유신 헌법이다.

오답 피하기

ㄴ. 대통령의 국회 해산권은 유신 헌법에 해당한다. ㄹ. 순서대로 배열하면 (다)-(나)-(가)의 순이다.

07 역대 대한민국 정부 성향

김영삼 정부·김대중 정부는 장기 집권, 권력의 사유화와 거리가 멀었고, 전두환 정부는 장기 집권에 해당하지 않는다. 반면, 이승만 정부와 박정희 정부는 장기 집권과 권력의 사유화로 붕괴되었다.

08 제1차 석유 파동

자료는 1973~1974년에 전개된 제1차 석유 파동에 대한 것으로, 한국의 연간 수출액 100억 달러 달성은 1977년에 이루어졌다.

오답 피하기

ㄱ. 1953년, ㄷ. 1965년이다.

09 전태일 분신 사건

자료는 박정희 정부 시기인 1970년에 발생한 전태일 분신 사건에 관한 것이다. 이 사건을 계기로 노동 조건에 대한 사회적 관심이 높아졌다.

오답 피하기

② 김대중 정부, ③과 ④ 이승만 정부, ⑤ 신군부 세력의 권력 장악에 저항한 5·18 민주화 운동 시기의 사실이다.

10 6·10 국민 대회

자료는 1987년 6월 민주 항쟁 당시 발표된 6·10 국민 대회 행동 요강이다.

오답 피하기

① 부·마 민주화 운동, ② 4·19 혁명에 관한 설명이다.
④, ⑤ 5·18 민주화 운동에 해당한다.

11 김영삼 정부

자료는 김영삼 정부 시기에 발표된 담화문이다. 김영삼 정부는 '역사 바로 세우기'를 내세워 전두환, 노태우를 구속하고 금융 실명제 등을 시행하여 부정부패 척결에 노력하였다.

오답 피하기

①과 ④ 박정희 정부, ② 전두환 정부, ③ 이승만 정부 시기의 사실이다.

12 김대중 정부

자료는 김대중 정부 시기에 제정된 국민 기초 생활 보장법이다. 김대중 정부 시기 한국은 국제 통화 기금의 지원금을 상환하여 외환 위기를 극복하였다.

오답 피하기

① 전두환 정부, ② 박정희 정부, ③ 김영삼 정부 시기인 1995년, ⑤ 노무현 정부 시기인 2004년의 상황이다.

13 김영삼 정부

자료는 1995년에 발표된 김영삼 당시 대통령의 신년사이다. 김영삼 정부는 1996년에 경제 협력 개발 기구에 가입하는 등 신자유주의 정책을 본격화하였다.

오답 피하기

①, ②, ④는 박정희 정부, ⑤는 노태우 정부 시기의 사실이다.

14 7·4 남북 공동 성명

자료는 남북이 처음으로 통일과 관련하여 발표한 7·4 남북 공동 성명(1972)이다.

오답 피하기

ㄴ. 이승만 정부 시기인 1953년의 사실이다. ㄹ. 닉슨 독트린 발표는 7·4 남북 공동 성명에 영향을 주었다.

15 5·18 민주화 운동

모범답안 | (2) 1980년 5월 18일 광주에서 5·18 민주화 운동이 시작되었다. 계엄군은 민주화를 요구하는 시민들에게 무자비한 폭력을 자행하였으며, 심지어 민간인에게 집단 발포하여 수많은 사상자를 발생시켰다. 이에 광주 시민들은 자신과 가족, 공동체를 지키기 위해 스스로 무장을 하였으며, 이는 정당한 자기 방어 행위였던 것이다.

채점 기준	
상	5·18 민주화 운동을 명시하고, 정당 방위라는 관점에서 시민들이 무장한 이유를 명확하게 언급한 경우
중	5·18 민주화 운동을 명시하고, 정당 방위라는 관점에서 시민들이 무장한 이유를 언급하였으나, 일부 부적절한 내용이 포함되어 있을 경우
하	5·18 민주화 운동은 명시하였으나, 정당 방위라는 관점을 언급하지 못한 경우

16 6월 민주 항쟁

모범답안 | (2) 대통령 선거인단에 의한 간접 선거에서 5년 단임의 대통령 직선제로 변화되었다.

채점 기준	
상	대통령 간접 선거, 5년 단임, 대통령 직선제 등 3개의 핵심 단어가 모두 포함되어 서술된 경우
중	대통령 간접 선거, 5년 단임, 대통령 직선제 중 두 개의 단어가 포함되어 서술된 경우
하	대통령 간접 선거, 5년 단임, 대통령 직선제 중 한 개의 단어가 포함되어 서술된 경우

고등학교 **한국사**

자습서

정답 및 해설